文史哲學集成

唐玲玲・周偉民著

蘇軾思想研究

文史哲出版社印行

國立中央圖書館出版品預行編目資料

蘇軾思想研究 / 唐玲玲,周偉民著. -- 初版. --
臺北市 : 文史哲, 民85
面 ; 公分. --(文史哲學集成 ; 357)
參考書目:面
ISBN 957-547-998-X(平裝)

1.（宋）蘇軾 - 學術思想 - 哲學 2.（宋）蘇軾 - 學術思想 - 文學

125.16 85001196

357 文史哲學集成

蘇軾思想研究

著者：唐玲玲．周偉民
出版者：文史哲出版社
登記證字號：行政院新聞局局版臺業字五三三七號
發行人：彭正雄
發行所：文史哲出版社
台北市羅斯福路一段七十二巷四號
郵撥〇五一二八八一二彭正雄帳戶
電話：三五一一〇二八
印刷者：文史哲出版社

實價新台幣七〇〇元

中華民國八十五年二月初版

ISBN 957-547-998-x

蘇軾思想研究

目　錄

蘇文忠公眞像（王文誥摹刻）

東坡像（谷文晁）

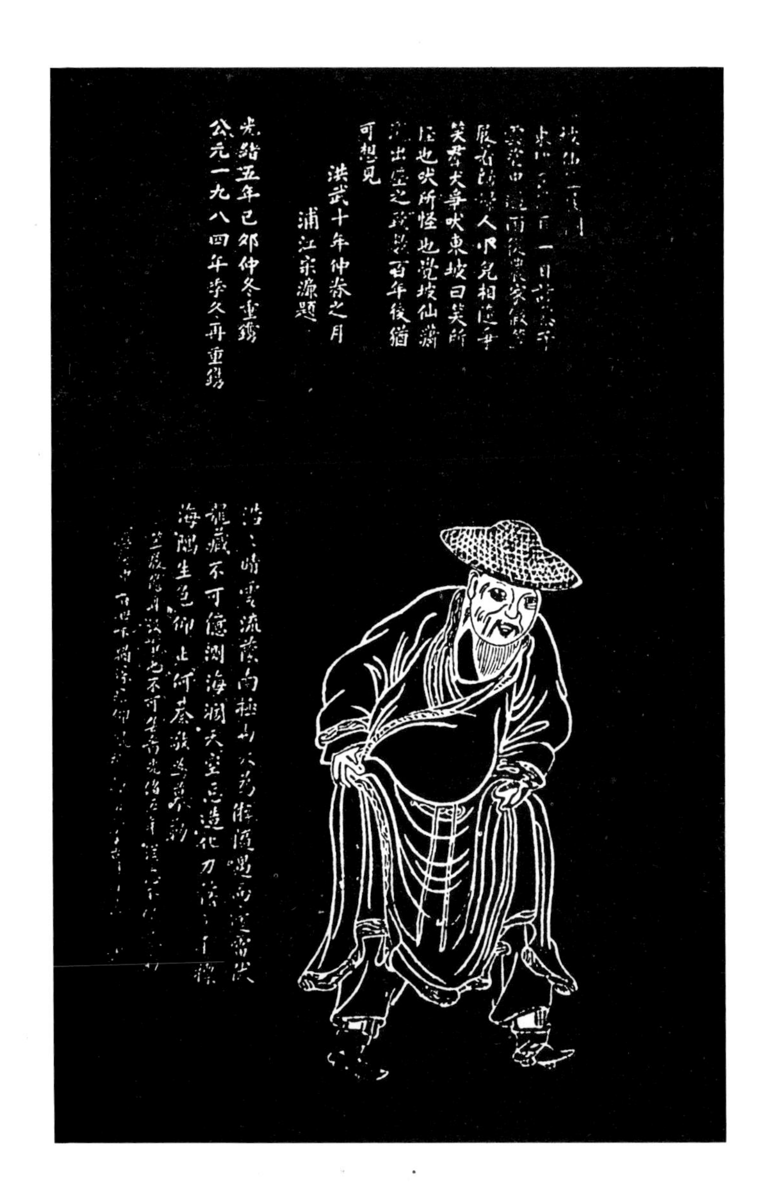

儋州東坡書院坡仙笠屐圖

眉州三蘇祠東坡塑像

四川眉州　三蘇祠

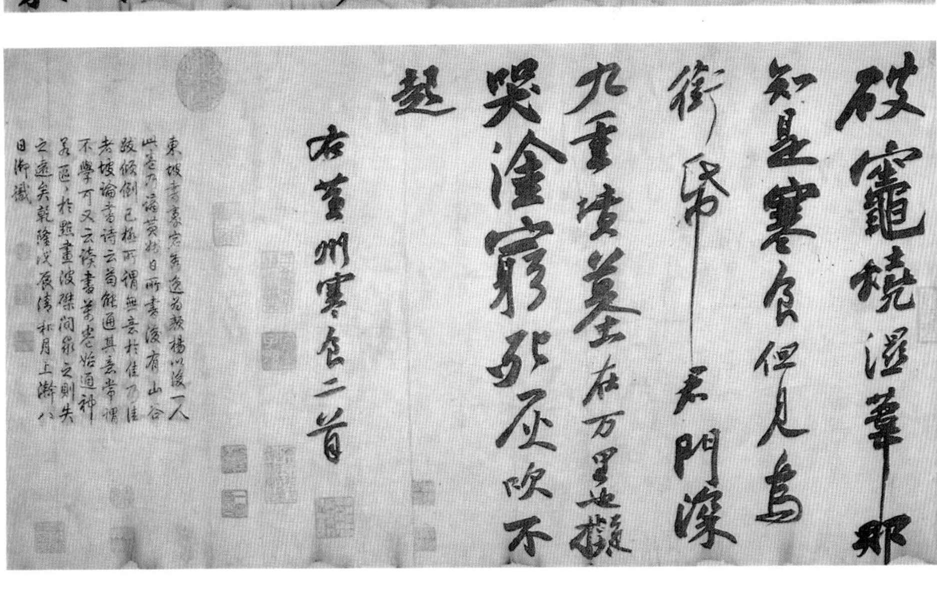

蘇軾黃州寒食詩

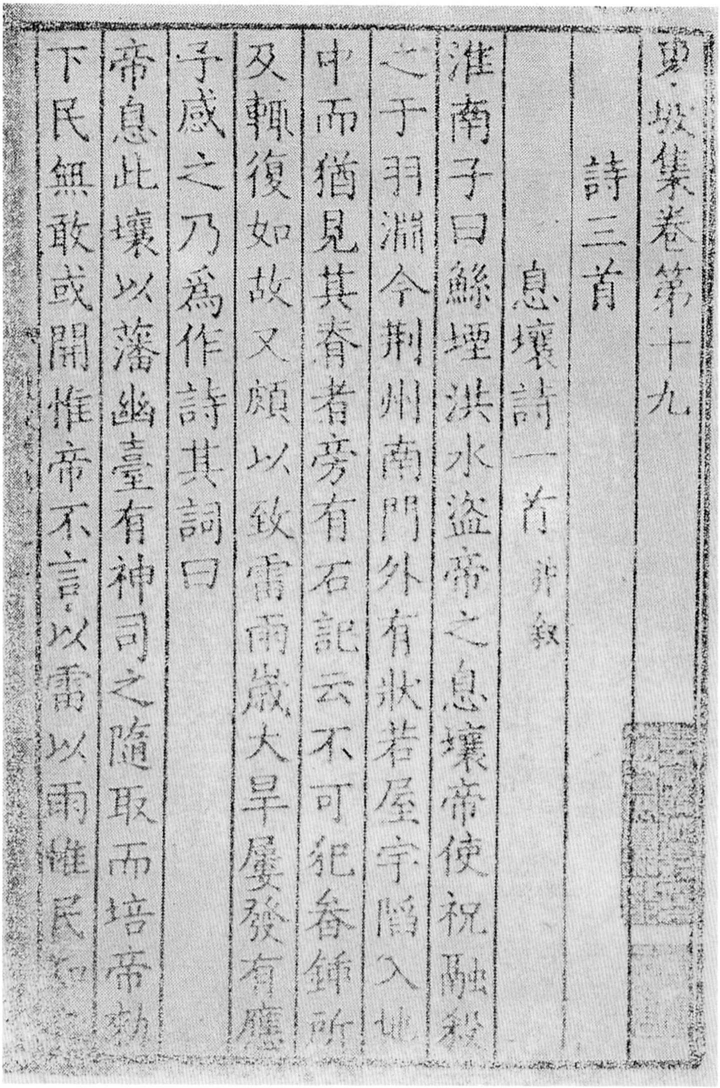

東坡集卷第十九

詩三首

息壤詩一首 并敘

淮南子曰鯀堙洪水盜帝之息壤帝使祝融殺之于羽淵今荊州南門外有狀若屋宇陷入地中而猶見其脊者旁有石記云不可犯畚鍤所及輒復如故又頗以致雷雨歲大旱屢發有應予感之乃爲作詩其詞曰

帝息此壤以藩幽臺有神司之隨取而培帝勅下民無敢或開惟帝不言以雷以雨惟民知

宋刊《東坡集》書影

御製文忠蘇軾文集贊 并序

成一代之文章必能立天下之大節立天下之大節非其氣足以高天下者未之能焉孔子曰臨大節而不可奪君子人歟孟子曰我善養吾浩然之氣以直養而無害則塞乎天地之間蓋存之於身謂之氣見之於事謂之節節也氣也合而言之道也以是成文剛而無餒故能參天地之化關

宋刊《東坡集》卷首

陳明卿太史評

蘇東坡全集

潛確居藏版

如翻刻必治　本衙藏版

宋贈蘇文忠公太師

勑命

朕承絕學於百聖之後探微言於六籍之中將興起於斯文爰緬懷於故老雖儀刑之莫覿尚簡策之可求揭爲儒者之宗用錫帝師之寵故禮部尚書端明殿學士贈資政殿學士謚文忠蘇軾養其氣以剛大

東坡全集　勑　一

日本汲古書院印宋刻本（紹興三十二年）書影

尊所聞而高明博觀載籍
之傳幾海涵而地負遠追
正始之作始玉振而金聲
知言自況於孟軻論事肎
卑於陸贄方嘉祐全盛嘗

膺特起之招至熙寧紛更
乃陳長治之策歎異人之
間出驚讒口之中傷放浪
嶺海而如在朝廷斟酌古
今而若斡造化不可敓者

嶢然之節莫之致者自然
之名經綸不究於生前議
論常公於身後人傳元祐
之學家有眉山之書朕三
復遺編久欽高躅王佐之

才可大用恨不同時君子
之道闇而彰是以論世議
九原之可作庶千載以聞
風惟而英爽之靈服我衮
衣之命可特贈太師餘如

故

紹興三十二年二月　日

宋史蘇文忠公傳

元史臣脫脫撰

蘇軾字子瞻眉州眉山人生十年父洵游學四方母程氏親授以書聞古今成敗輒能語其要程氏讀東漢范滂傳慨然太息軾請曰軾若爲滂母許之否乎程氏曰汝能爲滂吾顧不能爲滂母邪比冠博通經史屬文日數千言好賈誼陸贄書旣而讀莊子歎曰吾昔有見口未能言今見是書得吾心矣嘉祐二年試禮部方時文磔裂詭異之弊勝主司歐陽脩思有以救之得軾刑賞忠厚論驚喜欲擢冠多士猶疑其

客曾鞏所爲但寘第二復以春秋對義居第一殿試中乙科後以書見脩脩語梅聖俞曰吾當避此人出一頭地聞者始譁不厭久乃信服丁母憂五年調福昌主簿歐陽脩以才識兼茂薦之秘閣試六論舊不起草以故文多不工軾始具草文義粲然復對制策入三等自宋初以來制策入三等惟吳育與軾而已除大理評事簽書鳳翔府判官關中自元昊叛民貧役重岐下歲輸南山木栰自渭入河經砥柱之險衙吏踵破家軾訪其利害爲脩衙規使自擇水工以栰進止自是害減半治平二年入判登聞鼓院英宗自

蘇軾思想研究

引　言

蘇軾是中國歷史上一位傑出的人物，更可貴的是，他又是一位被人們所喜愛的人物。

蘇軾的歷史地位，曾經有過幾次大起大落，褒貶懸殊。但他的精神和人格境界，流傳及影響不絕。在巴山蜀水之間，在浩浩長江的赤磯磯旁，在天涯海角的儋耳；在學術講壇上，在山野黎民的豆棚瓜地。諸色人等，說起蘇軾，都感到親切，似乎他是自己的老朋友一般。試看，嶺南人說起蘇軾，不禁歡笑，「日啖荔枝三百顆，不辭長作嶺南人」詩句脫口而出；楚地人說起蘇軾，立刻引吭高誦「大江東去，浪淘盡千古風流人物」；蜀人說起蘇軾，無人不以老鄉而引爲自豪。這是因爲，中國的傳統文化，凝結在蘇軾身上，積澱爲一種鮮明的民族精神、人格境界和藝術情調，人們尊崇蘇軾，敬仰蘇軾，爲中國文化史上出現蘇軾而自豪。

蘇軾不像孔子那樣，是高高在上的萬世師表，而是像處在你身旁的循循善誘的老師。在你處於順境、事業成功的時候，你會信心滿懷地去追尋蘇軾思想的精華，體認它的多維格局；在你身處逆境、命運舛蹇的時候，你的心靈深處，不期然地與「赤壁賦」中的宇宙探索產生共鳴。蘇軾的精神，無聲地超越了時代、地域，甚至越跨了國境，熠熠發光。

蘇軾是一位普普通通的知識分子。他一生的坎坷遭遇，他的友情、親情、愛情，他的深湛的學力，曠遠的的天性，坦蕩的胸襟，對宇宙人生的深沉的思考，他的優點和弱點，都與我們如此貼近，似乎是息息相通；他以一個普通人的風韻，極其洒脫，風雅瀟洒地生活在人們中間；他像是朋友，在清風徐來的晚上，與你促膝談心；像是忘年交，肝膽相照，向你訴說內心的不平，共同探討對宇宙人生的思考。讀蘇軾的作品，都會嘆服這是一位包羅萬象、精湛無比的曠世天才，一位靈魂的探險家。文學史上譽他爲一代文宗、一代詞宗、一代詩豪，並不過份。

我們說，蘇軾是中國文學史上的文藝泰斗，但蘇軾給中國人民留下來的文化財富，不局限於文藝！蘇軾思想是一種多維的格局，其中核心的內容，是時代的憂患意識和對社會現實的批判精神。在他身上，固然體現了中國知識分子的智慧，但更爲突出的，是他的社會文化理想、人格修養、寓意深遠的躍動的情感和心態。這是他個人的智慧的表現，也是宋代知識分子的典型代表，或者說，是中國思想史鏈條中的一個重要環節。

面對這樣一位平凡而又崇高的哲人、學者、文藝家，我們的思考和認識，也處在一種不斷更換角度和更迭觀念的過程中。

第一篇　時代與生平

第一章　北宋社會的時代思潮與蘇軾

蘇軾生於宋仁宗景祐三年丙子（西元1036年）十二月十九日乙卯時，卒於徽宗建中靖國元年辛巳（西元1101年）七月二十八日。享年六十六歲。

蘇軾活動的年代，是北宋改革思潮不斷湧起的年代。蘇軾的一生，是在政治改革的波浪中備受煎熬，在變革的矛盾、鬥爭、傾軋中不斷地思考社會與人生的一生。

亂極思治，在唐末五代的政治形勢極度混亂之後，宋王朝的締造者趙匡胤代周而起，以統一國家，建立和諧的政治體制作爲治理弊政的綱領。他收兵權、平荊湖、滅後蜀、南漢、北漢、南唐，迄至太宗太平興國四年（西元979年），完成一統海內的事業，加強中央集權制。他採取強硬的政治措施，對五代遺留的官吏貪贓枉法，吏治敗壞的現象，堅決鏟除。正如《宋史．循吏傳》記載：「太祖之世，收守令錄，躬自召見，問以政事，然後遣行，簡擇之道精矣；監司察郡守，郡守察縣令，各以時上其殿最，又命朝臣專督治之，考課之方密矣；吏犯贓遇赦不原，防閑之令嚴矣。」①這說明，北宋初年，創業者勵精圖治，冀望使分裂達半個世紀的國家，重新歸於統一，並有一個相對穩定的政治局面的決心。當時的所謂「開寶之治」，雖不能與漢朝的「文景之治」和唐代的「貞觀之治」相提並論，但當時從上到下，都有一股整頓吏治的強烈願望。據史書記載，宋太祖三年庚午（西元970年）秋七月己巳，太祖曾經指出過，吏員猥多，難以求治，俸祿鮮薄，未可責廉，與其冗員而重費，不若省官而益俸。但是，宋代的官制、賦稅制度都承襲唐制，北宋初期爲鞏固中央集權制所建立的官僚新體制，經過太祖、太宗、眞宗三朝的變革，也很難有起色。例如，爲了集權專制，根除方鎭太重，君弱臣強的隱患，他們採用多設官僚機構，分割各級官府的職權；爲了控制軍權，他們設置禁軍、廂軍。然而，由於封建制度的內在機制的互相制約，再加上遼夏強盛，邊事迭起，賦稅苛重，財政困窘。歷代的政治，久皆有弊，不及時糾正，禍亂必生。北宋的弊政，從側面顯現了趙家王朝致命的弱點，即冗官、冗兵及經濟、軍事上的積貧積弱。

從北宋統一到蘇軾生活的時代，士大夫中，有治國平天下的有識之士，把國家的興亡，視爲己任，力圖懲治弊政，挽救國家；表現出一股愛國愛民的正氣。知識分子中形成了一股政治改革的思潮，這思潮又不斷地激發起現實的變革，兩者相得益彰。

一、主張社會變革的第一次思潮——慶曆新政

仁宗慶曆年間，北宋面臨內憂外患，社會矛盾日趨尖銳，國勢日漸衰落。歐陽修曾指出：

> 天下之勢，方若弊廬，補其奧，則隅壞，整其桷，則棟傾，枝撐扶持，苟存而已。尚何暇法象規圓矩方而制度乎，是以兵無制，用無節，國家無法度，一切苟且而已。今宋之爲宋，八十年矣。外平僭亂，無抗敵之國，內削方

> 鎮，無強叛之臣，天下為一，海內晏然。為國不為不久，天下不為不廣也。……然而財不足用於上而下已弊，兵不足威於外而敢驕于內，制度不可為萬世法而日益叢雜，一切苟且，不異五代之時，此甚可嘆也。②

歐陽修以清醒的政治意識，洞悉宋代建國八十年來國家所潛伏的危機，於是他不避危難地參與范仲淹為首的「慶曆新政」。這是北宋第一次聲勢較為浩大的改革浪潮，其中交錯著複雜的上層官僚的朋黨之爭。

宋仁宗景祐三年（西元1043年）八月丁未，范仲淹參知政事，他得到了進行政治改革的有利條件；於是，他以卓見遠識，以及他的「先天下之憂而憂，後天下之樂而樂」的民族責任感，提出一系列的政治改革建議。宋仁宗跟他討論朝政：「數問當世事。仲淹語人曰：『上用我至矣，事有先後，久安之弊，非朝夕可革也。』帝再賜手詔，又為之開天章閣召二府條對。仲淹惶恐，退而上十事。」③范仲淹誠惶誠恐地呈述他的改革意見共十條，即：一、明黜涉；二、抑僥倖；三、精貢舉；四、擇長官；五、均公田；六、厚農桑；七、修武備；八、推恩信；九、重命令；十、減徭役。這一改革方案的要點，在於革除北宋的政治體制的弊端；其中削除冗官、厚利百姓兩項，是這次改革的重要內容。

北宋不斷膨脹的官僚機構和日益龐大的官吏隊伍，成了國家的隱患，官府因循守舊，官員無所事事，政府職能有名無實。更有甚者，宋代實施「恩蔭」制度，官僚代代世襲。范仲淹以為：「欲正其末，必端其本；欲清其流，必澄其源。」如上所述的十項改革，有五項是改革官僚制度的。他認為冗濫的恩蔭制度是造成冗官的重要原因，指出：「遂使廕序之人塞于仕路，……國家之患，屢有釐革，然但革其下而不革其上，節于彼而不節于此，天下豈以爲然哉。我相府豈惜一孺之恩不爲百辟之表乎。又遠惡之官，多在寒族，權貴之子，鮮離上國，周旋百司之務，懵昧四方之事。」④對官僚貴族及其特權的限制，對官僚機構的整頓，是慶曆新政的主要目標。陳亮說：「慶曆間，范富諸公思救磨勘薦舉之弊，欲去舊例，以不次用人，而案百吏之隋，天下方病資格之未詳而將趨于成例。」⑤范仲淹所提出的：「大臣不得薦子弟任館閣職，任子之法無冗濫矣。」⑥對於官吏，「可以責廉節，而不法者可誅廢。」⑦主張重法治，減輕賦稅傜役。

范仲淹的主張，是當時有識之士的思想代表；後來，歐陽修提出新政改革，當務之急必須把「年老、病患、贓污、不材四色之人，以行澄汰。」⑧曾鞏也提出：「當世之急有三：一曰聽賢之爲事，二曰裕民之爲事，三曰急力行之爲事。」他認爲最重要的是任人唯賢，如果「庸人、邪人雜然而處之，於事之益損張弛有戾焉。」⑨上層建築的政治體制改革與經濟領域的調整，是同步進行的。慶曆新政強調「富民」政策，范仲淹提倡的厚農桑、修水利、節約行政開支等措施，基本出發點是「因民之利而利之。」

宋仁宗慶曆二、三年間，因分別任用范仲淹、韓琦、富弼等人擔任參知政事、樞密副使知諫官職務，他們得以把自己的政治主張付諸實踐；但最終因爲觸犯了官僚階層的根本利益，形成極大的阻力；而主持新政者又缺乏政治經驗，脫離實際，操之過急，結果是「但著空文，不責實效。故更改雖數，號令雖煩，上下因循，了無所益。」⑩再加上官僚集團中的朋黨之爭糾纏在一起，改良措施很快就破產了！《長編》在慶曆四年六月條記載：「始，范仲淹以忤呂夷簡，放逐者數年，士大夫持二人曲直，交指爲朋黨。乃陝西用兵，天子以仲淹士望所屬，拔用護邊。及夷簡罷，召還，倚以爲治，中外想望其功業，而仲淹亦感激眷遇，以天下爲己任，遂與富弼日夜謀慮，興致太平。然後規模闊大，論者以爲難行。乃按察使多所舉劾，人心不自安，任子恩薄，磨勘法密，僥倖者不便，於是謗毀寖盛，而朋黨之論滋不可解。」⑪終於，新政執行不到一年，慶曆四年（西元1044年）下半年，就明令廢罷，范仲淹等人也被貶謫外放了。

慶曆新政是北宋政治改革所掀起的第一次較大的浪潮；潮退了，但其影響是深刻的。有志於拯救國家的士大夫們都在思考著，總結失敗的經驗教訓。十多年後，又掀起第二次改良政治的思潮——王安石變法，在探索富國強兵的國策中又有進一步的發展。

二、主張社會變革的第二次思潮——王安石變法

慶曆新政之後，北宋王朝政局更加窘迫。強敵壓境，北遼、西夏每年索需無饜，民窮財盡，國庫空虛，軍事、經濟瀕于衰敗。於是，有識之士紛紛從不同的側面陸續提出革除積弊的意見和建議，探索挽救危機的途徑。

王安石是歐陽修的學生，曾鞏早期的好朋友，「友生曾鞏攜以示歐陽修，修爲之延譽，擢進士上第。」⑫王安石曾多次向仁宗力陳改革的必要性和迫切性。嘉祐三年（西元1058年），王安石向仁宗力說「變易更革天下之事」，提出改革之道，在於「教之養之取之任之有其道而已。」強調「饒之以財，約之以禮，裁之偶法。」他在萬言書中加以陳說：「今天下之財力日以困窮，風俗日以衰壞，患在不知法度，不法先王之政故也。法先王之政者，法其意而已。法其意，則吾所改易更革不至乎傾駭天下之耳目，囂天下之口，而固已合先王之政矣。因天下之力生天下之財，取天下之財以供天下之費。自古治世，未嘗以財不足爲患也，患

在治財無其道耳。」⑬宋神宗熙寧二年（西元1069年），王安石參知政事，在神宗的支持下，創置三司條例議行新法。

王安石新法有十項，即均輸法、農田水利法、市易法、將兵法、保甲法、保馬法、軍器監。王安石變法，吸取了范仲淹新法失敗的教訓，繞過了整頓官僚機構的冗官冗吏這一北宋政治的難題，其立足點側重理財，也就是解決國家的財政開支問題。他從經濟改革着手，設立三司條例司，掌管天下財政。王安石說：「周置泉府之官，以榷制兼併，均濟貧乏，變通天下之財，後世惟桑弘羊、劉晏粗合此意，學者不能推明先王法意，更以爲人主不當與民爭利，今欲理財，則當修泉府之法。」王安石的原意，在於「制兼併，濟貧乏，變通天下之財，以富其民，而致天下于治。」⑭王安石所制定的均輸、青苗、農田水利、方田均稅、市易等法，均屬於經濟改革範圍，其他對軍隊工作的改革，對教育機構的變更也屬此列。但變法主要是通過農業生產達到富國強兵的目的。也就是「論理財以農事爲急，農以去其外國，抑兼併，便趣農爲急。」⑮他的改革的重點是很明確的。

新法在神宗的支持下，雷厲風行地在全國展開，改革的浪潮席捲全國。這比起「慶曆新改」來，聲勢更加猛烈。推行新法延續了將近十五年時間。但在新法執行過程中，由於北宋社會積貧積弱局勢嚴重，冗官冗政積弊；新法推行中又用人不當，產生了諸多問題。改革的形勢顯得更加複雜的是，當年全力支持范仲淹進行改革的許多老前輩，或是與王安石同時代的主張改革的士大夫們，也紛紛批評和抨擊熙寧新政的錯誤和弊端，並成爲王安石變法的對立面。造成這一局面的原因，除了客觀因素外，還在於王安石的主觀武斷帶來的禍害：他聽不進不同的意見，把滿朝不同政見者都詆爲「流俗之見」，他以讓皇帝凌駕於國法之上的辦法，依靠神宗對他的信賴發號施令，排斥異己。這樣一來，他在朝廷的地位雖高，但實際上卻非常孤立。

王安石變法在宋神宗逝世、司馬光掌握政權之後就宣告失敗了。但是王安石所推動的政治變革的浪潮，在北宋產生了深遠的影響；他的改革實踐，說明了當時的人心所向，是要用改革的手段，來挽救北宋的衰頹政局。現在看來，因王安石變法而引起種種爭議，畢竟對北宋的政治生活帶來了生機，探討如何改變一潭死水的因循守舊的政治局面的途徑，不論是變法的執行者或是反對者，關心國事的士大夫們都在思考著，在歷史長河的發展中探索著治國的良方。這也代表了推動時代前進的一股力量。

三、王安石與蘇軾政見異同的分析

王安石熙寧變法在全國展開後，朝野譁然，各方人士，紛紛反對。呂誨上疏論王安石十大罪狀，鄭俠進流民圖以揭露新法所造成的惡果，連推薦王安石進入仕途的恩師歐陽修，極力贊揚王安石才幹的曾鞏和司馬光，還有范純仁、呂公著、趙抃、程顥、張戩、劉摯、唐坰、以及蘇軾、蘇轍、孫覺、李常等，都對熙寧變法作過不同程度的反對，或寫信再三勸阻，提出異議，或上書神宗進行針鋒相對的爭論。各執己見，其是非自待歷史公論。過去，論者把對王安石變法持不同見解的人都列入守舊派，顯然不是辯證的說法。在此，我們僅考察王安石與蘇軾在這場論爭中的政見之異同。

蘇軾要對政治、經濟進行變革，初衷與王安石類似。這一點，朱熹也指出過：「熙寧變法，亦是勢當如此，凡荊公所變者，東坡亦欲爲之，及見荊公做得狼狽，遂不復言，卻去攻他。」⑯朱熹的話。說得也對也不對。出發點都是要求改革，這點兩人相一致，的確如此；然而，兩人的思想方法不同。蘇軾是磊落胸懷的文士，不是落井下石的小人。當時，並非因爲王安石「做得狼狽」，蘇軾「卻去攻他」，而是面對這樣一個重大社會政治課題，兩人在方法、重點等方面各持己見，因而產生一場大論爭，而後來又因此而導致蘇軾一生遭受重重災難；身後還在多次社會政治反覆中蒙受不白之冤。

那麼，王、蘇政見異同表現在那裡呢？

首先，從蘇軾與王安石兩人的相互評價中所反映的他們之間共同點，來看他們共同的變革願望。

蘇軾初入仕途，被任命爲河南府福昌主薄（嘉祐五年，西元1060年），王安石已被召入爲三司度支判官，尋直集院，向仁宗上萬言書言天下事。是時對蘇軾的任命書是王安石替仁宗起草的。制詞日：

> 勅某。爾方尚少，已能博考群書，而深言當世之務，才能之異，志力之強，亦足以覿矣。其使序于大理，吾將試爾從政之才。夫士之強學贍辭，必知要然後不違于道，擇爾所聞，而守之以要，則將無施而不稱矣。可不勉哉。可。⑰

蘇軾初出茅廬時，王安石對他已給予了很高的評價。事也湊巧，二十六年後，哲宗元祐元年（西元1086年），王安石病卒，蘇軾替哲宗起草制敕，對王安石的一生作了客觀的評價。敕中寫道：

> 敕。聯式覿古初，灼見天意。將有非常之大事，必生希世之異人。使其名高一時，學貫千載。智足以達其道，辯足以行其言。瑰瑋之文，足以藻飾萬物；卓絕之行，足以風動四方。用能於期歲之間，靡然變天下之俗。具官王

> 安石，少學孔、孟，晚師瞿、聃。網羅六藝之遺文，斷以己意；糠粃百家之陳迹，作新斯人。屬熙寧之有為，冠群賢而首用。信任之篤，古今所無。方需功業之成，遽起山林之興。浮雲何有，脱屣如遺。屢爭席于漁樵，不亂群於麋鹿。進退之美，雍容可觀。朕方臨御之初，哀疚罔極。乃眷三朝之老，邈在大江之南。究觀規模，想見風采。豈謂告終之問，在予諒闇之中。胡不百年，為之一涕。於戲。死生用捨之際，孰能違天；贈賻哀榮之文，豈不在我。寵以師臣之位，蔚為儒者之光。庶幾有知，服我休命。可。⑱

敕文對王安石蓋棺論定，公正而平允。蘇軾對王安石的認識，與司馬光的思想影響有著密切的關係。世所周知，司馬光與王安石的政治觀念，是冰炭不容的，但在元祐司馬光執政時，病中得知王安石病逝消息，他寫信給呂晦叔說：

> 介甫文章節義，過人處甚多，但性不曉事，而喜遂非，致忠直疎遠，讒佞輻輳，敗壞百度，以至于此。今方矯其失，革其弊，不幸介甫謝世，反覆之徒，必詆毀百端。光意以謂朝廷特宜優加厚禮，以振起浮薄之風，苟有所得，輒以上聞。……⑲

由此推知，蘇軾替哲宗所寫的制敕，是資深的政治家司馬光定的調子。司馬光與蘇軾跟王安石之間，政治思想不同，爭論也極其激烈；但是，對個人品格作評論時，都是很有分寸地保持一種持平的態度。王安石對蘇軾的評價，寫於蘇軾參予政治活動的初期；蘇軾對王安石的生平總結，是在蓋棺論定之後。兩人的全集裡，留下了這兩份材料，讓我們今天考察蘇、王二人的思想時有所根據。

熙寧二年（西元1069年）二月，王安石參知政事，領導全國厲行變法；而蘇軾則剛步入仕途，旋即捲入這場政治風潮之中。如前所述，當時政治改革的思想浪潮，洶湧澎湃！作爲一介書生，蘇軾有自己獨立的政治見解，不受人拘囿。蘇軾的社會改革主張，在他早年所寫的制策及進入仕途後的上書、論、狀等奏論裡，一一述說自己的政治觀點。他爲拯救國家，針砭弊害的熱心，不低於王安石；蘇軾胸懷的寬廣，待人接物的熱誠，才華橫溢的文學天賦，也遠勝於王安石。在全國思變的社會思潮中，蘇軾兄弟風華正茂，青春煥發，急流而上，「致君堯舜，此事何難！」⑳正如後來南宋陳龍川（亮）所說的：「方慶曆、嘉祐，世之名士常患法之不變也。及熙寧、元豐之際，則又以變法爲患。雖如兩蘇兄弟之習于論事，亦不過勇果於嘉祐之制策，而持重于熙寧之奏議，轉手之間，而兩論立焉。」㉑陳龍川說得很中肯。朱熹也說：「熙寧更法，亦是勢當如此，凡荊公所變者，初時東坡亦欲爲之。」㉒王安石的政見，由於他所處的政治地位及政治環境，所以付諸實踐了。而蘇軾的政見，則僅僅停留在議論上，即陳龍川所評判的「勇果于嘉祐之制策，而持重于熙寧之奏議。」有王安石變法在先，在這樣的歷史環境的限制下，蘇軾僅能於自己所處的政治環境中所覺察到的弊政，提出自己的看法。熙寧新法的確是一股順歷史潮流而上的進步思潮，北宋中期的政治生活，不變革就無法維持了。但國家的積貧積弱，百孔千瘡，並非下達幾項變革命令就能挽狂瀾於既倒。蘇軾在各地任地方官，了解下情，於是他對熙寧變法敢於提出許多眞知灼見，但未能得到採納。

其次，略述蘇軾與王安石分歧的主要表現。

第一，改革的思想理論基礎不同。王安石遵循法家的政治策略，崇尚於「商鞅能令政必行」㉓的急圖變革的思想方法，採取雷厲風行的手段。他認爲「變風俗，立法度，最爲方今之急」，主張「約之以禮，裁之以法。」㉔主張「人主制法，而不當制于法，人主化俗，而不當化于俗。」而蘇軾則反對法家之學，認爲推行改革必須順其自然，因勢利導。他說：「商君之變秦法也，攖萬人之怒，排舉國之說，勢如其逆也。」㉕認爲「國家之所以存亡者，在道德之淺深，不在乎強與弱，歷數之所以長短者，在風俗之厚薄，不在乎富與貧。」蘇軾所服膺的，是以儒學治國，力主「不以弱而忘道德，不以貧而傷風俗。」㉖他還說：「古之聖人，非不知深刻之法可以齊衆，勇悍之夫可以集事，忠厚近于迂闊，老成初若遲鈍。然終不肯以彼而易此者，知其所得小而所喪大也。」他的主張與王安石的急功近利的措施，當然是南轅北轍了。蘇軾反對王安石求速的做法，對神宗說：「陛下生知之性，無縱文武，不患不明，不患不勤，不患不斷，但患求治太速，進人太銳，聽言太廣。」㉗並提出爲政之道，在於「結人心，厚風俗，存紀綱。」㉘

第二，改革重點所在不同。蘇軾認爲首先必須是政治制度的改革，才能定下改革規劃，推動改革的進行，因此，必須選擇有才能的官吏，如「太公治齊，周公治魯。」㉙「國之有小人，猶人之有癭。」指出冗官之弊禍國殃民：「官冗之弊久矣，而近歲尤甚。文武之吏，待次于部下者，幾數千人。坐視而不救歟？則下有食貧失職之嘆，裁損入流，減削任子以救之歟？則有傷恩失士之憂。」㉚他所提出的策略，是重視立法任人的重要性，強調「破庸人論，開功名之門，而後天下可爲也。」㉛在蘇軾看來，選擇各級官吏的標準以及對官吏的管理，都應該有一套法度，在課百官的策略裡，特別提出「厲法禁」、「抑僥倖」、「決壅蔽」、「專任使」、「無責難」、「無沮善」等項制度，指出冗吏是用人之大弊，必須建立官吏考察制度。在進行政治制度的改革時，使天下之吏，不敢有必得之心，將有奮厲磨淬，以求聞於時。而向之所謂用人之大弊者，將不勞而去。㉜這是蘇軾主張改革的重點。而王安石則避開北宋這一無法解決的冗官冗吏的危害問題，把改革的重點放在理財上，十項新法中六項是理財問題，四項是戶籍及軍隊工作的改革，這一思想分歧，十分明顯。

第三，改革理財制度的意見不同。在改革理財制度方面，也存在原則性的分歧。國家的財政收入，究竟是靠生產、節用還是廣取？王安石與蘇軾各自意見不同，而且由此而導引原則性的爭端。王安石的理財原則是「聚天下之財」，「用天下之力以生天下之財，取天下之財以供天下之費。」㉝他所強調的是「富國」，從四面八方聚斂財富歸之國有。而蘇軾所主張的是「利民」，他提出的理財政策是「省費用」。他說：「人君之于天下，俯己以就人，則易爲功，仰人以援己，則難爲力。是故廣取以給用，不如節用以廉取之爲易也。」㉞主張以省費用解決財政的困難；從天子到官吏，都應減省開支，軍隊要定軍制，「費莫大于養兵，養兵之費，莫大于征行。」批評北宋王朝養兵之弊。王安石的理財是取之於民，通過法令把民財聚斂爲國家所有，而蘇軾則主張減縮國家開支，減少人民的負擔，兩者指導思想不同，政策主張上就殊異了。因此，當蘇軾了解均輸法、青苗法、農田水利法在執行過程中對人民產生了許多不良的副作用時，他就提出自己的看法。如均輸法的「從貴就賤，用近易遠」的方針，目的在於調節物價，但流於官辦買賣。蘇軾認爲這種做法是與民爭利，敗壞政風，指出：「雖不明言販賣，既已許之變易，變易既行，而不與商賈爭利，未之聞也。」㉟他規諫神宗：「今日之政，小用則小敗，大用則大敗，若力行而不已，則亂亡隨之。」㊱他說：「青苗、助役之法行，則農不安，均輸之令出，則商賈不行，而民始憂矣。」儘管王安石變法的目的是為了國家可以擺脫危機，但在執行過程中的弊端也不可忽視！

第四，在文化教育方面，蘇軾也與王安石所實施的變法持不同的見解。王安石新法中規定變更科舉制和學校制，廢除明經諸科，廢止舊有的進士科考試項目，專以經義論策試進士，考試科目任選《詩》、《書》、《易》、《周禮》、《禮記》中的一種，謂之「本經」，兼治《論語》、《孟子》，謂之「兼經」。而且，王安石以「道德一於上而習俗成於下」的「一道德」來統一社會思想，並且編寫了統一教材「三經新義」作為推行「一道德」的思想工具。本來，王安石的三經新義，本身有著獨特的學術價值，但他將此作為法定的書籍，藉以箝制知識分子的思想，這就造成了很多的流弊。當時，考官不敢不以三經新義的解釋做衡量文章優劣的標準，而天下舉子，也專門背誦王安石的章句以博取功名，以「三經新義」作為獵取功名的引物，至使知識面非常狹窄，連一般的歷史常識也沒有，陷於無知的地步。王安石自己在晚年也引以為憾。他說：「本欲變學究為秀才，不謂變秀才為學究也。」㊲蘇軾從學術自由的角度，反對王安石這種箝制思想的做法。他寫了《議學校貢舉狀》的奏議，認為這種「專取策論而罷詩賦」、「或欲罷經生樸學，不用貼、墨，而考大義」的做法不妥；指出知識是綜合的，不能偏重於哪一方面。他說：「自文章而言之，則詩賦、策論均為無用矣。」不能「知其一而不知其二」，㊳科舉制自唐以來已顯出弊端，新的科舉法則更難以考察人材。而王安石推行一道德及《三經新義》的做法，無疑是限制學術思想的自由發揮。他說：「王氏欲以其學同天下。地之美者，同於生物，不同於所生。惟荒瘠斥鹵之地，彌望皆黃茅、白葦，此則王氏之同也。」㊴要之，王安石企圖以一種思想、一種教育以統一知識分子的思想，蘇軾力主教育和學術思想自由，不能限制得過死。蘇軾也不滿意唐代以來科學制度所產生的弊害，但他也未能提出切實可行的方案，即使提出來，以他當時的政治地位也無法施行。

此外，在軍事、對外政策等方面，蘇軾與王安石的指導思想也各不相同。這些，下文論述。總之，在蘇軾看來，進行社會改革是必要的，但不能像王安石那樣，不顧實際情況，急功近利，疏於卹民，盲目實施，勞民傷財。同時，在新法執行過程中，蘇軾也不斷改變自己的思想和看法。對於「裁減皇族恩例、刊定任子條式、修完器械、閱習鼓旗」等方面，蘇軾是贊成的。新法執行後某些法令也產生好的效果，蘇軾也加以肯定，並反省自己的偏激，元豐七年（西元1084年），當他離開黃州時寫信給朋友滕達道說：「吾儕新法之初，輒守偏見，至有異同之論。雖此心耿耿，歸於憂國，而所言差謬，少有中理者。今聖德日新，衆化大成，回視向之所執，益覺疏矣。若變志易守以求進取，固所不敢，若嘵嘵不已，則憂患愈深。」㊵元祐之後，司馬光執政，全部廢除新法，蘇軾對廢除免役法大力反對，「上疏極言衙前可雇不可差，先帝此法可守不可變。」指出「專欲變熙寧之法，不復較量利害，參用所長」㊶的危害。

這些現象說明，蘇軾的改革意識，以及他對待改革所持的求實精神，在實際的政治生活中加以驗証之後，在一定程度上也有所改變。過去，他對變法所帶來的各種弊端的揭露，完全是出自一個善良官吏的良知，此點後代也有論定。南宋陸放翁對於蘇軾熙寧期間的力諫曾說過：「天下自有公論，非愛憎異同能奪也。如東坡之論時事，豈獨天下服其忠，高其辯，使荊公見之，其有不撫几太息者乎！」㊷陸游雖語焉不詳，但其中已經蘊含了實事求是地評析蘇軾思想內涵演變原委的深意。

【附　註】

① 《宋史》卷426，見景印《文淵閣四庫全書》第228冊第1頁（臺灣商務印書館版，下同）。

② 歐陽修《本論》，見《文忠集》卷59（景印《文淵閣四庫全書》第1102冊第450頁，臺灣商務印書館版）

③ 《宋史》卷314，〈范仲淹傳〉，見景印《文淵閣四庫全書》第286冊第164頁（臺版）。

④ 《范文正集》卷8，〈上執政書〉，見景印《文淵閣四庫全書》第1089冊第640頁。

⑤ 陳亮《龍川集》卷11〈銓選資格〉，見景印《文淵閣四庫全書》第1171冊第595頁（下同）。

⑥ 《宋史》卷314〈范仲淹傳〉第286第164頁。

⑦ 同⑥。

⑧ 歐陽修《文忠集》卷97〈再論按察官吏狀〉，見《四庫全書》第1103冊第24頁。

⑨ 曾鞏《元豐類稿》卷15〈上歐陽舍人書〉，見《四庫全書》第1098冊第484頁（臺版）。

⑩ 《續資治通鑑長編》卷141，見景印《文淵閣四庫全書》第316冊第303頁（臺版）。

⑪ 《續資治通鑑長編》卷150，同上第316冊第452頁。

⑫ 《宋史》卷327，〈王安石傳〉，見景印《文淵閣四庫全書》第286冊第331頁（臺版）。

⑬ 王安石《臨川文集》卷39，〈上仁宗皇帝言事書〉，見《四庫全書》第1105冊第282-283頁。

⑭ 梁啓超《王安石評傳》第十章第47頁。

⑮ 《續資治通鑑長編》卷220熙寧四年二月庚午，見《四庫全書》第317冊第633頁（臺版）。

⑯ 宋·黎靖德編《朱子語類》卷130，見《文淵閣四庫全書》第702冊第619頁（臺版）。

⑰ 王安石《臨川文集》卷51，〈應才識兼茂明于體用科守河南府福昌縣主簿蘇軾大理評事制〉，見《四庫全書》第1105冊第404-405頁。（臺版）

⑱ 《蘇軾文集》卷38制敕〈王安石贈太傅〉，見中華書局1986年3月版第3冊第1077頁。（以下引僅寫中華書局版）

⑲ 司馬光《傳家集》卷63〈與呂晦叔第二簡〉，見《四庫全書》第1094冊第579頁（臺版）。

⑳ 龍榆生《東坡樂府箋》卷1〈沁園春〉（孤館燈青），中華書局香港分局1979年版第30頁。

㉑ 陳亮《龍川集》卷11〈銓選資格〉，見《四庫全書》第1171冊第596頁。（臺版）

㉒ 朱熹《朱子語類》卷130。

㉓ 王安石《臨川文集》卷32〈商鞅〉，見《四庫全書》第1105冊第236頁。

㉔ 《蘇軾文集》卷4〈思治論〉，見中華書局版第30冊第118頁。

㉕ 《蘇軾文集》卷25〈上神宗皇帝書〉，見中華書局版第2冊第737頁。

㉖ 同註㉔。

㉗ 同註㉔。

㉘ 同註㉔。

㉙ 《蘇軾文集》卷4〈思治論〉，見中華書局版第1冊第117頁。

㉚ 《蘇軾文集》卷7〈冗官之弊水旱之災河決之患〉，見中華書局版

第1冊第211頁。

㉛ 同註㉙

㉜ 《蘇軾文集》卷8〈策制課百官〉，見中華書局版第1冊第244頁。

㉝ 《臨川文集》卷39，《上仁宗皇帝言事書》，見《四庫全書》第1105冊第288頁。

㉞ 《蘇軾文集》卷8〈策制厚貨財〉，見中華書局版第1冊第267頁。

㉟ 《蘇軾文集》卷25〈再上皇帝書〉，見中華書局版第2冊第749頁。

㊱ 同註㉟。

㊲ 陳師道《後山集》　卷18〈談叢〉，見《四庫全書》第1114冊第690頁（臺版）

㊳ 《蘇軾文集》卷25〈議學校貢舉狀〉，見中華書局版，第1冊第，724頁。

㊴ 《蘇軾文集》卷49〈答張文潛縣丞書〉見中華書局版，第4冊第，1472頁。

㊵ 《蘇軾文集》卷51〈與滕達道〉（八），見中華書局第4冊，第1478冊。

㊶ 《蘇軾文集》卷27〈辯試館職策問劄子〉㈡，見中華書局版，第2冊第，792頁。

㊷ 《渭南文集》卷29〈跋東坡諫疏草〉，見《四庫全書》第1163冊，第532頁（臺版）。

第二章　坎坷的人生歷程

一、世系略述

宋仁宗景祐三年（西元1036年）陰曆十二月十九日卯時，蘇軾誕生於四川省眉山縣城南沙縠行。

處天府之國的眉山，是一座純樸秀美的小城。現有三蘇祠；明末，此祠毀於兵火，清代重建，古樸幽雅，茂林修竹，夏荷田田，老榆樹合抱挺立，祠內書房中保留了古今蘇氏著作的珍貴刻本。四川人以文豪三蘇引為驕傲，門前題幅：「一門父子三詞客，千古文章四大家。」誠摯熱忱的贊美之意，溢於言表！

三蘇常題名為趙郡蘇某，蘇轍的文集名《欒城集》，亦因欒城屬趙郡。這是祖宗舊藉。蘇洵《蘇氏族譜》記載蘇氏家族的淵源。他寫道：

> 蘇氏出自高陽，而蔓延天下。唐神龍初，長史味道刺眉州，卒於官，一子留於眉，眉之有蘇氏自是始。①

這裏，追溯蘇氏遠祖出自高陽。周代時有所謂司寇蘇公。「至漢興而蘇氏始徙入秦」，「其後曰建家於長安杜陵，武帝時為將以擊匈奴有功，封平陵侯，其後世遂家於其封，建生三子，長曰嘉，次曰武，次曰賢，嘉為奉車都尉，其六世孫純為南陽太守。生子曰章，當順帝時為冀州刺史，又遷為并州，有功於其人，其子孫遂家於趙州。其後至唐武后之世，有味道、味玄，味道聖曆初為鳳閣侍郎，以貶為眉州刺史，遷為益州長史，未行而卒。有子一人不能歸，遂家焉。自是眉始有蘇氏。」②蘇洵對遠祖的記載，極其簡單。蘇味道是武則天朝名士，趙郡欒城人。唐太宗貞觀二十二年（西元648年）生，他依附張昌宗，歷遷鳳閣舍人、檢校鳳閣侍郎、同鳳閣鸞台平章事。雖身居相位，但做事不負責任，碌碌無爲，模稜兩可，人稱「蘇模稜」，後因事被貶眉州刺史，又遷爲益州大都督府長史，未行而卒，留下一子在眉州，這就是眉州蘇氏的祖先。

蘇洵說：「自益州長史蘇味道至吾之高祖，其間世次皆不可記。」③又說：「蘇氏自遷於眉而家於眉山，自高祖涇則已不詳，自曾祖釿而後稍可記。」④蘇軾的五世祖涇，已無可考。其四世祖釿，據蘇洵所記：「娶黃氏，以俠氣聞於鄉閭，生子五人，而吾祖祜最少最賢。」⑤高祖父祜，「以才幹精敏見稱，生於唐哀帝之天祐二年（西元905年），而歿於周世宗之顯德五年（西元958年），蓋與五代相終始。……吾祖娶於李氏，李氏唐之苗裔，太宗之子曹王明之后。……生子五人，其才皆不同。宗善、宗晏、宗弁，循循無所毀譽，少子宗晁，輕俠難制。」⑥蘇軾之曾祖父杲，生於晉少帝開運元年（西元944年），他「善事父母極於孝，與兄弟篤於愛，與朋友篤於信，鄉閭之人無親疏，皆愛敬之。娶宋氏夫人，事上甚孝謹而御下甚嚴。」蘇杲「善治生有餘財」，樂善好施。他說：「多財而不施，吾恐他人謀我；然施而使人知之，人將以我爲好名。」所以他總是暗中幫助別人，而自己「終其身，田不滿二頃，屋蔽陋而不葺也。」⑦當時宋朝滅蜀「其達官爭棄其田宅以入覲」，但蘇杲絲毫不乘機獲取，說：「吾恐累吾子」。⑧杲卒於宋太宗淳化五年（西元994年）。

祖父序，字仲先，生於宋太祖開寶六年（西元973年），卒於宋仁宗慶曆七年（西元 1047年），享年七十五。蘇軾曾記載其祖父性格：

> 公幼疏達不羈，讀書略知其大義，即棄去。謙而好施，急人患難，甚於爲己，衣食稍有餘，輒費用，或以予人，立盡。以此窮困厄於飢寒者數矣，然終不悔。旋復有餘，則曰：「吾固知此不能果困人也。」益不復愛惜。凶年鬻其田以濟飢者，既豐，人將償之。公曰：「吾固自有以鬻之，非爾故也。」人不問知與不知，徑與歡笑造極，輸發府藏。小人或侮欺之，公卒不懲，人亦莫能測也。⑨

曾鞏也曾記載蘇序「爲人疏達自信，持之以謙，輕財好施，急人之病，孜孜若不及。歲凶，賣田以賑其鄰里鄉黨，至熟，人將償之，君辭不受，以是至數破其業，危於飢寒，然未嘗以爲悔，而好施益甚。遇人無疏密，一與之，傾蓋無疑礙。或欺而侮之，君亦不變，人莫測其意也。」⑩蘇杲、蘇序的豪俠性格，在蘇氏家族中遺傳下來了。蘇軾又記載曰：蘇序「娶史氏夫人，先公十五年而卒，追封蓬萊縣太君。生三子。長曰澹，不仕，亦先公卒。次曰渙，以進士得官，所至有美稱，及去，人常思之，或以比漢循吏，終於都官郎中利州路提點刑獄。季則軾之先人諱詢，終於霸州文安縣主簿。」⑪

這裏，筆者必須說說蘇軾的伯父蘇渙。因蘇軾、蘇轍兄弟都曾以他爲榮，蘇轍寫了《伯父墓表》，⑫概述蘇渙一生行跡。蘇軾也著筆贊頌說：「渙嘗爲閬州，公往視其規畫措置良善，爲留數日。見其父老賢士大夫，閬人亦喜之。晚好爲詩，能自道，敏捷立成，不求甚工。有所欲言，一發於詩，比沒，得數千首。」⑬女二人。長適杜垂裕，幼適石揚言。」⑭蘇渙的文才豪氣，爲後代子孫留下榜樣。曾鞏也記載蘇渙的成功對蘇氏家族的鼓舞：「蜀自五代之亂，學者衰少，又安其鄉里，皆不願出仕。君獨教其子渙受學，所以成就之者甚備。至渙以進士起家，蜀人榮之，意始大變，皆喜受學。及其後，眉之學者至千餘人，蓋自蘇氏始。」⑮蘇軾的《蘇廷評行狀》也有同樣的記載。可見蘇渙爲蘇氏家族爭得榮光。而蘇渙的父親蘇序，卻因豪爽的性格，視功名如草芥，據李廌所記的蘇軾的敘述：

> 祖父嗜酒，甘與村父箕踞高歌大飲。時伯父登朝，外氏程舅亦登朝……一日，方大醉中，封誥至，并外纓、公服、笏、交椅、水灌子、衣版等物。太傅時露頂戴一小冠子如指許大，醉中取誥，箕踞讀之畢，並諸物置一布囊中。取誥時，有餘牛肉亦取置一布囊中，令村童荷而歸，跨驢入城。城中人聞受誥，或就郊外觀之，遇諸途，見荷擔二囊，莫不大笑。⑯

蘇序豪爽的個性也遺傳給後代的子孫。縱觀蘇軾的一生，也潛流著祖宗的血液。

蘇軾的父視蘇洵，字明允，生於宋眞宗祥符二年（西元1009年），「少年不學，生二十五歲，始知讀書，從士君子遊。」⑰他自嘆覺悟勤奮求學的志向太晚。當妻子程氏逝世時，他也悔悟自責：「昔予少年游蕩不學，子雖不言，耿耿不樂，我知子心，憂我泯沒，感嘆折節，以至今日。」⑱後因鄉試落第，才發憤讀書。他曾自述自己苦讀的經過：

> 每取古人之文而讀之，始覺其出言用意與己大別，時復內顧自思，其才則又似夫不遂止於是而已者，由是盡燒曩時所爲文數百篇，取《論語》、《孟子》、《韓子》及其他聖人、賢人之文，而兀然端坐終日以讀之者七八年矣。方其始也，入其中而惶然，博觀於外而駭然以驚，及其久也，讀之益精，而其胸豁然以明，若人之言固當然者，然

猶未敢身出其言也。時既久，胸中之言益多，不能自制，試出而書之，已而再三讀之，渾渾乎覺其來之易矣。⑲

歐陽修曾對蘇洵青壯年時代讀書成就加以評述：

年二十七，始大發憤，謝其素所往來少年，閉戶讀書，爲文辭。歲餘，舉進士，再不中，又舉茂材異等，不中。退而嘆曰：「此不足爲吾學也。」悉取所爲文數百篇焚之。益閉戶讀書，絕筆不爲文者五六年，乃大究六經百家之說，以考質古今治亂成敗聖賢窮達出處之際，得其粹精，涵蓄充溢，抑而不發。久之，慨然曰：「可矣！」由是下筆頃刻數千言，其縱橫上下出人馳驟，必造於深微而後止。蓋其稟也厚，故發之遲，志也慤，故得之精。⑳

曾鞏也對蘇洵作過評價：

蓋少或百字，多或千言，其指事析理，引物託喻，侈能盡之約，遠能見之近，大能使之微，小能使之著，煩不能亂，肆不能流，其雄壯俊偉，若決江河而下也；其輝光明白，若引星辰而上也。………

明允每於其窮達得喪，憂嘆哀樂，念有所屬，必發之於此，於古今治亂興壞是非可否之際，意有所擇，亦必發之於此，於應接酬酢萬事之變者，雖錯出於外而用必於內者，未嘗不在此也。………

明允爲人聰明辨智，遇人氣和而色溫，而好爲策謀，務一出己見，不肯躡故跡。頗喜言兵，慨然有志於功名者也。㉑

蘇洵娶大理時丞程文應之女爲妻，生子女六人，僅存蘇軾、蘇轍兄弟：「有子六人，今誰在堂，唯軾唯轍，僅存不亡。」㉒蘇洵《極樂院造六菩薩記》㉓中，也記錄下喪子女親人之痛。蘇洵曾於嘉祐間率蘇軾、蘇轍至京師，知名一時，時號三蘇。經歐陽修推荐，召試紫微閣，辭不就，遂除祕書省校書郎。會修纂建隆以來禮書，授霸州文安縣主簿。與陳州項城令姚闢同著太常因革禮一百卷。書奏，未報而卒。時英宗治平三年（西元1066年），享年五十八，贈光祿寺丞。後贈太子太師。

蘇軾家族世系表如下：

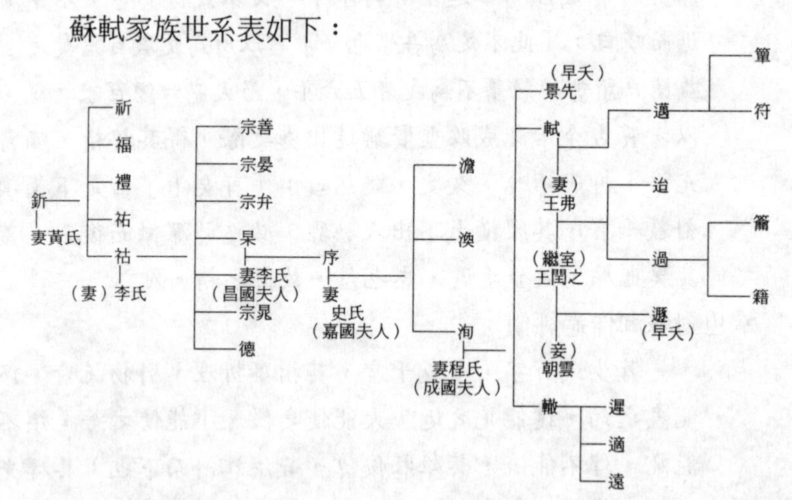

【附　註】

① 蘇洵《嘉祐集》卷14〈蘇氏族譜〉，見《四庫全書》，第1104冊，第948頁，（臺版）。

② 《嘉祐集》卷14〈族譜後錄上篇〉，見《四庫全書》，第1104冊，第950頁及 951頁。

③ 同上註。

④ 《嘉祐集》卷14〈族譜後錄下篇〉，見《四庫全書》，第1104冊，第952頁至 953頁（臺版）。

⑤ 同上註。

⑥ 同上註。

⑦ 《嘉祐集》卷14〈族譜後錄下篇〉，見《四庫全書》，第1104冊，第952頁至953頁（臺版）。

⑧ 同上註。

⑨ 《蘇軾文集》卷16〈蘇廷評行狀〉，見中華書局版，第2冊，第496頁。

⑩ 曾鞏《元豐類稿》卷43〈贈職方員外蘇君墓誌銘〉，見《四庫全書》，第1098冊，第709頁（臺版）。

⑪ 《蘇軾文集》卷16〈蘇廷評行狀〉，見中華書局版，第2冊，第496頁。

⑫ 《欒城集》卷25〈伯父墓表〉，見《四庫全書》，第1112冊，第260頁（臺版）。

⑬ 《外集》「千」作「十」。

⑭ 《蘇軾文集》卷16〈蘇廷評行狀〉，見中華書局版，第2冊，第497頁。

⑮ 《元豐類稿》卷43〈贈職方員外郎蘇君墓誌銘〉，見《四庫全書》，第1098冊，第709頁—710頁（臺版）。

⑯ 李廌《師友談記》，見《四庫全書》，第863冊，第186頁。（臺版）

⑰ 《嘉祐集》卷12〈上歐陽內翰第一書〉，見《四庫全書》，第1104冊，第935頁。（臺版）

⑱ 《嘉祐集》卷15〈祭亡妻程氏文〉，見《四庫全書》，第1104冊，第966頁。

⑲ 《嘉祐集》卷12〈上歐陽內翰第一書〉，見《四庫全書》，第1104冊，第935頁。（臺版）

⑳ 《文忠集》卷34〈故霸州文安縣主簿蘇君墓誌銘〉，見《四庫全書》，第1102冊，第272頁。（臺版）

㉑ 曾鞏《元豐類稿》卷41〈蘇明允哀詞〉，見《四庫全書》，第1098

冊，第692頁。

㉒ 《嘉祐集》卷15〈祭亡妻程氏文〉，見《四庫全書》，第1104冊，第965頁及第959頁。

㉓ 同上註。

二、聰慧的少年時代

蘇軾少年時代，已顯露其自然純眞的性格。他不是神童，而是一個活潑、愛動、勤學、好問、容易接受環境薰陶與外界事物影響的聰慧少年。

蘇軾少年生性活潑、愛動、天眞的稟賦，見諸於他的筆端。

他與表弟上山覓梨栗：

我時與子皆兒童，狂走從人覓梨栗。
健如黃犢不可恃，隙過白駒那暇惜。
醴泉寺古垂桔柚，石頭山高暗松櫟。①

健如黃犢，遍地玩耍，有時他上山種樹，於大自然中陶冶性靈：

我昔少年日，種松滿東岡。
初移一寸根，瑣細如插秧。
二年黃茅下，一一攢麥芒。
三年出蓬艾，滿山散牛羊。②

在家中的花園裏，飼餵烏鵲以自樂。他家有五畝園，種植各種花樹；桐花樹上么鳳匯聚，烏鵲「巢𣫍可俯拏」，他與諸兒童飼鳥娛樂，「憶我與諸兒，飼食觀群呀。里人驚瑞異，野老笑而嗟。」③與兒童老人同樂。還與少年同伴鑿地爲戲：「軾年十二時，於所居紗縠行宅隙地中，與群兒童鑿地爲戲。得異石，如魚，膚溫瑩，作淺碧色。表裏皆細銀星，扣之鏗然，試以爲硯，甚發墨，顧無貯水處。先君曰『是天硯也。有硯之德，而不足於形耳。』因以賜軾，曰：『是文字之祥也。』」④他少年時代的生活，充滿著自由與愉悅。我們在他的《和子由踏青》、《和子由蠶市》等詩中，看到他那與童子「年年廢書走市觀」的游樂，他那愛玩、愛動的性格，使他童年時代過得更加歡樂。

蘇軾七歲開始讀書，八歲入學，由於他的聰慧好學，勤問強記，在同學間已嶄露頭角：「吾八歲入小學，以道士張易簡爲師。童子幾百人，師獨稱吾與陳太初者。」⑤在學校裏，聽老師議論，他愛從旁發問：「慶曆三年，軾始總角入鄉校，士有自京師來者，以魯人石守道所作《慶曆聖德詩》示鄉先生。軾以旁竊觀，則能誦習其詞，問先生以所頌十一人者何也？先生曰：『童子何用知之？』軾曰：『此天人也耶，則不敢知；若亦人耳，何爲其不可！』先生奇軾言，盡以告之，且曰：『韓、范、富、歐陽、此四人者，人傑也。』時雖未盡了，則已私識之矣。」⑥他這種「打破沙鍋問到底」的精神，深得老師的賞識。他在孩提時代開始讀書時，就深受歐陽修等人的影響；對於歐陽修的書，心領神會：「軾七八歲時，始知讀書，聞今天下有歐陽公者，其爲人如古孟軻、韓愈之徒。而又有梅公者從之遊，而與之上下其議論。其後益壯，始能讀其文詞，想見其爲人，意其飄然脫去世俗之樂而自樂其樂也。」⑦學校的文化環境，教育蘇軾慢慢了解當時一代文壇宗師歐陽修、梅聖俞。接受宋代文士的文化薰陶，在孩提時代已經開始了。

蘇軾的學問文章，也決定於童年時代的家庭教育。蘇洵對蘇軾的教育，循循善誘，因材施教。母親程氏，在蘇洵宦學四方時，在家對兒子也嚴加教育。母親對蘇軾的啓迪，在他一生的宦海生涯中，產生了深刻的影響。蘇轍曾寫道：「公生十年，而先君宦學四方，太夫人親授以書，聞古今成敗，輒能語其要，太夫人嘗讀東漢史，至范滂傳，慨然太息。公侍側曰：『軾若爲滂，夫人亦許之否乎？』太夫人曰：『汝能爲滂，吾顧不能爲滂母耶？』公亦奮厲，有當世志，太夫人喜曰：『吾有子矣』」。⑧范滂是漢代循吏，其學問氣節，深得鄉里敬重。「有澄清天下之志」，在黨錮之禍中被陷害入獄，其母在訣別時也浚明大義。蘇軾十歲開始識事時，母親以范滂的正直廉潔的榜樣教育他，使他立志要做一個堅持眞理的堅強不屈的人。她平時教育兩個兒子，「咻呴撫摩，既冠既昏。教以學問，畏其無聞。晝夜孜孜，孰知子勤。」⑨她日夜操勞，爲教育孩子而瀝盡心血。蘇軾的伯父蘇渙，在家時也教育他們勤奮讀書，曰：「予少而讀書，師不煩，少長爲文，日有程，不中程不止，出游於塗，行中規矩，入居室，無隋容，非獨吾爾也。凡與吾游者舉然。不然，輒爲鄉里所擯曰：『是何名爲儒。』故當是時，學者雖寡，而不聞有過行。……爾曹才不逮人，姑亦師吾之寡過焉可也。」⑩蘇渙對兩個侄兒所進行的人格教育，在他們的成長過程中也有深遠的影響。

蘇軾的祖父蘇序逝世之後，父親蘇洵回家奔喪，是時蘇軾已有十三歲，蘇洵觀察兩個兒子的性格，寫了〈名二子說〉，記述軾、轍命名的緣起：

> 輪、輻、蓋、軫，皆有職乎車，而軾獨若無所爲者，雖然，去軾，則吾未見其爲完車也。軾乎，吾懼汝之不外飾也。天下之車，莫不由轍，而言車之功者，轍不與焉，雖然，車仆馬斃，而患亦不及轍，是轍者，善沒乎禍福之間也。轍乎，吾知免矣。⑪

知子莫如父。蘇洵非常了解蘇軾的才華外露的弱點，取名軾是戒其爲人處世，應「若無所爲」，不要表現自己。可惜蘇軾一生未能避免揚才露己的弱點。

蘇洵對兒子的教育也是非常嚴格的。四十年后，蘇軾在海南島儋州，於澹然無事中忽夢及少年嚴父責學，還感到膽戰心驚。

夜夢嬉游童子如，父師檢責驚走書。

計功當畢春秋餘，今乃粗及桓莊初。

怛然悸寤心不舒，起坐有如掛鉤魚。⑫

在海南島的一個清明日中，聞兒子過誦書聲，「感念少時，悵焉追懷先君宮師之遺意」，詩曰：

今日復何日，高槐布初陰。

良辰非虛名，清和盈我襟。

孺子卷書坐，誦詩如鼓琴。

卻去四十年，玉顏如汝今。

閉戶未嘗出，出爲鄰里欽。

家世事酌古，百史手自斟。

當年二老人，喜我作此音。⑬

蘇洵對兒子的良好教育和嚴格要求，於蘇軾詩中可見。

蘇軾的少年時代，由於有良好的家庭環境培養和薰陶，爲他一生的學問打下良好的基礎。他勤奮好學，「比冠，學通經史，屬文日數千言。」⑭少年時代已才氣橫溢，漸露鋒芒。少年與弟轍一起學習時，「初好賈誼、陸贄書，論古今治亂，不爲空言，既而讀莊子，喟然嘆息曰：「吾昔有見於中，口未能言，今見莊子，得吾心矣。乃出中庸論，其言微妙，皆古人所未喻。嘗謂轍曰：「吾視今世學者，獨子可與我上下耳。」⑮在他少年讀書過程中，已有著宏大的志向，大有駕馭天下之勢了。爲國獻身的宏圖大略，在少年時代已在思想上有所醞釀。

【附　註】

① 《蘇軾詩集》卷27〈送表弟程六知楚州〉，見中華書局，1982年2月，第一版，第五冊，第1434頁。

② 《蘇軾詩集》卷20〈戲作種松〉，見中華書局版，第1027頁。

③ 《蘇軾詩集》卷31〈異鵲〉，見中華書局版，第1660頁。

④ 《蘇軾文集》卷19〈天石硯銘〉，見中華書局版，第2冊，第556頁。

⑤ 《東坡志林》卷2〈道士張易簡〉，見中華書局，1981年9月，第一版，第47頁。

⑥ 《蘇軾文集》卷10〈范文正公文集敘〉，見中華書局版，第1冊，第311頁。

⑦ 《蘇軾文集》卷48〈上梅直講書〉，見中華書局版，第2冊，第1386頁。

⑧ 《欒城後集》卷22〈亡兄子瞻端明墓誌銘〉，見《四庫全書》，第1112冊，第759頁。（臺版）

⑨ 《嘉祐集》卷15〈祭亡妻程氏文〉，見《四庫全書》，第1104冊，第965頁。（臺版）

⑩ 《欒城集》卷25〈伯父墓表〉，見《四庫全書》，第1112冊，第263頁。

⑪ 《嘉祐集》卷15〈名二子說〉，見《四庫全書》，第1104冊，962頁。（臺版）

⑫ 《蘇軾詩集》卷41〈夜夢〉並引，見中華書局版，第7冊，第2251頁。

⑬ 《蘇軾詩集》卷43〈和陶郭主簿二首〉（之一），見中華書局版，第7冊，第2531頁。

⑭ 《欒城後集》卷22〈亡兄子瞻端明墓誌銘〉，見《四庫全書》，第1112冊，第759頁及766頁。

⑮ 同上註。

三、仕宦生活的第一站

㈠初試鋒芒

至和元年（西元1054年），蘇軾十九歲，娶眉山鄰邑青神縣的鄉貢進士王方之女王弗爲妻，王弗時年十六。宋仁宗嘉祐元年（西元1056年），蘇軾廿一歲，他也循著宋代文人必走的道路——參加科舉考試。是年暮春三月，蘇洵帶著蘇軾兄弟，千里迢迢到京師求取功名，一路上，「路長人困蹇驢嘶」，①由于馬死路上，騎驢至澠池。五月到京師，寄居興國寺浴室長老德香的院中，適大雨。八月，蘇軾兄弟與林希、王汾、顧臨、胡宗愈等同應舉人試於開封景德寺。放榜時，蘇軾考了第二名，蘇轍也中舉。二人一起通過了考試第一關，獲得了應試進士的資格。

嘉祐二年丁酉（西元1057年）正月，歐陽修、梅摯、王珪、范鎭、韓絳等主持禮部貢舉，歐陽修又推荐國子監直講梅堯臣等爲編排詳定等官，同入試院。

宋代科舉沿襲唐制，設進士、明經兩科。明經科試「帖書」、「墨義」，進士科試詩、賦、論各一篇，策五道，帖論語十。北宋文風沿五代之弊，追求華麗的形式，內容卻空虛。歐陽修繼韓愈之後，提倡明白曉暢的文章，倡導古文運動；爲變革宋朝文風起了倡導作用。而蘇軾的創作原則，也本自韓愈。因此，蘇軾的文風，深得歐陽修贊賞。蘇軾參加考試時，筆力豪騁，梅堯臣得蘇軾的《刑賞忠厚之至論》，譽爲奇文，立呈主考官歐陽修，文壇高中。陸游記載曰：

> 東坡先生省試《刑賞忠厚之至論》，有云：「皐陶爲士，將殺人；皐陶曰：『殺之』三，堯曰：『宥之』三。」

聖俞爲小試官，得之，以示歐陽公。公曰：「此出何書？」聖俞曰：「何須出處。」公以爲皆偶忘之，然亦大稱嘆，初欲以爲魁，終以此不果。及揭榜。見東坡姓名，始謂聖俞曰：「此郎必有所據，更恨吾輩不能記耳。」及謁謝，首問之，東坡亦對曰：「何必出處。」乃與聖俞語合。公賞其豪邁，太息不已。②

蘇軾一生爲文，主獨立思考，發揮創見。這裏已現倪端。

蘇軾中舉后，寫信向歐陽修道謝。信中說：

自昔五代之餘，文教衰落，風俗靡靡，日以塗地。聖上慨然太息，思有以澄其源，疏其流，明詔天下，曉諭厥旨。於是招來雄俊魁偉敦厚樸直之士，罷去浮巧輕媚叢錯采繡之文，將以追兩漢之餘，而漸復三代之故。士大夫不深明天子之心，用意過當，求深者或至於迂，務奇者怪僻而不可讀，餘風未殄，新弊復作。大者鏤之金石，以傳久遠；小者轉相摹寫，號稱古文。紛紛肆行，莫之或禁。蓋唐之古文，自韓愈始。……③

歐陽修讀到這封之後，甚中下懷。蘇軾又給梅聖俞寫了一封信，信中說：

軾聞古之君子，欲知是人也，則觀之以言。言之不足以盡也，則使之賦詩以觀其志。……而詩賦者，或以窮其所不能，策略者，或以掩其所不知。差之毫毛，輒以擯落。後之所以取人者，何其詳且難也。夫惟簡且約，故天下之士皆敦樸而忠厚；詳且難，故天下之士虛浮而獢激。……④

蘇軾剛登上仕途，就在謝啓中大發弘論，抒發自己對當代文風的看法，立論「簡且約」，使他的老師也大加贊揚；梅堯臣把信送給歐陽修看，歐陽修以書抵聖俞曰：「讀軾書不覺汗出，快哉，快哉！老夫當避此人，放他出一頭地也。可喜，可喜！」⑤一日，歐陽修與子歐陽棐（1047—1113）論文，說及蘇軾，嘆曰：「汝記吾言，三十年后，世上人更不道著我也。」⑥歐陽修提攜後進的精神，可敬可佩。他發現蘇軾這一人才，極力推荐，使他早日出人頭地，蘇軾將感遇之恩，深深銘刻于心。他曾寫信對梅堯臣說：

> 今年春，天下之士群至於禮部，執事與歐陽公實親試之。誠不自意，獲在第二。既而聞之人，執事愛其文，以爲有孟軻之風。而歐陽公亦以其能不爲世俗之文也而取焉。……退而思之，人不可以苟富貴，亦不可以徒貧賤。有大賢焉而爲其徒，則亦足恃矣。⑦

蘇軾初出茅廬，立刻名震京師，贊美者有之，「群嘲而聚罵者」有之，而且「動滿千石」，⑧尤其是歐陽修的偏愛，使「士聞者始譁不厭，久乃信伏」。當人們對蘇軾毫無了解的時候，認爲區區青年何足論，一旦了解他的才華，也慢慢心服了。這時候，歐陽修、韓琦、富弼等大臣皆以國士之禮待蘇軾，蘇軾在京都這段時間，可謂「春風得意馬蹄疾」了。一時京師內外，都盛傳三蘇文章。曾鞏述寫蘇洵生平時說：「既而歐陽公爲禮部，又得其二子之文，擢之高等。於是三人之文章盛傳於世，得而讀之者皆爲之驚，或嘆不可及，或慕而效之，自京師至於海隅障徼，學士大夫莫不人知其名，家有其書。」⑨一時，三蘇父子名揚天下。

㈡母喪與南行

嘉祐二年丁酉（西元1057年）四月八日，蘇軾母親逝世，他與父、弟聞訃返蜀，葬程夫人於武陽安鎭之山。當時，家中滿目淒涼。蘇洵在給歐陽修的信中寫道：「洵離家時無壯子弟守舍，歸來屋廬倒壞，籬落破漏，如逃亡人家。」⑩程夫人一生，把希望寄托在兩個兒子身上，她對孩子「咻呴撫摩，既冠既婚。教以學問，畏其無聞。晝夜孜孜，熟知子勤。」而今天二子「亦既薦名，試於南宮，文學煒煒，嘆驚群公。二子喜躍，我知母心。非官實好，要以文稱。」今天歸來，母已西逝，「歸來空堂，哭不見人。」⑪這時候，兄弟倆與父親在家丁憂，依禮守制。

這時候，蘇軾剛剛一舉成名，對獻身國家滿腔熱血。嘉祐三年戊戌（西元1058年），宋朝名相王旦之子、龍圖閣學士王素從定州移鎮成都，蘇軾以在藉進士的身份謁見，上書論蓄兵賦民等事，爲蜀地人民慷慨陳詞，並送上十五篇文章以自荐。書中先說蜀人對王素的歡迎；「執事自軒車之來，曾未期月，蜀之士大夫，舉欣欣然相慶，以爲近之所無有。下至閭巷小民，雖不足以識知君子之用心，亦能歡欣踴躍，轉相告語，諠譁紛紜，洋溢布出而不可掩，雖戶給之粟帛而人賜之爵，其喜樂不如是之甚也。」他告訴王素，近年來政府對人民不加撫卹，而致使「蜀人不知有勤恤之加，擢筋割骨以奉其上，而不免於刑罰。有田者不敢望以爲飽，有財者不敢望以爲富，惴惴焉恐死之無所。」對於民間疾苦，蘇軾雖未任職，仍居喪在家；但他敢於直言，並坦率地提出自己的見解。他向王素建議：「國家蓄兵以衛民，而賦民以養兵，此二者不可以有所厚薄也。」他又根據四川當時的實況，提出爲官必須體察民情。他說：「天下未嘗無貪暴之吏，惟幸其上之明而可以訴，是以獲有所恃。今民怯而不敢訴，其訴者又不見省幸，而獲省者，指目以爲凶民，陰中其禍。」⑫這樣一來，老百姓就有冤無處伸了。最後他送給王素舊文十五篇，希望他「政事之餘，憑几一笑，亦或有可觀耳。」⑬蘇軾的疾奮之言，深得王素器重。後來，他的兒子王鞏與蘇軾成了患難朋友。

當時的蘇軾，壯志滿懷，爲桑梓的利益奮筆疾書，有以天下爲己任之慨。他有位朋友名宋君用，將要離開四川赴京，蘇軾寫詩鼓勵，這也是他自己意志的折射。他認爲人生必需勇敢地撲向廣闊的天地，「超然奮躍去，勢若鷹離韝。」與浮沈中的群蛙告別。詩中說：「賴爾溪中物，雖困有遠謀，不似沼沚間，四合獄萬鰍。縱知有江湖，綿綿隔山邱。人生豈異此，窮達皆有由。」詩中寫宋君用的志向：「我非田農家，安能事耝耰。又非將帥種，不慣揮戈矛。平生負壯氣，豈可遂爾休。」⑭這也是蘇軾的志向的表白。「平生負壯志」，正展現了蘇軾青年時代第一次獲得成功時的滿腔豪情。他立志投身於政界，報效國家，爲百姓造福。

嘉祐四年已亥（西元1059年）十月，母喪終制，蘇軾與父、弟及家屬離開四川南行，自眉州入嘉陵江，經嘉州、犍爲、宜賓、戎州、瀘州、渝州、涪州、酆都、忠州、夔州，然後舟經瞿塘峽，自巴東至秭歸，過昭君村，出黃牛峽，至夷陵，抵江陵，達荊州，又過荊門㳌陽、渡漢水至襄陽，過唐州、許州、葉縣、穎州、封邱。路途達十個月時間。嘉祐五年庚子（西元1060年）二月抵京師，寓於西岡。梅堯臣賦詩讚三蘇曰：「泉上有老人，隱現不可常。蘇子居其間，飲水樂未央。泉中若有魚，與子同徜徉。泉中若無魚，子特玩滄浪。歲月不知老，家有雛鳳凰。百鳥戢羽翼，不敢呈文章。去爲仲尼嘆，出爲盛時翔。方今天子聖，無滯彼泉傍。」⑮對蘇氏三父子稱讚備至。

這次赴京途中，蘇軾沿途飽覽山光水色，風土人情，了解老百姓生活的疾苦。所有這些，都熔鑄在一路的詩作之中。他豪情曠蕩離開故鄉：「故鄉飄已遠，往意浩無邊。」⑯但是，他夜泊牛口渚，看到野老三四家依古柳而居，過的卻是飢寒交迫的生活：「煮蔬爲夜飧，安識酒與肉。朔風吹茅屋，破壁見星斗。」⑰他忽悟到：「人生本無事，苦爲世味誘。富貴耀吾前，貧賤獨難守。……今予獨何者，汲汲強奔走。」⑱他們父子三人，一路寫詩唱和，至荊州出陸，水路一千六百八十餘里，舟行六十日，過郡十一，縣三十有六。共寫了一百篇詩賦，合編爲《南行前集》，蘇軾爲集作敘，因蘇軾祖父名序，所以也避諱，凡序都作敘或引。

接著，自荊州基行到京師，途中作詩三十八首，再加上蘇轍的七首，後人又編爲《南行後集》。

㈢制科考試

嘉祐五年庚子（西元1060年）二月，蘇軾父子抵達汴京，住在西崗。三月，蘇軾與弟蘇轍一起參加吏部的「流內銓」考試。及格通過，吏部銓派蘇軾授河南福昌縣主簿，蘇轍授河南澠池縣主簿。都是九品職官，蘇氏弟兄皆辭不赴。於是他們準備參加制科考試，這是皇帝特詔所舉行的特試，由在朝大臣推荐後，皇帝親自策問、選拔。

制科考試，專門試測考者知識的廣博；因此考官無所不問。試前，考生必須做充分的準備，而且要先送文章給主考官審閱，然後才能參加考試。對於這次赴考，蘇軾滿懷信心；他按章辦事，據理陳說，直陳己見，毫無奴顏媚骨，昂然表達自己的志向。從蘇軾步入仕途的昂首闊步之態，可見蘇軾爲人的磊落品格。他在上兩制書中寫道：

> 今夫軾，朝生於草茅塵土之中，而夕與州縣之小吏，其官爵勢力不足較於世，亦明矣。而諸公之貴，至與人主揖讓周旋而無間，大車駟馬至於門者，逡巡而不敢入。軾也，非有公事而輒至於庭，求以賓客之禮見於下執事，固已獲罪於貴賤之際矣。雖然，當世之君子，不以其愚陋，而使與於制舉之末，朝廷之上，不以其疏賤，而使奏其猖

> 狂之論。軾亦自忘其不肖，而以爲是兩漢之主所孜孜而求之，親降色辭而問之政者也。其才雖不足以庶幾於聖賢之間，而學其道，治其言，則所守者其分也。是故踽踽然而來，仰不知明公之尊，而俯不知其身之賤。不由紹介，不待辭讓，而直言當世之故，無所委曲者，以爲貴賤之際，非所以施於此也。⑲

這一番自白，蘇軾的磊落胸懷溢於紙背。同時，他選送策論五十篇給丞相富弼，云「貧不能盡寫，而致其半。」希望富弼「觀其大略」⑳。他在信中也自負地說：「軾也西南之匹夫，求斗升之祿而至於京師。翰林歐陽公不知其不肖，使與於制舉之末，而發其猖狂之論。」㉑他在寫給曾公亮的信中也說：「軾不佞，自爲學至今，十有五年。以爲凡學之難者，難於無私。無私之難者，難以通萬物之理。故不通乎萬物之理，雖欲無私，不可得也。已好則好之，己惡則惡之，以是自信則惑也。是故幽居默處而觀萬物之變，盡其自然之理，而斷之於中。其所不然者，雖古之所謂賢人之說，亦有所不取。雖以此自信，而亦以此自知其不悅於世也。故其言語文章，未嘗輒至於公相之門。今也天下舉直諫之士，而兩制過聽，謬以其名聞。」㉒雖上書求荐，但他在權貴面前，仍然姿態軒然，毫不低聲下氣，充分表現蘇軾的豪放性格。

嘉祐六年辛丑（西元1061年）參加對策，朝廷命「翰林學士吳奎、龍圖閣學士楊畋、權御史中丞王疇、知制誥王安石就秘閣考試制科，奎等上王介、蘇軾、蘇轍論各六首。」㉓《宋史》記載：「歐陽修以才識兼茂薦之秘閣，試六論，舊不起革，以故文多不工，軾始具草，文義粲然。」㉔這六論是：1.《王者不治夷狄論》，2.《禮義信足以成德論》，3.《劉愷丁鴻孰賢論》，4.《禮以養人爲本論》，5.《既醉備五福論》，6.《形勢不如德論》。考試通過後，接著，八月乙亥（25日），仁宗於崇政殿親試「賢良方正直言極諫」策問。史載：「乙亥，御崇政殿策試賢良方正、能直言極諫。著作郎王介、福昌縣主簿蘇軾、澠池縣主簿蘇轍。軾所對第三等，介第四等，轍第四等，次以軾爲大理評事簽書鳳翔府判官事。」㉕一時間三蘇文章名滿京師。

㈣鳳翔任上

嘉祐元年（西元1056年）冬十一月十九日，蘇軾赴鳳翔任所。十二月十四日，二十四歲的年青人蘇軾抵達鳳翔任所。

這是蘇軾仕宦途中的第一站。他說：「冬十二月歲辛丑，我初從政見魯叟。」㉖第一次任地方官，蘇軾的心緒是複雜的。既有獻身事業的壯志，也有懷才不遇的情懷，又有著極其濃郁的鄉愁、離愁，甚至經常受人生幻變無常的思緒所纏繞。

不久前在御前對策時慷慨陳詞、落筆萬言的蘇軾，一旦走向生活，接觸現實，所顯示的情緒是惆悵的、迷惘的，在稚嫩的衝動中又懷有極度的自信。這些情思互相交織著。我們讀他這一時期的作品，可以感知到一個朝氣蓬勃的、情感細膩而又豐富眞實的蘇軾。

第一，思親情切。

像所有剛離開家的年青人一樣，蘇軾也特別想念家鄉和親人。初到鳳翔，雖有妻子王弗陪伴，但畢竟離開了山明水秀的家鄉及朝夕與共的弟弟子由，內心不免悵惘。於鄭州西門外與子由分手時，賦詩一首：

不飲胡爲醉兀兀，此心已逐歸鞍發。

歸人猶自念庭闈，今我何以慰寂寞。

登高回首坡壠隔，但見烏帽出復沒。

苦寒念爾衣裘薄，獨騎瘦馬踏殘月。

路人行歌居人樂，童僕怪我苦淒惻。
亦知人生要有別，但恐歲月去飄忽。
寒燈相對記疇昔，夜雨何時聽蕭瑟。
君知此意不可忘，愼勿苦愛高官職。㉗

在那茫茫的驛路上，蘇軾爲離開親人而黯然神傷！過去與子由「寒燈相對」、「對床夜語」的生活已不復再。路過澠池，又看到五年前與子由經過這裏在壁上所題的詩已剝落，對人生變幻無常、感慨萬千，寫下一首感人的詩篇：

人生到處知何似？應似飛鴻踏雪泥。
泥上偶然留指爪，鴻飛那復計東西。
老僧已死成新塔，壞壁無由見舊題。
往日崎嶇還記否，路長人困蹇驢嘶。㉘

詩中所寫的，彷彿是初登宦途的蘇軾的一種預感。他對子由的勸勉：「愼勿苦愛高官職」，蘇軾已預知宦途的艱辛；他對人生「應似飛鴻踏雪泥」的感慨，已成爲他一生的讖語，「泥上偶然留指爪，鴻飛那復計東西」，這是蘇軾後來一生奔波的預言的偶合。在他第一次走向仕途的時候，蘇軾的內心不是喜悅，而是滿懷惆悵。

到鳳翔之後，思鄉之情無法排遣。在那風景如畫的飲鳳池上，他想到的是「吾家蜀江上，江水清如藍。爾來走塵土，意思殊不堪。」㉙過石鼻城看戰國陳跡，他唱起「北客初來試新險，蜀人從此送殘山。」㉚重九節獨游普門寺僧閣，一陣悲愁湧上心頭：「憶弟淚如雲不散，望鄉心與雁南飛。」㉛他時刻懷念自己的家鄉。在鳳翔的三年裏，「三年無日不思歸，夢裏還家旋覺非。」㉜至於對子由的思念，更是刻骨銘心，以乎他每天都想與子由談話。這一情緒，讓他在除夕晚上倍覺冷清：「薄宦驅我西，遠別不容惜。方愁後會遠，未暇憂歲夕。強歡雖有酒，冷酌不成席。秦烹惟羊羹，隴饌有熊腊。念爲兒童歲，屈指已成昔。往事今何追，忽若箭已釋。感時嗟事變，所得不償失。」㉝他在病中聞子由不赴商州，寫詩告子由云：「病中聞汝免來商，旅雁何時更著行。遠別不知官爵好，思歸苦覺歲年長。著書多暇眞良計，從官無功漫去鄉。惟有王城最堪隱，萬人如海一身藏。」㉞他懷念在家鄉時與子由一起別歲、守歲、踏青、逛蠶市的歡樂生活：「憶昔與子皆童丱（音慣），年年廢書走市觀。市人爭誇鬥巧智，野人喑啞遭欺謾。」㉟這種天眞無邪的兒童生活景象已去如流水！這使蘇軾「詩來使我感舊事，不悲去國悲流年。」㊱他憂嘆離別思念的痛苦：「人生不滿百，一別費三年。三年吾有幾，棄擲理無還。長恐別離中，摧我鬢與顏。念昔喜著書，別來不成篇。細思平時樂，乃爲憂所緣。」㊲兄弟間的親密情誼，在這初次離別中，襯托得更加深沉。

好得這時有妻子王弗陪伴，在生活、公務中關心他，提醒他，使他孤寂的心靈獲得一點安慰。她常告誡蘇軾說：「子去親遠，不可以不愼。」經常把蘇洵的告誡對他說。當蘇軾與客人在外面談話，她立於屛間聽之，客人走後她反覆對蘇軾說：「某人也，言輒持兩端，惟子意之所嚮，子何用與是人言。」有的人因有求於蘇軾，表現得甚親厚。她對蘇軾說：「恐不能久。其與人銳，其去人必速。」㊳後來事實驗證果眞如此。在鳳翔的官宦生活中，他與王夫人相依爲命。

第二、勤謹治政。

在鳳翔三年任內，蘇軾表現出他勤謹精敏的政治才幹。自到任起，「日夜厲精，雖無過人，庶幾寡過。」㊴他的公務也比較繁忙，「所任僉署一局，兼掌五曹文書。內有衙司，最爲要事。

編木栰竹，東下河渭；飛芻輓粟，西赴邊陲。大河有每歲之防，販務有不蠲之課。破蕩民衆，忽如春水。於今雖有優輕酬獎之名，其實不及所費百分之一，救之無術，坐以自澌。」㊵大略是這幾項政事：一是修訂衙前之役。當時課役的標準甚重，幾乎老百姓每家均須服役，困苦不堪。蘇軾到任後，對此作調查研究；蘇轍曾記載這件事：「岐下歲以南山栰木，自渭入河經砥柱之險，衙前破產者相繼也。公遍問校，曰：『木栰之害，本不至此，若河渭未漲，操栰者以時進止，可無重費也。患其乘河渭之暴，多方害耳。』公即修衙規，……自是衙前之害減半。」㊶二是奉命出差減決囚禁。「壬寅二月，有詔令郡吏分往屬縣減決囚禁。自十三日受命出府，至寶雞、虢、郿、盩厔四縣。」㊷事畢之後，他乘便遊覽一路名勝，並把所經歷記詩寄子由。三是爲抗擊西夏的前線將士運輸補充給養，「飛芻輓粟，西赴邊陲」。運送糧草，保證軍隊給養。四是與人民一道抗旱救災。是時鳳翔乾旱，他赴蟠溪、太白山等地祈雨，盼望天公降雨：「安得夢隨霹靂駕，馬上傾倒天瓢翻」，㊸「安得雲如蓋，能令雨瀉盆。」㊹一旦天降大雨，他歡喜若狂，正好官舍小亭建成，寫下名文《喜雨亭記》，表達他與民共樂的心情。五是慷慨陳辭，寫了兩篇有關國計民生的文章，即《上韓魏公論場務書》及《思治論》。蘇軾針對當時的弊政提出許多改革的建議。所謂「論場務」，即是從衙前之役的弊病，論及國家命運的安危。他認爲，課役的標準太重，「自其家之甕盎甑以上計之，長役及十千，鄉戶及二十千，皆占役一分。所謂一分者，名爲糜錢，十千可辦，而其實皆十五六千，至二十千，而多者至不可勝計也。」這種役法，「民之窮困亦可知矣。」㊺由此，他提倡改革，不可墨守成規：「朝廷自數十年以來，取之無術，用之無度，是以民日困，官日貧。一旦有大敵，則政出一切，不復有所擇。此從來不革之過，今日之所宜深懲而永慮也。」㊻在《思治論》中，他以宏觀的、歷史的眼光，談論五六十年來「變政易令」的形勢，指出國家「有三患而終莫能去」，第一是「自宮室禱祠之役興，錢幣茶鹽之法壞，加之以師旅，而天下常患無財。」第二是「自澶淵之役，北虜雖求和，而終不得其要領。……二國益驕，以戰則不勝，以守則不固，而天下常患無兵。」第三是「自選擇之格嚴，而吏拘於法，不志於功名，考功課吏之法壞，而賢者無所勸，不肖者無所懼，而天下常患無吏。」㊼於是整個國家面臨著「財之不可豐，兵之不可強，吏之不可擇」的危險局面。蘇軾坦然地提出自己的政治觀點和改革主張。可惜，當時人微言輕，被視爲書生一孔之見，沒有得到應有的重視。

鳳翔時期的蘇軾，政治抱負是宏大的，如對邊疆的戰禍，在給子由詩中說：「丈夫重出處，不退要當前。」對於減輕老百姓的疾苦，他意識到，作爲一個地方官吏，無法有所作爲而負疚良深：「王事誰敢愬，民勞吏宜羞。」㊽他憑著自己一股血氣方剛的政治熱情去履行職責。但是，當他在現實生活中碰到了釘子之後，情緒也就低落了。如有時因被冷落而感到孤獨：「短日送寒砧杵急，冷官無事屋廬深。」㊾有時他自感位卑無法施展抱負，浪費生命和光陰：「辭官不出意誰知，敢向清時怨位卑。」㊿他經常感到寂寞、困坷：「嗟予獨愁寂，空室自困坷。」51在心神疲憊的時候，不禁提筆向子由訴苦：「役名則已勤，徇身則已媮。我誠愚且拙，身名兩無謀。始者學書判，近亦知問囚。但知今當爲，敢問向所由。士方其未得，惟以不得憂。既得又憂失，此心浩難收。」52他以爲當官比不上讀道藏快樂，曾對子由說：「下視官爵如泥淤，嗟我何爲久踟躕。」53蘇軾在鳳翔任上，對於吏治有時表現出的厭倦情緒，似有「爾來走塵土，意思殊不堪」的英雄無用武之地的慨嘆，牢騷滿腹。

上下級之間相處，也表現了他年輕氣盛的弱點。初到鳳翔時，太守宋選，政聲甚好，待蘇軾也溫厚。蘇軾在〈東湖〉詩中說：「予今正疏懶，官長幸見函。」㊹「兄今雖小官，幸忝佐方伯。」㊺後來蘇軾與宋選的兒子宋漢杰成爲好朋友，曾著文說：「某初仕即佐先公，蒙遇之厚，何時可忘。」㊻對太守的厚遇幾乎是永生難忘。但是初踏仕途，由於缺乏政治經驗，也常有許多不愉快的事。

當宋選罷鳳翔任後，接替他的是陳希亮（公弼），官職是京東轉運使；蘇軾官簽判，是他手下的幕職。這時，蘇軾年少氣盛而又任性，如遇意見不合，就不顧上下輩份，與他爭議，引起陳希亮有意對他擺架子。陳生性「面目嚴冷，語言確切，好面折人。」㊼使蘇軾內心不滿：「一參賓幕，輒蹈危機。已嘗名掛於深文，不自意全於今日。」㊽在詩中也說：「謁入不得去，兀坐如枯株。豈惟主忘客，今我亦忘吾。同僚不解事，慍色見髯鬚。雖無性命憂，且復忍須臾。」㊾實際上，陳希亮與蘇家是同鄉世交，論輩份，蘇軾還屬孫輩。他對蘇軾的才氣也很欣賞，只是耽心他年輕得志，驕傲自大。有一次，蘇軾中元節不過知府廳，被罰銅八斤，以致蘇軾內心不痛快。每次蘇軾寫公文，他也必塗黑改定反復數次。後來，陳希亮建凌虛台，囑他寫〈凌虛台記〉，文中有「欲以夸世而自足，則過矣」句，批評陳希亮。陳希亮讀後笑曰：「吾親蘇明允猶子也，某猶孫子也。平日故不以辭色假之者，以其年少暴得大名，懼夫滿而不勝也，乃不吾樂邪？」〈凌虛台記〉乃授意不易一字，「亟命刻之石」㊿陳希亮兒子陳慥（季常），是蘇軾的好朋友，後來，蘇軾爲陳希亮寫傳時說：「軾官鳳翔，實從公二年。方是時，年少氣盛，愚不更事，屢與公爭議，至形於言色，已而悔之。」⑫由此可見蘇軾初入仕途生活的一班。

第三、文化生活：

名滿京都的蘇軾，負盛名而抵鳳翔；他學識豐富，性格飄逸瀟洒。鳳翔當秦、蜀之交，「扶風古三輔」，是古文化的集中地方。蘇軾來到這裏，公餘之暇，遍游鳳翔附近的名勝古跡，瀏覽古物，並寫詩著文以記實。

1.游覽於山麓清野之間。

風華正茂的蘇軾，個性好動。到鳳翔後，趁工作之便，踏遍鳳翔的名勝古跡，其中重要的旅遊路線：一是初到鳳翔郡時參觀鳳翔文物、書畫、寺閣、園林，寫下〈鳳翔八觀〉詩。二是受命到寶雞、虢、郿、盩厔四縣辦事時，乘便謁太平宮、宿南溪溪堂，遂並南山而西，至樓觀、大秦寺、延生觀、仙遊潭等地。在這裏參觀了橫渠鎮崇壽院、延生觀後山的唐玉眞公主修道的遺跡、仙遊潭中興寺的玉女洞、盩厔縣東的樓觀、郿塢、磻溪石、石鼻城等，重九節又獨遊普門寺。三是禱雨時出磻溪，宿麻田青峰寺，至陽平宿南山蟠龍寺，至下馬磧，憩懷賢閣，臨五丈原諸葛孔明所從出師處，往南溪會景亭、避世堂。四是章惇來訪，同遊樓觀、五郡，至大秦寺、延生觀抵仙遊潭。並遊美陂、北寺至馬融室、玉女洞、大老寺等。蘇軾在遊覽過程中，都留下熠熠生輝的詩篇，記遊、記事，說古論今，抒懷詠志雜於其間。如他遊終南山大秦嶺大秦寺，寫下〈大秦寺〉一詩。「晃蕩平川盡，坡陀翠麓橫。忽逢孤塔迥，獨向亂山明。信足幽尋遠，臨風卻立驚。原田浩如海，滾滾盡東傾。」⑫詩中既寫終南山的闊遠浩蕩的風貌，又抒發自己尋遠探幽的興緻和「臨風立驚」的沉思。又如他赴寶雞、虢、郿、盩厔四縣這一次的遊歷，他把七天的經歷寫詩寄子由，詩中抒寫一路「尋山得勝遊」的經過，把古跡、路線、風土人情、沿途的內心感受以及藝術欣賞溶合爲一，洋洋灑灑五百言，引發子由神遊於南山道上。

2.將地理與歷史結合進行訪古考古。

鳳翔，漢時爲右扶風，是古都長安的一側。地處岐山之傍。古跡比比皆是，蘇軾在鳳翔，充分發揮了他掌握廣博歷史知識的長處，以濃厚的興趣訪古考古，將地理與歷史結合一起考察，置身於豐富多采的古文化藝術世界裏。藝術精神方面的收穫，與他的政績比較，更加光彩奪目。蘇軾說：「嗟予生雖晚，好古意所沈。圖書已漫漶，猶復訪僑郯。」⑥③鳳翔訪古行，是蘇軾藝術生活的重要組成部分。他說：「昔司馬子長登會稽，探禹穴，不遠千里。而李太白亦以七澤之觀至荊州。二子蓋悲世悼俗，自傷不見古人，而欲一觀其遺跡，故其勤如此。」⑥④蘇軾效法司馬子長及李白，對古都一側的燦爛的歷史文化、藝術珍品，興趣盎然地四處尋覓、考察、記錄，像《石鼓歌》，記敘歧陽石鼓的史實、傳說以及自我感受。石鼓，「韋應物以爲周文王之鼓，（至）宣王刻詩。韓退之直以爲宣王之鼓。今在鳳翔縣孔子廟中。」⑥⑤蘇軾仔細辨認石鼓上的文字：「舊聞石鼓今見之，文字鬱律蛟蛇走。細觀初以指畫肚，欲讀嗟如箝在口。」⑥⑥詩中追述石鼓的形狀、字跡、所刻周、秦事跡，最後詩云：「興亡百變物自閑，富貴一朝名不朽。細思物理坐嘆息，人生安得如汝壽。」⑥⑦王文誥案：「『物閑』收起一段，只七字了當，故其餘意無窮。詩完而氣猶未盡，此其才局天成，不可以力爭也。起敘見鼓，極力鋪排，仍不犯實。忽用『追上』、『下揖』二句一束，乃開拓周、秦二段之根，其必用周、秦分段者，不但鼓之盛衰得失可興可感，本意以秦之暴虐形周之忠厚，秦固有詩書之毀，而文字石刻獨盛於秦，明取此巧，以周、秦串作，一反一正之間，處處皆《石鼓文》地位矣。」⑱王文誥的評說是中肯的。《石鼓文》一詩，述古、考古、詠古、詩已盡而意無窮；詩人對物理的細思，百代興亡的感慨，人生的嘆息，都在詩中充分展現。還有對楚古碑的考證。關於秦穆公墓，蘇軾以秦穆公不誅孟明的歷史事跡，述古感今，從參觀秦穆公墓而引出「今人不復見此等，乃以所見疑古人。古人不可望，今人益可傷。」⑲感慨萬千。他謁老子廟，有「門前古碣臥斜陽，閱世如流事可傷」⑳之嘆。《郿塢》寫董卓之事，《讀〈開元天寶遺事〉三首》寫唐明皇寵楊貴妃誤國事跡，〈驪山三絕句〉嘆秦、唐之女媧。此外，他登五丈原懷諸葛孔明，到馬融室憶馬融生平品格，至周公廟詠周公功績，他將記遊、考古、述史、抒懷，溶爲一體，充份顯露了年青詩人廣博的文化知識，體現了他的歷史觀及藝術精神。

3.談畫論書。

蘇軾在鳳翔的普門寺及開元寺訪唐代名畫家王維、吳道子的畫，對於王、吳繪畫的藝術成就，加以品評。他的〈王維吳道子畫〉一詩，已成爲蘇軾論繪畫藝術的代表作，也是蘇軾藝術觀念的集中表現。詩中論及吳道子的藝術精神是：「道子實雄放，浩如海波翻。當其下手風雨快，筆所未到氣已吞。」㉒而王維的畫如他的詩一樣飄逸：「摩詰本詩老，佩芷襲芳蓀。今觀此壁畫，亦若其詩清且敦。」㉓接著比較吳、王風格的特點：「吳生雖妙絕，猶以畫工論。摩詰得之於象外，有如仙翮謝籠樊。吾觀二子皆神俊，又於維也斂衽無間言。」㉔「得之於象外」的藝術觀念，成爲中國文人畫的基本格調與藝術追求。他記所見開元寺吳道子畫佛滅度，贊揚吳道子獨特的藝術風格：「畫師不復寫姓名，皆云道子口所傳。」見畫即可認出畫家畫筆的風貌。

㈣、結交朋友

蘇軾爲人誠懇，對朋友推心置腹；他每到一個地方，周圍都有一批朋友。至鳳翔之後，他結交了文同、王彭、陳慥、董傳等人。文同字與可，是蘇軾表哥，他到鳳翔後才結識的：「我官于岐，實始識君。」文與可是一位畫家，才氣超人，蘇軾說他「甚口秀眉，忠信而文。志氣方剛，談詞如雲。」「脫口成章，粲莫可耘。馳騁百家，錯落紛紜。」⑮他們之間藝術上志同道合，思想息息相通；文同可以說是蘇軾的良師益友。後來，蘇軾畫墨竹，拜他爲師。王彭，字大年，任鳳翔監府諸軍，與蘇軾「居相鄰，日相從」⑯很有個性，「時太守陳公弼馭下嚴甚，威震旁郡，僚吏不敢仰視。」只有王彭「偘偘（即侃侃）自若，未嘗降色詞。」⑰他博學精練，書無所不通，尤其喜歡蘇軾文章，蘇軾「每爲出一篇，輒拊掌歡然終日。」⑱蘇軾學習佛書，也是受他啓發的結果。⑲陳慥即方山子，是陳公弼之子，「少年使酒好劍，用財如糞土」，蘇軾在鳳翔時，「見方山子從兩騎，挾二矢，游西山。鵲起於前，使騎逐而射之，不獲。方山子怒，馬獨出，一發得之。因與余馬上論用兵及古今成敗，自謂一世豪士。」⑳這時他與蘇軾結爲朋友。十九年後，蘇軾謫居黃州，陳慥也在黃州歸隱，彼此經常來往。董傳是一位貧寒的知識分子，蘇軾也是在鳳翔時開始認識的。「其爲人，不通曉世事，然酷嗜讀書。其文字蕭然有出塵之姿，至詩與楚詞，則求之於世可與傳比者，不過數人。」㉑蘇軾離開鳳翔時和董傳留別詩云：「粗繒大布裹生涯，腹有詩書氣自華。厭伴老儒烹瓠葉，強隨舉子踏槐花。囊空不辦尋春馬，眼亂行看擇婿車。得意就堪誇世俗，詔黃新濕字如鴉。」㉒至熙寧二年，董傳病死，家貧無錢安葬，蘇軾與數朋友相與出錢賻其家，並寫信上韓魏公，希望他也助一臂之力。

蘇軾在鳳翔所結交的朋友中，不論是貴爲武寧軍節度使之後，或是對他「面目嚴冷」的上司之子，還是落魄的文士，他在認識他們的才識及耿介的品格之後，就結爲莫逆之交。年青蘇軾的剛強個性，在結交朋友中也表現出來。

鳳翔是蘇軾一生宦途的第一個驛站，也是蘇軾從政及思想形成的初期階段。但蘇軾的才幹與品格，已在這段生活中逐漸顯露了。

鳳翔任滿，他於英宗治平元年甲辰（西元1064年）十二月十七日罷簽判任，磨勘轉殿中丞，還京任職。

㈤家庭變故

蘇軾升官爲殿中丞，於治平二年己巳（西元1065年）正月還朝，又奉詔差判登聞鼓院。這時候，英宗要再次提拔蘇軾，受到韓琦的阻攔。《宋史本傳》載：

> 治平二年入判登聞鼓院，英宗藩邸聞其名，欲以唐故事召入翰林知制誥。宰相韓琦曰：「軾之才遠，大器也，他日自當爲天下用，要在朝廷培養之，使天下之士莫不畏慕降伏，皆欲朝廷進用，然後取而用之，則人人無復異辭矣。今驟用之，則天下之士未必爲然，適足以累之也。」英宗曰：「且與記注如何？」琦曰：「記注與制誥爲鄰，未可遽授，不若於館閣中近上帖職之。且請召試。」英宗曰：「試之未知其能否？如軾有不能耶？」琦猶不可。㉝

於是二月召於學士院試二論，一是〈孔子從先進論〉，一是〈春秋定天下之邪正論〉，以最高分入選爲三等，得殿中丞直史館。這時，蘇軾已成一朝名流。他回京供職後，與父親同住，弟蘇轍也獲大名府推官職務。直史館是掌管校讎典籍、管理圖書的。這樣，蘇軾可以盡情讀書了！他在值班時曾寫詩給王敏甫曰：「蓬瀛宮闕隔埃氛，帝樂天香似許聞。瓦弄寒暉鴛臥月，樓生晴靄鳳盤雲。共誰交臂論今古，只有閑心對此君。大隱本來無境界，北山猿鶴漫移文。」⑭在如此富麗堂皇的環境中研讀古今書籍，使蘇軾有「大隱在朝市」（白樂天詩）的感覺。蘇軾沉醉在書山學海之中了：「黃省文書分道山，靜傳鐘鼓建章閑。無邊玉樹西風起，知有新秋到世間。」⑮

但是，好景不常。這一年五月，蘇軾妻子王弗於五月丁亥卒於京師。蘇軾在墓誌銘中寫道：「治平二年五月丁亥，趙郡蘇軾之妻王氏卒於京師，六月甲午殯於京城之西。」⑯有子邁。王弗隨蘇軾遊宦鳳翔，對他關懷備至，幫助他處理好待人接物，一旦永訣，蘇軾有「永無所依怙」之痛。他對妻子的懷念永刻於心；十年以後，熙寧八年乙卯（西元1075年）正月二十日夢見王弗，寫下〈江城子〉一詞，哀怨親切。

> 十年生死兩茫茫，不思量，自難忘，千里孤墳，無處話淒涼。縱使相逢應不識，塵滿面，鬢如霜。　　夜來幽夢忽還鄉，小軒窗，正梳妝，相顧無言，惟有淚千行。料得年年腸斷處，明月夜，短松崗。⑰

蘇軾悲慟之情，於中可見。

妻亡不到一年，治平三年丙午（西元1066年）四月廿五日，父親洵逝世，享年五十八歲。遺命蘇軾繼承他未竟的《易傳》寫作。蘇轍說：「先君晚歲讀易，玩其爻象，得其剛柔遠近，喜怒逆順之情，以觀其詞，皆迎刃而解，作易傳，未完疾革，命公述其志，公泣受命，卒以成書。」⑱是年六月，兄弟扶父親的靈櫬和王弗夫人柩，自汴入淮，泝江回鄉，於治平四年丁未（西元1067年）四月，葬父洵於彭山縣安鎮鄉可龍里，與母程國夫人墓同穴。八月遵父遺命，葬亡妻王弗於程夫人墓旁。墓誌銘中寫道：「葬於眉之東北彭山縣安鎮鄉可龍里先君先夫人之西北八步。

……始死，先君命軾曰：『婦從汝於艱難，不可忘也。他日汝必葬諸其姑之側。』未期年而先君沒，軾謹以遺令葬之。」⑱

在家居喪期間，蘇軾整理父親蘇洵遺作，了解和研究道家故事及吳道子書。熙寧元年戊申（西元1068年）七月除喪，十月，娶王弗之堂妹王閏之爲妻。十二月與弟轍還朝。他把家中的田宅祖墳委托鄰居楊五哥代管，由堂兄蘇子安做主，王淮奇（慶源）、蔡褒（子華）等前來送行，蔡子華在他的住宅種下荔枝一棵，二十年後，蘇軾在杭州寫詩以記懷念之情：「故人送我東來時，手栽荔子待我歸。荔子已丹吾髮白，猶作江南未歸客。江南春盡水如天，腸斷西湖春水船。想見青衣江畔路，白魚紫筍不論錢。霜髯三老如霜檜，舊交零落今誰輩。莫從唐舉問封候，但遣麻姑更爬背。」⑳蘇軾這次離蜀，一輩子再也沒有機會返回家鄉，只能在詩裏、夢裏寄托情思了。

【附　註】

① 《蘇軾詩集》卷3〈和子由澠池懷舊〉見中華書局版，第1冊，第97頁。

② 陸游《老學庵筆記》卷8，見《四庫全書》，第865冊，第68頁。（臺版）

③ 《蘇軾文集》卷49〈謝歐陽內翰書〉，見中華書局版，第4冊，第1423頁。

④ 同上〈謝梅龍圖書〉，第1424頁。

⑤ 《歐陽文忠公集》卷149〈與梅聖俞〉。

⑥ 朱弁《曲洧舊聞》卷8，見《四庫全書》，第863頁，第339頁。（臺版）

⑦ 《蘇軾文集》卷48〈上梅直講書〉，見中華書局版，第4冊，第

1386頁。

⑧　同上卷49〈謝歐陽內翰書〉，第1424頁。

⑨　曾鞏《元豐類稿》卷41〈蘇明允哀詞〉，見《四庫全書》，第1098冊，第692頁。

⑩　《嘉祐集》卷12〈與歐陽內翰第三書〉，見《四庫全書》，第1104冊，第936頁。（臺版）

⑪　《嘉祐集》卷15〈祭亡妻程氏文〉，見《四庫全書》，第1104冊，第965— 966頁。（臺版）

⑫　《蘇軾文集》卷48〈上知府王龍圖書〉，見中華書局版，第4冊，第1388— 1389頁。

⑬　同上註。

⑭　《蘇軾詩集》卷48〈送宋君用遊輦下〉，見中華書局版，第8冊，第2603頁。

⑮　王文誥《蘇文忠公詩編注集成總案》卷2，見巴蜀書社，1985年成都版，（以下簡稱蜀版）卷2，第2頁。

⑯　《蘇軾詩集》卷1〈初發嘉州〉，見中華書局版，第1冊，第6頁。

⑰　《蘇軾詩集》卷1〈夜泊牛口〉，見中華書局版，第1冊，第9頁。

⑱　同上註。

⑲　《蘇軾文集》卷48〈應制舉上兩制書〉，見中華書局版，第4冊，第1390頁。

⑳　《蘇軾文集》卷48〈上富丞相書〉，見中華書局版，第4冊，第1377頁。

㉑　同上註。

㉒　《蘇軾文集》卷48〈上曾丞相書〉，見中華書局版，第4冊，第1379頁。

㉓　《經進東坡文集事略》 卷10，郎曄註。

㉔ 《宋史》卷338《蘇軾傳》，見《四庫全書》，第286冊，第482—483頁。（臺版）

㉕ 《續資治通鑑長編》卷194〈仁宗〉，見《四庫全書》，第317冊，第251頁。（臺版）

㉖ 《蘇軾詩集》卷3〈石鼓歌〉，見中華書局版，第1冊，第101頁。

㉗ 《蘇軾詩集》卷3〈辛丑十一月十九日，既與子由別於鄭州西門之外，馬上賦詩一篇寄之〉，見中華書局版，第1冊，第95—96頁。

㉘ 《蘇軾詩集》卷3〈和子由澠池懷舊〉，見中華書局版，第1冊，第97頁。

㉙ 《蘇軾詩集》卷3〈鳳翔八觀·東湖〉，見中華書局版，第1冊，第112頁。

㉚ 同上〈石鼻城〉，見第1冊，第134頁。

㉛ 《蘇軾詩集》卷4〈壬寅重九，不預會，獨遊普門寺僧閣，有懷子由〉，見中華書局版，第1冊，第151頁。

㉜ 同上卷5〈華陰寄子由〉，見中華書局版，第1冊，第224頁。

㉝ 同上卷3〈次韻子由除日見寄〉，第1冊，第120頁。

㉞ 《蘇軾詩集》卷4〈病中聞子由得告不赴商州三首〉（其一），見中華書版，第 1冊，第156頁。

㉟ 同上〈和子由蠶市〉，第1冊，第163頁。

㊱ 同上註。

㊲ 《蘇軾詩集》卷5〈和子由苦寒見寄〉，第1冊，第215頁。

㊳ 《蘇軾文集》卷15〈亡妻王氏墓誌銘〉，見中華書局版，第2冊，第472頁。

㊴ 《蘇軾文集》卷46〈鳳翔到任謝執政啓〉，見中華書局版，第4冊，第1327頁。

㊵ 同上註。

㊶ 《欒城後集》卷22〈亡兄子瞻端明墓誌銘〉，見《四庫全書》，第1112冊，第759—760頁。

㊷ 《蘇軾詩集》卷3〈詩題〉，見中華書局版，第1冊，第122頁。

㊸ 《蘇軾詩集》卷4〈二十六日五更起行，至磻溪，天未明〉，見中華書局版，第一冊，第174頁。

㊹ 《蘇軾詩集》卷4〈是日自磻溪，將往陽平，憩於麻田青峰寺之下院翠麓亭〉，見第175頁。

㊺ 《蘇軾文集》卷48〈上韓魏公論場務書〉，見中華書局版，第4冊，第 1394—1395頁。

㊻ 同上註。

㊼ 《蘇軾文集》卷4〈思治論〉，見中華書局版，第1冊，第115—116頁。

㊽ 《蘇軾詩集》卷4〈和子由聞子瞻將如終南太平宮溪堂讀書〉，見中華書局版，第1冊，第179頁。

㊾ 同上〈九月二十日微雪，懷子由二首〉（其一），第154頁。

㊿ 同上〈病中聞子由得告不赴商州三首〉（其三），第157頁。

(51) 同上〈病中，大雪數日，未嘗起，觀虢令趙薦以詩相屬，戲用其韻答之〉，第159頁。

(52) 《蘇軾詩集》卷4〈和子由聞子瞻將如終南太平宮溪堂讀書〉，見中華書局版，第1冊，第179頁。

(53) 同上〈將往終南和子由見寄〉，第181頁。

(54) 《蘇軾詩集》卷3〈東湖〉，見第1冊，第113頁。

(55) 同上〈次韻子由除日見寄〉，第121頁。

(56) 《蘇軾文集》卷59〈與宋漢杰二首〉，見中華書局版，第4冊，第1806頁。

(57) 《蘇軾文集》卷13《陳公弼傳》，見中華書局版，第2冊，第419頁。

⑱ 《蘇軾文集》卷46〈謝館職啓〉，見中華書局版，第4冊，第1326頁。

⑲ 《蘇軾詩集》卷4〈客位假寐〉，見中華書局版，第1冊，第163頁。

⑳ 邵博撰《聞見後錄》卷15，見《四庫全書》，第1039冊，第290頁。（臺版）

㉑ 《陳公弼傳》，見《蘇軾文集》卷13，見中華書局版，第2冊，第419頁。

㉒ 《蘇軾詩集》卷5〈大秦寺〉，見中華書局版，第1冊，第194頁。

㉓ 《蘇軾詩集》卷3〈東湖〉，見第1冊，第113頁。

㉔ 同上〈鳳翔八觀並序〉，第99頁。

㉕ 歐陽修《文忠集》卷134〈集古錄跋尾㊀．石鼓文〉，見《四庫全書》，第1103冊，第355頁（臺版）。

㉖ 《蘇軾詩集》卷3〈石鼓文〉，見中華書局版，第1冊，第101頁及105頁。

㉗ 同上註。

㉘ 同上，第105頁詩末注〔誥案〕。

㉙ 《蘇軾詩集》卷3〈秦穆公墓〉，見中華書局版，第1冊，第119頁。

㉚ 同上〈樓觀〉，第132頁。

㉛ 《蘇軾詩集》卷3〈王維吳道子畫〉，見中華書局版，第1冊，第108頁至110頁。

㉜ 同上註。

㉝ 同註㉛。

㉟ 《蘇軾詩集》卷63〈黃州再祭文與可文〉，見中華書局版，第5冊，第1942頁。

㊱ 《蘇軾文集》卷63〈王大年哀詞〉，見中華書局版，第5冊，第1965頁。

⑰　同上註。

⑱　同註⑯。

⑲　同註⑯。

⑳　《蘇軾文集》卷13《方山子傳》，見中華書局版，第2冊，第420頁。

㉑　《蘇軾文集》卷50〈上韓魏公一首〉，同上，第4冊，第1443頁。

㉒　《蘇軾詩集》卷5〈和董傳留別〉，見中華書局版，第1冊，第222頁。

㉓　《宋史》卷338《蘇軾傳》，見《四庫全書》，第286冊，第483頁。

㉔　《蘇軾詩集》卷5〈夜直秘閣王敏甫〉，見中華書局版，第1冊，第225—226頁。

㉕　《蘇軾詩集》卷5〈入館〉，見中華書局版，第1冊，第227頁。

㉖　《蘇軾詩集》卷15〈亡妻王氏墓誌銘〉，見中華書局版，第2冊，第472頁。

㉗　龍榆生校箋《東坡樂府箋》卷1〈江城子〉（十年生死）。

㉘　《欒城後集》卷22〈亡兄子瞻端明墓誌銘〉，見《四庫全書》，第1112冊，第767頁。

㉙　《蘇軾詩集》卷15〈亡妻王氏墓誌銘〉，見中華書局版，第2冊，第472頁。

㉚　《蘇軾詩集》卷31〈寄蔡子華〉，見中華書局版，第5冊，第1665頁。

四、在變法的激流中

㈠京都風雲。

熙寧二年己酉（西元1069年）二月，蘇軾兄弟回朝。適値王安石參知政事，創置三司條例，議行新法。王安石素惡蘇軾議論異己，以殿中丞直史館抑置官告院。蘇轍在墓誌銘中寫道：「熙寧二年也，王介甫用事，多所建立，公與介甫議論素異，既還朝，置之官告院。」①弟轍爲三司條例司檢詳文字。這時候，朝議譁然，朝臣凡與王安石政論相牾者，適罷去。《宋史》載：熙寧二年「二月庚子以王安石參知政事」，「六月丁巳右諫議大夫御史中丞呂誨以論王安石罷，知鄭州。」「八月癸卯侍御史劉琦貶監處州，……亦以論安石故。」「乙巳殿中侍御史孫昌齡以論新法貶，通判蘄州。丙午同修起居注范純仁以言事多忤安石罷」，「十月丙申富弼武寧軍節度使判亳州」②是年十月，司馬光荐蘇軾爲諫官，不從，熙寧三年庚戌（西元1070年）三月策試進士，呂惠卿知貢舉，蘇軾爲編排官，有葉祖洽者考官宋敏求與蘇軾欲黜之，而呂惠卿擢爲第一，蘇軾氣憤不過，擬進士對御試策一道上之，但也無法挽救。宋神宗以推答進士策示王安石，「安石言軾才亦高，但所學不正，又以不得逞之故，其言遂跌蕩至此。數請黜之。」③是時神宗對王安石言聽計從，正如曾公亮所說：「上與王安石如一人，此乃天也。」④這時候，朝廷裏面鬥爭激烈，凡與新法持不同意見者統統被排斥，蘇軾的弟弟及朋友們，紛紛離京外任，當他的朋友劉攽（貢父）被貶泰州（今江蘇泰州縣）時，他寫詩送行，發洩自己的牢騷：

> 君不見阮嗣宗臧否不掛口，莫誇舌在齒牙牢，是中惟

可飲醇酒。讀書不用多，作詩不須工，海邊無事日日醉，夢魂不到蓬萊宮。秋風昨夜入庭樹，蓴絲未老君先去。君先去，幾時回？劉郎應白髮，桃花開不開。⑤

這首詩已充份表達當時蘇軾的抑鬱之情。朋友蔡冠卿，因登州太守許遵判獄案一事，與王安石持不同意見，被貶饒州。蘇軾讚他的剛強性格，寫詩送別：

吾觀蔡子與人遊，掀髯笑語無不可。平生儻蕩不驚俗，臨事迂闊乃過我。橫前坑穽眾所畏，布路金珠誰不裹。爾來變化驚何速，昔號剛強今亦頗。憐君獨守廷尉法，晚歲卻理鄱陽柂。莫嗟天驥逐羸牛，欲試良玉須猛火。世事徐觀眞夢寐，人生不信長轗軻。知君決獄有陰功，他日老人酬魏顆。⑥

這時候，朋友們紛紛離去，蘇軾在京，對於王安石新法引起的政治風波，堅持己見，毫不退讓。熙寧四年辛亥（西元1071年），王安石欲變科舉，興學校，詔兩制三館議，蘇軾上〈議學校貢舉狀〉強烈反對，⑦獲得神宗贊成。蘇轍墓誌銘中載：

議上，上悟曰：「吾固疑此，得蘇軾議，意釋然矣。」即日召，且問何以助朕，公辭避久之，乃曰：「臣竊意陛下求治太急，聽言太廣，進人太銳，願陛下安靜以待物之來，然後應之。」上竦然聽受，曰：「卿三言，朕當詳思之。」介甫之黨皆不悅，命攝開封推官。意以多事困之。⑧

接著，因皇室下令買浙燈四千餘盞，並令減價收買，蘇軾上〈諫買浙燈狀〉力諫，說：「賣燈之民，例非豪戶，舉債出息，畜之彌年，衣食之計，望此旬日。陛下為民父母，唯可添價貴買，豈可減價賤酬，此事至小，體則甚大。」⑨建議神宗「深計遠慮，割愛爲民。」⑩神宗接受蘇軾的意見，即召罷之。蘇軾驚喜過望，以爲有君如此，惟當披心腹。於是，熙寧四年辛亥（西元1071年）二月，又獻〈上神宗皇帝書〉，他爲神宗能「改過不吝，從善如流」而感泣備至，又再進言：「臣之所欲言者三，願陛下結人心，厚風俗，存紀綱。」⑪三月又〈再上神宗皇帝書〉，再一次反對新法的施行：「陛下自去歲以來，所行新政皆不與治同道，立條例司，遣青苗使，斂助役錢，行均輸法，四海騷動，行路怨咨。自宰相以下皆知其非而不敢爭，臣愚蠢不識忌諱，乃者上疏論之詳矣。」⑫是年四月，由於王安石贊神宗獨斷專任，蘇軾在試進士發策時偏出此題目以論，深中其病，惹怒王安石，本傳載：「軾見安石贊神宗以獨斷專任，因試進士策以〈晉武平吳以獨斷而克，苻堅代晉以獨斷而亡；齊桓專任管仲而霸，燕噲專任子之而敗，事同而功異〉爲問。安石滋怒，使御史謝景溫論其過。窮治無得。軾遂請外，通判杭州。」⑬當時謝景溫奏劾蘇軾，前於英宗治平三年丁父憂，扶喪歸蜀時，沿途妄冒差借兵卒，並於所乘舟中，販運私鹽、蘇木和瓷器。他們故意雷厲風行查問。結果毫無所得，均屬子虛烏有。范鎮上疏爲蘇軾辯誣說：「軾治平中父死京師，先帝賜之絹百匹、銀百兩，辭不受，而請贈父官，先帝嘉其意，贈其父光祿寺丞，又敕諸路應副人船。是時韓琦亦與之銀三百兩，歐陽修與二百兩，皆辭不受，軾之風節亦可概見矣。今言者以爲多差人船販私鹽，是厚誣也。」⑭謝景溫奏刻蘇軾案，只好查無實據，不了了之。蘇軾也無意在京都工作下去，就乞請外調，他自鳳翔至此十年，屢次「磨勘」遷官，已官至監告院兼尚書祠郎，這次京華失意，終於在變法之中，被排斥而離開京都了。六月，以太常博士直史館通判杭州。將啓程，向王素告辭，論及當世事，王素語重心長地對他說：「吾老矣，恐不復見，子厚自愛，無忘吾言。」⑮蘇軾懷著惘然的心情離開京都。他在京送呂希道知和州時說：「我生本是便江海，忍恥未去猶徬徨。」⑯現在，他自己也離開京都外任，出都到陳州時，思想上又似萌生了一種解脫之感，有詩為證：

鳥樂忘罝罦，魚樂忘鉤餌。

何必擇所安，滔滔天下是。（其一）

煙火動村落，晨光尚熹微。

田園處處好，淵明胡不歸。（其二）⑰

他在與張安道論杜詩時也說過：「巨筆屠龍手，微官似馬曹，迂疏無事業，醉飽死遊遨。」⑱雖曰讚杜甫的詩，但也是他自己當時的心情的寫照。他深深地感到：「早歲便懷齊物志，微官敢有濟時心。」⑲在穎州與子由告別時也說：「嗟我久病狂，意行無坎井。有如醉且墜，幸未傷輒醒。從今得閑暇，默然坐日永。」⑳由於心情欠佳，赴杭州途中，沿途山光水色，處處都引起他一腔愁憤，觀泗州僧伽塔時說：「今我身世兩悠悠，去無所逐來無戀。」㉑過龜山時說：「我生飄蕩去何求。」㉒至廣陵與劉攽（貢父）會面時說：「去年送劉郎，醉語已驚衆。如今各飄泊，筆硯誰能弄。」㉓廣陵遇孫巨源時也說：「三年客京輦，憔悴難具論。揮汗紅塵中，但隨馬蹄翻。」㉔對於三年京華生活所捲進的政治漩渦，如今與劉攽、孫巨源、劉莘老（摯）三人同為逐臣，「如今三見子，坎坷為逐臣。」㉕大家都「遂與屈子鄰」，㉖與屈原有共同的命運，從京都外放，這時蘇軾的心情是複雜激蕩的。當時文與可寫了兩句詩勸誡他此去不要惹事。詩曰：「北客若來休問信，西湖雖好莫吟詩。」蘇軾似也心領神會了。

㈡一度赴杭。

蘇軾一路經潁川、濠州、泗州、揚州……等地，於熙寧四年辛亥（西元1071年）十一月十八日到達杭州任。

這時候，蘇軾對於國家大計，無能爲力；外放杭州，迫於無奈！但杭州是地上天堂，一座美麗的城市，又是宋朝東南第一都會。嘉祐三年，梅摯出任杭州太守時，宋仁宗寫詩送他，首聯是「地有湖山美，東南第一州。」杭州的山光水色，令蘇軾陶醉；但他並沒忘懷世事。他的命運第一次被擺弄之後，在重重矛盾的心態下，蘇軾那坦蕩、任情的個性，隨遇而安的情懷，逐漸也醞釀形成。蘇軾的人格、文化觀念，以及他那體現東方文化風采的「蘇軾精神」，之所以聞名遐邇，影響後世，是由於這一時期的特殊社會情緒及思想意識所決定的。

蘇軾這一時期的心態，一直處於激烈的矛盾之中。在他深層的心裡結構中，潛流著一種儒家文化的主導性與莊釋文化的制衡性的複雜的組合，形成了一個多重價值觀念的整合體，這是蘇軾價值觀念的取向，是他自己所尋找到的文化歸宿。同時，這也表現了北宋士大夫階層的典型文化心理。

蘇軾的人格模式與文化理想追求，在杭州時期的作品中有了鮮明的體現，並顯示出傳統士文學的特徵。我們從他杭州時期的作品中，既看到當時已經介入政治漩渦的蘇軾，怎樣在極度矛盾衝突的精神中掙扎，同時，也看到作爲哲人的蘇軾，怎樣將儒、道、佛三家思想在主體意識中整合。作爲一個藝術家，蘇軾的詩詞，蘊蓄著一種令人陶醉的、帶著新鮮感和朦朧美的流動；他對人世間黑暗現實的無情鞭笞，對大自然的美的世界的由衷贊頌，表現了北宋中期的一股普遍的社會意識。

爲什麼蘇軾到杭州之後，就能夠在政治圈子裡及文壇中獨領風騷呢？對於這個問題，我們必須從當時的文化環境來進行考察。

丹納說：「一種感情，一種思想，一種決定，是另一種感情，另一種思想，另一種決定促發的，也是人物當時的處境促發的，也是你認爲他所具備的總的性格促發的。」㉗作家的自主意識以及他的作品的產生，都決定於時代精神。蘇軾熙寧四年赴杭州時，正是他的政治生涯中矛盾鬥爭最爲激烈的階段，也是他思想最活躍的時期，可以說，他在風口浪尖中介入政治，以一種直覺的良知感體驗生活和人生，蘇軾此時的精神的獨特世界，表現出了強烈的道德力量和智慧力量。

王安石熙寧變法後，權傾天下。新法對北宋社會的變革所產生的促進作用，在歷史上是予以肯定的；但新法的弊端也顯而易見。再加上北宋吏政腐敗，即使是推行新政時，也從中舞弊，因而對人民的盤剝也極苛刻。但王安石性情固執，不能廣開言路，聽取不同意見，一遇不同政見就勃然鎮壓，這樣一來，兩種不同政見的爭論就日益白熱化了。而蘇軾的秉直仗義的性格，又決定他不願俯仰隨俗；當時，正是他參政的上升時期，他以激烈的社會意識投身於政治鬥爭的漩渦之中。

杭州任上，蘇軾濃烈的政治意識影響他的行動和言論。新法的推行，給予地方官吏以強大的壓力，蘇軾以一個士大夫應有的良知，眞切地了解人民的每一滴眼淚和每一聲嘆息，內心充滿著矛盾與激動。他寫道：「門前萬事不掛眼，頭雖長低氣不屈。餘杭別駕無功勞，畫堂五丈容旂旄。重樓跨空雨聲遠，屋多人少風騷騷。平生所慚今不恥，坐時疲氓更鞭箠。道逢陽虎呼與言，心知其非口諾唯。居高志下眞何益，氣節消縮今無幾。文章小技安足程，先生別駕舊齊名。如今衰老俱無用，付與時人分重輕。」㉘這一時期的蘇軾，思想上有一股強烈的現實感和使命感，想介入政治改革爲國效勞，不僅無能爲力，反而因此橫遭政治的排斥，外放杭州，他又不願放棄自己的政治觀念，思想深處充滿了矛盾與不安。目睹人民的苦難，他心急如焚：「居官不任事，蕭散羨長卿。胡不歸去來，滯留愧淵明。鹽事星火急，誰能卹農耕。薨薨曉鼓動，萬指羅溝坑。天雨助官政，泫然淋衣纓。人如鴨與豬，投泥相濺驚。下馬荒堤上，四顧但湖泓。線路不容足，又與牛羊爭。歸田雖賤辱，豈失泥中行。寄語故山友，愼毋厭藜羹。」㉙民衆的苦難，深深地觸動了蘇軾的良知，他慚愧、不安、自責，但又對改變弊端無能爲力，只能付諸筆端，嘻笑怒罵，以洩心頭的積怨。如對勸農使的譏諷：「霜林老鴉閑無用，畦東拾麥畦西種。畦西種得青猗猗，畦東已作牛尾稀。明年麥熟芒攢槊，農夫未食鴉先啄。徐行俯仰若自矜，鼓翅跳躍上牛角。憶昔舜耕歷山鳥爲耘，如今老鴉種麥更辛勤。農夫羅拜鴉飛起，助農使者來行水。」㉚有對官府迫租的揭露：「今年粳稻熟苦遲，庶見霜風來幾時。霜風來時雨如瀉，杷頭出菌鐮生衣。眼枯淚盡兩不盡，忍見黃穗臥青泥。茅苫一月隴上宿，天晴穫稻隨車歸。汗流肩赬載入市，價賤乞與如糠粞。賣牛納稅拆屋炊，慮淺不及明年飢。官今要錢不要米，西北萬里招羌兒。龔黃滿朝人更苦，不如卻作河泊婦。」㉛吳地田婦對官府的血淚指控，居然出自一位地方長官的筆端。對杭州遭遇蝗災而官吏又隱瞞實情不報，蘇軾也寫詩披露：「西來煙障塞空虛，洒遍秋田雨不如。新法清平那有此，老身窮苦自招渠。無人可訴烏銜肉，憶弟難憑犬附書。自笑迂疏皆此類，區區猶欲理蝗餘。」㉜諷刺之餘，由於政治責任感，他還是爲解除人民的災難而負起治理蝗災的責職。著名詩篇〈山村五絕〉，更是以嘻笑怒罵的筆法，對現實生活作了無情的鞭撻，以至於引發了新法執行者的報復，如其中第三、四首：「老翁七十自腰鐮，慚愧春山荀蕨甜。豈是聞韶解忘味，邇來三月食無鹽。」

「杖藜裹飯去忽忽，過眼青錢轉手空。贏得兒童語音好，一年強半在城中。」㉝蘇軾在了解民衆生活的過程中，他爲自己的官職深感負疚，也對自己的命運感到荒謬。有詩云：「除日當早歸，官事乃見留。執筆對之泣，哀此系中囚。小人營餱糧，墮網不知羞。我亦戀薄祿，因循失歸休。不須論賢愚，均是爲食謀。誰能暫縱遣，閔默愧前修。」㉞雖自己身在官位，但目睹百姓的苦難，心靈深處無比衝動，爲了貪戀俸祿，他在辨公廳裡往往要幹違心的事，思想上的矛盾與悔恨互相交織，他曾把這種心情向朋友傾訴：「獸在藪，魚在湖，一入池檻歸期無。誤隨弓旌落塵土，坐使鞭垂環呻呼。追胥連保罪及孥，百日愁嘆一日娛。白雲舊有終老約，朱綬豈合山人紆。……陶潛自作《五柳傳》，潘閬畫入三峰圖。吾年凜凜今幾餘，知非不去慚衛蘧。歲荒無術歸亡逋，鵠則易畫虎難摹。」㉟當他坐在高堂上眼看衙役鞭打無辜的百姓，在呻呼中判他們的罪狀，他慚汗滿臉，熱淚盈眶，自己說過：「軾在錢塘，每執筆斷犯鹽者，未嘗不流涕也。」㊱蘇軾的良知與他所執行的政策的矛盾，使他無法自拔，陷入深深的痛苦和自悔，「出口談治亂，一生溷塵垢」一語，就是他內心的寫照。至於蘇軾在杭州任上爲杭州百姓所做的各項實事，如吏治的改良，水利事業上的圍堤工程，都屬於一個官吏的良知所採取的行動。這一時期的蘇軾，尚未經受「烏台詩案」的磨難，政治思想還處於上升時期，雖受了一些挫折，內心充滿矛盾衝突，但雄心未折，「本不避人那避世」，㊲抗爭精神尚未泯滅，正如蘇轍在《墓誌銘》中說：「初，公既補外，見事不便於民者，不敢言亦不敢默視也，緣詩人之義，託事以諷，庶幾有補於國，言者從而媒孽之。」㊳

蘇軾積極介入社會的政治意識，以及他所受的儒學教育的薰陶而形成的觀念，在現實生活中，便形成了莊學與儒學爭席位，處於互相抗衡之中。入世與出世的困擾和衝突，表現了蘇軾文化精神的錯綜變化：他積極介入政治活動又無法施行自己的政治主張；而他又是一位思想非常活躍的人，不願在一條獨木橋上約束抑制自己。因此，他的文化意識，廣泛的文化興趣，也就生機勃勃地表現在日常生活之中，從而反映了蘇軾精神的價值取向，構成了他的儒道釋三者價值體系整合的第一階段；表現了中國古代士階層的人格的複雜性。儒家的入世的獻身社會的文化意識，道家的出世的清靜無爲和佛教內悟的虛無超脫，相互之間的對立而又融合的現象，在蘇軾身上獲得統一。他所追求的順應自然和精神上的自由，與他思想上的儒家理性比較起來，表現得更加奔放，更加強烈。在杭州時期的許多作品中，表現了作爲士階層的一種具有典範性的自主意識。

他在杭州的「天地有大美」的自然環境中尋找心靈的慰藉，維持完整的思想自由，得到了當時士階層的共鳴。蘇軾陶醉於西湖的旖旎風光，認爲「餘杭自是山水窟」，㊴西湖比自己家鄉眉州更美：「未成小隱聊中隱，可得長閑勝暫閑。我本無家更安往，故鄉無比好湖山。」㊵他甚至對西湖似乎產生一種結下前緣的默契，感到自己前生已到過這一美麗的地方。他說：「前生我已到杭州，到處長如到舊遊。更欲洞霄爲隱吏，一菴閑地且相留。」㊶後來至密州，他在寫給陳師仲的信中說：「一歲率常四五夢至西湖，此殆世俗所謂前緣者。在杭州嘗遊壽星院，入門便悟曾到，能言其院後堂殿山石處，故詩中嘗有『前生已到』，之語。」㊷他對西湖景色描繪，往往蘊含著他的自主意識的動向，西湖的急風驟雨的景色，引起蘇軾的傾心觀賞，這也許是對政治狂潮的聯想：「黑雲翻墨未遮山，白雨跳珠亂入船，捲地風來忽吹散，望湖樓下水連天。」㊸十五年後，他二度赴杭，還念念不忘這次雨景中的領悟：「到處相逢是偶然，夢中相對各華顛。還來一醉西湖雨，不見跳珠十五年。」㊹有美堂上觀暴雨，匯成蘇軾筆下奇妙的詩篇：「游人脚底一聲雷，滿座頑雲撥不開。天外黑風吹海立，浙東飛雨過江來。十分瀲灩金樽凸，千杖敲鏗羯鼓催。喚起謫仙泉灑面，倒傾鮫室瀉瓊瑰。」㊺望海樓前的狂濤似雪，橫風吹雨的情景，也引發詩人的沈思：「海上濤頭一線來，樓前指顧雪成堆。從今潮上君須上，更看銀山二十回。」「橫風吹雨入樓斜，壯觀應須好句誇。雨過潮平江海碧，電光時掣紫金蛇。」㊻陶醉於暴雨狂濤的心態，反映了蘇軾當時精神世界激蕩不安的潛意識，在對大自然的感受中很自然地妙筆成趣，以詩的跳躍式的意境反映激動的情思。而蘇軾的文化意識的另一方面，是力圖使自己「逍遙乎無爲之業」而不可得，因此，在對大自然的審美之中，呈現了一種超然、空靈的色調，形成了他描寫西湖的詩歌內容的豐富多采和風格的多樣化，表現蘇軾文學精神的個性特徵。如描繪西子湖濛朧美景的佳句：「水光瀲灩晴方好，山色空濛雨亦奇。若把西湖比西子。淡妝濃抹總相宜。」㊼詩集中有王文誥案：「此是名篇，可謂前無古人，後無來者。公凡西湖詩，皆加意出色，變盡方法。然皆在《錢塘集》中。其後帥杭，勞心災賑，已無復此種傑構，但云『不見跳珠十五年』而已。」㊽王文誥的評論，正是點出了蘇軾當時的思想實質，只有在這種政治抗衡遭受挫折的心態中，他以一種強烈的自主意識去審視大自然，才寫出這樣的杭州山川美的特色。他筆下的西湖月色是：「菰蒲無邊水茫茫，荷花夜開風露香。漸見燈明出遠寺，更待月黑看湖光。」㊾茫茫的湖水，幽香的夜荷，古時的燈光，構成特異的湖光水色，迷朦搖蕩。「東風知我欲山行，吹斷簷間積雨聲。嶺上晴雲披絮帽，樹頭初日掛銅鉦。野桃含笑竹籬短，溪柳自搖沙水清。西崦人家應最樂，煮芹燒筍餉春耕。」㊿杭州新城縣的山村美景，令人心醉，雨後朝陽，清溪邊的野桃垂柳，竹籬農家，自由自在，其樂無窮。他嚮往於一種離開政治鬥爭的清靜境界，希望自己在大自然中，以一個清官身份與民同樂，這就是他的政治理想：「身世悠悠我此行，溪邊委轡聽溪聲。散材畏見搜林斧，疲馬思聞捲旆鉦。細雨足時茶戶喜，亂山深處長官清。人間歧路知多少，試向桑田問耦耕。」51蘇軾這種委身自然的心態，與他在杭州時的政治環境是密切相關的。即使是寫冬日牡丹的艷麗，也反射了蘇軾無法平靜的心境。「一朵妖紅翠欲流，春光回照雪霜羞。化工只欲呈新巧，不放閑花得少休。」52初夏的牡丹，卻在冬春時節開放，這是「化工」追求「新巧」，使「閑花」無暇休養生息，下首的「漏世春光私一物，此心未僅出天工」之語，都寓諷刺政局於其中。寫的雖是「閑」花，但卻反映心緒的不閑。有時置身於幽靜的山光水色之中，心緒也無法平靜，如樂府〈行香子〉，寫他經過嚴陵瀨時的感受，真是景色如畫，心亂如麻：「一葉舟輕，雙槳鴻驚。水天清、影堪波平。魚翔藻鑑，鷺點煙汀。過沙溪急，霜溪月，月溪明。　重重似畫，曲曲如屏。算當年、虛老嚴陵。君臣一夢，今古空名。但遠山長，雲山亂，曉山青。」53迷人的自然景色，反而引起了詩人對歷史上「君臣一夢，今古空名」的反思，表明他內心的躁動。「遠山長，雲山亂，曉山青」的千姿百態的山色，也是他借物寫心的表達手段，他對自然界審視所得的感受，不由自主地表現了內心的波動；杭州時期因政治鬥爭的騷擾而起伏不定的思緒，使他最隱蔽的內心世界，在這寧靜的大自然中，也無法獲得平靜。

杭州時期蘇軾的文化意識，表現了多元的價值取向，他從多條道路去探索人生，在生活的多棱角裡找思想的歸宿，因此，其深層心理的另一種表現，是對於生活敏銳的貼近感與超脫感的結合，職業上，他是一位政治家，但實質上他具有最完美的藝術家的素質，他的思想、感情、欲望和衝動是多方面的。對政治生活，他具有鮮明的政治傾向；對於人生的體驗，由於他的深厚的文化修養，使其在透悟世事的過程中，一方面是追求生活的新鮮感和性格的解放，一方面是追求個性的自由和心靈深處的超脫，其人性的追求是表現在對眞摯感情的渴望，其超脫的內涵是佛、道思想的滲入。

林語堂在《蘇東坡傳》中把蘇軾這段生活歸結爲六個字，即「詩人、名妓與和尚」，這當然是一種浪漫的說法，不過也反映了蘇軾這一時期的生活內容。在杭州他處於友誼的多種感情的包圍之中，與朋友的聚首及贈別，與名妓飲宴作樂，與道士僧人唱和，足跡遍及杭州及其周圍勝地，獨專山水之樂，踏遍江南三百六十寺的古刹僧舍。這時候的蘇軾，對於世道和人生不像黃州時期之後那麼沉著成熟，正如他自己所說：「世事方艱便猛迴，此心未老已先灰。」㊿還是處於剛剛明白「世事方艱」和「此心未老」的探求階段。他思想上的「不平氣」和「不和心」，在友誼的包圍之中尋獲「至和」、「至平」的心態。他說：「至和無攫醳，至平無按抑，不知微妙聲，究竟從何出？散我不平氣，洗我不和心。此心知有在，尙復此微吟。」㊿於友誼的氛圍中抒情悟道，調節自己的激蕩情緒。杭州詩酒朋友的深情，使他獲得了精神的欣慰：「娟娟雲月稍侵軒，瀲瀲星河半隱山。魚鑰未收清夜永，鳳簫猶在翠微間。淒風瑟縮經絃柱，香霧淒迷著髻鬟。共喜使君能鼓樂，萬人爭看火城還。」㊿西湖的美景、詩酒、友誼、歌女，給蘇軾生活增添了無窮的樂趣。他有時對朋友調侃，有時爲歌妓賦詞，在杭州所寫的大量送別詞章，都呈現出濃重的人情味，以及追求人性自由的樂趣。如他與老前輩張先遊湖，寫湖上聞歌女彈箏之樂：「鳳凰山下雨初晴，水風清。晚霞明，一朵芙蕖，開過尙盈盈。何處飛來雙白鷺，如有意，慕娉婷。　忽聞江上弄哀箏，苦含情。遣誰聽。煙斂雲收，依約是湘靈。欲待曲終尋問取，人不見，數峰青。」㊼他坦蕩地賦寫「紅裙」、「白酒」之間的風流韻事，如送楊元素還朝時，他同張先各賦〈南鄉子〉一首，其詞曰：「裙帶石榴紅。卻水殷勤解贈儂。應許逐雞雞莫怕。相逢。一點靈心必暗通。　何處遇良工。琢刻天眞半欲空。願作龍香雙鳳撥。輕攏。長在環兒白雪胸。」㊽對於那些淪落風塵的歌女，他也賦予誠摯的同情：「雙頰凝酥髮抹漆，眼光入簾珠的皪。故將白練作仙衣，不許紅膏污天質。吳音嬌軟帶兒痴，無限閑愁總未知。自古佳人多命薄，閉門春盡楊花落。」㊾與歌女相別，他也公開地寫詩贈別，情意依依：「青鳥銜巾久欲飛，黃鶯別主更悲啼。殷勤莫忘分攜處，湖水東邊鳳嶺西。」㊿這類內容的詩詞，在那理學盛行而禁錮人性的北宋社會裡，卻鮮明地反映了蘇軾對封建道德論理的反叛，揭示了他心靈深處對人性的自由解放的追求和人文主義的文化意識。

另一方面，蘇軾在俯瞰社會和人生的同時，又抱有一種超脫的態度，因而他又從佛門禪理中去尋求心靈的解脫。在杭州，他與佛寺僧人廣結朋友，他在惠州時曾說：「獨念吳越多名僧，與予善者常十九。」(61)從生活和思想的接觸中，領悟到遠離名利場和塵羅俗網的世界的閑適。他後來記敘海月大師惠辯時說：「余通守錢塘時，海月大師惠辯者，實在此位。神宇澄穆，不見慍喜，而緇素悅服，予固喜從之游。時東南多事，吏治少暇，而余方年壯氣盛，不安厥官。每往見師，清坐相對，時聞一言，則百憂冰解，形神俱泰。因悟莊周所言東郭順子之爲人，人貌而天虛，緣而葆眞，清而容物，物無道正，容以悟之，使人之意也消，蓋師之謂也歟。」⑥²這時的蘇軾，思想上又陷入非佛非俗的矛盾境界，他想超脫人世而不可得，想入佛門又很難完全自脫，在贊海月大師惠辯時，他道出自己深層心態的矛盾，他說：「人皆趨世，出世者誰？人皆遺世，世誰爲之？爰有大士，處此兩間。非濁非清，非律非禪。」⑥³他在心靈深處的自相矛盾之中，正處於這兩種不同的思想境界的中介地帶。在〈參寥子眞贊〉中也反映了這種心態，他說參寥子「與人無競，而好刺譏朋友之過。枯形灰心，而喜爲感時玩物不能忘情之語。」⑥⁴正是他自己內心矛盾的反映。當然，他在佛門中時刻在探索生命價值的取向，如他元宵節到詩僧可久的僧房，了無燈火，深有所悟：「門前歌舞鬥分明，一室清風冷欲冰。不把琉璃閑照佛，始知無盡本無燈。」⑥⁵與天目山道人交語，對於人世浮名，又有一番頓悟：「己外浮名更外身，區區雷電若爲神。山頭只作嬰兒看，無限人間失箸人。」⑥⁶曹操對劉備的「今天下英雄，惟使君與孤耳」的贊語而致劉備的失態，借雷電震動中掩飾過去，都是出於政治場中的驚險，而蘇軾卻從雷電聲中獲得「已外浮名更外身」的頓悟。他嚮往於僧人的閑散生活：「寓世身如夢，安閑日似年。敗蒲翻復臥，破衲再三連。勸客眠風竹，長齋飲石泉。回頭萬事錯，自笑覺師賢。」⑥⁷他歌頌僧門「見之自清涼，洗盡煩惱毒。」⑥⁸而他所企望的，正是這種閑適自由的境界：「食罷茶甌未要深，清風一榻抵千金。腹搖鼻息庭花落，還盡平生未足心。」⑥⁹「我本西湖一釣舟，意嫌高屋冷颼颼。羨師此室纔方丈，一炷清香盡日留。」⑦⁰對於在杭州的日子裡的生活和思想，蘇軾曾賦詩作了一番小結，對自己的思想進行剖析，他寫道：「西湖天下景，游者無愚賢。淺深隨所得，誰能識其全。嗟我本狂直，早爲世所捐。獨專山水樂，付與寧非天。三百六十寺，幽尋遂窮年。所至得其妙，心知口難傳。至今清夜夢，耳目餘芳鮮。」⑪他以自己「狂直」的個性，衝破政治的制約，投身於純眞的感情生活和大自然的美景之中。自由的文化需求意味著選擇，也意味著他對政治控制的抗拒和格格不入的態度，因而在杭州這個特殊的環境中，蘇軾從自己的主體意識出發，支配環境，追求藝術創作的眞善美，在短短的時間裡。於西子湖上獨領風騷，弘揚了北宋士階層的文化意識，蘇軾杭州時期的文化思想的雛形，是中國傳統文化多元發展的一個具有典型意義的例子。

三年杭州生活，也結交了許多文友，賦詩寫詞。當然，他也盡了地方官的職責，他監試鄉舉，相度堤岸工程，組織捕蝗，賑濟飢民，疏浚錢塘六井，政績也是令杭州百姓懷念的。他自己說，這時期「政雖無術，心則在民。」⑫

這裡還有必要提一筆的是，在杭州時，蘇軾納妾朝雲。朝雲是一位年輕的歌女，後來與蘇軾一生患難與共，是他後期二十三年的長長的歲月裡的慰藉，蘇軾對她的評論是：「敏而好義」、「忠敬若一」。⑬

㈢密州、徐州、湖州。

熙寧七年甲寅（西元1074年）九月，蘇軾罷杭州任，權知密州。蘇轍說：「子瞻既通守餘杭不得代，以轍在濟南也，求爲東州守，既得請高密。」⑭一路上楊繪遠送，陳舜俞、張先相從，又一起在湖州訪李常，在金閶遇王誨，過京口與胡宗愈、王存、孫洙遊多景樓，經揚州第一次於寺中見秦觀題壁詩及見孫覺所出秦觀詩詞數百篇，驚嘆其才，始結爲神交。⑮在赴密道中，他寫下〈沁園春〉詞：

孤館燈青，野店雞號，旅枕夢殘。漸月華收練，晨霜耽耽，雲山摛錦，朝露團團。世路無窮，勞生有限，似此區區長鮮歡。微吟罷，凭征鞍無語，往事千端。　當時共客長安。似二陸初來俱少年。有筆頭千字，胸中萬卷，致君堯舜，此事何難。用舍由時，行藏在我，袖手何妨閑處看。身長健，但優遊卒歲，且鬥樽前。⑯

詞中對當年兄弟上京「似二陸初來俱少年」的英雄氣慨，致君堯舜的信心，到現在無法施展自己的政治抱負，以「用舍由時，行藏在我」的態度來對待生活，內心的一股抑鬱之氣露於筆端。

密州與杭州相比，當然是天壤之別了。他在密州的生活，從他與劉貢父、李公擇的唱和詩中可見一斑：

何人勸我此間來？弦管生衣甑有埃。
綠蟻沾唇無百斛，蝗蟲撲面已三回。
磨刀入谷追窮寇，灑涕循城拾棄孩。
爲郡鮮歡君莫嘆，猶勝塵土走章台。⑰

密州的荒涼，蘇軾爲之黯然！但他一踏上密州的土地，仍然盡一個地方官的職責，做了四件事：

第一，上疏朝廷，報告蝗災實況，請求量蠲秋稅，或與倚閣青苗錢。」⑱他說：「自入境，見民以蒿蔓裹蝗蟲而瘗之道左，纍纍相望者，二百餘里，捕殺之數，聞於官者幾三萬斛。然吏皆言蝗不爲災，甚者或言爲民除草。」⑲他說及自己目睹實況：「軾近在錢塘，見飛蝗自西北來，聲亂浙江之濤，上翳日月，下掩草木，遇其所落，彌望蕭然。此京東餘波及淮浙者，而京東獨言蝗不爲災，將以誰欺乎？」⑳他呼籲朝廷迅速關注救濟，否則「飢羸之民，索之於溝壑矣。」㉑

第二，批評「方田均稅法」、「手實法」、「免役法」、「鹽稅」之弊害。希望當政者能夠明察生民之利病，拯救百姓於水火之中。

第三，論密州盜賊蠭起的實質。他指山密州「風俗武悍，特好強劫，加以比歲荐飢，椎剽之姦，殆無虛日。」⑧²由於天災人禍，人民生活貧困，「今中民以下，舉皆缺食，冒法而爲盜則死，畏法而不盜則飢，飢寒之與棄市，均是死亡，而賒死之與忍飢，禍有遲速，相率爲盜，正理之常。」⑧³雖然他理解強盜產生的社會原因，但作爲地方官吏，他還是主張以法鎮壓。他詳研盜案，懸賞緝盜，獲盜者給重賞。因此人們合力緝捕，效果顯著。這就是詩中的「磨刀入谷追窮寇」的內容了。

第四，收留棄嬰。他在給朱壽昌的信中說：「軾向在密州，遇飢年，民多棄子，因盤量勸誘米，得出剩數百石別儲之，專以收養棄兒，月給六斗。比期年，養者與兒，皆有父母之愛，遂不失所，所活亦數千人。」⑧⁴此「灑涕循城檢棄嬰」句的事實。

在密州的「桑麻之野」，公使錢減少，生活貧困，蘇軾的隨遇而安的思想又強烈地表現了出來；這一思想於〈後杞菊賦〉一文中最爲突出。他每天與通守劉廷式「循古城廢圃，求杞菊食之，捫腹而笑。」然後自娛寫〈後杞菊賦〉，自嘲說：「人生一世，如屈伸肘，何者爲貧？何者爲富？何者爲美？何者爲陋？或糠覈而瓠肥，或粱肉而墨瘦。何侯方丈，庾郎三九。較豐約於夢寐，卒同歸於一朽。吾方以杞爲糧，以菊爲糗。春食苗，夏食葉，秋食花實而冬食根，庶幾乎西河、南陽之壽。」⑧⁵蘇軾詼諧的性格，超逸的精神，能窮中作樂。他在密州修葺一舊城台，風景壯闊，叫蘇轍取台名，蘇轍命名曰「超然台」，謂「天下之士，奔走於是非之場，浮沉於榮辱之海，囂然盡力而忘返，亦莫自知也，而達者哀之，非以其超然不累於物耶。」⑧⁶蘇軾甚表贊同，作〈超然台記〉曰：「余弟子由適在濟南，聞而賦之，且名其台曰超然，以見余之無所往而不樂，蓋遊於物之外也。」[87]蘇軾還在密州黃堂北面修建一座蓋公堂，並寫下〈蓋公堂記〉，對於社會上政治的風浪，人事的變遷，以託諷的筆法，借「三易醫而病愈甚」的比喻，說明國家必須安定，「治道清淨，而民自定。」表達他憂國憂時的懷抱。這段時間，他寫下〈水調歌頭〉（明月幾時有）一詞，從中秋懷弟子由，抒發「人有悲歡離合，月有陰晴圓缺，此事古難全」的人生哲理。寫下有名的〈江城子・密州出獵〉一詞，表達他獻身祖國的襟抱，壯懷激烈。

熙寧九年丙辰（西元1076年）十一月，詔命下達，以祠部員外郎移知漢中府，十二月上旬孔周翰來代，罷密州任。他懷著對密州老百姓抱愧的心情，離開密州。有詩云：「秋禾不滿眼，宿麥種亦稀。永愧此邦人，芒刺在膚肌。平生五千卷，一字不救飢。」[88]這是對來代替他的孔周翰說的。終於，他依依不捨地離開密州：「舉酒屬雩泉，白髮日夜新。何時泉中天？復照泉上人。二年飲泉水，魚鳥亦相親。還將弄泉手，遮日向西秦。」[89]

熙寧十年丁巳（西元1077年）蘇軾從密州到濟南，會見老朋友李常及蘇轍一家人，抵達陳橋驛時，告下徙知徐州，蘇軾與黎希聲書中說：「自密州赴河中，至陳橋，受命改差彭城。便欲赴任，以兒子娶婦，暫留城東景仁園中。」[90]四月與蘇轍過南京謁張方平，爲張方平作〈諫用兵書〉。四月二十一日到徐州。

在徐州任上，蘇軾的政績更使百姓難以忘懷。

第一，帶領徐州百姓搶險救災。

是年七月十七日，黃河決口於澶州之曹村。八月二十一日水及徐州城下，至十月五日水退。在這長長的兩個月裡，一時間「鉅野東傾淮泗滿」[91]，蘇軾面對茫茫大水，「水穿城下作雷鳴，泥滿城頭飛雨滑」，大水奔流而至時，「汗漫千餘里，漂廬舍，敗冢墓，老弱蔽川而下，壯者狂走無所得食，槁死於丘陵林木之上」，⑫是時蘇軾「使習水者，給舟楫，載糗餌以濟之，得脫者無數。」⑬在這種情況下，富民爭出避水，蘇軾挺身而出日：「富民出，民皆動搖，吾誰與守。吾在，是水決不能敗城，驅使復入。」⑭接著，他又去動員軍隊以參加抗洪，「詣武衛營呼卒長曰：『河將害城，事急矣！雖禁軍且爲我盡力！』卒長曰：『太守猶不避塗潦，吾儕小人當效命。』率其徒持畚鍤以出，築東南長堤，首起戲馬台，尾屬於城，雨日夜不止，城不沈者三版。軾廬於其上，過家不入，使官吏分堵以守。」⑮蘇軾率領軍民建了防洪堤，保全了徐州。洪水退後，爲絕後患，他又申請修築石堤，因經費太大未獲准，改築『木岸』，工費減半，終於於元豐元年二月初四日，皇帝降敕獎諭，表彰蘇軾「親率官吏，驅督兵夫，救護城望，一城生齒並倉庫廬舍，得免漂沒之害，遂得完固事。」並詔賜錢二千四百一十萬，犒獎伕役四千零二十三人，改建外小城，建築木岸，在建堤的過程中，因擴大城門，護以磚石，堊以黃土，蘇軾就便在城門上建一大樓，名之日黃樓，並由蘇轍作〈黃樓賦〉以記之。

第二，開發煤礦。

徐州冶金業在宋代已聞名全國。但不懂以煤冶煉。蘇軾到徐州後，破天荒發現煤礦，以煤煉鐵，兵器銳利無比。他說：「彭城舊無石炭。元豐元年十二月，始遣人訪獲於州之西南白土鎮之北，以冶鐵作兵，犀利勝常云。」⑯蘇軾寫〈石炭詩〉，記錄採煤煉鐵前後的不同效果，歌頌科學發現的可貴收穫，詩曰：

> 君不見前年雨雪行人斷，城中居民風裂骭。
> 濕薪半束抱衾裯，日暮敲門無處換。
> 豈料山中有遺寶，磊落如䃜萬車炭。

流膏迸液無人知，陣陣腥風自吹散。

根苗一發浩無際，萬人鼓舞千人看。

投泥潑水愈光明，爍玉流金見精悍。

南山栗林漸可息，北山頑鑛何勞鍛。

爲君鑄作百鍊刀，要斬長鯨爲萬段。

煤的發現，可以說是蘇軾對科學的一大貢獻。「楚山鐵炭皆奇物」⑰，蘇軾特有慧眼識之。

第三，提出治理徐州的建議。

在徐州的日子裡，蘇軾仍汲汲於政事，他寫了〈徐州上皇帝書〉、〈乞醫療病囚狀〉，向神宗具體建議治徐政策。如：

1.保護冶戶利益。

2.在軍隊中嚴軍政，禁酒博。避免出現逃軍爲盜現象。

3.對捕盜者給予獎勵。

4.選拔當地人材以補牙職。

蘇軾在徐州以人道主義的精神處理獄中犯人醫療問題。因獄中患病囚犯，常因病不給醫療致死，他建議「每縣各選差曹司一名，醫人一名，專掌醫療病囚，不得更充他役，以一周年爲界。」⑱認爲「如此，則人人用心，若療治其家人，緣此得活者必衆。」⑲

從這些政見中，可以看到徐州時期的蘇軾，他作爲一個地方官的高度責任感，認眞地履行自己的職責。這段時間裡，除了忙碌政事之外，蘇軾結交了一批朋友和青年學者。元豐元年戊午（西元1078年）四月，秦觀赴京應試，過徐州謁蘇軾。秦觀投詩曰：「人生異趣各有求，繫風捕影祗懷憂，我獨不願萬戶侯，惟願一識蘇徐州。」⑩⁰蘇軾鼓勵他前往京都考試，「江湖放浪久全眞，忽然一鳴驚倒人。」⑩¹這時還有黃庭堅投詩相識，蘇軾認爲自己「又得天下才，相從百憂散。」青年朋友中，還有王回（子立）、王適（子敏）兩兄弟。這時候，蘇軾似乎感受到新黨對他的迫害不會放鬆，內心深處經常懷有危機感。他與王子立、子敏及張師厚月夜飲酒吹簫時，酒興賦詩，不期然地寫道：「洞簫聲斷月明中，惟憂月落酒杯空。明朝捲地春風惡，但見綠葉棲殘紅。」⑩心中似預感到不知何時災難會降臨。元豐元年戊午（西元1078年）九月九日，蘇軾舉行黃樓之會，邀請王鞏前來參加，陪王鞏登雲龍山，興盡而歸：「歌聲落谷秋風長，路人舉首東南坐，拍手大笑使君狂。」⑩九月三十日，蘇軾又集三郡鄉舉會於黃樓，他在鹿鳴宴詩敘中寫道：「元豐元年，三郡之士皆舉於徐。九月辛丑晦，會於黃樓，修舊事也。」⑩與徐州名士載色載笑，共樂昇平。在徐州的日子裡，他經常與朋友們遨遊山水，樂在其中，朋友詩僧參寥從杭州來訪，他與參寥泛舟百步洪，寫下〈百步洪二首〉，當送別參寥時，對於參寥的詩，忽有頓悟。他思考著，為什麼參寥的詩「新詩如玉屑，出語便清警」呢？他想到「頗怪浮屠人，視身如丘井。頹然寄淡泊，誰與發豪猛。」細思之得出一個道理：「細思乃不然，真巧非幻影。欲令詩語妙，無厭空且靜。靜故了群動，空故納萬境。」⑩詩意與禪思已溶為一體了。

元豐二年己未（西元1079年）三月朝廷告下：「蘇軾以祠部員外郎、直史館、知湖州軍州事。」終於與徐州依依惜別。徐州父老告別時，「洗盞拜馬前」，深情地對他說：「前年無使君，魚鱉化兒童。」他舉鞭謝父老說：「正坐使君窮。窮人命分惡，所向招災凶。水來非吾過，去亦非吾功。」徐州百姓對蘇軾的情意是感人的，他們以古老的民間隆重儀式送別太守，⑩蘇軾寫道：「吏民莫扳援，歌管莫淒咽。吾生如寄耳，寧獨為此別。別離隨處有，悲惱緣愛結。而我本無恩，此涕誰為設，紛紛等兒戲，鞭登遭割截。」告別徐州後，又經泗州，過淮時又有「此生忽忽憂患裡，清境過眼能須臾」，⑩⑦一股國家、個人的憂患意識，時刻纏繞著蘇軾的心。

一路上經金山、惠山，與山僧、秦觀等朋友日遊，沿途訪名山名寺名勝，五月到達湖州，知湖州軍州事任。

在湖州，他寫了〈篔簹谷偃竹記〉，爲朋友文同逝世而哭泣。文同於元豐二年（西元1079年）正月於陳州逝世，生前是蘇軾的知己，蘇軾曾說，亡友文與可有四絕，即詩一，楚辭二，草書三，畫四。與可嘗云：「世無知我者，惟子瞻一見，識吾妙處。」⑩⑧一旦永訣，怎不令蘇軾「氣噎悒而塡胸，淚疾下而淋衣」呢！⑩⑨這次到湖州，七月七日曝書畫，見文與可遺墨〈篔簹谷偃竹畫〉，廢卷而痛哭失聲。

到湖州時僅兩月，烏台詩案的災禍終於降臨到他的身上。

【附　註】

① 《欒城後集》卷22〈亡兄子瞻端明墓誌銘〉，見《四庫全書》，第1112冊，第767頁。

② 《宋史》卷14《神宗》㈠，見《四庫全書》，第280冊，第237頁。

③ 《宋元通鑑》卷32。

④ 王稱《東都事略》卷69《曾公亮傳》，見《四庫全書》，第382冊，第450頁。（臺版）

⑤ 《蘇軾詩集》卷6〈送劉攽倅海陵〉，見中華書局版，第1冊，第243頁。

⑥ 《蘇軾詩集》卷6〈送蔡冠卿知饒州〉，見中華書局版，第1冊，第252—253頁。

⑦ 《宋史》卷338《蘇軾傳》，見《四庫全書》，第286冊，第483頁。

⑧ 《欒城後集》卷22〈亡兄子瞻端明墓誌銘〉，見《四庫全書》，第1112冊，第768頁。

⑨⑩ 《蘇軾文集》卷25〈諫買浙燈狀〉，見中華書局版，第2冊，第727頁。

⑪ 《蘇軾文集》卷25〈上神宗皇帝書〉，見第2冊，第729頁。

⑫ 《蘇軾文集》卷25〈再上皇帝書〉，見中華書局版，第2冊，第749頁。

⑬ 《宋史》卷316《蘇軾傳》，見《四庫全書》，第286冊，第487頁。（臺版）

⑭ 李燾《續資治通鑑長編》㈣，見《四庫全書》，第317冊，第581頁。

⑮ 《蘇軾文集》卷21〈王仲儀眞贊〉並敘，見中華書局版，第2冊，第604頁。

⑯ 《蘇軾詩集》卷6〈送呂希道知和州〉，見中華書局版，第1冊，第249頁。

⑰ 同上〈出都來陳，所乘船上有題小詩八首，不知何人感於余心者，聊爲和之〉，第260頁。

⑱ 同上〈次韻張安道讀杜詩〉，第267頁。

⑲ 《蘇軾文集》卷6〈次韻柳子玉過陳絕糧二首〉，見中華書局版，第1冊，第275頁。

⑳ 同上〈穎州別子由二首〉，第280頁。

㉑ 同上〈泗州僧伽塔〉，第290頁。

㉒ 同上〈龜山〉，第291頁。

㉓ 同上〈廣陵會三同舍，各以其字爲韻，仍邀同賦〉，第294頁。

㉔ 同上〈孫巨源〉，第297頁。

㉕㉖ 《蘇軾詩集》卷六〈劉莘老〉，見中華書局版，第1冊，第299頁。

㉗ 丹納《藝術哲學》第一編第一章〈藝術的本質〉。

㉘ 《蘇軾詩集》卷7〈戲子由〉，見中華書局版，第2冊，第325—326頁。

㉙ 《蘇軾詩集》卷8〈湯村開運鹽河雨中督促〉，見中華書局版，第1冊，第389頁。

㉚ 同上〈鴉種麥行〉，第399頁。

㉛ 《蘇軾詩集》卷8〈吳中田婦嘆〉，見中華書局版，第2冊，第404頁。

㉜ 《蘇軾詩集》卷12〈捕蝗，至浮雲嶺，山行疲苶，有懷子由弟二首〉（其一），見中華書局版，第2冊，第579—580頁。

㉝ 《蘇軾詩集》卷9〈山村五絕〉，見中華書局版，第2冊，第438—439頁。

㉞ 《蘇軾詩集》卷32〈熙寧中，軾通守此郡。除夜，直都廳，囚系皆滿，日暮不得返舍，因題一詩於壁，今二十年矣。衰病之餘，復忝郡寄，再經除夜庭事蕭然，三圄皆空，蓋同僚之力，非拙巧所致，因和前篇呈公濟，子侔二通守〉，見中華書局版，第7冊，第1723—1724頁。

㉟ 《蘇軾詩集》卷7〈李杞寺丞見和前篇，復用元韻答之〉，見中華書局版，第2冊，第319—320頁。

㊱ 《蘇軾文集》卷48〈上韓丞相論災傷手實書〉，見中華書局版，第4冊，第1395頁。

㊲ 《蘇軾詩集》卷9〈自普照遊二庵〉，見中華書局版，第2冊，第434頁。

㊳ 《欒城後集》卷22〈亡兄子瞻端明墓誌銘〉，見《四庫全書》，第1112冊，第769頁。

㊴ 《蘇軾詩集》卷8〈將之湖州戲贈莘老〉，見中華書局版，第2冊，第39頁。

⑩ 《蘇軾詩集》卷7〈六月二十七日望湖樓醉書五絕〉，見中華書局版，第2冊，第341頁。

⑪ 同上卷13〈和張子野見寄三絕句〉，見652頁。

⑫ 《蘇軾詩集》卷49〈答陳師仲主簿書〉，見中華書局版，第4冊，第142頁。

⑬ 《蘇軾詩集》卷7〈六月二十七日望湖樓醉書五絕〉，第2冊，第340頁。

⑭ 同上，卷31〈與莫同年雨中飲湖上〉，第5冊，第1647頁。

⑮ 《蘇軾詩集》卷10〈有美堂暴雨〉，見中華書局版，第2冊，第483頁。

⑯ 同上，卷8〈望海樓晚景五絕〉，見第2冊，第369頁。

⑰⑱ 《蘇軾詩集》卷9〈飲湖上初晴後雨二首〉，見中華書局版，第2冊，第430頁。

⑲ 同上，卷7〈夜泛西湖五絕〉（其四），第353頁。

⑳㉑ 《蘇軾詩集》卷9〈新城道中二首〉，見第2冊，第436—437頁。

㉒ 《蘇軾詩集》卷11〈和述古冬日牡丹四首〉（其一），見第2冊，第525頁。

㉓ 龍榆生《東坡樂府箋》卷1〈行香子〉，見中華書局香港分局，1976年，第2頁。

㉔ 《蘇軾詩集》卷11〈送柳子玉赴靈仙〉，見中華書局版，第2冊，第545頁。

㉕ 同上，卷12〈聽僧昭素琴〉，見第2冊，第576頁。

㉖ 《蘇軾詩集》卷10〈與述古自有美堂乘月夜歸〉，見第2冊，第482頁。

㉗ 龍榆生《東坡樂府箋》卷1〈江城子〉，見中華書局香港分局，1976年版，第1卷，第9頁。

㊽ 龍榆生《東坡樂府箋》卷1〈南鄉子〉，見中華書局香港分局，1976年版，第1卷，第19頁。

㊾ 《蘇軾詩集》卷9〈薄命佳人〉，見中華書局版，第2冊，第445—446頁。

㊿ 同上〈贈別〉，第444頁。

(61) 《東坡志林》卷2〈付僧惠誠遊吳中代書十二〉，見中華書局1981年版，第40頁。

(62)(63) 《蘇軾文集》卷22〈海月辯公眞贊并引〉，見中華書局版，第2冊，第638頁。

(64) 同上〈參寥子眞贊〉，第639頁。

(65) 《蘇軾詩集》卷9〈上元過祥符僧可久房，蕭然無燈火〉，見中華書局版，第2冊，第428頁。

(66) 同上〈唐道人言，天目山上俯視雷雨，每大雷電，但聞雲中如嬰兒聲，殊不聞雷震也〉，見第456頁。

(67) 同上〈過廣愛寺，見三學演師，觀楊惠之塑寶山、朱瑤畫文殊、普賢〉，見第460頁。

(68) 同上〈贈上天竺辯才師〉，見第464頁。

(69) 《蘇軾詩集》卷10〈佛日山榮長老方丈五絕〉（其四），見第2冊，第478頁。

(70) 同上卷11〈書雙竹湛師房二首〉，見第2冊，第524頁。

(71) 同上卷13〈懷西湖寄晁美叔同年〉，見第2冊，第644—645頁。

(72) 《蘇軾文集》卷62〈謝晴祝文〉，見第5冊，第1922頁。

(73) 《蘇軾文集》卷15〈朝雲墓誌銘〉，見第2冊，第473頁。

(74) 《欒城後集》卷17〈超然台賦并敘〉，見《四庫全書》，第1112冊，第197頁。（臺版）。

(75) 秦瀛《重編淮海先生年譜》。

⑯ 龍榆生《東坡樂府箋》卷1〈沁園春〉，見中華書局香港分局，1979年版，第1卷，第30頁。

⑰ 《蘇軾詩集》卷13〈次韻劉貢父李公擇見寄二首〉，見第2冊，第646頁。

⑱⑲ 《蘇軾文集》卷48〈上韓丞相論災傷手實書〉，見第4冊，第1396頁。

⑳ 同註⑱。

㉑ 同註⑱。

㉒ 同上〈上文侍中論強盜賞錢書〉，見第1398頁。

㉓ 同上卷26〈論河北京東盜賊狀〉，見第2冊，第754頁。

㉔ 《蘇軾文集》卷49〈與朱鄂州書〉，見第4冊，第1417頁。

㉕ 《蘇軾文集》卷1〈後杞菊賦〉，見第1冊，第4頁。

㉖ 《欒城後集》卷17〈超然台賦賦敘〉，見《四庫全書》，第1112冊，第197頁。

㉗ 《蘇軾文集》卷11〈超然台記〉，見第2冊，第352頁。

㉘ 《蘇軾詩集》卷14〈和孔郎中荊林馬上見寄〉，見第2冊，第701頁。

㉙ 同上〈留別雩泉〉，見第3冊，第703頁。

㉚ 《蘇軾文集》卷53〈與眉守黎希聲三首〉（三），見第4冊，第1562頁。

㉛ 《蘇軾文集》卷15〈河覆〉，見第3冊，第766頁。

㉜㉝ 《欒城後集》卷17〈黃樓賦并敘〉，見《四庫全書》，第1112冊，第200頁。

㉞㉟ 《宋史》卷380《蘇軾傳》，見《四庫全書》，第286冊，第483頁。

㊱ 《蘇軾詩集》卷17〈石炭并引〉，見第3冊，第902頁。

㊲ 《蘇軾詩集》卷18〈田國博見示石炭詩，有「鑄劍斬佞臣」之句，

次韻答之〉，見第3冊，第932頁。

⑱⑲　《蘇軾文集》卷26〈乞醫療病囚狀〉，見第2冊，第765頁。

⑩⓪　《淮海集》卷4〈別子瞻〉，見《四庫全書》，第1115冊，第447頁。（臺版）

⑩①　《蘇軾詩集》卷16〈次韻秦觀秀才見贈，秦與孫莘老、李公擇甚熟，將入京應舉〉，見第3冊，第828頁。

⑩②　同上卷18〈月夜客飲杏花下〉，見第3冊。第962頁。

⑩③　《蘇軾詩集》卷17〈登龍山〉，見第3冊，第877頁。

⑩④　《蘇軾文集》卷10〈徐州鹿鳴燕賦詩敘〉，見第1冊，第322頁。

⑩⑤　《蘇軾詩集》卷17〈送參寥師〉，見第3冊，第906頁。

⑩⑥　《蘇軾詩集》卷18〈罷徐州，往南京，馬上走筆寄子由五首〉，見第3冊，第936— 937頁。

⑩⑦　《蘇軾詩集》卷18〈舟中夜起〉，見第3冊，第942頁。

⑩⑧　《蘇軾詩集》卷26〈書文與可墨竹并敘〉，見第5冊，第1392頁。

⑩⑨　《蘇軾詩集》卷63〈祭文與可文〉，見第5冊，第1941頁。

五、烏台詩案

烏台詩案是歷史上一次著名的文字獄。

這次冤獄，不僅是對蘇軾個人的政治迫害，而且也是北宋整個政局腐敗的集中表現。

從熙寧二年（西元1069年），王安石實行新法，元豐二年（西元1079年）蘇軾移知湖州，在這近十年時間裡，蘇軾所寫的作品，有反映人民生活疾苦的，有涉及時事的，有與朋友交往贈答的，有記遊山水的，也有對皇帝的謝表，內容比較駁雜，形式也多樣，表現蘇軾這十年外任的羈旅生活和思想感受。但是，就是這些詩文，給蘇軾惹來了彌天大禍。

1.**獄事起因**。

蘇軾遭詩獄，導火線還在於沈括。《蘇詩總案》引王銍〈元祐補錄〉記載：

> 括素與蘇軾同在館閣，軾論事與時異，補外。括察訪兩浙，陛辭。神宗語括曰：『蘇軾通判杭州，卿其善遇之。』括至杭，與蘇軾論舊，求手錄近詩一通，歸則籤貼以進云：『詞皆訕懟。』軾聞之，復寄詩劉恕戲曰：『不憂進了也。』其後李定、舒亶論軾詩置獄，實本於括云。元祐間，軾知杭州，括閑廢在潤，往來迎謁恭甚，軾益薄其爲人。①

這次詩獄的端由，起於沈括。從沈括這一本子起因，招致了一場有謀劃的政治陷害。

宋神宗元豐二年（西元1079年）一月二日，監察御史裡行舒亶開始發難。他從蘇軾到湖州時給神宗的謝表開始指責，誣其謝表「有譏切時事之言」，而使「流俗翕然，爭相傳誦，忠義之士，無不憤惋。」接著是以反對新法爲罪名，以詩定罪。其箚子中說：

> 且陛下自新美法度以來，異論之人固爲不少，然其大不過文亂事實，造作讒說，以爲搖奪沮壞之計；其次又不過腹非背毀，行察坐伺，以幸天下之無成功而已。至於包藏禍心，怨望其上，訕讟慢罵而無復人臣之節者，未有如軾也。蓋陛下發錢以本業貧民，則曰：『贏得兒童語音好，一年強半在城中。』陛下明法以課試郡吏，則曰：『讀書萬卷不讀律，致君堯舜知無術。』陛下興水利，則曰：『東海若知明主意，應教斥鹵變桑田。』陛下謹鹽禁，則曰：

『豈是聞《韶》解忘味，邇來三月食無鹽。』其他觸物即事，應口所言，無一不以譏謗爲主；小則鏤板，大則刻石，傳播中外，自以爲能。其尤甚者，至遠引襄漢梁、竇專朝之士，雜取小說『燕蝠爭晨昏』之語，旁屬大臣，而緣以指斥乘輿，蓋可謂大不恭矣。』②

由此他認爲，蘇軾「懷怨天之心，造訕上之語，情理深害，事至暴白，雖萬死不足以謝聖時。」於是他送上蘇軾在杭州等地所寫的詩四冊，作爲定罪的根據。三月二十七日，監察御史裏行何大臣（正臣）也以〈湖州謝表〉爲由，加上市場上流傳刻印的蘇軾詩集，告蘇軾「愚弄朝廷」罪，他在箚子中說：

　　蘇軾在〈湖州謝表〉言：『愚不識時，難以追陪新進，老不生事，或能收養小民。』愚弄朝廷，妄自尊大，宣傳中外，孰不嘆驚！夫小人爲邪，治世所不能免；大明旁燭，則其類自消。固未有如軾爲惡不悛，怙終自若，謗訕譏罵，無所不爲。道路之人，則又以爲一有水旱之災，盜賊之變，軾必倡言歸咎新法，喜動顏色，惟恐不甚。今更明上章疏，肆爲詆誚，無所忌憚矣。③

據此，他提出必須嚴懲蘇軾，「如軾之惡，可以止而勿治乎！」并取「鏤板而鬻於市」的詩集進呈。

　　這兩封箚子，內容相同，不過是唯恐神宗不重視舒亶的奏章，再追一封，以催促神宗趕快決定嚴懲蘇軾。但是，神宗接了這兩封箚子之後，還沒有什麼動靜。過了半年之後，元豐二年七月三日，御史中丞李定，針對神宗愛惜蘇軾才學、不忍廢黜的思想，又再一次上箚子控告蘇軾，把一些從前用以誣陷不實之詞，加上一些推論，羅織成四大罪狀。他說：蘇軾「初無學術，濫得時名，偶中異科，遂叨儒館。及上聖興作，進仕者非軾之所合，軾自度終不爲朝廷獎用，銜怨懷怒，恣行醜詆，見於文字，衆所共知：或有燕蝠之譏、或有竇梁之比，其言雖屬所憾，其意不無寓訕上罵下，法所不宥。臣竊謂軾有可廢之罪四，面請陳之：昔者，堯不誅四凶，而至舜則流放竄殛之，蓋其惡始見於天下。軾先騰沮毀之論，陛下稍置之不問，容其改過；軾怙終不悔，其惡已著，此一可廢也。古人教而不從，然後誅之，蓋吾之所以俟之者盡，然後戮辱隨焉，陛下所以俟者可謂盡；而傲悖之語，日聞中外，此二可廢也。軾所爲文辭，雖不中理，亦足以鼓動流俗，所謂『言僞而辯』，當官侮慢，不循陛下之法，操心頑愎，不服陛下之化；所謂『行僞而堅』。『言僞而辯，行僞而堅』，先王之法當誅，此三可廢也。《書》『刑故無小』，知而爲與夫不知而爲者異也。軾讀史傳，豈不知事君有禮，訕上有誅？肆其憤心，公爲詆訾。而不應制舉對策，即已有厭獎更法之意，陛下修明政事，怨不用己，遂一切毀之，以爲非是，此四可廢也。」他認爲蘇軾傷教亂俗，必須嚴懲。此外，還有國子博士李宜之上狀告蘇軾撰寫〈靈壁張氏園亭記〉是「教天下之人無尊君之義，無大臣之節。」

接二連三的狀子，宋神宗穩不住了，過去對蘇軾的賞識和信賴動搖了，因此把這個案子交御史台根勘。終於在元豐二年（西元1079年）七月二十八日派皇甫遵到湖州勾攝蘇軾至御史台。所謂「烏台」即御史台，《漢書．朱博傳》載：「是時御史府吏百餘區，井水皆竭，又其府中柏樹，常有野烏數千棲宿其上，晨去暮來，號曰朝夕烏。」④所以後人稱御史府爲烏府，御史府又叫御史台，或烏台。蘇軾系御史台獄，又是因詩得罪入獄，故歷史稱「烏台詩案」。

2.**詩案的實質**。

何正臣、舒亶、李定，何許人也？

《宋史》載：「何正臣字君表，……元豐中，用蔡確薦，爲御史裡行。遂與李定、舒亶論蘇軾，得五品服，領三班院。」⑤又《宋史》載：「舒亶字信道，……試禮部第一，調臨海尉，民使酒詈逐後母，至亶前，命斬之。不服即自起斬之，投劾去。王安石當國，聞而異之，御史張商英亦稱其材，用爲審官院主簿。……元豐初，權監察御史裡行。」⑥又《宋史》載：「李定字資深，揚州人，少受學於王安石，登進士第，爲定遠尉。……御史陳薦疏：『定頃爲涇縣主簿，聞庶母仇氏死，『匿不爲服。』詔下江東、淮、浙轉運使問狀。……元豐初，召拜寶文閣侍制、同知諫院，進知制誥，爲御史中丞。」⑦這三人都是王安石培養的新進，他們懷恨蘇軾對推行新法所提的意見。再加上李定對蘇軾還挾著私仇：「中丞李定亦介甫客也，不服母喪。子瞻以爲不孝，作詩詆之，定以爲恨，劾子瞻作詩謗訕，遂下御史獄。」⑧他們構造飛語，醞釀百端，必欲置蘇軾於死地。這次獄事，顯然是新黨人物所爲，但與王安石毫無關係，王安石已於熙寧九年（西元1076年）十月辭去相位，「烏台詩案」是在王安石罷相後三年才發生的。

這是歷史上一次令人矚目的冤獄，因這一案件，既不屬於政治上的陰謀反叛，也不屬於刑事犯罪，純粹是何正臣、舒亶、李定等人，把蘇軾詩文肆意歪曲，說他影射朝廷，譏諷皇帝，從而極盡誣陷迫害之能事。他們以蘇軾爲對象，想殺一儆百。當時反對新法的人雖然被貶斥殆盡了，但守舊派仍有雄厚的政治力量，守舊派著名的元老大臣有深厚社會基礎，執行新法的人（王安石已經退隱）剛剛出頭，不受人們尊重畏懼，想殺人爲自己樹立威望。守舊派的名臣他們不敢碰，殺誰呢？因蘇軾反對新法，特別指責過執行新法的「少年」和「使者」（這比指責新法更令他們仇恨）。而且蘇軾雖名重一時，但不屬於舊黨，於是他們選中了蘇軾開刀。另一方面，熙寧變法雖然在歷史上具有一定的進步作用，但也還存在許多缺陷，況且，宋代腐敗的冗官庸吏，在執行新法時往往走樣，造成許多弊端，蘇軾在新法雷厲風行的時候，敢於大膽提出意見，並在詩文中對當時社會的黑暗弊政加以揭露，作爲一個正直的文學家和官吏來說，是合乎正義的，無可非議的。但新派們在當時的政治鬥爭中，對不同政見者的仇恨，集中發洩在蘇軾身上，不惜用卑鄙的手段羅織罪狀，以構成蘇軾死罪而後快。

且看「烏台詩案」誣陷的內容。

誣陷者們在蘇軾的詩文中，尋章摘句，斷章取義，望文生義，牽強附會，無中生有，節外生枝，索隱發微，極盡卑鄙誣蔑之能事，其所誣陷的詩文，在宋朝朋九萬撰的《烏台詩案》及周紫芝的《詩讞》中，有較詳備的搜集。

詩案中所列詩文有：與王詵往來的詩賦，與王詵作〈寶繪堂記〉，與李清臣等寫〈超然台記〉並詩，〈次韻章傳〉、〈送劉述吏部〉、〈寄周邠〉諸詩，〈與子由詩〉、〈杭州觀潮〉五首，〈和黃庭堅古韻〉，與王汾作碑文，〈與劉攽通判唱和〉，〈與知湖州孫覺〉詩，〈送錢藻知婺州〉、〈送張方平〉、〈和李常來字韻〉，爲王安上作〈公堂記〉、〈揚州贈劉摯孫洙〉、〈次韻潛師放魚詩〉，知徐州作〈日喻〉一篇，爲錢公輔作哀辭，與僧居則作〈大悲閣記〉、與喦繹先生（顏復）作文集序，〈和陳述古十月開牡丹〉四絕，〈寄題司馬君實獨樂園〉，〈送曾鞏得『燕』字〉，〈湖州謝上表〉，〈遊杭州風水洞留題〉，〈和劉恕〉三首，〈送蔡冠卿知饒州〉，爲張次山作〈寶墨堂記〉，〈送杜子方、陳珪、戚秉道〉，與王鞏作〈三槐堂記〉並眞贊、〈

謝錢顗送茶〉一首，〈送范鎮往西京〉、〈祭常山作放鷹一首〉，〈後杞菊賦並解〉，〈同李杞因獵出遊孤山作詩〉四首，〈徐州觀百步洪詩〉，〈張氏蘭皐園記〉等。下面試舉幾例：

詩案中定案材料之一是〈與王詵往來詩賦〉一項。駙馬王詵與蘇軾深交，蘇軾到杭州後，他們經常有詩畫傳示，並與寺院僧人過往甚密，蘇軾在錄示給王詵的詩中有〈臘日遊孤山訪惠勤、惠思二僧〉及〈李杞寺丞見和前篇復用元韻答之〉，有〈戲子由〉，有〈山邨三首〉，〈韓幹馬詩〉，還有〈超然台記〉、〈杞菊賦〉等，這些詩文並沒有什麼影射，李定之流卻誣以反朝廷罪。請看〈李杞寺丞見和前篇復用元韻答之〉一詩：

> 獸在藪，魚在湖，一入池檻歸期無。誤隨弓旌落塵土，坐使鞭箠環呻呼。追胥連保罪及孥，百日愁嘆一日娛。白雲舊有終老約，朱綬豈合山人紆。人生何者非蘧廬，故山鶴怨秋猿孤。何時自駕鹿車去，掃除白髮煩菖蒲。麻鞋短後隨獵夫，射弋狐兔供朝脯。陶潛自作《五柳傳》，潘閬畫入三峰圖。吾年凜凜今幾餘，知非不去慚衛蘧。歲荒無術歸亡逋，鵠則易畫虎難摹。

像這樣一首詩，是蘇軾在遊孤山時與朋友見答和韻所寫，詩中也抒發了對吏事的厭煩和企望歸隱。但舒亶輩望文生義起控，御史台也按既定框框定案，乃竟指責詩中的「誤隨弓旌落塵土，坐使鞭箠環呻呼」是譏諷朝廷執行新法後，公事鞭箠之多；詩中的「追胥保伍罪及孥，百日愁嘆一日娛。」他們誣爲譏諷朝廷鹽法，收坐同保妻子移鄉，法太急也。詩中「歲荒無術歸亡逋，鵠則易畫虎難摹」，是意取馬援言，言歲既飢荒，我欲出奇畫賑濟，又恐朝廷不從，反似畫虎不成類狗也。蘇軾本來與僧人遊孤山，興之所致，互相贈答，乃至招來此等橫禍，難怪文與可早就告誡他

「西湖雖好莫吟詩」了。

又〈戲子由〉詩：

> 宛邱先生長如丘，宛丘學舍小如舟。常時低頭誦經史，忽然欠伸屋打頭。斜風吹帷雨注面，先生不愧旁人羞。任從飽死笑方朔，肯爲雨立求秦優。眼前勃蹊何足道，處置六鑿須天遊。讀書萬卷不讀律，致君堯舜知無術。勸農冠蓋鬧如雲，送老虀鹽甘似蜜。門前萬事不掛眼，頭雖長低氣不屈。餘杭別駕無功勞，畫堂五丈容旂旄。重樓跨空雨聲遠，屋多人少風騷騷。平生所慚今不恥，坐對疲氓更鞭箠。道逢陽虎呼與言，心知其非口諾唯。居高志下眞何益，氣節消縮今無幾。文章小技安足程，先生別駕舊齊名。如今衰老俱無用，付與時人分重輕。

題目是〈戲子由〉，也就是蘇軾與弟弟子由開玩笑的詩，那知笑語聲中，卻釀成反君大罪。「烏台詩案」中說：「『任從飽死笑方朔，肯爲雨立求秦優』，意取《東方朔傳》『侏儒飽死』及《滑稽傳》優旃謂『陛楯郎，我雖短，幸休居』。言弟家貧官卑而身材長大，所以比東方朔、陛楯郎，而以當今進用之人比侏儒、優旃也。『讀書萬卷不讀律，致君堯舜知無術』，是時朝廷新興律學，軾意非之，以爲法律不足以致君於堯舜，今時又專用法律，而忘詩書，故言我讀萬卷書不讀法律，蓋聞法律之中無致堯舜之術也。『勸農冠蓋鬧如雲，送老虀鹽甘似蜜』，以譏諷朝廷新差提舉官，所至苛細生事，發摘官吏，惟學官無吏責也，弟轍爲學官，故有是句。『平生所慚今不恥，坐時疲氓更鞭箠』，是時多徒配犯鹽之人，例皆飢貧，言鞭箠此等貧民，軾平生所慚，今不復恥矣，以譏諷朝廷鹽法太急也。『道逢陽虎呼與言，心知其非口諾唯』，是時張靚、俞希旦作鹽司，意不喜其爲人，然不敢與爭議，故毀詆之爲陽虎也。」舒亶之輩把蘇軾兄弟之間的戲語，附和成諸多罪名，強加於蘇軾。

〈山村五絕〉是一組眞實反映北宋農村生活的小詩，可以說是詩人深入生活、了解人民疾苦的產物，其中有描寫農村風光，有反映百姓的各種生活遭遇，有詩人的自責，但「烏台詩案」中卻定爲譏諷朝廷罪。定案材料中說：「〈山村〉第二首云：『煙雨濛濛雞犬聲，有生何處不安生。但令黃犢無人佩，布穀何勞也勸耕。』軾意言是時販私鹽者多帶刀仗，故取前漢龔遂事，意謂但將鹽法寬平，令人不帶刀劍而買牛買犢，則自力耕不勞勸督，以譏諷朝廷鹽法太峻不便也。又第三首云：『老翁七十自腰鐮，慚愧春山筍蕨甜。豈是聞韶解忘味，邇來三月食無鹽。』意言山中之人飢貧無食，雖老猶自採筍蕨充飢，時鹽法太峻，僻遠之人無鹽食，動經數月，若古之聖人，則能聞韶忘味，山中小民，豈能食淡而樂乎？亦以譏鹽法太峻也。」第四首云：「杖藜裹飯去忽忽，過眼青錢轉手空。贏得兒童語音好，一年強半在城中。」意言百姓雖得青苗錢，立便於城中浮費使。卻又言鄉村之人，一年兩度夏稅稅，又數度請納和預買錢，今此更添青苗、助役錢，因此莊家幼小子弟，多在城市，不著次第，但學得城市語音而已。以譏諷朝廷新法青苗、助役不便也。」

以上所舉例子，還僅是在〈與王詵往來詩賦〉一項中的一部分詩歌。此外，蘇軾在〈後杞菊賦〉中說的：「移守膠西，意其一飽，而始至之日，齋廚索然，不堪其憂。」就認爲他是「諷朝廷新法，減削公使錢太甚。」他寫〈超然台記〉，文中說：「始至之日，歲比不登，盜賊滿野，獄訟克斥。」就是「意言連年蝗蟲、盜賊、獄訟之多，譏諷大臣不任事。」他所寫的〈日喻〉一篇，本來是述說如何追求眞理的道理，但詩案卻把〈日喻〉以譏諷近日科場之士，但務求進，不務積學，故皆空言而無所得，以譏諷朝廷更改科場新法不便也。」甚而像〈八月十五日觀潮〉詩，其中之一首是「吳兒生長狎濤淵，冒利忘生不自憐。東海若知明主意，應教斥鹵變桑田。」則被定為「蓋言弄潮之人，貪官中利物，致其間有溺死者，故朝旨禁斷；軾謂主上好興水利，不知利少而害多，言『東海若知明主意，應教斥鹵變桑田』，言此事之必不可成，譏諷朝廷水利之難也。」連他秋日觀牡丹，寫〈和述古十月開牡丹〉四絕，其中一首是：「一朵妖紅翠欲流，春光回照雪霜羞。化工只欲呈新巧，不放閑花得少休。也認為此詩是「譏諷當時執政大臣以比化工，但欲出新意擘劃，令小民不得暫閑也。」類此種種，還有許多。這些誣陷，有的連神宗聽後也不能置信。葉夢得《石林詩話》有一段記載：「元豐間，蘇子瞻繫大理獄。神宗本無意深罪子瞻，時相進呈，忽言『蘇軾於陛下有不臣意』。神宗改容日：『軾固有罪於朕，不應至是，卿何以知之？』時相因舉軾《檜》詩『根到九泉無曲處，世間唯有蟄龍知』之句，對日：『陛下正龍在天，軾以為不知己，而求之地下之蟄龍，非不臣而何？』神宗日：『詩人之詞安可如此論，彼自詠檜，何預朕事！』時相語塞。」⑧在「烏台詩案」中以詩取罪所引的詩文，都是這樣「人之害物，無所忌憚如此」的。這使人想起春秋時晉大夫里克說的：「欲加之罪，患無詞乎？」⑨

我們認為：

第一，蘇軾在湖州以前所寫的詩文，具體地說，就烏台詩案所定罪的那些篇章，也並非都是針對新法而寫的。蘇軾寫詩，大都是見景觸情，即興而作，見到什麼就寫什麼。蘇軾寫文，「如行雲流水，隨物賦形」，文中也表現他自己的看法，但不見得一定為了譏諷新法才為文。古代儒生解詩，往往牽強附會到政治上去。如漢儒解《詩經》，硬把一些民間的戀歌拉扯到君臣關係，拉扯至政治上的「美」、「刺」上去。穿鑿附會到了可笑的程度。「烏台詩案」的興獄者還要用他們的穿鑿去構成人的死罪，那就除了可笑之外，還使人感到可怕。

第二，即使是對新法不滿而反映在詩文中，也沒有什麼可以定死罪的理由。新法在歷史上有進步性，這是應予肯定的。但在一千多年前的封建社會裡，難道一旦實行新法就能使百孔千瘡的北宋變成天堂了嗎？難道蘇軾所反映的百姓諸端的疾苦，刑法的腐敗，官吏的無能，措施的不合理等等混亂的社會現象就不存在嗎？就不能在文學作品中得到反映嗎？如反映出來就構成罪狀？如果因皇帝及朝廷執行新法，那麼就必須是一片歌功頌德，才表現出是擁護君主朝廷的政治態度，否則就犯了重罪這是一種多麼荒謬的邏輯。

第三，從「烏台詩案」可以看到北宋新法派獨霸文壇的惡劣作風。蘇軾曾評論王安石獨霸文壇的不合理的現象，在〈答張文潛縣丞書〉中作有感慨地說：「文字之衰，未有如今日者也。其源實出於王氏。王氏之文，未必不善也，而患在於好使人同己。自孔子不能使人同，顏淵之仁，子路之勇，不能以相移。而王氏欲以其學同天下！地之美者，同於生物，不同於所生。惟荒瘠斥鹵之地，彌望皆黃茅白葦，此則王氏之同也。」⑩他這一段話說得何等地好啊！蘇軾很有點辯證法思想，他並沒有說王安石文字寫得不好，指出「王氏之文，未必不善也」，肯定王氏的文章是好的，但不應該強制每一個人寫文章都與他一模一樣，只能唱一個調子，如果別人寫了另外一種內容的文章，就目爲反君罪，這樣一來，北宋文壇豈不是成了一片「荒瘠斥鹵之地」嗎？「烏台詩案」的做法，正是對於不同政見的同僚的鎭壓和對文壇的惡霸作風：除了歌頌新法外，不准別人寫其他內容的詩文。

而且，在「烏台詩案」中所表現新法派手段的卑劣，在於他們把新派和皇上連在一起，誰違反新法，誰就是欺君，這是極其謬誤的。所以「烏台詩案」永遠是熙寧變法運動史中極不光彩的一頁。

3.**追捕入獄的遭遇及獄外營救**。

一個清清白白的官吏，一旦被台使所勾，就如「驅雞犬」地從郡城趕出來。蘇軾自己曾記述這段時間的經歷。他寫道：「李定、何正臣、舒亶三人，構造飛語，醞釀百端，必欲致臣於死。先帝初亦不聽，而此三人執奏不已，故臣得罪下獄。定等選差悍吏皇甫遵，將帶吏卒，就湖州追攝，如捕寇賊。臣即與妻子訣別，留書與弟轍，處置後事，自期必死。過揚子江，便欲自投江中，而吏卒監守不果。到獄，即欲不食求死。而先帝遣使就獄，有所約敕，故獄吏不敢別加非橫。」這是蘇軾親筆的紀實。關於被捕細節，孔平仲記述得更加詳細，他說「蘇軾以吟詩有譏訕，言事官章疏狎上，朝廷下御史台差官追取，是時李定爲中書丞，對人太息，以爲『人才難得。求一可使逮軾者，少有如意。』於是太常博士皇甫僎（蘇軾〈狀〉作「遵」，「僎」，「遵」同音，當是記音。）被遣以往。僎攜一子、二台卒倍道疾馳。駙馬都尉王詵與子瞻遊厚，密遣人報蘇轍，轍時爲南京幕官，乃亟走介往湖州報軾。而僎行如飛，不可及。至潤州，適以子病求醫留半日，故所遣人得先之。僎至之日，軾在告，祖無頗權州事。僎徑入州廨，具韡袍秉笏立庭下，二台卒夾侍，白衣青巾，顧盼伫惡；人心洶洶不可測，軾恐，不敢出，乃謀之無頗，無頗云：『事至於此，無可奈何，須出見之。』軾議所以服，自以爲得罪，不可以朝服。無頗云：『未知罪名，當以朝服見也。』軾亦具靴袍秉笏立庭下，無頗與職官皆小幘列軾後，二卒懷台牒拄其衣，若匕首然。僎又久之不語，人心益疑懼。軾曰：『軾自來激惱朝廷多，今日必是賜死，死固不辭，乞歸與家人訣別。』僎始肯言曰：『不至如此。』無頗乃前曰：『太傅必有被受文字。』僎問：『誰何？』無頗曰：『無頗是權州。』僎乃以台牒授之，及開視之，只是尋常追攝行遣耳。僎促軾行，二獄卒就執之，即時出城登舟，郡人送之雨泣，頃刻之間，拉一太守如驅犬雞，此事無頗目擊也。」⑫據這段話所說，是祖無頗目擊蘇軾被捕的經過，雖屬野史，但還是眞實可靠的。蘇軾被捕後，家中老幼幾怖死，他在〈黃州上文潞公書〉中親筆寫道：「軾始就逮赴獄，有一子稍長，徒步相隨。其餘守舍，皆婦女幼稚。至宿州，御史符下，就家取文書。州郡望風，遣吏發卒，圍船搜取，老幼幾怖死。既去，婦女恚罵曰：『是好著書，書成何所得，而怖我如此！』悉取燒之。比事定，重復尋理，十亡其七八矣。」⑬當時抄家的氣氛極爲恐怖，家裡人怨憤異常，甚至把一腔怒氣往他所著述的書發洩，因他是因寫書惹禍，於是把他的書燒掉十分之七八。這樣一來，蘇軾在湖州之前的著作，大部分已化爲灰燼，這不能不說是我國文學藝術珍品的一大損失。

蘇軾入獄之後，備受非人待遇，不斷遭到逼供，這方面的情況我們可以從「烏台詩案」的供狀記錄中看到，如：

「今年八月二十八日，供出與王詵相識，借得錢物，並寄〈杞菊賦〉、〈超然台記〉、〈題韓幹馬〉詩與王詵，因依又隱諱不曾作〈開運鹽河詩〉寄王詵情由。蒙會問到王詵狀，並被王詵申送到〈開運鹽河詩〉賦。軾於九月二十三日至二十七日，方具實招具〈臘日遊孤山詩〉、〈戲子由詩〉、〈山村詩〉。」（〈與王往來詩賦〉一項）「

軾八月二十三日在台虛稱鹽法爲害等由，遂次隱諱，不說情實，二十四日再勘方招。」（〈杭州觀潮五首〉一項）

「軾在台於九月三十供狀時，不合云上件詩無譏諷外，再蒙會勘方招。」（〈與湖州知州孫覺詩〉一項）

「軾在台隱諱，蒙會到曾鞏狀，曾被人申送到上件簡帖，九月十七方招。」（〈送曾鞏得燕字〉一項）

此外，還有許多逐日的招供，這裏因篇富關係，無法一一錄下，我們從摘錄下的時間表裏，可以看到御史台逮捕蘇軾之後，經常對蘇軾迫供或誘供。他們內外交迫，與蘇軾有詩文往來的友人被誘供之後，又以誘供的材料用來向蘇軾迫供。我們從御史台一件審問的結論性的文件中，可以清楚地看到這一點。御史台的報告中說：「今年七月二十八日，中使皇甫遵到湖州勾攝軾前來，至八月十八日赴御史台出頭，當准問目，方知奉聖旨根勘。當月二十日軾供狀除〈山村〉詩外，其餘文字並無干涉時事。二十二日又虛稱更無往復詩等文字。二十四日又虛稱別無譏諷嘲詠詩賦等，應係干涉文字。二十四日（？）又虛稱即別不曾與文字往還，三十日卻供通自來與人有詩賦往還人數姓名，又不說曾有黃庭堅譏諷文學字等因依，再勘方招。」說明他們在蘇軾入獄之後，是一迫再迫。宋代周必大〈二老堂詩話〉中有一段御史台威逼蘇軾的記實：「蘇子容丞相元豐戊午歲尹開封，治陳世儒獄。言者誣以寬縱，請求是秋亦自濠州攝赴台獄，嘗賦詩十四篇，今在集中，序云：『子瞻先已被繫，予晝居三院東閣，而子瞻在知雜南廡，才隔一垣』。其詩云：『遙憐北戶吳興守，詬辱通宵不忍聞。』注謂所劾歌詩，有非所宜言，頗聞譎詰之語。」⑭吳興即湖州，吳興守即知湖州的蘇軾，他們在獄中對蘇軾日日夜夜地詬辱逼供，令人耳不忍聞。「其彈劾之峻，追取之暴，人皆爲軾憂之。」⑮

李定、何正臣、舒亶等對蘇軾「侵之甚急，欲加以指斥之罪。」⑯他們處心積慮地要把蘇軾置於死地。蘇軾也自知處境險惡，在獄中寫兩首詩給子由，詩云：「聖主如天萬物春，山臣愚暗自亡身，百年未滿先償債，十口無歸更累人。是處青山可藏骨，他年夜雨獨傷神。與君今世爲兄弟，更結來生未了因。　柏台霜氣夜淒淒，風動琅璫月向低。夢繞雲山心似鹿，魂驚湯火命如雞。眼中犀角眞吾子，身後牛衣愧老妻。百歲神遊定何處，桐鄉知葬浙江西。」⑰這就是蘇軾獄中生活的寫照，他整天掙扎在「魂驚湯火命如雞」的死亡線上，自料必死無疑，寫詩與子由死別，情感悲愴悽切，動人腑肺。

蘇軾被捕入獄後，獄外營救工作也隨即展開。首先是蘇轍上書給神宗。他寫了〈爲兄軾下獄上書〉，要求「乞納在身官，以贖兄軾，非敢望末減其罪，但得免下獄死爲幸。」當時張方平及范鎭都上疏營救他。張方平上疏說：「……今日傳聞有使追蘇軾，過南京當屬吏。臣不詳知軾之所坐，而早嘗識其爲人；起遠方孤生，遭遇盛明之世，然其文學實天下之奇才，向舉制策高等，而猶碌碌無以異於流輩；陛下振拔，特加眷獎，由是材譽益著，軾自謂見知明主，亦慨然有報上之心。但其性資疏率，闕於愼重，出位多言，以速尤悔。頃年以來，聞軾屢有封章，特爲陛下優容。四方聞之，莫不感嘆聖明寬大之德，而尤軾僭易輕發之性。今其得罪，必緣故態。但陛下於四海生靈，譬如天之無不覆冒，如地之無不持載，如四時之無不化育，於一蘇軾豈所好惡。伏惟英聖之主，方立非常之功，固在廣收材能，使之以器，若不棄瑕含垢，則人才有可惜者。」⑱

劉安世也曾說：「元豐二年秋冬之交，東坡下御史獄，天下之士，痛之環視而不敢救，時張安道致仕在南京，乃憤然上書，欲附南京遞，府官不敢受，乃令其子恕持至登聞鼓院投進。恕素愚懦，徘徊不敢投。久之，東坡出獄，其後東坡見其副本，因吐舌色動久之。人問其故，東坡不答。其後子由亦見之，云：『宜吾兄之吐舌也，此時正得張恕力。』或問其故，日：『……東坡何罪，獨以名太高，與朝廷爭勝耳。今安道之疏，乃云『其實天下之奇材也，』獨不激人主之怒，時急救之故，爲此言矣。』僕日：『然則是時救東坡宜爲何說？』先生日：『但言本朝未嘗殺士大夫，今乃開端，則是殺士大夫自陛下始，而後世子孫因而殺賢士大夫，必援陛下以爲例，神宗好名而畏義，疑可以此止之。』」⑲

王安禮在神宗面前替蘇軾說情，據〈王安禮行狀〉中載：「軾既下獄，衆危，莫敢正言者。直舍人院王安禮乘間進日：『自古大度之君，不以語言謫人。按軾文士，本以才自奮，謂爵位可主取，顧碌碌爲此，其中不敢無觖望，今一旦改於法，恐後世謂不能容才，願陛下無庸竟其獄。』

當時宰相吳充也極力營救蘇軾，呂本中〈雜說〉云：「元豐中，蘇子瞻自湖州以言語刺譏，下御史獄，吳充方爲相，一日問上：『魏武帝何如人？』上日：『何足道！』充日：『陛下動以堯舜爲法，薄魏武固宜然。魏武猜忌如此，猶能容禰衡。陛下以堯舜爲法，而不能容一蘇軾。何也？』上驚日：『朕無他意，止欲召他對獄考覈是非爾，行將放出也。』」

太皇太后曹氏聽到這件事，對神宗說：「官家何事數日不懌？」對日：「更張數事未就緒，有蘇軾者，輒加謗訕，至形於文字。」太后日：「得非軾轍乎？」上驚日：「娘娘何以聞之？」日：「吾嘗記仁宗皇帝策試制舉人，罷，歸喜而言日：「朕今日得二文士，謂蘇軾、轍也，然吾老矣，慮不能用，將以遺後人，不亦可乎。」因泣問二人安在？上對以軾方繫獄，則又泣下，上亦感動，始有貸軾意。」⑳張端義〈貴可集〉（上）也有同樣記載：

在這些人的大力營救下，蘇軾終於免於死罪，貶爲黃州團練副使，本州安置，不得簽署公事。弟轍及王詵皆坐謫貶，張方平、司馬光、范鎮等二十二人俱罰銅。這次冤獄，凡與蘇軾有文字來往的，分性質輕重不同，受株連達數十人之多。

4.蘇軾對這次獄事的態度。

獄事發生後，蘇軾抱什麼態度呢？

首先懷必死之心，沒有表現奴顏婢膝。

蘇軾從宋神宗元豐二年（西元1079年）八月十八日赴獄，至十二月二十八日出獄，恰好四個月的時間。當他在湖州時，禍事突然從天而降，自以爲死罪。頓時家人號哭，郡人泣下。但當妻子哭著送他出門時，在那生離死別的悲痛時刻，他的曠達樂觀的性格又一次表現出來。《東坡志林》載：「昔年過洛，見李公簡言：『眞宗既東封，訪天下隱者，得杞人楊樸，能詩。及召對，自言不能。上問：「臨行有人作詩送卿否？」樸曰：「惟臣妾有一首云：更休落魄耽盃酒，且莫猖狂愛詠詩。今日捉將官裡去，這回斷送老頭皮。」上大笑，放還山。』余在湖州，坐作詩追赴詔獄，妻子送余出門，皆哭。無以語之，顧語妻曰：『獨不能如揚子雲處士妻作詩送我乎？』妻子不覺失笑，余乃出。」㉑在離別家人的時候，蘇軾仍然不失詼諧性格，用此方式與家人告別，他與妻子訣別後留書與弟轍，處置後事，自料難以生還。〈談苑〉載：「蘇子瞻隨皇甫僎追攝至太湖鱸香亭下，以柁損修牢，是夕風濤傾倒，月色如晝，子瞻自惟倉卒被拉去，事不可測，必是下吏所連逮者多，如閉目窣身入水，頃刻間耳。既爲此計，又復思曰：『不欲辜負老弟，弟謂子由也。言已有不幸，則子由必不獨生也。由是至京師下御史獄。李定、舒亶、何正臣雜治之，侵之甚急，欲加以指斥之罪。子瞻憂在必死，常服青金丹，即收其餘窨之土中，以備一旦當死，則併服以自殺。有一獄卒，仁而有禮，事子瞻甚謹。每夕必然湯為子瞻濯足，子瞻以誠謁之曰：『軾必死，有老弟在外，他日託以二詩為訣。』獄卒曰：『學士必不至此。』子瞻曰：『使軾萬一獲免，則無所恨。如其不免，而此詩不達，則目不瞑矣。』獄卒受其詩，藏之枕中。」㉒這兩首詩，就是上面所引的獄中遺子由詩。另有一個傳說與此大同小異，〈避暑錄話〉載：「蘇子瞻元豐間赴詔獄，與長子邁俱行，與之期：『送食惟菜與肉，有不測，則撤二物，而送魚。』使伺外間以為候。邁謹守。踰月，忽糧盡，出謀於陳留，委其一親戚代送，而忘語其約。親戚偶得魚鮓送之，不兼他物。子瞻大駭，知不免，將以祈哀於上，而無以自達，乃作二詩寄子由，祝獄吏致之，蓋意獄吏不敢隱，則必以聞，已而果然。神宗初固無殺意，見詩益動心，自是遂益欲從寬釋，凡為深文者皆拒之。」㉓這段傳說也不一定確實，大概也因遺子由詩中開頭兩句「聖主如天萬物春，小臣愚暗自亡身」二句而編造的。不過我們從這些傳說中，可以看到蘇軾在獄中受盡迫害，自認必死的心情。

其次，承認因文字招禍，但他還是倔強地堅持自己的政治理想。

出獄後，責黃州團練副使，他死裏逢生，關鍵是神宗不忍置他於死，所以他對神宗感激涕零。再就當時官場公例，他到黃州後必須向皇帝呈謝表，他的〈到黃州謝表〉㉔中，謝神宗不殺之恩，而對新黨的迫害絲毫不表示態度，說明蘇軾對這次冤案心裡是不服的。過去有人指責他的〈到黃州謝表〉是對新黨承言錯誤，其實不然。他在謝表中說：「狂愚冒犯，固有常刑。仁聖矜憐，特從經典，赦其必死，許以自新；祗服訓辭，惟知感涕。」他感恩的對象是「仁聖矜憐。」感謝皇帝赦他的死罪。從獄裏出來，當然也要向皇帝承認自己的不是，在當時政治壓力下這種做法是必然的。但他明白指出，不容他的是別人，神宗則是三番兩次保護了他，他說：在皇帝的信用下，他「用意過當，日趨於迷，賦命衰寡，天奪其魄。叛違義理，辜負恩私。茫如醉夢之中，不知言語之出。雖至仁屢赦，而衆議不容。」這裏的所謂『衆議不容』，指的就是李定等對他的迫害，在這種情況下，他也只好準備受刑：「案罪責情，固宜伏斧鑕於兩觀；推恩屈法，猶當禦魑魅於三危。」沒有料到「豈謂尙玷散員，更叨善地。投畀麏鼯之野，保全樗櫟之生。臣雖至愚，豈不知幸。」說明他已處絕地，是神宗赦了他，所以他只承認神宗的恩典：「惟當蔬食沒齒，杜門思愆，深悟積年之非，永爲多士之戒。貪戀聖世，不敢殺身，庶幾餘生，未爲棄物。若獲盡力鞭箠之下，必將捐軀矢石之間，指天誓心，有死無易。」有論者認爲：「深悟積年之非，永爲多士之戒」，是表明蘇軾承認他過去一切的錯了，我們不這麼理解。蘇軾早在西元1071年〈上皇帝書〉中就說過：「臣之所懼者，譏刺既衆，怨仇甚多，必將詆臣以深文，中臣以危法，使陛下雖欲赦臣而不事得，豈不殆哉。」㉕他早已料到政敵會陷害他，他仍然沒有向政敵低頭，且看他到黃州後給朋友李常的信：「吾儕雖老且窮，而道理貫心肝，忠義塡骨髓，直須談笑於死生之際，若見僕困窮便相於邑，則與不學道者大不相遠矣。」㉖從信中所表白的內心活動，就雄辯地說明問題。也許有人會問，那麼，他給章惇的信又作何理解呢？是的，他給章惇信中寫了許多懺悔的語言，他明知是章惇是新派的人物，但章惇又是他的朋友，當時他剛出獄，說了幾句違心的話也在所難免。如他說自己「若不改者，某非眞人也。」，「追思所犯，眞無義理，與病狂之人，蹈河入海者無異。」這些話，都是對付章惇的，並非眞誠的話，蘇軾也不是一個呆子，難道剛從獄裡出來又要再自鑽進獄裡去嗎？這一點我們應替蘇軾設身處地考慮而理解他這種做法，一直至他從黃州赴汝州前夕，在幾年的實際工作中體會到新法的某些好處，才在〈與滕達道〉的信中承認自己在「新法之初」所持的偏見，那已是在寫〈到黃州謝表〉之後四年了。

我們且看他出獄後赴黃州時所寫的一些詩歌，就可以了解當時蘇軾對所受的迫害，仍然採取不屈的態度。他在〈十二月二十八日，蒙恩責檢校水部員外郎黃州團練副使，復用前韻二首〉中寫道：

> 「百年歸期恰及春，餘年樂事最關身。出門便旋風吹面，走馬聯翩鵲啅人。卻對酒杯疑是夢，試拈詩筆已如神。此災何必深追咎，竊祿從來豈有因。
>
> 平生文字爲吾累，此去聲名不厭低。塞上縱歸他日馬，城東不鬥少年雞。休官彭澤貧無酒，隱幾維摩病有妻。堪笑睢陽老從事，爲余投檄問江西。」㉗

詩中的「平生文字爲吾累，此去聲名不厭低」，不就是對李定之徒說他的詩歌『傳捓中外』、『虛名浮論，足以惑動衆人』的反擊麼！蘇軾出獄後向新黨認罪嗎？沒有！他在〈陳州與文郎逸民飲別，攜手河堤上，作此詩〉中寫道：「君已思歸夢巴峽，我能未到說黃州。此身聚散何窮已，未忍悲歌學楚囚。」㉘他不太願悲歌學楚囚，可見蘇軾當時還是一腔憤懣，毫不屈服。他爲了國家的命運和百姓的利益而直言敢諫，雖然一時失敗了，但他仍然堅信自己的信念，他在蔡州道上遇雪寫給子由的詩中說：「下馬作雪詩，滿地鞭箠痕。佇立望原野，悲歌爲黎元。」他與兒子蘇邁一起走向黃州的旅程，「相從艱難中，肝肺如鐵石」（〈過淮〉）。絲毫沒有失敗者灰心喪氣的痕跡。到了黃州，他竟唱出了一首曠達自若的歌：

> 「自笑平生爲口忙，老來事業轉荒唐。長江繞郭知魚美，好竹連山覺筍香，逐客不妨員外置，詩人例作水曹郎。只慚無補絲毫事，尚費官家壓酒囊。」㉙

他在黃州所寫的一些詩歌，仍然反映百姓生活的痛苦，自己思想的苦悶。即使他有時自己也說過「自得罪後，不敢作文字」㉚有時也自暴自棄，過著扁舟草履，放浪山水間，寫漁樵雜處的生活；甚至有時沈緬於佛理之中，我仍從總的傾向說，蘇軾出獄後精神狀態的主導面是積極的，在黃州時期，是蘇軾藝術創作的黃金時代，許多名著都是這一時期寫出來的。人們說：「憤怒出詩人」，蘇軾是憤而不怒；他雖憤憤於胸，但還抱著達觀的、隨遇而安的生活態度，所以他在黃州時，躬耕於東坡之上，寄跡於山水之中，與黃州百姓結下了親密的情誼，直到離開黃州時，戀戀不捨。

第三，在實踐中認得新法有某些好處時，他勇於改正自己的看法，而且也不記仇隙。

在黃州四年的生活中，他與下層百姓共處，不斷了解到新法執行的某些好處，改變了自己的某些觀念。他寫信給滕達道說：「蓋謂吾儕新法之初，輒守偏見，至有異同之論。雖此心耿耿，歸於憂國；而所言差謬，少有中理者。今聖德日新，衆化大成，回視向之所執，益覺疏矣。若變志易守以求進取，固所不敢，若嘵嘵不已，則憂患愈深。」㉛在「烏台詩案」中，陷害蘇軾的都是些打著新法幌子的人，但蘇軾並沒有因此而仇恨新法。相反，宋哲宗即位初，舊黨執政，司馬光全面否定新法，蘇軾挺身而出，批評司馬光「意欲變熙寧之法，不復計量利害，參用新法。」這是由於他在實際政治生活中認識到，新法在某些方面也有利於國計民生之處，他確是「此心耿耿，歸於憂國」；凡是錯誤的措施，不論新黨提出的，還是舊黨提出的，他都反對。「烏台詩案」沒有使他膽怯而緘默躲縮，他以「憂國」爲準則，不計個人恩怨。這是蘇軾最可寶貴的品質。

「烏台詩案」這一政治事件，永遠是熙寧變法史中極不光彩的一頁，是歷史上一次永受責罵的文字獄，蘇軾作爲一代文豪，在「烏台詩案」之後，他在思想上、文學藝術造詣上，更加成熟了。

【附　註】

① 王文誥《蘇文忠公詩篇注集成總案》（上），卷19，第2頁。

② 宋朋九萬撰「烏台詩案」。

③ 見朋九萬撰「烏台詩案」。

④ 《前漢書》卷83《朱博傳》，見《四庫全書》，第251冊，第11頁。（臺版）

⑤ 《宋史》卷329〈何正臣傳〉，見《四庫全書》，第286冊，第370頁。

⑥ 《宋史》卷329〈舒亶傳〉，見《四庫全書》，第286冊，第368頁。

⑦ 《宋史》卷329〈李定傳〉，見《四庫全書》，第286冊，第　頁。

⑧ 邵伯溫《邵氏聞見錄》。

⑨ 《左傳注疏》卷12，見《四庫全書》，第143冊，第280頁。

⑩ 《蘇軾文集》卷49〈答張文潛縣丞書〉，見中華書局版，第4冊，第1427頁。

⑪ 《蘇軾文集》卷32〈杭州召還乞郡狀〉，見中華書局版，第3冊，第912頁。

⑫ 宋・孔平中《談苑》卷1，見《四庫全書》，第1037冊，第122頁。（臺版）

⑬ 《蘇軾文集》卷48〈黃州上文潞公書〉，見中華書局版，第4冊，第1380頁。

⑭ 周必大《二老堂詩話》，《四庫全書》，第1480冊，第171頁。（臺版）

⑮ 孔平仲《談苑》卷1，見《四庫全書》，第1037冊，第123頁。（臺版）

⑯ 同上註。

⑰ 《蘇軾詩集》卷19〈予以事繫御史台獄，獄吏稍見侵，自度不能堪，死獄中，不得一別子由，故作二詩授獄卒梁成，以遺子由，二首〉，見中華書局版，第3冊，第998頁。

⑱ 張方平《樂全集》卷26〈論蘇內翰〉，見《四庫全書》，第1104冊，第272頁。（臺版）

⑲ 宋・馬永卿編《元城語錄》卷下，見《四庫全書》，第863冊，第388頁。（臺版）

⑳ 宋方勺《泊宅編》卷上，見《四庫全書》，第1037冊，第508頁。（臺版）

㉑ 《東坡志林》卷2，〈書楊樸事〉，見中華書局版1984年第一版。

㉒ 孔平仲《談苑》卷1，見《四庫全書》，第1037冊，第123頁。（臺版）

㉓ 葉夢得《避暑錄話》卷下，見《四庫全書》，第863冊，第700頁。（臺版）

㉔ 《蘇軾文集》卷23〈到黃州謝表〉，見中華書局版第

㉕ 《蘇軾文集》卷25〈上神宗皇帝書〉，見中華書局版，第2冊，第654頁。

㉖ 《蘇軾文集》卷51〈與李公擇〉（十一），見中華書局版，第4冊，第1500頁。

㉗ 《蘇軾文集》卷19，見中華書局版，第2冊，第1005頁。

㉘ 《蘇軾文集》卷20，見中華書局版，第4冊，第1017頁。

㉙ 《蘇軾文集》卷20〈初到黃州〉，見中華書局版，第4冊，第1032頁。

㉚ 《蘇軾文集》卷49〈答李端叔書〉，見中華書局版，第4冊，第1432頁。

㉛ 《蘇軾文集》卷51〈與滕達道〉，見中華書局版，第4冊，第1478頁。

六、黃州五載

元豐三年庚申（西元1080年）正月一日蘇軾與兒子蘇邁離開京師，二月一日到達黃州貶所。

「烏台詩案」的牢獄磨煉，讓蘇軾跨向一個更高的人生境界。他經歷了命運的擺弄，虎口餘生，他那熱誠的心，慢慢地趨向閑適，性格也更轉向曠達與超脫。黃州五載，是蘇軾人生觀的轉捩點。

到黃州後，暫住定惠院；他詠詩記下當時的心情：

去年花落在徐州，對月酣歌美清夜。
今年黃州見花發，小院閑門風露下。
萬事如花不可期，餘年似酒那禁瀉。
憶昔扁舟泝巴峽，落帆樊口高桅亞。
長江滾滾空自流，白髮紛紛寧少借。

竟無五畝繼沮溺，空有千篇凌鮑謝。
至今歸計負雲山，未免孤衾眼客舍。
少年辛苦眞食蓼，老境安閑如啖蔗。
飢寒未至且安居，憂患已空猶夢怕。
穿花踏月飲村酒，免使醉歸官長罵。①

多年來，在政治漩渦中的憂患，已爲御史獄所證實，當前「憂患已空猶夢怕」，想起獄中的災難，在「納之憂患場，磨以百日愁」②之後，「冥化雖難化，鐫發亦已周。」③他要在黃州修心養性，讓「平時種種心，次第去莫留。」④心安理得地「便爲齊安民，何必歸故丘」。⑥他曾寫信給范子豐說：「臨皋亭下，八十餘步，便是大江，其半是峨嵋雪水，吾飲食沐浴皆取焉，何必歸鄉哉。」⑥蘇軾要以黃州爲家了。

實際上，他的思想極其激蕩。如果說，烏臺詩案之前，蘇軾是「奮厲有當世志」，對於國家政事，不論遇到多少困難險阻，始終是想到什麼說什麼，或上書，或對話，或書信，或詩文，表述己見；烏台詩案後，他深感「平生文字爲吾累」！⑦作爲一個剛被釋放的罪人，過著飢貧交迫的生活，心情極其惶惑、孤獨，也極其複雜的，如遷居臨皋亭時的內心自白：

我生天地間，一蟻寄大磨。
區區欲右行，不救風輪左。
雖云走仁義，未免違寒餓。
劍米有危炊，針氈無穩坐。
豈無佳山水，借眼風雨過。
歸田不待老，勇決凡幾個。
幸茲廢棄餘，疲馬解鞍馱。
全家占江驛，絕境天爲破。

飢貧相乘除，未見可吊賀。

澹然無憂樂，苦語不成些。⑧

在這個階段裡，他的心態的最明顯的表現有七。

首先，他力圖把自己封閉起來，緩和在獄中惶惶不定的緊張情緒，檢討自己性格的弱點。他在答李端叔信中說：「得罪以來，深自閉塞，扁舟草履，放浪山水間，與樵漁雜處，往往為醉人所推罵。輒自喜漸不為人識，平生親友無一字見及，有書與之亦不答，自幸庶幾免矣。」他在謫居中，默自觀省，回視三十年以來所為，今天境地，皆因自己揚才露己的毛病。他以物作喻說：「木有癭，石有暈，犀有通，以取妍於人，皆物之病也。謫居無事，默自觀省，回視三十年以來所為，多其病者。」自己過去就像「候蟲時鳥，自鳴自已」，以致「譊譊至今，坐此得罪幾死」⑨在自省過程中，他採取「靜慮」的辦法，經常至安國寺默坐，「間一二日輒往，焚香默坐，深自省察，則物我相忘，身心皆空，求罪垢所以生而不可得。」⑩他覺得通過默坐沉思，可以淨化自己的思想，讓混亂的情緒得以澄情。蘇軾繼而說：「一念清淨，染污自落，表裏翛然，無所附麗，私竊樂之。旦往而暮還者，五年於此矣。」在靜思默想中讓自己能思過而自新，他檢討自己過去的許多過失：「反觀從來舉意動作，皆不中道，非獨今之所以得罪者也。欲新其一，恐失其二。觸類而求之，有不可勝悔者。」⑪冀望以封閉的方式閉門思過。

其次，他希望在佛、道哲理中尋求精神寄托。他想「歸誠佛僧，求一洗之。」⑫在給王定國信中透露：「某寓一僧舍，隨僧蔬食，甚自幸也。感恩念咎之外，灰心杜口，不曾看謁人。」⑬給秦觀信中說：「吾儕漸衰，不可復作少年調度，當速用道書方士之言，厚自養鍊。謫居無事，頗窺其一二。已借得本州天慶觀道堂三間，冬至後，當入此室，四十九日乃出，自非度放，安得就此。」⑭與程彝仲書曰：「所要亭記，豈敢於吾兄有所惜，但多難畏人，不復作文字，惟時作僧佛語耳。」⑮但是，蘇軾畢竟不是佛門中人，塵心無法泯滅，更無法遁入空門，頓悟禪機佛理。他在給畢仲舉信中坦白地說：「佛書舊亦嘗看，但闇塞不能通其妙，獨時取其粗淺假說以自洗濯，若農夫之去草，旋去旋生，雖若無益，然終愈於不去也。若世之君子，所謂超然玄悟者，僕不識也。」⑯

第三，他渴望擺脫孤獨，想以朋友的情誼中獲得慰藉。雖然他剛到黃州時，常閉門思過，但這畢竟是最折磨心靈的孤獨，並非喜歡經常與朋友笑談遊樂的蘇軾所能忍受。他是一位「上可以陪玉皇大帝，下可以陪悲田院乞兒」⑰的人，那能長期甘於獨居幽處！他到黃州的初期，住進安國寺，有過靜思默念的關閉的日子，但當時內心也還響往眞誠的友誼，籍以溫暖他那顆寂寞的心。蘇軾到黃州，黃州太守徐大受（君猷）待他甚善，他銘感於心。蘇軾寫信給徐得之（大受之弟）說：「始謫黃州，舉目無親，君猷一見，相待如骨肉，此意豈可忘哉。」他經常盼望舊友談心，有朋自遠方來，倍覺親切，他曾記載：「僕以元豐三年二月一日至黃州，時家在南都，獨與兒子邁來郡中，無一人舊識者。時時策杖至江上，望雲濤渺然，亦不知有文甫兄弟在江南也。居十餘日，有長而髯者，惠然見過，乃文甫之弟子辯。留語半日，云：『迫寒食，且歸車湖。』僕送之江上，微風細雨，葉舟橫江而去。僕登夏隩尾高丘以望之，髣髴見舟及武昌，乃還。」⑲朋友的來訪，給予他內心極大的安慰，蜀中故友杜沂（道源）來黃州，送給他酴醾酒及菩薩泉水，蘇軾陪他遊武昌，並賦詩二首，頗爲感慨：「嗟我本何有，虛名空自纏。不見子柳子，餘愚污溪山。」

⑳以柳子厚被貶自比。杜沂回去後，蘇軾又寫信對他說：「謫居窮陋，首見故人，釋然無復有流落之嘆。衰病迂拙，所向累人，自非卓然獨見，不以進退爲意者，誰肯辱與往還。每惟此意，何時可忘。」㉑蘇軾在給秦觀的信裡，也談及他在黃州所交朋友的樂趣：「所居對岸武昌，山水佳絕。有蜀人王生在邑中，往往爲風濤所隔，不能即歸，則王生能爲殺雞炊黍，至數日不厭。又有潘生者，作酒店樊口，棹小舟徑至店下，村酒亦自醇釅。柑桔椑柿極多，大芋長尺餘，不減蜀中。外縣米斗二十，有水路可致。羊肉如北方，豬、牛、麞、鹿如土，魚、蟹不論錢。岐亭監酒胡定之，載書萬卷隨行，喜借人看。黃州曹官數人，皆家善庖饌，喜作會。」㉒在這些朋友中，其中潘生即潘原，其兄潘丙是解元，蘇軾在與朱康叔信中說：「聞有潘原秀才，以買撲事被禁（自註：潘正名買撲），某與其兄潘丙解元至熟，最有文行。原自是佳士，有舉業，望賜全庇。」㉓蘇軾有一首詩，詳敘他與潘丙、古耕道、郭遘三人於女王城東禪莊院之遊，詩云：「十日春寒不出門，不知江柳已搖村。稍聞決決流冰谷，盡放青青沒燒痕。數畝荒園留我住，半瓶濁酒待君溫。去年今日關山路，細雨梅花正斷魂。」㉔據王文誥案：進士潘丙「家近東坡，公因是求得其地，並營雪堂。其後內遷，付彥明葺治之。古耕道椎魯無他長，家南陂之下，有修竹十畝，公嘗欲築堂三間一龜頭而未果。古能審音。郭遘，字興宗，僑居於黃者也。喜爲挽歌辭。好義，公以黃人溺兒，創爲育兒會，使興宗掌其出入。以上三人，皆朝夕相從者也。」㉕蘇軾也有詩記下與這三子友情：「潘子久不調，沽酒江南村。郭生本將種，賣藥西市垣。古生亦好事，恐是押牙孫。家有一畝竹，無時容叩門。我窮交舊絕，三子獨見存。從我於東坡，勞餉同一飧。可憐杜拾遺，事與朱、阮論。吾師卜子夏，四海皆弟昆。」

㉖還有一位馬夢得，也是蘇軾在黃州的好朋友。他說：「馬夢得與僕同歲月生，少僕八日。是歲生者無富貴人，而僕與夢得爲窮之冠。即吾二人而觀之，當推夢得爲首。」㉗馬夢得原在京師做太學正的學官，性情耿介，「學生既不喜，博士亦忌之」，有一次蘇軾去訪他未晤，在牆上題了杜甫的〈秋雨嘆〉之一，馬夢得看到之後，對蘇軾心嚮往之，蘇軾簽判鳳翔時，他跟隨蘇軾當幕僚，在黃州期間，馬夢得幫助蘇軾在東坡經營田地。有詩云：「馬生本窮士，從我二十年。日夜望我貴，求分買山錢。我今反累君，借耕輟茲田。刮毛龜背上，何時得成氈。可憐馬生痴，至今誇我賢。衆笑終不悔，施一當獲千。」㉘僅以上幾例看，蘇軾在黃州很快地結交了一批朋友，他們陪蘇軾耕地、喝酒、遊赤壁。再加上外地的弟弟及朋友如李季常、參寥等有時至黃州探望他，也可聊慰他心靈上的寂寞了。

第四，於大自然中排遣思想深處的憂憤，獲得閑適和自得其樂。黃州地處長江之濱，是一個美麗、古樸的江城，浩浩長江給予詩人思想以啓迪。當他住在臨皋亭時，他說亭下八十數步，便是大江，江水帶著峨眉的情意，他不用到四川也等於回到故鄉了！他說：「江山風月，本無常主，閑者便是主人。」㉙又曾書臨皋亭欣賞自然景色情景：「東坡居士酒醉飯飽，倚于几上，白雲左繞，清江右洄，重門洞開，林巒岔入，當是時，若有思而無所思，以受萬物之備。」㉚他在初到黃州時，「先生食飽無一事，散步逍遙自捫腹，不問人家與僧舍，拄杖敲門看修竹。」㉛他到野外散步，投身於大自然之中。有時在熟睡之後，「強起出門行，孤夢猶可續。」㉜大自然的景色也是如此淒慘寂聊：「市橋人寂寂，古寺竹蒼蒼。鸛鶴來何處，號鳴滿夕陽。」㉝他于雨中看牡丹，遊覽武昌寒溪西山寺。黃州定慧院的月色，引起他幽獨之思：「缺月掛疏桐。漏斷人初靜。誰見幽人獨往來。縹渺孤鴻影。　　驚起欲回頭。有恨無人省。揀盡寒枝不肯棲。寂寞沙洲冷。」㉞快哉亭的落日，引起他聯翩浮想：「落日繡簾捲。亭下水連空。知君爲我新作，窗戶濕青紅。長記平山堂上，攲枕江南煙雨。渺渺沒孤鴻。認得醉翁語，山色有無中。　　一千頃。都鏡淨。倒碧峯。忽然浪起，掀舞一葉白頭翁。堪笑蘭台公子，未解莊生天籟，剛道有雌雄。一點浩然氣，千里快哉風。」㉟沙湖道上遇雨，引起蘇軾心靈的顫動，呼出「一蓑煙雨任平生」的嘆息：「莫聽穿林打葉聲。何妨吟嘯且徐行。竹杖芒鞋輕勝馬。誰怕，一蓑煙雨任平生。　　料峭春風吹酒醒。微冷。山頭斜照卻相迎。回首向來蕭瑟處。歸去。也無風雨也無晴。」㊱春夜漫步蘄水過溪橋的月色，令詩人爲之陶醉，與大自然溶爲一體：「照野瀰瀰淺浪。橫空隱隱層霄。障泥未解玉驄驕，我欲醉眠芳草。　　可惜一溪風月。莫教踏碎瓊瑤。解鞍攲枕綠楊橋。杜宇一聲春曉。」㊲浩浩的長江水浪，引起了詩人的豪情，又令詩人黯然神傷，感嘆自己早生華髮，人間如夢。㊳黃州赤壁的勝跡，蘇軾爲它寫下光彩奪目的文章〈赤壁賦〉和《後赤壁賦》。他讓自己的精神與大自然的山水月色溶合爲一。〈赤壁賦〉的「七月既望」時長江赤壁「清風徐來，水波不興」，「白露橫江，水光接天」的月色，引發了蘇軾對水與月所派生的哲理：「客亦知夫水與月乎？逝者如斯，而未嘗往也。盈虛者如彼，而卒莫消長也。蓋將自其變者而觀之，則天地曾不能以一瞬。自其不變者而觀之，則物與我皆無盡也，而又何羨乎？且夫天地之間，物各有主。苟非吾之所有，雖一毫而莫取。惟江上之清風，與山間之明月，耳得之而爲聲，目遇之而成色。取之無禁，用之不竭。是造物者之無盡藏也，而吾與子之所共適。」㊴這種超逸灑脫的人生哲理，成爲蘇軾後半生精神支柱。而〈後赤壁賦〉的「江流有聲，斷岸千尺。山高月小，水落石出」的初冬月色，又勾起詩人的「曾日月之幾何，而江山不可復識矣。」⑩的浩嘆。承天寺如水的月夜，觸動了詩人寂寞的心：「庭下如積水空明，水中藻荇交橫，蓋竹柏影也。何夜無月，何處無竹柏，但少閑人如吾兩人耳。」⑪那股被閑置的哀怨，於如水月光中流瀉而出。東坡月夜的獨步，「雨洗東坡月色清，市人行盡野人行。莫嫌犖确坡頭路，自愛鏗然曳杖聲。」⑫于曳杖聲中發洩孤獨的情思。黃州的春花秋月，江山村橋，在在都觸動蘇軾受傷的心靈，詩人也于大自然中尋找精神的慰藉。

第五，在勞動中獲得樂趣。

蘇軾到達黃州後，生活困難。他說：「初到黃，廩入既絕，人口不少，私甚憂之。」⑬「黃州僻陋多雨，氣象昏昏也。魚稻薪炭頗賤，甚與窮者相宜。然軾平生未嘗作活計，子厚所知之。俸入所得，隨手輒盡。……窮達得喪，粗了其理，但祿廩相絕，恐年載間，遂有飢寒之憂，不能不少念。」⑭他經常過著「空庖煮寒菜，破竈燒濕葦」⑮的生活。在這種情況下，朋友馬正卿（夢得）「爲于郡中請故營地數十畝，使得躬耕其中。地既久荒爲茨棘瓦礫之場，而歲又大旱，墾闢之勞，筋力殆盡。」他于東坡耕地，借白居易忠州東坡詩而稱東坡，於是蘇軾謫居黃州後始號東坡。

蘇軾在勞動中自得其樂。他在東坡開墾荒地：「廢壘無人顧，頹垣滿蓬蒿。誰能捐筋力，歲晚不償勞。獨有孤旅人，天窮無所逃。端來拾瓦礫，歲旱土不膏。崎嶇草棘中，欲刮一寸毛。喟然釋耒嘆，我廩何時高。」⑯當然，他開荒並非個人之力，還有家僮相助。在開荒中，「家僮燒枯草，走報暗井出。」⑰在歲旱泉竭的時候，也盼望下雨：「昨夜南山雲，雨到一犁外。泫然尋故瀆，知我理荒薈，泥芹有宿根，一寸嗟獨在。雪芽何時動，春鳩行可膾。」㊽他享受著秋實之樂：「種稻清明前，樂事我能數。毛空暗春澤，針水聞好語。分秧及初夏，漸喜風葉舉。月明看露上，一一珠垂縷。秋來霜穗重，顛倒相撑拄。但聞畦隴間，蚱蜢如風雨。新舂便入甑，玉粒照筐筥。」㊾他與黃州人結交朋友，在勞動中「勞餉同一飧。」㊿他在浚井中悟到人生的哲理：「古井沒荒萊，不食誰爲惻。瓶罌下兩綆，蛙蚓飛百尺。腥風被泥滓，空響聞點滴。上除青青芹，下洗鑿鑿石。沾濡愧童僕，杯酒暖寒栗。白水漸泓渟，青天落寒碧。云何失舊穢，底處來新潔。井在有無中，無來亦無失。」51從掘井的過程中悟到《易經》井卦裏說的「無喪無得，往來井井」的道理。他還問大冶長老乞桃花茶栽於東坡之上，「嗟我五畝園，桑麥苦蒙翳。不令寸地閑，更乞茶子蓺。」52除東坡種地外，他還親自刈草蓋雪堂；「去年東坡拾瓦礫，自種黃桑三百尺。今年刈草蓋雪堂，日炙風吹面如墨。」53在四鄰的協助下，使東坡居士在雪堂裡「隱几而晝暝，栩栩然若有所適而方興也。」54從而頓悟出人生得失的超然物外的哲理，他在淡泊的生活中樂天知命，心胸超脫。

第六，從讀書著述中排憂遣愁。

蘇轍指出：「公之於文得之于天下。少與轍皆師先君，初好賈誼、陸贄，書論古今治亂，不爲空言。既而讀莊子，喟然嘆息曰：『吾昔有見於中，口未能言，今見莊子，得吾心矣。』乃出中庸，論其言微妙，皆古人所未喻。嘗謂轍曰：『吾視今世學者，獨子可與我上下耳。』既而謫居于黃，杜門深居，馳騁翰墨，其文一變，如川之方至，而轍瞠然不能及矣。先君晚歲讀易，玩其爻象，得其剛柔，遠近喜怒逆順之情，以觀其詞，皆迎刃而解，作《易傳》未完，疾革，命公述其志，公泣受命，卒以成書，然後千載之微言煥然可知也。復作《論語說》，時發孔氏之秘。」㊺蘇軾在黃州，完成父志，著《易傳》九卷，有詩云：「廢興古郡詩無數，寂寞閑窗《易》粗通。」㊻他在黃州的貶著生涯中，雖有許多困擾，但他對子由說：「尙有讀書清淨業，未容春睡敵千鐘。」㊼他在給文彥博信中，也談及寫《易》及《論語》情況：「到黃州，無所用心，輒復覃思於《易》、《論語》，端居深念，若有所得，遂因先子之學，作《易傳》九卷。又自以意作《論語說》五卷。窮苦多難，壽命不可期。恐此書一旦復淪沒不傳，意欲寫數本留人間。念新以文字得罪，人必以爲凶衰不祥之書，莫肯收藏，又自非一代偉人，不足託以必傳者，莫若獻之明公。而《易傳》文多，未有力裝寫，獨致《論語說》五卷。公退閑暇，一爲讀之，就使無取，亦足見其窮不忘道，老而能學也。」㊽他於一二年間，欲了卻《論語》、《易》等書，完成乃父未竟的事業。

第七，他在主觀上想避禍消災，閉門思過；但是「東坡習氣除未盡」㊾，在患難之中，對于國家大事，百姓的苦難，仍然耿耿於懷，無法除卻。他在致趙晦之信中說：「示諭，處患難不戚戚，只是愚人無心肝爾，與鹿豕木石何異！」㊿他對國計民生的憂患情懷，在赴黃州途中已復顯露，蔡州道中遇雪，他自己雖罹難，卻「佇立望原野，悲歌爲黎元。」⑹他自有獨立的性格和骨氣：「我雖窮苦不如人，要亦自是民之一。形容可似喪家狗，未肯弭耳爭投骨。」⑹在黃州，他爲百姓遭受租稅剝削而不平：「我是朱陳舊使君，勸農曾入杏花村。而今風物那堪畫，縣吏催租夜打門。」⑹他揭示漁民因租稅過重而過著艱辛生活：「人間行路難，踏地出賦租。」⑹元豐四年（西元1081年）十二月二十二日，他拜訪王文父，王文父告訴他，「得陳季常書報：是月四日，种諤令兵深入，破殺西夏六萬餘人，獲馬五千匹。」當時，「他喜而飲酒賦詩云：『聞說官軍取乞誾，將軍旂鼓捷如神。故知無定河邊柳，得共中原雪絮春。」㊅聽到洮西捷報也賦詩歌唱：「漢家將軍一丈佛，詔賜天池八尺龍。露布朝馳玉關塞，捷烽夜到甘泉宮。似聞指揮築上郡，已覺談笑無西戎。放臣不見天顏喜，但驚草木回春容。」㊆對於朋友，他也深深了解其性格，如對李公擇，在被貶外放時，蘇軾寫信對他說：「吾儕雖老且窮，而道理貫心肝，忠義填骨髓，直須談笑於死生之際，若見僕困窮便相於邑，則與不學道者大不相遠矣。……兄雖懷坎壈於時，遇有事可尊主澤民者，便忘軀爲之，禍福得喪，付與造物。」㊇其實，蘇軾的性格品質又何曾不是如此呢！

在黃州四年三個月，終于，神宗因蘇軾「人才實難，弗忍終棄，」㊈元豐七年（西元1084年）甲子正月詔移汝州。蘇軾在〈謝量移汝州表〉寫道：「正月二十五日誥命特受臣汝州團練副使。」這時候，他又與黃州父老依依道別了。有詞云：

> 歸去來兮，吾歸何處，萬里家在岷峨。百年強半，來日苦無多。坐見黃州再閏，兒童盡楚語吳歌。山中友，雞豚社酒，相勸老東坡。　　云何當此去，人生底事，來往如梭。待閑看秋風，洛水清波。好在堂前細柳，應念我，莫剪柔柯。仍傳語，江南父老，時與晒漁蓑。」㊉

離開黃州時，聞黃州鼓角之聲，又不禁動情賦詩：「清風弄水月銜山，幽人夜度吳王峴。黃州古角亦多情，送我南來不辭遠。江南又聞出塞曲，半雜江聲作悲健。誰言萬方一聲概，鼉憤龍愁爲余變。我記江邊枯柳樹，未死相逢眞識面。他年一葉泝江來，還吹此曲相迎餞。」㊿詩人有美好的願望，但他終生也無法回到黃州了！

【附　註】

① 《蘇軾詩集》卷20〈定惠院寓居月夜偶出〉。

②③④⑤ 《蘇軾詩集》卷20〈子由自南都來陳三日而別〉。

⑥ 《蘇軾文集》卷50〈與范子豐八首〉（之八）。

⑦ 《蘇軾詩集》卷19〈十二月二十八日，蒙恩責授檢校水員外郎黃州團練副使，復用前韻二首〉

⑧ 《蘇軾詩集》卷20〈遷居臨皐亭〉

⑨ 《蘇軾文集》卷49〈答李端叔書〉

⑩⑪⑫ 《蘇軾文集》卷20〈黃州安國寺記〉

⑬⑭ 《蘇軾文集》卷52〈與王定國書〉（一）（四）。

⑮ 《蘇軾文集》卷58〈與程彝仲書〉（六）。

⑯ 《蘇軾文集》卷56〈答畢仲舉〉（一）。

⑰ 高文虎《蓼花洲閒錄》

⑱ 《蘇軾文集》卷57〈與徐得受〉（一）。

⑲ 《蘇軾文集》卷71〈贈別王文甫〉

⑳ 《蘇軾詩集》卷20〈杜沂遊武昌，以酴醾花菩薩泉見餉〉

㉑ 《蘇軾文集》卷58〈與杜道源〉（一）。

㉒ 《蘇軾文集》卷52〈答秦太虛七首〉（四）。

㉓ 《蘇軾文集》卷59〈與朱康叔二十首〉（十四）

㉔㉕ 《蘇軾詩集》卷21〈正月二十日，往岐亭，郡人潘、古、郭三人送余於女王城東禪莊院〉

㉖ 《蘇軾文集》卷21〈東坡八首〉（其七）

㉗ 《蘇軾文集》卷70〈馬夢得窮〉

㉘ 《蘇軾文集》卷21〈東坡八首〉（其八）

㉙ 《東坡志林》卷4〈臨皋閑題〉

㉚ 《蘇軾文集》卷71〈書臨皋亭〉

㉛ 《蘇軾詩集》卷20〈寓居定惠院之東，雜花滿山，有海棠一株，土人不知貴也〉。

㉜ 同上〈二月二十六日，雨中熟睡，至晚，強起出門，還作此詩，意思殊昏昏也〉。

㉝ 同上〈雨晴後，步至四望亭下魚池上，遂自乾明寺前東岡上歸，二首〉（其二）。

㉞ 龍榆生《東坡樂府箋》卷二〈卜算子・黃州定慧院寓居〉。

㉟ 龍榆生《東坡樂府箋》卷二〈水調歌頭・黃州快哉亭 贈偓佺〉

㊱ 同上〈定風波〉

㊲ 龍榆生《東坡樂府箋》卷2〈西江月〉。

㊳ 同上《念奴嬌・赤壁懷古》。

㊴ 《蘇軾文集》卷1〈赤壁賦〉

㊵ 同上〈後赤壁賦〉

㊶ 《東坡志林》卷1〈記承天寺夜遊〉

㊷ 《蘇軾詩集》卷22〈東坡〉

㊸ 《蘇軾文集》卷52〈答秦太虛七首〉（四）

㊹ 《蘇軾文集》卷49〈與章子厚參政書〉

㊺ 《蘇軾詩集》卷21〈寒食雨二首〉（其二）。

㊻㊼ 《蘇軾詩集》卷21〈東坡八首〉（其一）、（其二）。

㊽㊾㊿ 《蘇軾詩集》卷21〈東坡八首〉（其三）、（其四）、（其七）

(51) 《蘇軾詩集》卷21〈浚井〉

(52) 同上〈問大冶長者乞桃花茶栽東坡〉

(53) 同上〈次韻孔毅父久旱已而甚雨三首〉（其二）

(54) 《蘇軾文集》卷10〈雪堂記〉

(55) 蘇轍《欒城後集》卷22〈亡兄子瞻端明墓誌銘〉

(56) 《蘇軾詩集》卷20〈次韻樂著作野步〉

57　《蘇軾詩集》卷20〈次韻答子由〉
58　《蘇軾詩集》卷48〈黃州上文潞公書〉
59　《蘇軾詩集》卷22〈再和潛師〉
60　《蘇軾文集》卷57〈與趙晦之四首〉（三）
61　《蘇軾詩集》卷20〈正月十八日蔡州道上遇雪，次子由韻二首〉
62　《蘇軾詩集》卷21〈次韻孔毅父久旱已而甚雨三首〉（其一）
63　《蘇軾詩集》卷20〈陳季常所蓄〈朱陳村嫁娶圖〉二首〉（其二）
64　《蘇軾詩集》卷20〈魚蠻子〉
65　《蘇軾詩集》卷21〈聞捷〉
66　《蘇軾詩集》卷21〈聞洮西捷報〉
67　《蘇軾文集》卷51〈與李公擇十七首〉（十一）
68　《蘇軾文集》卷23〈乞常州居住表〉
69　龍榆生《東坡樂府箋》卷2〈滿庭芳〉
70　《蘇軾詩集》卷23〈過江夜行武昌山上，聞黃州鼓角〉

七、路途飄泊：

離開黃州後，蘇軾移汝州，居常州，赴登州，在路上飄泊了一年時間。

蘇軾離開黃州，朋友送行至慈湖，唯獨陳季常（慥）送至九江，蘇軾寫〈岐亭五首并敘〉作別，詩中有「一年如一夢，百歲眞過客」語。然後與參寥、劉格（道純）同遊廬山。蘇軾多年嚮往廬山雲靄，現在親臨其境，不禁放懷賦詩。蘇軾自己記下廬山行的經過和感想。他說：「僕初入廬山，山谷奇秀，平生所未見，殆應接不暇，遂發意不欲作詩。已而見山中僧俗，皆云蘇子來矣，不覺作一絕云：『芒鞋青竹杖，自掛百錢遊，可怪深山裏，人人識故侯。』既自哂前言之謬，又復作兩絕云：『青山若無素，偃蹇不相親，要識廬山面，他年是故人。』又云：『自昔憶清賞，初遊杳靄間，如今不是夢，眞個是廬山。』是日，有以陳令舉〈廬山記〉見寄者，且行且讀，見其中云徐凝、李白之詩，不覺失笑。旋入開元寺，主僧求詩，因作一絕云：『帝遣銀河一派垂，古來惟有謫仙辭，飛流濺沫知多少，不與徐凝洗惡詩。』往來山南北，十餘日，以爲勝絕，不可勝談，擇其尤者，莫如漱玉亭、三峽橋，故作此二詩。最後與總老同遊西林，又作一絕云：『橫看成嶺側成峰，到處看山了不同，①不識廬山眞面目，只緣身在此山中。』僕廬山詩盡于此矣。」蘇軾遊廬山，一路行一路作詩，爲廬山奇勝增添光彩。他到過李公擇在廬山讀書處，寫下〈李氏山房讀書記〉，頌書之益處，記公擇讀書及藏書的可貴精神：「余友李公擇，少時讀書于廬山五老峰下白石庵之僧舍。公擇既去，而山中之人思之，指其所居爲李氏山房。藏書凡九千餘卷。公擇既已涉其流，探其源，採剝其華實，而咀嚼其膏味，以爲己有，發於文詞，見於行事，以聞名於當世矣。」③他還作〈書李公擇白石山房〉詩：「偶尋流水上崔嵬，五老蒼顏一笑開；若見謫仙煩寄語，匡山頭白好歸來。」④以詩寄意，希望自己將來能重來廬山。他「盡發公擇之藏，拾其餘棄以自補。」⑤這次廬山之行，由於是參寥作伴，所以先到五老峰下之開先寺，又到圓通寺、棲賢寺，最後到北香爐峯下的東林寺。蘇軾觀山色，聽泉聲，說禪語，與寺院長老和韻禪詩，以乎解悟到大自然所賜予的哲理。

遊畢廬山，自興國至筠州（高安）看望弟弟子由。在筠州十天，適逢端午節，與侄遲、適、遠等遊眞如寺，因子由在酒局，無法作陪「寧知是官身，糟麴困熏煮。獨攜三子出，古剎訪禪祖。」⑥至六月，自齊安舟行適臨安，而長子邁將赴饒之德興尉送之至湖口，觀石鐘，寫下〈石鐘山記〉。七月二十八日子遯病死於金陵，作〈哭子詩〉。

在金陵期間，幾次與王安石于鐘山會面。王安石與蘇軾論西夏用兵及東南大獄事。談論極契。王安石甚至說：「出在安石口，入在子瞻耳。」又說：「人須是知行一不義，殺一不辜，得天下弗爲，乃可。」蘇軾戲曰：「今之君子，爭減半年磨勘，雖殺人亦爲之。」安石笑而不答。⑦蘇軾坦率敢言的品性未改，對於國家大事，他向已退位的王安石推腹直言。王安石鼓勵他重修三國志。據邵博記載：「東坡自黃岡移汝墳，舟過金陵，見王荊公於鐘山，留連燕語，荊公曰：『子瞻當重作《三國書》。』⑧而蘇軾說，應由劉道原（恕）來作。

王、蘇二人在經歷了一翻有歷史意義的大爭論之後，于蘇軾歷經磨難而流泊到江淮兩人重逢時，蘇軾對王安石此前的作爲，不介意，不記仇；兩人談政論史，王安石還關心蘇軾生活，勸在在金陵買地定居，和他作伴讀書。兩人一起作詩唱和。蘇軾詩云：「騎驢渺渺入荒陂，想見先生未病時。勸我試求三畝宅，從公已覺十年遲。」⑨蘇軾離開金陵後，寫信給王安石說：「近者遻由，屢獲清見，存撫教誨，恩義甚厚。某如欲買田金陵，庶幾得陪杖履，老於鐘山之下，既已不遂，今儀眞一住，又已二十日，日以求田爲事，然成否未可知也；若幸而成，扁舟往來，見公不難矣。」⑩這次會面，那知成了永別，一年多以後，王安石在金陵病逝。

蘇軾離開金陵，又舉家遷往宜興；在宜興買了田地。他在給王定國信說：「近在常州宜興，買得一小莊子，歲可得百餘碩，似可足食。非不知揚州之美，窮猿投林，不暇擇木也。」⑪接著又渡江至揚州，再上乞常州居住表，要求特許常州居住。他說：「自離黃州，風濤驚恐，舉家重病，一子喪亡，今雖已至泗州，而資用罄竭，去汝尚遠，難以陸行。……臣有薄田在常州宜興，粗給饘粥，欲望聖慈，許于常州居住。」⑫於是中止了赴汝州的行程。元豐八年（西元1085年）二月，在南都獲朝廷告下：「仍以檢校尚書水部員外郎、團練副使，不得簽書公事，常州居住。」⑬完了他一番心願，寫了一曲〈滿庭芳〉：

> 歸去來兮，清溪無底，上有千仞嵯峨。畫樓東畔，天遠夕陽多。老去君恩未報，空回首，彈鋏悲歌。船頭轉，長風萬里，歸馬駐平波。　無何，何處有，銀漢盡處，天女停梭，問人間何事，久戲風波。顧問同來稚子，應爛汝腰下長柯。青衫破，群仙笑我，千里掛煙蓑。⑭

經歷政治風波的蘇軾，盼望在常州度過閑適的日子。他與江淮朋友們會晤遊覽，心情暫趨平靜。元豐八年（西元1085年）九月，宋神宗逝世，蘇軾極爲哀痛，寫信給王定國訴說：「無狀無廢，衆欲置之死，而先帝獨哀之，而今而後，誰復出我於溝瀆者。」⑮九年四月初，蘇軾離開南都，過楚州再至揚州。這時候，哲宗早已即位，淮浙是年豐收，蘇軾一時高興，五月一日寫下〈歸宜興，留題竹西寺三首〉，其三云：「此生已覺都無事，今歲仍逢大有年。山寺歸來聞好語，野花啼鳥亦欣然。」並記之于寺壁，那知這首詩又醸成以後的另一場詩禍。

蘇軾在常州，過了一段比較安靜的生活，有〈菩薩蠻〉詞表達他的心跡：

> 買田陽羡吾將老，從來只爲溪山好，來往一虛舟，聊從造物遊。　有書仍懶著，且漫歌歸去，筋力不辭詩，要須風雨時。

蘇軾當時安適的心情充分呈現出來。元豐八年乙酉（西元1085年）六月告下復朝奉郎起知登州軍州事，他再次至潤州、過揚州、抵楚州、海州，十月經懷仁到密州，重遊故地，十年時間的變化，蘇軾感慨萬端。太守霍翔親自在超然台上設宴招待，蘇軾有詩云：

昔飲雩泉別常山，天寒歲在龍蛇間。
山中兒童拍手笑，問我西去何當還。
十年不赴竹馬約，扁舟獨與漁蓑閑。
重來父老喜我在，扶挈老幼相遮攀。
當時襁褓皆七尺，而我安得留朱顏。
問今太守爲誰歟，護羌充國鬢未斑。
躬持牛酒勞行役，無復杞菊嘲寒慳。
超然置酒尋舊跡，尚有詩賦鑱堅頑。
孤雲落日在馬耳，照耀金碧開煙鬟。
邦淇自古北流水，跳波下鴻鳴玦環。
願公談笑作石埭，坐使城郭生溪灣。⑯

密州的父老兄弟，歡欣迎接十年前的舊使君，超然台上刻的詩賦，引起了蘇軾的無限感慨，密州的山山水水，都留下了自己的舊跡！他對密州有著深厚的感情，在宴會上還建議太守霍翔在城郭一石埭，引進汏、淇二水，使城郭又多一道溪灣，呈現了他對密州人民關切的情意。離開密州後，一路上訪朋遊玩，十月十五日抵登州赴任。十月二十日朝廷告下，「以朝奉郎知登州蘇軾爲禮部郎中」，召還京師，蘇軾僅僅當了五天登州太守，他在別登州朋友時說：「莫嫌五日怱怱守，歸去先傳〈樂職〉詩。」⑰

【附　註】

①　《蘇軾詩集》卷20〈題西林壁〉句爲「遠近高低總不同」。

②　《東坡志林》卷1〈記遊廬山〉

③④　《蘇軾文集》卷11〈李氏山房讀書記〉

⑤ 《蘇軾文集》卷23〈書李公擇白石山房〉

⑥ 《蘇軾詩集》卷23〈端午遊眞如，遲、適、遠從，子由在酒局〉

⑦ 《宋史》卷338《蘇軾本傳》。

⑧ 邵博《邵氏聞見後錄》卷21

⑨ 《蘇軾詩集》卷24〈次荊公韻四絕〉

⑩ 《蘇軾文集》卷50〈與王荊公書二首〉

⑪ 《蘇軾文集》卷52〈與王定國四十一首〉（十六）

⑫ 《蘇軾文集》卷23〈乞常州居住表〉

⑬ 龍榆生《東坡樂府箋》卷二〈滿庭芳〉

⑭ 《蘇軾文集》卷52〈與王定國四十一首〉（十七）

⑮ 《蘇軾詩集》卷26〈再過超然台贈太守霍翔〉

⑯ 《蘇軾詩集》卷26〈留別登州舉人〉

八、翰林學士：

宋哲宗登基時，年齡才十歲，由宣仁太后垂簾聽政。蘇軾于哲宗元祐元年丙寅（西元1086年）正月，以七品服入侍延和殿，即改賜銀緋，並獲詔賜對衣、金帶、金鍍鞍轡馬。從此東坡青雲平步，扶搖直上了。這時候司馬光、呂公著、文彥博等舊臣掌握政權，蘇軾亦擔任中書舍人，翰林學士知制誥，邇英閣進讀寶訓。

㈠朝政紛爭：

蘇軾進入人生的順境，但也是他又一次捲入政治漩渦的時候。蘇軾的個性，直腸快語，有話藏不住；處身高位而堅持己見，必然招來四面八方的責難，隱患也相繼埋伏。

中書舍人的工作，是替皇帝起草文誥，政務繁忙。他在給曾子宣信中透露了當時的情況：「〈塔記〉非敢慢，蓋供職數日，職事如麻，歸即爲詞頭所迫，率常以半夜乃息，五更復起，實未有餘力。」①曾子宣托他寫〈塔記〉，他因事忙未能及時完成而道歉。從信中可以了解到多年來閑置「懶散」的蘇軾，現在已成了大忙人了！而且他那憂國憂民的志向，也不因爲烏台詩案的災難而減弱；一旦執政，仍然不改個性，仗義執言，堅持自己的政見。如他替哲宗皇帝寫責呂惠卿詞，對呂惠卿痛責得淋漓盡致。

> 具官呂惠卿，以斗筲之才，挾穿窬之智。諂事宰輔，同升廟堂。樂禍而貪功，好兵而喜殺。以聚斂爲仁義，以法律爲詩書。首建青苗，次行助役。均輸之政，自同商賈；手實之禍，下及雞豚。苟可蠹國以害民，率皆壞臂而稱首。②

司農少卿范子淵，「爲修堤開河，糜費巨萬，及護堤壓埽之人，溺死無數。」③治河時耗國勞民，所築堤防崩塌，溺死者極衆。蘇軾多年以來，最痛恨水利法帶來的災害，這時候御史呂陶彈劾范子淵的過失，他義憤填膺，先是寫〈繳進范子淵詞頭狀〉，繼而替皇帝寫〈司農少卿范子淵可知兗州〉，責其「治河無狀，耗國勞民，積歲而功不成。」④接著又加重處分，寫〈范子淵知峽州〉，對這種勞民傷財的罪行加以嚴厲的指責：「汝以有限之則，興必不可成之役，驅無辜之民，置之必死之地。橫費之財，猶可以力補；而既死之民，不可以復生。」⑤蘇軾對勞民傷財的做法，疾之如仇，於是在寫詔書時，筆下得很重。這也是蘇軾的政治觀念的表現。

當時司馬光執政，盡罷熙寧新法，凡新法措施盡皆廢棄；凡熙寧新法起用的人，一律免除。元豐八年七月，罷保甲法，十一月，罷方田法，十二月，罷市易法、保馬法。元祐元年閏二月，罷青苗法。但當他要罷免役法時，蘇軾卻由於多年地方官的經驗，認爲免役法與差役法比較，各有利弊，免役法對人民的好處大一些，老百姓可以按民戶大小出錢雇役，使百姓可以專力農作，雖有貪吏滑胥，無所施其暴虐。所以只要不把這筆錢移用，免役法可以繼續執行。但司馬光執意不聽，還是明令罷廢了，氣得蘇軾回家時連呼：「司馬牛！司馬牛！」後來，蘇軾寫信給楊元素說：「昔之君子，惟荊（王安石）是師；今之君子，惟溫（司馬光）是隨，所隨不同，其隨一也。愚弟與溫，相知至深，始終無間，然多不隨耳。」⑦由於政見不合，蘇軾與司馬光集團產生裂痕，司馬光死後，矛盾就更加外化了。蘇軾說：「始論衙前差額利害，與孫永、傅堯俞、韓維爭議，因亦與司馬光異論。光初不以此怒臣，而台諫諸人，逆探光意，遂與臣爲仇。」⑧

一波未平，一波又起，學士院的風波，讓蘇軾精神上又遭一次打擊。元祐元年考試，出策問題目，邵溫伯出二道題，蘇軾出一道題，題目是：「師仁祖之忠厚，法神孝之勵精。」最後哲宗點定蘇軾這道題目。不料朱光庭上疏彈劾，說蘇軾這道題目是譏諷神宗：「乞正考試官之罪。」接著司馬光門下的官吏也群起而攻之，上疏告蘇軾云：「以文帝有蔽，則仁宗不爲無蔽，以宣帝有失，則神宗不爲無失。雖不明言，其意在此。」於是蘇軾又再次論辯說：「臣昔於仁宗朝舉制科，所進策論及所答聖問，大抵皆勸仁宗勵精庶政，督察百官，果斷而力行也。及事神宗，蒙召對訪問，退而上萬言書，大抵皆勸神宗忠恕仁厚，含垢納污，屈己以裕人也。臣之區區，不自量度，常欲希慕古賢，可否相濟，蓋如此也。……撰上件〈策問〉，實以譏諷今之朝廷及宰相台諫之流，欲陛下覽之，有以感動聖意，庶幾兼行二帝忠厚勵精之政也。台諫若以此言臣，朝廷若以此罪臣，則斧鉞之誅，其甘如薺。今乃以爲譏諷先朝，則亦疏而不近矣。」⑨這場風波，蘇軾橫遭誣陷，完全是洛黨對他報復。

㈡洛、蜀之爭：

司馬光元祐執政時，起用程頤、程顥及蘇軾、蘇轍。二程與二蘇，在哲宗初期，勢均力敵。元祐元年丙寅（西元1086年）三月辛巳，「以程頤爲崇政殿說書」，九月丁卯，又「以蘇軾爲翰林院學士」。宋代文人也不免濡染文人相輕的惡習；蘇軾非超人，也不例外。宋史記載了這麼一段史實：「頤在經筵，多用古禮，蘇軾謂其不近人情，深嫉之，每加玩侮。方司馬光之卒也，百官方有慶禮，事畢欲往吊，頤不可，曰：『子於是日哭則不歌。』或曰：『不言歌則不哭。』軾曰：『此枉死市叔孫通制此禮也。』二人遂成嫌隙。」⑩當時，蘇軾與程頤交惡，其黨也互相攻訐。蔡上翔曰：「程頤在經筵，歸其門者甚衆。而蘇軾在翰林，士亦多附之。二人互相非毀。」⑪朱熹也說，程頤在經筵講說，頗受稱道，「一時人士歸其門者甚盛，而先生亦以天下自任，論議褒貶，無所顧避。由是，同朝之士有以文章名世者，疾之如仇，與其黨類巧爲謗詆。」⑫其中「以文章名世者」即蘇軾。這時候，蘇軾憎惡程頤，愛裝懂作樣，假以色詞，他曾在奏議中說：「臣素疾程頤之姦，未嘗假以色詞，故頤之黨人，無不側目。」⑬又說：「臣與賈易本無嫌怨，只因臣素疾程頤之姦，形於言色，此臣剛褊之罪也。而賈易，頤之死黨，未欲與頤報怨。因頤教誘孔文仲，令以其私意論事，爲文仲所奏。頤既得罪，易亦坐去。而易乃以謝表中，誣臣弟轍漏洩密命，緣此再貶知廣德軍，故怨臣兄弟最深。臣多難早衰，無心進取，豈復有意記憶小怨。而易志在必報，未嘗一日忘臣。」⑭洛黨對蘇軾毫不放鬆，他們對蘇軾「羅織罪名，以爲謗訕，本無疑似，向加誣執。」⑮兩黨互相攻訐的結果，兩敗俱傷。元祐二年八月，「罷頤出管勾兩京國子監」，蘇軾也因累遭攻擊而只好請求外調避禍了。

這時候蘇軾的言語文章，規切時政，友人畢仲游擔心他又遭禍，寫信告誡他說：「孟軻不得已而後辯，孔子欲無言。古人所以精謀極慮，固功業而養壽命者，未嘗不出乎此。君自立朝以來，禍福利害繫身者未嘗言，顧直惜其言爾。夫言語之累，不特出口者爲言，其形於詩歌、贊於賦頌、託於碑銘、著於序記者，亦言也，今知畏於口而未畏於文，是其所是，則見是者喜，非其所非，則蒙非者怨。喜者未能濟君之謀，而怨者或已敗君之事矣！天下論君之文，如孫臏之用兵、扁鵲之醫疾，固所指名者矣，雖無是非之言，猶有是非之疑。又說其有邪？官非諫臣，職非御史，而非人所非，是人所未是，危身觸諱以游其間，殆由抱石而救溺也。」⑯畢仲游的話，正說中了這一時期蘇軾的要害。蘇軾有話藏不住的品性，經常給他惹來災難，烏台詩案後，在黃州的日子裏，有所抑制；但一朝掌握權力，又是性不忍事，口舌不饒人，他自己也知道「言出怨生」，但由於他忠於皇帝，忠於職守，非說不可。他說：「今待從之中，受恩至深，無如小臣，臣而不言，誰當言者。」⑰然臣終未敢起就職事者，實也有故。言之則觸忤權要，得罪不輕。不言則欺罔君父，誅罰尤大。故卒言之。」⑱蘇軾敢言直諫，至死不悔。「浮江泝蜀有成言，江水在此吾不食。」⑲不過這時的蘇軾，經常悟到他要走白居易的路，他說：「微生偶脫風波地，晚歲猶存鐵石心。定以香山老居士，世緣終淺道根深。」⑳

㈢詩文朋友：

京都三載是蘇軾宦途的鼎盛時期，詩文朋友甚多，蘇門四學士也集中在京師，他們經常聚會，和詩作畫，喝酒談天。這時師友經常在一起的有王詵、黃庭堅、張耒、晁補之、秦觀、李薦、畢仲游、陳師道、顧臨、王蘧、米芾、李公麟等人。更令蘇軾欣慰的，是與子由一起在京師任職。元祐二年五月，在王詵家優美清雅的西園裡，師友十六人聚會，是時李公麟畫下〈西園雅集圖〉，米芾爲作圖記。我們從米芾的〈西園雅集圖記〉中，就可領略到當時聚會的雅興了：

李伯時效唐小李將軍爲著色泉石雲物草木花竹，皆絕妙動人，而人物秀發，各肖其形，自有林下風味，無一點塵埃氣，不爲凡筆也。其烏帽黃道服，捉筆而書者，爲東坡先生。仙桃巾紫裘而坐觀者，爲王晉卿。幅巾青衣據方机而凝佇者，爲丹陽蔡天啓。捉椅而視者，爲李端叔。後有女如雲鬟翠飾侍立，自然富貴風韻，乃晉卿之家姬也。孤松盤鬱，上有凌霄纏路，紅綠相間，下有大石案陳設。古器瑤琴，芭蕉圍繞。坐於石盤傍，道帽紫衣，古手倚石，左手執卷而觀書者，爲蘇子由。團巾茧衣，手秉蕉箑而熟視者，爲黃魯直。幅巾野褐，據畫卷畫淵明歸去來者，爲李伯時。披巾青服，撫肩而立者，爲晁无咎。跪而捉石觀畫者，爲張文潛。道巾素衣，按膝而俯視者，爲鄭靖老。後有童子，執靈壽仗而立。一人坐於盤根古檜下，幅巾青衣，袖手側聽者，爲秦少游。琴尾冠紫道服摘阮者，爲陳碧虛。唐巾深衣，昂首而題石者，爲米元章。幅巾袖手而仰觀者，爲王仲至。前有鬅頭頑童，捧古硯而立。後有錦石橋竹逕，繚繞於清溪深處。翠陰茂密，中有袈裟坐蒲團而說無生論者，爲圓通大師。傍有幅巾褐衣而諦聽者，爲劉巨濟。二人並坐於怪石之上，下有激湍潨流，於大溪之中，水石潺湲，風竹相吞。爐煙方裊，草木自馨，人間清曠之樂，不過於此。嗟呼！洶湧於名利之城，而不知退者，豈易得此耶？自東坡而下，凡十有六人，以文章議論，博學辯識，英辭妙墨，好古多聞，雄豪絕俗之資，高僧羽流之傑。卓然高致，名動四夷，后之攬者，不獨圖畫之可觀，亦足彷彿其人耳。㉑

蘇軾與朋友們的西園之會，眞不亞于晉朝王羲之的蘭亭集會了。一時聚詩友、畫友、僧友于一園，畫面上飄逸清雅的情操，可謂超妙入神了。

蘇門四學士是北宋著名的文人沙龍。師友志同道合，當時集合京都，一起和詩論文，也算人生一樂事。其中晁補之，字無咎，入京爲太學正，後遷秘書閣校理。黃庭堅，字山谷，被召爲秘書省校書郎。秦觀以賢良方正薦于朝，除太學博士，任校正秘書郎工作。張耒，字文潛，官著作郎。張耒有〈贈李德載詩〉（二首之二）記敘他們師生的性格特徵：

長公波濤萬頃波，少公巉秀千尋麓。

黃郎蕭蕭日下鶴，陳子峭峭霜中竹。

秦文倩麗舒桃李，晁論崢嶸走珠玉。

六公文字滿人間，君欲高飛附鴻鵠。㉒

其中陳師道曾由蘇軾薦爲徐州教授，在京除太常博士。還有李方叔，又稱蘇門六君子。他們的文學成就，各顯特色；蘇軾對他們都很器重，後來，他曾對李方叔說：「比年於稠人中，驟得張、秦、黃、晁及方叔、履常輩，意謂天不愛寶，其獲蓋未艾也。比來經涉世故，間關四方，更欲求其似，邈不可得。以此知人決不徒出，不有益於今，必有覺於後，決不碌碌與草木同腐也。」㉓可見他們間的親密情意。在京都的詩酒會晤，所獲得的精神慰藉是無以言喻的了。

但是，在這繁鬧的京華歲月裡，政治風波的險惡，黨派之間的明爭暗鬥，處處都埋設著陷井。蘇軾在這富貴繁華的環境裡，卻經常憶起和留戀黃州的生活。元祐二年末，他寫信給托管黃州東坡的潘彥明：

東坡甚煩葺治，乳媼墳亦蒙留意，感戴不可言。令子各計安，寶兒想見頎然矣。郭興宗舊疾，必全平愈，酒坊果如意否？韓氏園亭，曾與葺乎？若果有亭榭佳者，可以小圖示及，當爲作名寫牌，然非華事者，則不足名也。張醫博計安勝。一場災患，且喜無事。風顛不少減否？何親必安，竹園複增葺否？以上諸人，各爲再三申意。僕暫出苟祿耳，終不久客塵間，東坡不可令荒茀，終當作主，與諸君遊，如昔日也。願遍致此意。㉔

他經常懷念黃州的園林、朋友。又寫〈如夢令〉以寄深情：

爲向東坡傳語。人在玉堂深處。別後有誰來，雪壓小橋無路。歸去。歸去。江上一犁春雨。

手種堂前桃李。無限綠陰青子。帘外百舌兒，驚起五更春睡。居士。居士。莫忘小橋流水。㉕

京華的青樓畫閣，比不上黃州的小橋流水更令蘇軾留戀。

㈣乞郡避謗：

蘇軾在京都三年，結怨頗深，只好急流勇退，乞郡避謗。

當時的幾件大事，蘇軾在〈乞郡劄子〉中說得很明白。一是與台諫諸人的矛盾：

臣拙於謀身，銳於報國，致使台諫，例爲怨仇。臣與故相司馬光，雖賢愚不同，而交契最厚。光既大用，臣亦驟遷，在於人情，豈肯異論。但以光所建差役一事，臣實以爲未便，不免力爭。而台諫諸人，皆希合光意，以求進用，及光既歿，則又妄意陛下以爲主光之言，結黨橫身，以排異議，有言不便，約共攻之。

二是與韓維的矛盾：

因刑部侍郎范百祿與門下侍郎韓維爭議刑名，欲守祖宗故事，不敢以疑法殺人，而諫官呂陶又論維專權用事。臣本蜀人，與此兩人實是知舊。因此，韓氏之黨一例疾臣，指為川黨。

三是與趙挺之的矛盾：

御史趙挺之，在元豐末通判德州，而著作黃庭堅方監本州德安鎮，挺之希合提舉官楊景棻，意欲於本鎮行市易法，而庭堅以謂鎮小民貧，不堪誅求，若行市易，必致星散，公文往來，士人傳笑。其後挺之以大臣薦，召試館職，臣實對眾言，挺之聚斂小人，學行無取，豈堪此選。又挺之妻父郭槩為西蜀提刑時，本路提舉官韓玠違法虐民，朝旨委槩體量，而槩附會隱庇，臣弟轍為諫官，劾奏其事，玠、槩並行黜責。以此挺之疾臣，尤出死力。

處於各種複雜矛盾的人事紛爭之中，蘇軾深感必須急流勇退，離開京師，因此他接著說：

臣二年之中，四遭口語，發策草麻，皆謂之誹謗。未出省榜，先言其失士。以至臣所薦士，例加誣衊，所言利害，不許相度。近日王覿言胡宗愈指臣為黨，孫覺言丁騭云是臣親家。臣與此兩人有何干涉，而於意外巧構曲成，以積臣罪。欲使臣撓椎於十夫之手，而使陛下投杼於三至之言。中外之人，具曉此意，謂臣若不早去，必致傾危。㉖

這段話可以說是蘇軾京都生活的總結，誠如他的詩中說的「我恨今猶在泥滓」，㉗他陷身于政治泥潭之中，不堪煩擾！三十六計，走爲上策，他只好上章乞郡外任了。上乞郡箚子後，告病假在家等候，一月之後，仍不獲批准。一直至元祐三月十六日告下，除龍圖閣學士知杭州。以蘇轍代他任翰林學士，

三年京華的處身權要的生活，使蘇軾深知官僚階層的爭權奪利、勾心鬥角的醜行，非像他這一個老書生所能承受的，於是稱病辭職，選擇了他所喜愛的杭州，歸去來兮。他得到赴杭令命後，高興得私自喝酒慶幸，並賦詩曰：「病爲兀兀安身物，酒作蓬蓬入腦聲。堪笑錢塘十萬戶，官家付與老書生。」㉘

【附　註】

① 《蘇軾文集》卷五十〈與曾子宣十三首〉（七）。

② 《蘇軾文集》卷39〈呂惠卿責授建寧軍節度副使本州安置不得簽書公事〉。

③ 《蘇軾文集》卷27〈繳進范子淵詞頭狀〉。

④ 《蘇軾文集》卷38〈司農少卿范子淵可知兗州〉。

⑤ 同上〈范子淵知峽州〉。

⑥ 〈鐵圍山叢談〉

⑦ 《蘇軾文集》卷五十五〈與楊元素十七首〉（十七）。

⑧ 《蘇軾文集》卷32〈杭州召還乞郡狀〉。

⑨ 《蘇軾文集》卷27〈辯試館職策問箚子二首〉。

⑩ 《宋史紀事本末》卷45〈洛蜀黨議〉。

⑪ 蔡上翔〈王荊公年譜考略〉。

⑫ 《二程集》。

⑬ 《蘇軾文集》卷32〈杭州召還乞郡狀〉

⑭ 《蘇軾文集》卷33〈再乞郡箚子〉。

⑮ 《蘇軾文集》卷32〈杭州召還乞郡狀〉。

⑯ 洪邁《容齋隨筆四筆》卷1〈畢仲游二書〉，見上海古籍出版社1978年7月第一版。

⑰ 《蘇軾文集》卷28〈大雪論差役不便箚子〉。

⑱ 《蘇軾文集》卷29〈乞郡箚子〉。

⑲ 《蘇軾詩集》卷30〈次前韻送程六表弟〉。

⑳ 《蘇軾詩集》卷28〈軾以去歲春夏，侍立邇英，而秋冬之交，子由相繼入侍，次韻絕句四首，各述所懷〉（其四）。

㉑ 米芾〈西園雅集圖記〉。

㉒ 《張耒集》卷12〈贈李德載二首〉（之二）（中華書局版）

㉓ 《蘇軾文集》卷53〈答李方叔十七首〉（十六）。

㉔ 《蘇軾文集》卷53〈與潘彥明十首〉（六）。

㉕ 《東坡樂府箋》卷3〈如夢令〉。

㉖ 《蘇軾文集》卷29〈乞郡箚子〉。

㉗ 《蘇軾詩集》卷30〈送錢穆父出宋越州絕句二首〉（其二）。

㉘ 《蘇軾詩集》卷47〈病後醉中〉。

九、二度杭州：

蘇軾離開京都後，赴南都謁張方平。這位最早賞識、提拔蘇軾的老前輩，這時已是耋耄之年了。一路上經宿州，渡淮河，過山陽，至潤州，有潤州太守黃履遠迎，還有當時被貶在潤州的沈括，這時對蘇軾也恭維備至。黃履與沈括，在烏台詩案時都是迫害蘇軾的台上人物，路過湖州，有「傷心舊地，罪官重來」之感。在吳興，又引起他一翻今昔之嘆。〈定風波〉詞序中說：「余昔與張子野、劉孝叔、李公擇、陳令舉、楊元素會與吳興，時子野作六客詞。其卒章云，『見說賢人聚吳分，或問，也應旁有老人星。』凡十五年，再過吳興，而五人皆已亡矣。時張仲謀與曹子方、劉景文、蘇伯固、張秉道爲坐客，仲謀請作後六客詞云。」十五年一瞬飛逝。物是人非，蘇軾詞云：

月滿苕溪照夜堂，五星一老斗光芒。十五年間眞夢裡。何事。長庚配月獨淒涼。　　綠髮蒼顏同一醉，還是。六人吟笑水雲鄉。賓主談鋒誰得似。看取。曹劉今對兩蘇張。

「十五年間眞夢裏」，過去的老朋友都已作古，人生如夢啊！

一路訪友探舊，終於元祐四年己巳（西元1089年）七月三日到達杭州任上，「江山故國，所至如歸。」①在杭州，他與莫君陳雨中飲湖上，慨然作詩云：

到處相逢是偶然，夢中相對各華顛。

還來一醉西湖雨，不見跳珠十五年。②

十五年前，蘇軾在望湖樓醉書云：「黑雲翻墨未遮山，白雨跳珠亂入船。捲地風來忽吹散，望湖樓下水如天。」③舊地重來，蘇軾處處都有如夢的感覺。十五年前的杭州父老，與杭州太守情深意重，當蘇軾落難貶謫黃州時，杭州故人還一年兩次派人送禮信到黃州看望他、安慰他。清代王文誥案：「即王復、張弼、辯才、無擇諸人也。」④蘇軾曾寫信給杭州太守陳師仲說：「軾於錢塘人有何恩惠，而其人至今見念，軾亦一歲率常四五夢至西湖上，此殆世俗所謂前緣者。」⑤足見蘇軾對杭州的懷戀。在黃州時接待杭州來客，蘇軾有詩云：「昨夜風月清，夢到西湖上。朝來聞好語，扣戶得吳餉。輕圜白晒荔，脆釅紅螺醬。更將西菴茶，勸我洗江瘴。故人情義重，說我必西向。一年兩僕夫，千里問無恙。相期結書社，未怕供詩帳。還將夢魂去，一夜到江漲。」⑥杭州故人對蘇軾的深情厚意，也使蘇軾第二次赴杭任職時，內心的激情無法平靜。

二度到杭州，蘇軾的地位、閱歷與十五年前是大不相同了。他飽經憂患，入世也深，不像過去那樣豪放浪漫，更多的是沉著和求實。

㈠為民請命：

蘇軾七月抵杭州，正逢杭州遭乾旱，糧食緊張，民窮財盡，這些現象，蘇軾歸咎于新法的惡果。他寫信給呂大防說：「三吳風俗，自古浮薄，而錢塘爲甚。雖屋宇華好，被服粲然，而家無宿舂之儲者，蓋十室而九。自經熙寧飢役之災，與新法聚斂之害，平時富民殘破略盡，家家有市易之欠，人人有鹽酒之債，田宅在官，房廊傾倒，商賈不行，市井蕭然。」⑦杭州的百姓，在天災人禍的殘害下，民不聊生。他說：「熙寧中，飢疫人死大半，至今城市寂寥，少欠官私逋負，十人而九，若不痛加賑恤，則一方餘民，必在溝壑。」⑧他懇切地上書，說明情況，請求救濟。他上〈乞賑濟浙西七州狀〉，要求減少上解錢斛一半或三分之二，其餘候豐熟日，分作二年償還，並要求停止收購常平、省倉、軍糧、上供米、封樁等各項名目的錢米。希望將上供錢散在諸州稅戶，令買金銀紬絹充年額起發。這些意見，上面遲遲未接納。

在納稅一事中，蘇軾逮捕處置納絹作弊的帶頭者顏章、顏益二人，他們以輕疏糊藥的劣絹納稅，並聚衆包圍納稅官喧鬧生事，其父顏巽，也是地方惡霸，曾被刺配本州牢城。而在當時，又因官吏內部矛盾，蘇軾這一做法被斥爲越權的違法行爲；蘇軾自己則認爲是執政者應依法秉事，才能說服百姓。他說：「伏以法吏網密，蓋出於近年；守臣權輕，無甚于今日。觀祖宗信任之意，以州郡責成於人。豈有不擇師帥之良，但知細墨之馭。若平居僅能守法，則緩急何以使民。」⑨而政敵則執此事對蘇軾進行攻訐。

救災如水火！但地方官吏往往虛報情況，以保自己的烏紗帽。

蘇軾義憤地揭穿這層僞裝，他指出「世俗諂薄成風，揣所樂聞與所忌諱，不以仁人君子期左右，爭言無災，或言有災而不甚，積衆口之驗。以惑聰明，此軾之所私憂過慮也。」實際上，「八月之末，秀州數千人訴風災，吏以爲法有訴水旱無訴風災，拒閉不納。老幼相騰踐死者十一人，方按其事。由此言之，吏不喜言災者，蓋十人而九，不可不察也。」⑩在救災中，也還主張減免積欠，設立病坊爲民治病，爲百姓減少負擔而呼號。

㈡**興修水利：**

錢塘六井，杭州市民賴以食用。「唐宰相李公長源始作六井，引西湖水以足民用。其後刺史白公樂天治湖浚井，刻石湖上，至于今賴之。」⑪至熙寧五年，錢塘六井又因年久失修，「民不給于水。南井溝庳而井高，水行地中，率常不應。」⑫於是太守陳襄（述古）又再一次浚井，第二年，「六井畢修，而歲適大旱，自江惟至浙右井皆竭，民至以罌缶貯水相餉如酒醴。而錢塘之民肩足所任，舟楫所及，南出龍山，北至長河鹽官海上，皆以飲牛馬，給沐浴。」⑬蘇軾爲寫〈錢塘六井記〉以作紀念。元祐五年，蘇軾再臨杭州，六井中沈公井復壞，蘇軾採訪當年修井的僧人，三人已亡，只有一老僧子珪在，他說出因熙寧中以竹爲管，易致廢壞。於是「擘畫用瓦筒盛以石槽，底蓋堅厚，錮捍周密，水既足用。永無懷理。」⑭除此之外，又再創二井，於是「西湖甘水，殆遍一城。」⑮

杭州西湖，如人之有眉目。唐長慶中，白居易浚治西湖，至宋又淤塞幾半，蘇軾修井後，父老一百一十五人又對他說：「西湖之利，上自運河，下及民田，億萬生聚，飲食所資，非止爲游觀之美，而近年以來，煙塞幾半，水面日減，茭葑日滋，更二十年，無西湖矣。」⑯於是蘇軾提出詳細建議，疏浚西湖，力陳開發西湖的看法，終於實現了他的願望：剷除葑草，搬載湖泥築成新堤，工程進展很快，作〈南歌子〉與民同樂：「山與歌眉斂，波同翠眼流。遊人都上十三樓，不羡竹西歌吹古揚州。　菰黍連昌歜，瓊彝倒玉舟，誰家水調唱歌頭，聲繞碧山飛去晚雲流。」⑰數月功成，西湖的新堤，後任太守林希命名為蘇堤，堤上跨築的六座橋樑，也名映波橋、鎖瀾橋、望山橋、壓堤橋、東浦橋、跨虹橋。蘇軾為杭州人民所建立的功績，杭州人民永誌不忘。《宋史》載：「軾二十年間，再蒞杭，有德於民，家有畫像飲食必祝，又作生祠以報。」⑱

㈢**朋友遊樂：**

在杭州這個名城裡，蘇軾在公務之餘，縱覽湖光山色。費袞曾聽一個九十餘歲的老僧講他目睹的情形，他記錄道：「東坡鎮餘杭，遊西湖，多令旌旗導從出錢塘門。坡則自湧金門，從一二老兵，泛舟絕湖而來，飯於普安院，倘佯靈隱天竺間，以吏牘自隨。至冷泉亭，則據案判決，落筆如風雨，分爭辨訟，談笑而辦。已，乃與僚吏劇飲。薄晚，則乘馬而歸，夾道縱觀。太守有老僧、紹興末年九十餘年，幼在院為蒼，能言之。當是時，此老之豪氣逸韻，可以想見也。」⑲過去從遊雖多，但二度赴杭的蘇軾，許多舊朋友死的死了，走的走了，他結交了一批新的朋友，如曹晦之、劉景文、周次元、林希、袁公濟、蘇伯固、徐得之、王元直、秦少章等人，方外的僧友如清順、參寥、仲殊、懷璉、辯才、善本等，蘇軾徜徉于湖山寺廟之間。他與劉景文在山堂聽箏，寫下名詩：「荷盡已無擎雨蓋，菊殘猶有傲霜枝。一年好景君須記，最是橙黃桔綠時。」⑳對大自然的觀察已到達心有靈犀的境地。他認為自己在杭州，有些類似當年的白樂天，「雖才名相遠，而安分寡求，亦庶幾焉。」有詩云「出處依稀似樂天，敢將衰朽較前賢。便從洛社休官去，猶有閑居二十年。」又「在郡依前六百日，山中不記幾回來。還將天竺一峯去，欲把雲根到處栽。」㉑在獻身政務中求閑適，在煩噪人事羈絆中求安寧，是蘇軾這一時期心緒的基本特徵。他寫信給潘彥明說：「出守舊治，頗得湖山之樂。但歲災份，拯救勞弊，無復齊安放懷自得之娛也。」㉒

【附　註】

① 《蘇軾文集》卷23〈杭州謝上表二首〉（一）。

② 《蘇軾詩集》卷31〈與莫同年雨中飲湖上〉。

③ 《蘇軾詩集》卷7〈六月二十七日望湖樓醉書五絕〉。

④ 《蘇軾詩集》卷21〈杭州故人信至齊安〉。

⑤ 《蘇軾詩集》卷49〈與陳師仲主簿書〉。

⑥ 《蘇軾詩集》卷21〈杭州故人信至齊安〉。

⑦ 《蘇軾詩集》卷48〈上呂僕射論浙西災傷書〉。

⑧ 《蘇軾詩集》卷30〈乞賑濟浙西七州狀〉。

⑨ 《蘇軾文集》卷23〈杭州謝放罪表二首〉（二）。

⑩ 《蘇軾詩集》卷48〈上呂僕射論浙西災傷書〉。

⑪⑫⑬ 《蘇軾文集》卷11〈錢塘六井記〉。

⑭⑮ 《蘇軾文集》卷31〈乞子珪師號狀〉。

⑯ 《蘇軾文集》卷30〈申三省起請開湖六條狀〉。

⑰ 《東坡樂府》卷1〈南歌子〉。

⑱ 《宋史》卷323《蘇軾傳》。

⑲ 費袞《梁谿漫志》卷4〈東坡西湖了官事〉。上海古籍出版社，1985年8月版。

⑳ 《蘇軾詩集》卷32〈贈別劉景文〉。

㉑ 《蘇軾文集》卷33〈予去杭十六年而復來，留二年而去。平生自覺

出處老少，粗似樂天，雖才名相遠，而安分寡求，亦庶幾焉。三月六日，來別南北山諸道人，而下天竺惠淨師以醜石贈行，作三絕句。

㉒ 《蘇軾文集》卷13〈與潘彥明十首〉（八）。

十、歸朝被誣與外放三州：

元祐六年辛未（西元1091年）二月，蘇轍爲尙書右丞，蘇軾以翰林學士承旨召還。蘇軾疊呈〈辭免翰林學士第一狀〉、〈第二狀〉，懇求辭去翰林學士職務，避免招來災禍。他寫道：自己「非獨以學問荒唐，文詞鄙淺，已試無效，如前所陳。實以勞舊尙多，必有積薪之誚；兄弟並進，豈無連茹之嫌。誠不自安，非敢矯飾。」①他明白回朝一定要遭受攻擊，再三向太皇太后懇求。不獲准。他只好回朝廷了。接著又上〈再乞郡劄子〉，明白地說明原委：「賈易，頤之死黨，專欲與頤報怨。因頤教誘孔文仲，令以其私意論事，爲文仲所奏。頤既得罪，易亦坐出。而易乃于謝表中，誣臣弟轍漏洩密命，緣此再貶知廣德軍，故怨臣兄弟最深。臣多難早衰，無心進取，豈復有意記憶小怨。而易志在必拔，未嘗一日忘臣。其後召爲台官，又論臣不合刺配杭州凶人顏章等，以此，見易於臣不報而已。今既擢貳風憲，付以雄權，升沉進退在其口吻，臣之綿劣，豈勞排擊。觀言意趣，不久必須言臣，并及弟轍。」②他爲未來的禍害感到畏懼：「臣聞朝廷以安靜爲福，人臣以和睦爲忠。若喜怒愛憎，互相攻擊，則其初爲朋黨之患，而其末乃治亂之機，甚可懼也。」③蘇軾再三上書懇求，但太后堅不應允。緊接著又上〈乞外補迴避賈易劄子〉。他明知政治陷害的陰謀已在進行，又一次懇請外任。寫道「臣自杭州召還以來，七上封章，乞除一郡。又曾兩具劄子，乞留中省覽。

傾瀝肝膽，不爲不至。而天聽高遠，不蒙回照。退伏思念，不寒而慄。」④他再次揭明，賈易爲快其私忿，羅織罪名對自己進行陷害，是不擇手段的；自己「若不早去，不過數日，必爲易等所傾。」⑤賈易等以杭州處置顏章案，杭州上疏賈求賑濟事彈劾蘇軾外，又羅織一次詩案欲置蘇軾「墜在溝壑」，他以揚州竹西寺詩公然誣罔蘇軾，說他在元豐八年五月一日題詩揚州僧寺，有欣幸先帝上仙之意。蘇軾又寫〈辨題詩劄子〉以自白：「臣于是歲三月六日，在南京聞先帝遺詔，舉哀掛服了當。迤邐往常州。是時新經大變，臣子之心，孰不憂懼。至五月初間，因往揚州竹西寺，見百姓父老十數人，相與道旁語笑。其中一人以兩手加額，云：『見說如箇少年官家。』其言雖鄙俗不典，然臣實喜聞百姓謳歌吾君之子，出於至誠。又是時，臣初得請歸耕常州，蓋將老焉。而淮浙間所在豐熟，因作詩云：『此生已覺都無事，今歲仍逢大有年。山寺歸來聞好語，野花啼鳥亦欣然。』蓋喜聞此語，故竊記之於詩，書之當塗僧舍壁上。臣若稍有不善之意，豈敢復書壁上以示人乎？又其時去先帝上仙，已及兩月，決非『山寺歸來』，始聞之語，事理明白，無人不知。」⑥終於，在這場陷誣與反陷的風波中，因劉摯等人從中插手，結果賈易與蘇軾一并罷職，賈易知廬州，後改宣州。蘇軾以龍圖閣學士知潁州。蘇軾回朝不滿三個月，八月五日赴潁州。離開京都時留別子由，寫下了〈感舊詩〉，回顧幾十年來出入進退之跡，囑咐子由國事畢後，與他一起歸老。詩敘云：「嘉祐中，予與子由同舉制策，寓居懷遠驛，時年二十六，而子由二十三。一日，秋風起，雨作，中夜翛然，始有感慨離合之意。自爾宦遊四方，不相見者，十嘗七八。每夏秋之交，風雨作，木落草衰，輒悽然有此感，蓋三十年矣。元豐中，謫居黃岡，而子由亦貶筠州，嘗作侍以紀其事。元祐元年，予自杭州召還，寓居子由東府，數月復出領汝陰，時予年五十六矣。乃作詩，留別子由而去。」詩云：

牀頭枕馳道，雙闕夜未央。
車轂鳴枕中，客夢安得長。
新秋入梧葉，風雨驚洞房。
獨行殘月影，悵焉感初涼。
筮仕記懷遠，謫居念黃岡。
一往三十年，此懷未始忘。
扣門呼阿同，安寢已太康。
青山映華髮，歸計三月糧。
我欲自汝陰，徑上潼江章。
想見冰盤中，石蜜與柿霜。
憐子遇明主，憂患已再嘗。
報國何時畢，我心久已降。⑦

飽嘗憂患的蘇軾，經過幾十年的奮鬥之後，這時候，他亟盼與子由歸老還鄉了。

蘇軾于元祐六年（西元1091年）8月22日到潁州（今安徽阜陽）任。四十三年前（皇祐元年西元1049年），歐陽修曾知潁州。蘇軾到潁州時，適歐陽修夫人病逝，歐陽修二子棐、辯兄弟在潁州守喪，蘇軾到任後，前往祭奠師母，有《祭歐陽文公忠夫人文》，文中思念恩師情切：「白髮蒼顏，復見潁人。潁人思公，曰此門生。雖無以報，不辱其門。清潁洋洋，東注于淮。我懷先生，豈有涯哉。」⑧在潁州，他認爲此地「風土備於南北，人物推於古今。賓主俱賢，蓋宗資范孟博之舊治；文獻相讀，有晏殊歐陽修之遺風。」⑨潁州有西湖，蘇軾到任後，與趙令時、陳履常及歐陽二公子遊樂于山水之間，有〈泛潁〉詩爲證：

我性喜臨水，得潁意甚奇。
到官十來日，九日河之湄。
吏民笑相語，使君老而痴。
使君實不痴，流水有令姿。
遶郡十餘里，不駛亦不遲。
上流直而清，下流曲而漪。
畫船俯明鏡，笑問汝為誰。
忽然生鱗甲，亂我鬚與眉。
散為百東坡，與我相娛嬉。
聲色與臭味，顛倒眩小兒。
等是兒戲物，水中少磷緇。
趙陳兩歐陽，同參天人師。
觀妙各有得，共賦泛潁詩。⑩

他遊西湖時，聞歌歐公木蘭花詞，也作詞以和，詞中有「佳人猶唱醉翁詞，四十三年如電抹」句。在潁州的日子裏，遠離當時你爭我奪鬥的京都，他頓感到極為清閑，他寫詩給「趙、陳、兩歐陽」云：

公退清閑如致仕，酒餘歡適似還鄉。
不妨更有安心病，臥看縈帘一炷香。⑪

蘇軾也不是每天無所事事。這段時間，他為潁州人民辦了幾件好事：一是修水利事。他通過調查研究，上〈申省論開八丈溝利狀二首〉、〈奏論八丈溝不可開狀〉，論證開八丈溝勞民傷財，有害無益。二是救災安民。上〈奏淮南閉糴狀二首〉及〈乞賜度牒糴斛㪷準備賑濟淮浙流民狀〉，對飢荒年應採取的措施和濟賑辦法都有詳細的建議，他說：「淮浙累歲災傷，來年春夏必有流民。而潁州正當南北孔道，萬一扶老攜幼，坌集境內，理難斥遣。

若飢斃道路，臭穢薰蒸，飢民同被災疫之苦，弱者既轉溝壑，則強者必聚爲寇盜。欲乞特賜度牒一百道，委臣出賣，將錢兌買前件小麥、粟米、菉豆、豌豆四色，封樁斛㪷，候有流民到州，逐旋支給賑濟。如至時卻無流民，自當封樁，度牒價錢，別聽朝廷指揮。」⑫蘇軾防患于未然，如果一旦難民湧至，才不至於造成意外。由此可見蘇軾的辨事才幹。這次的救災工作，他已有密州、杭州的工作經驗了。二是疏浚潁州西湖。他在潁州與趙德麟（令畤）同治西湖，未成，于元祐七年壬申（西元1092年）三月離開潁州前往揚州，三月十六日潁州西湖峻工，寫和趙德麟詩：

太山秋毫兩無窮，鉅細本出相形中。
大千起滅一塵裡，未覺杭潁誰雌雄。
我在錢塘拓湖淥，大堤士女爭昌豐。
六橋橫絕天漢上，北山始與南屏通。
忽驚二十五萬丈，老葑席捲蒼雲空。
朅來潁尾弄秋色，一水縈帶昭靈宮。
坐思吳越不可到，借君月斧修曈朧。
二十四橋亦何有，換此十頃玻璃風。
雷塘水乾禾黍滿，寶釵耕出餘鸞龍。
明年詩客來吊古，伴我霜夜號秋蟲。⑬

蘇軾到過的地方很多，但他似與西湖結下了不解緣！

元祐七年（西元1092年）三月十六日蘇軾到揚州任，他自謂「二年閱三州」，⑭即元祐六年離杭，回朝後又出守潁州，七年徙揚州。蘇軾到揚州的第一件事是首罷萬花會，他在詩中曾提及此事：「東都寄食似浮雲，襆被眞成一宿賓。收得玉堂揮翰手，卻爲淮月弄舟人。羨君湖上齋搖碧，笑我花時甑有塵。爲報年來殺風景，連江夢雨不知春。」⑮詩末有「公自註」：「來詩有『芍藥春』之句。揚州近歲，率爲此會，用花十萬餘枝，吏緣爲奸，民極病之，故罷此會。」他在〈仇池筆記〉中也記載此事：「揚州芍藥爲天下冠。蔡京爲守，始作萬花會，用花十餘萬枝。既困諸邑，吏緣爲奸，予首罷之。」⑯蘇軾認爲，這樣做「雖殺風景，免造業也。」⑰免使揚州人民受官吏之害。他在揚州不到半年時間，經深入調查訪問，了解百姓苦難，對於政事提出了許多有益的改革意見，減少了百姓的痛苦。在這幾個月裡，他寫了〈論積欠六事並乞檢會應詔所論四事一處行下狀〉、〈再論積欠六事四事箚子〉、〈論倉法箚子〉、〈論綱梢欠折利害狀〉、〈乞罷轉般倉𣂏子倉法狀〉、〈乞罷稅務歲終賞格狀〉、〈乞歲運額斛以到京定殿最狀〉、〈申明揚州公使錢狀〉等奏議，都是論述民間積欠之害。他說：「臣自潁移揚，舟過濠、壽、楚、泗等州，所至麻麥如雲。臣每屏去吏卒，親入村落，訪問父老，皆有憂色。云：『豐年不如凶年。天災流行，民雖乏食，縮衣節口，猶可以生。若豐年舉催積欠，胥徒在門，枷棒在身，則人戶求死不得。』言訖，淚下。臣亦不覺流涕。又所至城邑，多有流民。官吏皆云：『以夏麥既熟，舉催積欠，故流民不敢歸鄉。』臣聞之孔子曰：『苛政猛於虎。』昔常不信其言，以今觀之，殆有甚者。水旱殺人，百倍於虎，而人畏催欠，乃甚於水旱。」⑱孔子的「苛政猛于虎」的政治箴言，蘇軾不僅完全接受，而且直接以此告誡哲宗皇帝。

蘇軾在揚州時，已是飽嘗了政治誣陷，厭倦官場的傾軋，有著豐富的人生閱歷的老臣了，因而在心靈深處對陶淵明詩產生深刻的共鳴。正如黃庭堅所說：「血氣方剛，讀此詩如嚼枯木，乃綿歷世事，如決定無所用智。」⑲蘇軾走到這一人生階段，才深深地把握陶詩的意旨：「陶淵明意不在詩，詩以寄意耳。」於是他在揚州開始寫和陶飲酒詩二十首，詩敘云：「吾飲酒至少，常以把盞爲樂。往往頹然坐睡，人見其醉，而吾中了然，蓋莫能名其爲醉爲醒也。在揚州時，飲酒過午，輒罷。客去，解衣盤礴，終日歡不足而適有餘。因和淵明〈飲酒〉二十首，庶以仿佛其不可名者，示舍弟子由、晁無咎學士。」⑳蘇軾自知自己無法學陶淵明，因爲還不能忘懷于世事俗務：「我不如陶生，世事纏綿之。」但他羨慕陶潛，願效陶潛：「我坐華堂上，不改麋鹿姿。」他自嘆「去鄉三十年，風雨荒舊宅。惟存一束書，寄食無定跡。每用愧淵明，尙取禾三百。」他這時候的心境，自認爲尙不如陶淵明超脫，但也「尙可傳清白」，他還能保持自己獨立的人格，不俯仰隨俗。和陶詩云：「淵明獨清眞，談笑得此生。身如受風竹，掩冉衆葉驚。俯仰各有志，得酒詩自成。」㉑這〈和陶飲酒詩二十首〉，可以說是蘇軾任職揚州時間的複雜心緒的自白。

九月朝廷召蘇軾爲兵部侍郎兼侍讀，他又「團團如磨牛，步步踏陳跡」，㉒辭別了朋友，踏上赴京都的路程。他這次還都，心靈籠罩著濃重的愁緒，認爲自己似「孤松」、「倦鳥」，「二年三蹦過淮舟，款段還逢馬少遊。無事不妨長好飮，著書自要見窮愁。孤松早偃原非病，倦鳥雖還豈是休。更欲河邊幾來往，底今霜雪已蒙頭。」㉓滿頭白髮的蘇軾，已有強烈的垂老之感，「掛冠常苦遲」，㉔希望「逝將江海去，安此麋鹿姿」。㉕決心「還朝暫接鵷鸞翼，謝病行收麋鹿姿。」㉖這時他雖已是「七典名郡，再入翰林；兩除尙書，三忝侍讀」，㉗但回朝之後，一再請求外放，不被接納，只好上任了。他任侍讀學士，肩負教育年小皇帝的重要工作。他上書提出六事勸說哲宗，即：一曰慈，二曰儉，三曰勤，四曰愼，五曰誠，六曰明。㉘他苦口婆心勸說哲宗，並且于元祐八年（西元1093年）五月七日上〈乞校正陸贄奏議箚子〉，認爲唐陸贄的奏議，「可謂進苦口之藥石，鍼害身之膏肓。使德宗盡用其言，則貞觀可得而復。」因此，他們「欲取奏議，稍加校正，繕寫進呈。願陛下置之坐隅，如見贄面，反覆熟讀，如與贄言。必能發聖性之高明，成治功於歲月。」㉙可惜！不論蘇軾怎樣煞費心機，哲宗皇帝對他，格格不入。

而且，蘇軾回朝後，又遭到政敵的包圍。黃慶基彈劾蘇軾三大罪狀：「妄用潁州官錢，失入尹眞死罪，及強買姓曹人田。」㉚經尙書省勘會，這三件事均按法律程序辦事，又一場政治災難過去了，蘇軾也無意留都當京官，又再次請求外放越州。正在這個時候，元祐八年（西元1093年）八月一日，繼室王潤之卒于京師，年四十六。殯于城西惠修院。王夫人自從踏入蘇門之後，經歷了「烏台詩案」的瀰天大禍，跟隨蘇軾貶謫黃州，十二年來，她爲一家生活克勤克儉，于四處奔波動蕩的生活中，互相扶持。蘇軾在祭文中說：「婦職既修，母儀甚敦，三子如一，愛出于天。我從南行，菽水欣然，湯沐兩郡，喜不見顏。」㉛這樣一位樸實誠懇的妻子，蘇軾正準備辭官歸田之後，與她一起共度閑適的田園生活。那知她忽然病逝，蘇軾內心的痛楚自不待言：「我曰歸哉，行返丘園。曾不少須，棄我而先。孰迎我門，孰餽我田。已矣奈何，淚盡目乾。旅殯國門，我實少恩。惟有同穴，尙踏此言。」㉜同安郡君的靈柩，一直至十年後，徽宗崇寧元年（西元1102年）閏六月，才遷至河南郟縣蘇軾墳地合葬。

元祐八年癸酉（西元1093年）九月三日，太皇太后高氏崩，哲宗親政，他已傾向新黨執政。於是九月十三日蘇軾罷尙書職，以端明殿學士兼翰林學士知定州。他向哲宗辭別，不見！心中已明白又一番政治風暴即將來臨了。當他離開京都別子由時，淒然寫詩云：

庭下梧桐樹，三年三見汝。

前年适汝陰，見汝鳴秋雨。

去年秋雨時，我自廣陵歸。

今年中山去，白首無歸期。

客去莫嘆息，主人亦是客。

對床定悠悠，夜雨空蕭瑟。

起折梧桐枝，贈汝千里行。

歸來知健否，莫忘此時情。㉝

他赴定州前，還忠心耿耿地向哲宗諫告：「臣備位侍讀，日侍帷幄，前後五年，可謂親近。」㉞他生怕哲宗改變施政方針，勸說他「默觀庶事之利害與群臣之邪正，以三年爲期。俟得利害之眞，邪正之實，然後應物而作。」㉟可惜，哲宗置若罔聞！

蘇軾到定州後，強忍喪妻之痛，打起精神處理政務。定州是邊防重地，多年來「軍政不嚴，邊備小弛。」㊱禁軍營房偷盜、賭博成風，營房破舊不堪，究其原因，「蓋是將校不法，乞取斂掠，坐放債負。身既不正，難以戢下，是致諸軍公然領博踰濫。」㊲而且動輒逃亡。蘇軾目睹媮弊，主張「申嚴軍法」、「葺治犯法之人，絲毫無貸。」建議修蓋營房，加強對禁軍的管理。他於是上〈乞降度牒定州禁軍營房狀〉。接著，他認爲必須加強邊備，建立民兵組織，增修弓箭社，每戶選擇強壯一丁，充弓箭手。規定弓箭社責職，巡檢邊防，使敵人望風知畏。他於是上〈乞增修弓箭社條約狀二首〉詳細計劃整葺弓箭社各項事宜。但兩上章疏，「奏上皆不報」。蘇軾到定州後，又了解到定州過去遣使賑濟不合理，擔心邊地會大量聚集飢民：「春夏新陳不接之際，必致大段流殍，」於是上〈乞減價糶常平米賑濟狀〉、〈乞將損弱米貸與上戶全賑濟佃客狀〉，爲減輕定州百姓的災難而呼籲。盡管蘇軾滿腔熱枕，爲民請命，結果是沒有任何回答。

元祐九年甲戌（西元1094年）四月改元爲紹聖元年。哲宗公開詔述神宗新政，新法復活，政策及人事變更；這時，御史虞策及殿中侍御耒之邵發難，彈劾蘇軾「從前所作誥詔文字，語涉譏諷。」「譏斥先朝，援古況今，多引衰世之事，以快怨懟之私」，接著，張商英、趙挺之等也群起攻擊，終於，紹聖元年閏四月壬子（初三），「蘇軾坐前掌判命語涉譏訕，落職知莫州（今廣東英德）㊳，降職爲左朝奉郎。這時候的蘇軾，已深知大勢已去，不必辯駁；過去幾年，每次政敵的陷害，他都理直氣壯地上表辯誣，這一次他認命了！他已看透人生的憂患得失，一話不說，登上貶途。他在給哲宗的謝表中，回顧自己一生的榮辱，說自己是「草芥賤儒，岷峨冷族，襲先人之素業，借一第以竊名。雖幼歲勤勞，實學聖人之大道；而終身窮薄，常爲天下之罪人。先帝全臣於衆怒必死之中，陛下起臣於散官永棄之地。」於是說到自己的罪責，他僅點到當時在翰林所寫詔令文字。他申明：「凡一時黜陟進退之衆，皆兩宮威福賞罰之公，既在代言，敢思逃責！苟不能敷揚上意，尊朝廷於日月之明；則何以聳動四方，鼓號令於雷霆之震。固當昭陳功伐，直喻正邪，豈臣愚敢有私心，蓋王言不可以匿旨。」他理直氣壯地認爲：「當時之天奪其魄，但謂守官；今日之臣肆其言，期於必戮。」他絲毫也不爲過去所寫的文字有所爭辯。面對現實，無復多言：「罪雖駭于聽聞，怒終歸于寬宥。不獨再生於東市，猶令尸祿於南州，累歲寵榮，固已太過。此時竄責，誠所宜然。」㊴於是他毫無返顧地在衰暮之年，走向瘴海炎陬之地。途中寫詩寄定武同僚曰：

人事千頭及萬頭，得時何喜失時憂。

只知紫綬三公貴，不覺黃粱一夢遊。

適見恩綸臨定武，忽遭分職赴英州。

南行若到江干側，休宿潯陽舊酒樓。㊵

這時貶途中的蘇軾，貧病交加！他在上奏哲宗狀中說：「左手不仁，右臂緩弱，六十之年，頭童齒豁，疾病如此，理不久長。而所負罪名至重，上孤恩義，下愧平生，悸傷血氣，憂隔飲食，所以疾病有加無瘳，加以素來不善治生，祿賜所得，隨手耗盡，道路之費，囊槖已空。」㊶在這道盡途窮之中，已經三改謫命。政敵劉拯，還記恨當年蘇軾寫的呂惠卿責降詔，說「蘇軾敢以私憤行于詔誥中，厚誣醜詆，不臣甚矣。」對蘇軾不斷落井下石，接著，章惇升任相位，蔡京爲戶部尚書，政令全部恢復熙寧新法；他們認爲蘇軾罪大責輕，於是章惇、蔡京、耒之邵等復議蘇軾之罪。宋史載：「六月甲戌耒之邵等疏蘇軾抵斥先朝，詔謫惠州。」㊷六月二十五日蘇軾抵達當塗時，得到詔令，於是使中子迨絜家累，從長子邁居宜興（陽羨），攜幼子過及侍妾朝雲赴惠州。蘇軾在〈書六賦後〉中寫道：「予中子迨，本相從英州，舟行已至姑熟，而予道貶建昌軍司馬惠州安置，不可復以家行。獨與少子過往，而使迨以家歸陽羨，從長子邁居。」㊸蘇軾帶著子過、妾朝雲，寂寞地走上惠州貶途。過廬陵時，見宣德即曾安止，出所作〈禾譜〉，「文既溫雅，事亦詳實，惜其有所缺，不譜農器。」㊹於是向他介紹當年在武昌時所見農民使用的拔秧工具，作〈秧馬歌〉一首，附于〈禾譜〉之末。即使在他垂老投荒的窮途之中，他仍然「許國心猶在，」㊺于「康時術已虛」㊻的嘆息中，他還爲解除民衆耕田的勞累而盡力。這就是蘇軾令人敬愛之處。

【附　註】

① 《蘇軾文集》卷23〈辭免翰林學士第一狀〉。

②③　《蘇軾文集》卷33〈再乞郡劄子〉。

④⑤　《蘇軾文集》卷33〈乞外補迴避賈易劄子〉。

⑥　《蘇軾文集》卷33〈辨題詩劄子〉。

⑦　《蘇軾文集》卷33〈感舊詩并敘〉。

⑧　《蘇軾文集》卷63〈祭歐陽修文忠公夫人文〉。

⑨　《蘇軾文集》卷24〈潁州謝到任表二首〉。

⑩　《蘇軾詩集》卷34〈泛潁〉。

⑪　《蘇軾詩集》卷34〈臂痛謁告，作三絕句示四君子〉。

⑫　《蘇軾文集》卷33〈乞賜度牒糴斛㪷準備賑濟淮浙流民狀〉。

⑬　《蘇軾文集》卷35〈軾在潁州，與趙德麟同治西湖，未成，改揚州。三月十六日，湖成，德麟有詩見懷，次其韻〉。

⑭　同上〈送芝上人遊廬山〉。

⑮　《蘇軾詩集》卷35〈次韻林子中春日新堤書事見寄〉。

⑯　《仇池筆記》卷上〈萬花會〉。

⑰　同註⑮。

⑱　《蘇軾文集》卷34〈論積欠六事并乞檢會應詔所論四事一處行下狀〉。

⑲　黃庭堅《跋淵明詩卷》

⑳　《蘇軾詩集》卷35〈和陶飲酒詩二十首并敘〉。

㉑　同上。

㉒　《蘇軾詩集》卷35〈送芝上人遊廬山〉。

㉓　同上〈行宿、泗間，見徐州張天驥，次舊韻〉。

㉔㉕　《蘇軾詩集》卷36〈次韻錢穆父會飲〉。

㉖　《蘇軾詩集》卷36〈見和仇池〉。

㉗　《蘇軾文集》卷24〈謝兼侍讀表二首〉。

㉘　《蘇軾文集》卷24〈謝徐兩職守禮部尚書表〉（二）。

㉙　《蘇軾文集》卷36〈乞校正贄議上進劄子〉。

㉚ 《蘇軾文集》卷36〈辨黃慶基彈劾劄子〉。

㉛㉜ 《蘇軾文集》卷63〈祭亡妻同安郡文〉。

㉝ 《蘇軾詩集》卷36〈東府雨中別子由〉。

㉞㉟ 《蘇軾文集》卷36〈朝辭赴定州論事狀〉。

㊱㊲ 《蘇軾文集》卷36〈乞降度牒定州禁軍營房狀〉。

㊳ 《宋史》卷18〈哲宗本紀〉。

㊴ 《蘇軾文集》卷24〈英州謝上表〉。

㊵ 《蘇軾詩集》卷47〈被命南遷，途中寄定武同僚〉。

㊶ 《蘇軾文集》卷37〈赴英州乞舟行狀〉。

㊷ 《宋史》卷18〈哲宗本紀〉。

㊸ 《蘇軾文集》卷66〈書六賦後〉。

㊹ 《蘇軾詩集》卷38〈秧馬歌并引〉。

㊺㊻ 《蘇軾詩集》卷38〈望湖亭〉。

十一、遠謫南荒：

元祐九年甲戌（西元1094年）十月二日，蘇軾抵惠州任。他在〈到惠州謝表〉中說：「先奉告命，落兩職，追一官，以承議郎知英州軍州軍，續奉告命，責授臣寧遠軍節度使惠州安置，已於今月二日到惠州。」①這時，所遭受的，是「群言交擊，必將致之死亡。」②的政治災難。與遭政治報復的烏台詩案相比，蘇軾是五十九歲高齡了。他已垂垂老矣！這時候蘇軾的寂寞的心情極其濃重。不過，他安於淡泊，胸無芥蒂，隨遇而安，倒也生活得悠閑自在。他初到惠州時，寫詩以記：

彷彿曾遊豈夢中，欣然雞犬識新豐。

吏民驚怪坐何事，父老相攜迎此翁。

蘇武豈知還漠北，管寧自欲老遼東。

嶺南萬户皆春色，會有幽人客寓公。③

惠州的吏民父老都同情他，歡迎他；他的心情也慢慢趨於平靜「誓將閑送老，不著一行書。」④他不僅決心在惠州送老，而且也熱愛惠州：

羅浮山下四時春，盧桔楊梅次第新。

日啖荔枝三百顆，不辭長作嶺南人。⑤

他的「長作嶺南人」的願望，正呈現了蘇軾隨遇而安的性格。他在〈四月十一日初食荔枝〉詩中又云：「我生涉世本為口，一官久已經蓴鱸。人間何者非夢幻，南來萬國眞良圖。」⑥他甚至認為這次南來是一件好事。

但是，蘇軾思想畢竟不那麼簡單，他在精神上還有另外一面。寓居合江樓之後，東遷西徙。蘇軾自己說：「吾紹聖元年十月二日，至惠州，寓居合江樓。是月十八日，遷於嘉祐寺。二年三月十九日，復遷於合江樓。三年四月二十日，復歸於嘉祐寺。」⑦後來，又于白鶴峰之上築居室。嘉祐寺在歸善縣後，惠人以歸善為水東。合江樓在惠州府東江口，惠人以惠州府為水西。蘇軾詩云：「前年家水東，回首夕陽麗。去年家水西，濕面春雨細。東西兩無擇，緣盡我輒逝。今年復東徙，舊館聊一憩。」在惠州的這種不安定的貶謫生涯，使蘇軾思想深處並非那麼悠閑自在：他感到孤獨、寂寞甚至悽清，他多病鮮歡：

昔我初來時，水東有幽宅。

晨與鴉鵲朝，暮與牛羊夕。

誰令遷近市，日有造請役。

歌呼雜閭巷，鼓角鳴枕席。

出門無所詣，樂事非宿昔。

病瘦獨彌年，束薪與誰析。⑧

他寂寞愁悶：

春風嶺上淮南村，昔年梅花曾斷魂。

豈知流落復相見，蠻風蜑雨愁黃昏。⑨

他索居孤獨：

羅浮山下梅花村，玉雪爲骨冰爲魂。

紛紛初疑月掛樹，耿耿獨與參橫昏。

先生索居江海上，悄如病鶴棲荒園。⑩

在他的詩歌中，都不期然地流露出貶謫惠州之後的寥落悽涼的情愫。

這樣一來，他那種看透世道人生的感慨，更爲深沉；經常垂釣以自樂，並作爲精神上的自我排遣。在江郊的葱籠水潭邊，他忘我自樂：「初日下照，潛鱗俯見。意釣忘魚，樂此竿線。悠哉悠哉，玩物之變。」⑪也時跟好友寫信，自我調節。他給參寥禪師的信中說：「某到貶所半年，凡百粗遣，更不能細說，大略只似靈隱天竺和尚退院後，卻住一箇小村院子，折足鐺中，罨糙米飯便喫，便過一生也得。其餘，瘴癘病人。北方何嘗不病，是病皆死得人，何必瘴氣。但苦無醫藥，京師國醫手裏死漢尤多。參寥聞此一笑，當不復憂我也。」⑫他也自我調侃，自我娛樂。如他給子由書中大講吃羊脊骨的樂趣：「惠州市井寥落，然猶日殺一羊，不敢與仕者爭。買時，囑屠者買其脊骨耳。骨間亦有微肉，熟煮熱漉出，漬酒中，點薄鹽炙微燋食之。終日抉剔，得銖兩於肯綮之間，意甚喜之。如食蟹螯，率數日輒一食，甚覺有補。子由三年食堂庖，所食芻豢，沒齒而不得骨，豈復知此味乎。」⑬悠閑時日，也對人生產生頓悟，當他在歸善縣東遊松風亭時，對艱難的人生忽有所悟：「酒醒夢覺起繞樹，妙意有在終無言。」

⑭酒醒人散出寂寞，惟有落蕊黏空樽。」⑮他曾詳細記下當天遊松風亭的感想：

余嘗寓居惠州嘉祐寺，縱步松風亭下，足力疲乏，思欲就林止息，望亭宇尚在木末，意謂是如何得到？良久，忽曰：「此間有甚麼歇不得處？」由是如掛鉤之魚，忽得解脫。若人悟此，雖兵陣相接，鼓聲如雷霆，進則死敵，退則死法，當甚麼時也不妨熟歇。⑯

正猶豫之間，忽然頓悟出隨處都可歇息。人生不也是如此！這時候，他頓生「如掛鉤之魚，忽得解脫」之感。

雖然如此，但蘇軾在惠州也不乏新舊朋友，使他在心靈上獲得一些安慰。惠州太守詹範，與蘇軾相悅相契，時常置酒，與他一起吟詩，盡醉而去。有詩記述云：

箕踞狂歌老瓦盆，燎毛燔肉以羔渾。
傳呼草市來攜客，灑掃漁磯共置樽。
山頭黃童爭看舞，江干白骨已銜恩。
孤雲落日西南望，長羨歸鴉自識村。⑰

在這蠻荒之地，與新交朋友飲酒作樂，最後仍還有惆悵之感。上元佳節之夜，詹範也置酒陪他過節，蘇軾想起自己近年來的生活，不禁感慨萬千。詩曰：

前年侍玉輦，端門萬枝燈。
璧月掛罘罳，珠星綴觚稜。
去年中山府，老病亦宵興。
牙旗穿夜市，鐵馬響春冰。
今年江海上，雲房寄山僧。
亦復舉膏火，松間見層層。
散策桄榔林，林疏月鬅鬙。

使君置酒罷，簫鼓轉松陵。

狂生來索酒，一舉輒數升。

浩歌出門去，我亦歸瞢騰。⑱

桄榔林中的雲房裡，山僧賈道士索酒浩歌，對蘇軾的人生無常的感嘆，也是一種啓示。隔一個月後，二月十九日，他攜白酒、鱸魚過詹使君，食槐葉冷淘，有詩記述痛飲情狀：

枇杷已熟粲金珠，桑落初嘗灩玉蛆。

暫借垂蓮十分盞，一澆空腹五車書。

青浮卵碗槐芽餅，紅點冰盤藿葉魚。

醉飽高眠眞事業，此生有味在三餘。⑲

醉飽之中，牢騷滿腹，借酒澆愁。一生眞正的事業是「醉飽高眠」，最後說出「三餘」，王文誥引《三國志》董遇注：三餘即「冬者歲之餘，夜者日之餘，陰雨者晴之餘也。」黃州時期的「閑人滋味，在經過翰林時期的玉堂生活之後，這時候的閑置之感就更爲濃烈了。

在惠州的日子裡，他與蘇過、賴仙芝、王原秀才、僧曇穎、行全、道士何宗一同遊羅浮道院及棲禪精舍，有時也與客人野步，與八十五歲的野老交朋友，表兄程正輔，也消除家庭先世前隙，兩次從廣州前來與他同遊白水山、積香寺等地，蘇州定慧長老守欽，使其徒卓契順來惠州，「問予安否」，且寄〈擬寒山十頌〉，蘇軾「甚嘉之，爲和八首」。⑳此外，如惠州推官黃燾、何道士宗一、僧曇穎等，都是他在惠州相與遊樂的朋友，子由、文潛、參寥子都有信給他，使他不致感到過份寂寞。

的確，蘇軾是一個不甘寂寞的人，每到一地，不論在什麼情況下，都是縱情地漫遊山水。到惠州的路上，他遊羅浮山；在惠州的日子裡，他遊棲禪寺、松風亭、白水山佛跡巖、湯泉、碧落洞、博羅香積寺，在惠州城郊或嘉祐寺僧舍到處散步遊覽。尤其令人感到湊巧的，是惠州西湖，蘇軾每到一地，都留連西湖，惠州亦然。惠州城西有豐湖，〈名勝志〉載：「惠州城西有石埭山，流泉濺沫若飛帘，其水瀉入於豐湖，即西湖也。」因西湖葦藕蒲魚之利甚豐故稱豐湖。劉克莊說：「岷峨一老古來少，杭潁二湖天下無。帝恐先生晚牢落，南遷猶得管豐湖。」㉑豐湖乃惠州勝景。林俛〈豐湖集序〉云：「湖之潤溉田數百頃，葦藕蒲魚之利歲數萬，民取于湖者，其施已豐，故曰豐湖。隔水有山，曰豐山，自西逶迤入之湖中。有點翠洲、熙春台、雜花島、歸雲洞諸勝。」㉒蘇軾到惠州，特別喜愛西湖，有〈江月〉五首，寫盡豐湖幽美月色。詩引說：「嶺南氣候不常。吾嘗曰：菊花開時乃重陽，涼天佳月即中秋，不須以日月爲斷也。今歲九月，殘暑方退，既望之後，月出愈遲。予嘗夜起登合江樓，或與客遊豐湖，入棲禪寺，叩羅浮道院，登逍遙堂，逮曉乃歸。杜子美云：四更山吐月，殘夜水明樓。此殆古今絕唱也。因其句作五首，仍以『殘夜水明樓』爲韻。」㉓棲禪寺、羅浮道院並在豐湖之上，逍遙堂在豐湖方華洲之上。蘇軾在惠州曾修豐湖，故又改名西湖，其堤又名蘇堤，他的確是「未嘗一日忘湖山也」，詩中說：「夢想平生消未盡，滿林煙月到西湖。」㉔在幽美的大自然中，蘇軾獲得自我的心理平衡了。

同時，蘇軾又是一個閑不住的人。雖然，其弟子由曾再三勸誡他，少作詩以免惹禍；他也時刻引以自警。他對程正輔說：「蓋子由近有書，深戒作詩，其言切至，云嘗焚硯棄筆，不但作而不出也。不忍違其憂愛之意，故遂不作一字。」㉕實際上，他往往情不自禁地去抨擊時政，並盡自己力所能及去爲百姓謀福利。

第一，創作〈荔枝嘆〉諷喻時政。這是一首著名的政治詩，這首詩即出他垂老投荒的暮年並決心「焚硯棄筆」之際。可見他憂國憂民的心情之切，也是證明蘇軾是無法約束自己活躍的思想的。詩曰：

十里一置飛塵灰，五里一堠兵火催。
顛阬仆谷相枕籍，知是荔枝龍眼來。
飛車跨山鶻橫海，風枝露葉如新採。
宮中美人一破顏，驚塵濺血流千載。
永元荔枝來交州，天寶歲貢取之涪。
至今欲食林甫肉，無人舉觴酹伯游。
我願天公憐赤子，莫生尤物爲瘡痏。
雨順風調百穀登，民不飢寒爲上瑞。
君不見武夷溪邊粟粒芽，前丁后蔡相籠加
爭新買寵各出意，今年鬥品充官茶。
吾君所乏豈此物，致養口體何陋耶。
洛陽相君忠孝家，可憐亦進姚黃花。㉖

對統治者揮霍無度的諷喻，可謂入木三分了。

第二，修建東西橋。他介紹說：「惠州之東，江溪合流，有橋，多廢壞，以小舟渡。羅浮道士鄧守安，始作浮橋。以四十舟爲二十舫，鐵鎖石碇，隨水漲落，榜曰東新橋。州西豐湖上，有長橋，屢作屢壞。棲禪院僧希固築進兩岸，爲飛樓九間，盡用石鹽木，堅若鐵石，榜曰西新橋。」㉗在橋未新建之前，他修書敦促程正輔（之才）出力支持：「本州近申乞支阜民監糞土錢用修橋，未蒙指揮告與漕使一言，此橋不成，公私皆病，敢望留意。」㉘他自己捐出犀帶，勸募蘇轍的史夫人捐出從前內宮所賜黃金數千助施。」率衆爲東西二橋，以濟病涉者。」㉙其詩云：不云二子勞，嘆我捐腰犀。我亦壽使君，一言所扶藜。常當修未壞，勿使後噬臍。」㉚「探囊賴故侯，寶錢出金闈。」㉛東西新橋建成後，父老雀躍。詩云：「父老喜雲集，簞壺無空攜。三日飲不散，殺盡西村雞。」㉜

第三，修建軍隊營房。蘇軾了解到：「本州諸軍，多缺營房，多二人共一間，極不聊生。其餘即散居市井間，賃屋而已。」㉝他詳細地列舉各地缺營房情況，建議程正輔營建。

第四，建議改善徵收賦稅辦法。他認爲「來秋大熟，米賤已傷農，」㉞而官吏賦稅納錢不納米：「嶺南錢荒久矣，今年又起納役錢，見今質庫皆閑，連車整船，載米入城，掉臂不顧，不知如何了得賦稅役錢去。」㉟他希望納錢與米並從其便。」㊱「如果皆得任便，不拘元科數目，人情必大悅。」㊲

第五，爲廣州百姓飲水事提出具體建議。他不僅操心惠州的事，連遠在廣州的事他也表示關切。是時王敏仲以江淮發運使進寶文閣待制、知廣州。蘇軾聽羅浮道士鄧守安說到：「廣州一城人，爲飲鹽苦水，春夏疾疫時，所損多矣。」㊳蘇軾即建議，蒲間山有滴水岩，可于岩下作大石槽，接五管大竹引水入城，讓廣州百姓飲到泉水。

第六，于豐湖邊又建築漁塘，曰放生池。

蘇軾在惠州期間，爲當地辦了這幾件事，心頭快慰。他給程正輔信中說：「軾入冬，眠食甚佳，几席之下，澄江碧色，鷗鷺翔集，魚蝦出沒，有足樂者。又時走湖上，觀作新橋。掩骼之事，亦有條理，皆粗慰人意。蓋優哉遊哉，聊以卒歲。」㊴雖然遠謫惠州，但也心安理得。即使在蠻荒之地的憂讒畏譏生活之中，也還保持他獨立的精神人格及民衆做點有益的事的初衷。

但是，家庭的不幸又再一次給蘇軾以沉重的打擊。紹聖三年丙子（西元1096年）七月五日，侍妾朝雲病卒。年僅三十四歲。

朝雲自十一歲在杭州跟隨蘇軾之後，一直在他身邊；二十三歲年來，與他一起東飄西蕩，顛沛流離，生死與共。蘇軾到惠州後，曾作詩以記朝雲。詩引云：「世謂樂天有鬻馬放楊柳枝詞，嘉其主老病，不忍去也。然夢得有詩云：「春盡絮飛留不住，隨風好去落誰家」。樂天亦云：「病與樂天相伴住，春隨樊子一時歸。」則是樊素竟去也。予家有數妾，四五年相繼辭去，獨朝雲者，隨予南遷。因讀樂天集，戲作此詩。朝雲姓王氏，錢塘人嘗有子曰幹兒，未期而夭云。」他把朝雲與白居易妾樊素相比，顯得忠貞不渝，伴隨他的心意堅貞如鐵，於是他作詩詠朝雲：

不似楊枝別樂天，恰如通德伴伶玄。

阿奴絡秀不同老，天女維摩總解禪。

經卷藥爐新活計，舞衫歌扇舊因緣。

丹成逐我三山去，不作巫陽雲雨仙。㊵

到惠州第二年秋天，朝雲唱蘇軾「花褪殘紅」詞，忽然悲傷起來。荊溪〈林下偶讀〉載：

子瞻在惠州，與朝雲閑坐。時青女初至，落木蕭蕭，凄然有悲秋之意。命朝雲把大白，唱「花褪殘紅」。朝雲歌喉將囀，淚滿衣襟，子瞻詰其故，曰：「奴所不能歌者，『枝上柳綿吹又少，天涯何處無芳草』也。」子瞻翻然大笑曰：「是吾政悲秋，而汝又傷春矣。」遂罷。朝雲不久抱疾而亡，子瞻終身不復聽此詞。

在惠州的這些日子裡，六十一歲蘇軾方與三十四歲的朝雲朝夕相隨，朝雲每天唸佛練字，以排遣寂寞，蘇軾對他也很愛惜。紹聖三年（西元1096年）春，朝雲生日，蘇軾特地爲她慶祝，寫下〈王氏生日致語口號〉，贊美朝雲，其中有「海上三年，喜花枝之未老」句。詩曰：

羅浮山下已三春，松筍穿階晝掩門。
太白猶逃水仙洞，紫簫來問玉華君。
天容水色聊同夜，髮澤膚光自鑑人。
萬户春風爲子壽，坐看滄海起揚塵。

朝雲之美和善，已成蘇軾謫居惠州時的精神安慰了。

上天連蘇軾這一點精神安慰也殘酷地剝奪了。紹聖三年（西元1096年）七月五日，朝雲病逝，蘇軾老境更加寂寞了。他寫下〈悼朝雲〉詩，詩引云：

紹聖元年十一月，戲作〈朝雲〉詩。三年七月五日，朝雲病亡於惠州，葬之棲禪寺松林中南，直大聖塔。予既銘其墓，且和前詩以自解。朝雲始不識字，晚忽學書，粗有楷法。蓋嘗從泗上比丘尼義沖學佛，亦略聞大義，且死，誦〈金剛經〉四句偈而絕。

〈金剛經六如偈〉是：「一切有爲法，如夢幻泡影，如露亦如電，當作如是觀。」悼詩云：

苗而不秀豈其天，不使童烏與我玄。
駐景恨無千歲藥，贈行惟有小乘禪。
傷心一念償前債，彈指三生斷後緣。
歸臥竹根無遠近。夜燈勤禮塔中仙。㊶

蘇軾爲朝雲墓刻銘，銘中贊朝雲「敏而好義，事先生二十有三年，忠敬若一。」㊷朝雲葬後三天，忽夜裏風雨大作，傳說發現墓邊「靈跡五縱，道路皆見」，於是蘇軾又親作〈薦朝雲疏〉從佛法以超度其在天之靈。疏中有語云：「軾以罪責，遷於炎荒，有侍妾王朝雲，一生辛勤，萬里隨之，遭時之疫，遘病而亡。念其忍死之言，欲託棲禪之下，而既葬三日，風雨之餘，靈跡五縱，道路皆見，是知佛慈之廣大，不擇衆生之細微，敢薦丹誠，躬修法會。」㊸言辭悲愴已極，天上人間，人何以堪！蘇軾老人更加孤獨了！是年重九，他心亂如麻，感到人生「過眼如亂雲」，寫詩抒發寂寞悲涼的心境；當嶺上梅花開放之時，他也懷念朝雲，作〈西江月〉（玉骨那愁瘴霧）以悼念。情辭悽婉，老人已陷入孤苦伶仃的境地了。劉克莊詩云：「吳兒解記眞娘墓，杭俗猶存蘇小墳。誰與惠州耆舊說，可無杯土覆朝雲。」㊹

但坎坷的命運尙不止此。

蘇軾在惠州，寫下〈縱筆〉詩，詩日：

白頭蕭散滿霜風，小閣藤床寄病容。

報導先生春睡美，道人輕打五更鐘。

這是蘇軾自我調侃的詩，那知執政者聞而怒之。曾季貍〈艇齋詩話〉載：「東坡海外《上梁文口號》日：『爲報先生春睡美！』章子厚見之，遂再貶儋耳，以爲安穩，故再遷也。」紹聖四年丁丑（西元1097年）二月十四日，白鶴新居築成，蘇軾剛從嘉祐寺遷入，而閏二月二十日，責授瓊州別駕，昌化軍安置。《宋史·哲宗紀》云：「閏二月甲辰蘇軾責授瓊州別駕，移昌化軍安置。」當時朝廷的命令他尙未知覺。閏二月長子邁挈簞、符諸孫到惠州，意頗欣然。他說：「長子邁與余別三年矣，挈諸孫萬里遠至，老朽憂之餘，不能無欣然。」㊺並詩云：「旦朝丁丁，誰款我廬。子孫遠至，笑語紛如。剪髮垂髫，覆此瓠壺。三年一夢，乃復見余。」在那孤獨的老境中，兒孫的歡聲笑語又一次安慰了他寂寞的心。至四月十七日，惠州守方子容親自攜告命至蘇軾住所，蘇軾于當月十九日離開惠州。他在謝表中說：「今年四月十七日被命責授臣瓊州別駕昌化軍安置。臣得於當月十九日離惠州。」㊻七月二日至昌化。離開惠州時，蘇軾心情是極端惡劣的，自以爲此行必死。他對哲宗說：「並鬼門而東騖，浮瘴海以南遷。」自己負「丘山之罪」，「跨萬里以獨來」。當時「孤老無託，瘴癘交攻。子孫慟哭於江邊，魑魅逢迎於海外。寧許生還！」㊼而且蘇軾經濟十拮据，在市場變賣得二百餘錢作路費，長子邁帶著三個孫子簞、符、籥送到廣州，江邊作別。他與王敏仲的信中說：

某垂老投荒，無復生還之望，昨與長子邁訣，已處置後事矣。今到海南，首當作棺，次便作墓，乃留手疏與諸子，死則葬於海外，庶幾延陵季子嬴博之義，父既可施之子，子獨不可施之父乎？生不挈棺，死不扶柩，此亦東坡之家風也。此外宴坐寂照而已。所云途中邂逅，意謂不如其已，所欲言者，豈有過此者乎？㊽

是時蘇轍責授化州別駕，雷州安置，蘇軾五月抵梧州，聞轍尚在藤州，於是旦夕追及，作詩以示：

九疑聯綿屬衡湘，蒼梧獨在天一方。
孤城吹角煙樹裡，落日未落江蒼茫。
幽人拊枕坐嘆息，我行忽至舜所藏。
江邊父老能說子，白髮紅頰如君長。
莫嫌瓊雷隔雲海，聖恩常許遙相望。
平生學道眞實意，豈與窮達俱存亡。
天其以我爲箕子，要使此意留要荒。
他年誰作輿地志，海南萬里眞吾鄉。

他那「他年誰作地輿志，海南萬里眞吾鄉」的表述，不過是他在厄運臨頭之際，很快地調整自己的情緒，以便獲得自我思想平衡。詩意不見老人衰憊之氣；對於海南之行，他也同樣受張公百忍、隨遇而安、四處爲家的潛意識所支配。

自五月十一日與子由相遇于藤州，同行至雷州，六月十一日以酒相別渡海。一路上，蘇軾病痔呻吟，「子由亦終夕不寐。因誦淵明詩，勸余止酒。」於是寫下〈和陶止酒詩贈別〉。詩中寫子由「勸我師淵明，力薄且為己。」㊾蘇軾在惠州，已寫了好多首和陶詩，此行海南，陶淵明的回歸自然的精神，更是他的精神歸宿了。

六月十一日，蘇軾與蘇轍相別渡海，這兩位一起讀書、成長、政治理想一致的親密兄弟從此永訣了。

【附　註】

①② 《蘇軾文集》卷24〈到惠州謝表〉。

③ 《蘇軾詩集》卷38〈十月二日初到惠州〉。

④ 同上〈無題〉。

⑤ 《蘇軾詩集》卷40〈食荔枝二首并引〉。

⑥ 《蘇軾詩集》卷39〈四月十一日食荔枝〉。

⑦ 《蘇軾詩集》卷40〈遷居并引〉。

⑧ 《蘇軾詩集》卷40〈和陶移居二首〉。

⑨ 《蘇軾詩集》卷38〈十一月二十六日，松風亭下梅花盛開〉。

⑩ 同上〈再用前韻〉。

⑪ 同上〈江郊〉。

⑫ 《蘇軾文集》卷61〈與參寥子二十一首〉（十七）。

⑬ 《蘇軾文集》卷60〈與子由弟十首〉（七）。

⑭ 《蘇軾文集》卷38〈十一月二十六日，松風亭下，梅花盛開〉。

⑮ 同上〈再用前韻〉。

⑯ 《東坡志林》卷1〈記遊松江亭〉。

⑰ 《蘇軾詩集》卷38〈詹守攜酒見過，用前韻作詩，聊復和之〉。

⑱ 《蘇軾詩集》卷39〈上元夜〉。

⑲ 《蘇軾詩集》卷39〈二月十九日，攜白酒、鱸魚過詹使君，食槐葉

冷淘〉。

⑳　《蘇軾詩集》卷39〈次韻定慧欽長老見寄八首并引〉。

㉑　《後村先生大全集》卷12〈豐湖三首〉（其一）。

㉒　《蘇軾詩集》卷39〈江月五首并引〉中查注。

㉓　《蘇軾詩集》卷39〈江月五首并引〉。

㉔　同上〈惠州近城數小山，類蜀道。春，與進士許毅散步，會意處，飲之且醉，作詩以記，適參寥專使欲歸，使持此以示西湖之上諸友，庶使知予未嘗一日忘湖山也〉。

㉕　《蘇軾文集》卷54〈與程正輔七十一首〉（十六）。

㉖　《蘇軾文集》卷39〈荔枝嘆〉。

㉗　《蘇軾詩集》卷40〈兩橋詩并引〉。

㉘　《蘇軾文集》卷54〈與程正輔〉（三十）。

㉙　《欒城集》卷二十二〈亡兄子瞻墓誌銘〉。

㉚㉛㉜　《蘇軾詩集》卷40〈兩橋詩〉。

㉝㉞㉟㊱㊲　《蘇軾文集》卷54〈與程正輔〉（三十）（四十七）。

㊳　《蘇軾文集》卷56〈與王敏中〉（十一）。

㊴　《蘇軾文集》卷54〈與程正輔〉（六十）。

㊵　《蘇軾詩集》卷38〈朝雲詩并引〉。

㊶　《蘇軾詩集》卷40〈悼朝雲〉。

㊷　《蘇軾文集》卷15〈朝雲墓誌銘〉。

㊸　《蘇軾文集》卷62〈惠州薦朝雲疏〉。

㊹　劉克莊《後村先生大全集》卷12〈六如亭〉。

㊺　《蘇軾詩集》卷40〈和陶時運四首引〉。

㊻㊼　《蘇軾文集》卷24〈到昌化軍謝表〉。

㊽　《蘇軾文集》卷56〈與王敏中十八首〉（十六）。

㊾　《蘇軾詩集》卷41〈和陶止酒〉。

十二、流落天涯：

紹聖四年丁丑（西元1097年）七月二日到昌化軍貶所。這時蘇軾已是六十有二的高齡了。

海南島，北宋時的確是一個蠻荒的地方。

蘇軾登島後寫的第一首詩，即是以莊子哲學作爲精神支柱的述懷詩：

四州環一島，百洞蟠其中。
我行西北隅，如度月半弓。
登高望中原，但見積水空。
此生當安歸，四顧眞途窮。
眇觀大瀛海，坐詠談天翁。
茫茫太倉中，一米誰雌雄。
幽懷忽破散，永嘯來天風。
千山動鱗甲，萬谷酣笙鐘。
安知非群仙，鈞天宴未終。
喜我歸有期，舉酒屬青童。
急雨豈無意，催詩走群龍。
夢雲忽變色，笑電亦改容。
應怪東坡老，顏衰語徒工。
久失此妙聲，不聞蓬萊宮。①

進入海島，交通工具只有轎子。他肩輿于山谷小徑，打起瞌睡；又因海天的海風陣雨，他在夢中感到山搖谷應，於是得「千山動鱗甲，萬谷酣笙鐘」句，醒過來後，只見海天茫茫，天水無際，遂有「四顧眞途窮」之嘆。蘇軾〈試筆自書〉云：『吾始至南海，環視天水無際，淒然傷之，曰：「何時得出此島耶？」已而思之，天地在積水中，九州在大瀛海中，中國在少海中，有生孰不在島者？』有這樣的心境，便驀地想起莊子的話。〈秋水篇〉有：「北海若曰：計中國之在海內，不似稻米之在太倉乎。」蘇軾以莊周這一思想精神支撐力量，詩中云：「茫茫太倉中，一米誰雌雄。幽懷忽破散，詠嘯來天風。」他于山水大地之中，頓悟出「一米誰雌雄」的哲理，使自己于茫茫窮途之中，得到一種精神上的解脫。這「一米誰雌雄」的官場競技，此前將近二十年，貶黃州時寫〈滿庭芳〉詞，即同樣形象地表露這一思想：「蝸角虛名，蠅頭微利，算來著甚乾忙，事皆前定，誰弱又誰強。」當然，二十年後的蘇軾，詩作的著眼點不僅是政治的勝負；詩意蘊含的自然與人生相對的體驗，比以前領會深刻多了。

從梧州到藤州的路上，他發出「海南萬里眞吾鄉」的心聲；但是，當他眞的踏上海南島之後，這裏的貧瘠、荒僻，是他想像不到的。儘管蘇軾思想曠達，隨遇而安，可把海南與富庶的錦城相比，要從心靈深處以海南當作自己的家鄉，談何容易！從登島到離開，蘇軾的思緒經歷了一個極其痛苦的歷程。

雖然，在海南島的三年多時間裡，他愛海南的老百姓，純樸的海島百姓也敬重愛護他。聯繫到蘇軾的人生歷程，實事求是地說，這三年時間，是他一生思想最痛苦的時期。他幾度波折，闖過一次又一次政治迫害的風險，垂老投荒，他已失卻事業上的雄心壯志了。因此，在這登島後的第一首詩裡，抒發出窮途安歸、宇宙蒼茫的感喟！在那瞬息萬變的急雨雲雷之中，莊周的思想在他的頭腦裡佔上風了。

㈠蘇軾貶儋後的自我思想排遣：

初到貶所，蘇軾被一種蕭條冷落的情緒所困擾，他在寫給張逢的信中說：「海南風氣，與治下略相似。至于食物人煙，蕭條之甚，去海康遠矣。到後，杜門默坐，喧寂一致也。」②在這「杜門默坐」的日子裡，又經常生病，心如槁灰。他在給張逢的另一封信說：「某到此數臥疾，今幸可聞。久逃空谷，日就灰槁而已。」③生活的艱辛，也是他料想不到的。在給程天侔信中寫道：「此間食無肉，病無藥，居無室，出無友，冬無炭，夏無寒泉，然亦未易悉數，大率皆無耳。惟有一幸，無甚瘴也。」④又「新居在軍城南，極湫隘，粗有竹樹，煙雨濛晦，眞蜒塢獠洞也。」⑤在這荒涼陌生的環境中，一股濃郁的憂患和思鄉情緒襲上心頭，他連雨獨飲懷念子由，澹然無事夢兒時事。寫詩寄意當時心靈的動蕩。寄子由詩云：

平生我與爾，舉意輒相然。
豈止磁石針，雖合猶有間。
此外一子由，出處同偏遷。
晚景最可惜，分飛海南天。
糾纏不吾欺，寧此憂患先。
顧引一杯酒，誰謂無往還。
寄語海北人，今日爲何年。
醉裡有獨覺，夢中無雜言。⑥

他在〈夜夢〉詩引中說：「七月十三日，至儋州。十餘日矣，澹然無一事。學道未至，靜極生愁。」在百無聊賴之中，忽夢兒時「父師檢責驚走書」的緊張情態，「怛然悸寤心不舒，起坐有如掛鉤魚。」回顧「棄書事君四十年」的仕宦生涯中，「仕不顧留書繞纏」，他把自己與孔丘相比，「《易》韋三絕丘猶然，如我當以犀革編。」他過的的是「閑看樹轉午，坐到鐘鳴昏」⑦的生活，他感到孤獨：「從我來海南，幽絕無四鄰。耿耿如缺月，獨與長庚晨。」⑧他甚至度日如年：「此間海氣蒸溽不可言，引領素秋，以日爲歲也。」⑨在那貧病交迫的日子裡，蘇軾不斷調整自己動蕩的內心世界，如《書海南風土》一文，在描述海南風土之後，又引莊子的話以爲結：

> 嶺南天氣卑濕，地氣蒸溽，而海南爲甚。夏秋之交，物無不腐壞者，人非金石，其何能久。然儋耳頗有老人，年百餘歲者，往往而是，八九十者不論也。乃知壽夭無定，習而安之，則冰蠶火鼠，皆可以生。吾嘗湛然無思，寓此覺於物表，使折膠之寒，無所施其冽，流金之暑，無所措其毒，百餘歲豈足道哉！彼愚老者，初不知此特如蠶鼠生於其中，兀然受之而已。一呼之溫，一吸之涼，相續無有間斷，雖長生可也，莊子曰：「天之穿之，日夜無隙，人則固塞其竇。豈不然哉。」九月二十七日，秋霖雨不止，顧視幃帳，有白蟻升餘，皆已腐爛，感嘆不已。信手書。時戊寅歲也。⑩

對於海南卑濕蒸溽的生活環境，蘇軾唯有感嘆而已，以莊周語言以自釋。有時亦以陶淵明精神以自慰：

> 當歡有餘樂，在戚亦頹然。
> 淵明得此理，安處故有年。
> 嗟我與先生，所賦良奇偏。
> 人間少宜適，惟有歸耘田。
> 我昔墜軒冕，毫釐眞市廛。
> 困來臥重裀，憂愧自不眠。
> 如今破茅屋，一夕或三遷。
> 風雨睡不知，黃葉滿枕前。
> 寧當出怨句，慘慘如孤煙。

但恨不早悟，猶推淵明賢。⑪

蘇軾面對艱苦的環境，常常不自覺地把與過去玉堂生活相比較，這首和陶怨詩是如此，他的〈聞子由瘦〉詩，也流露了今昔對比的怨恨，因爲他在儋耳甚至難得肉食：

五日一見花豬肉，十日一見黃雞粥。

土人頓頓食諸芋，薦以薰鼠燒蝙蝠。

舊聞蜜唧嘗嘔吐，稍近蝦蟇緣習俗。

十年京國厭肥羜，日日蒸花壓紅玉。

從來此腹負將軍，今者固宜安脱粟。

人言天下無正味，蝍蛆未遽賢麋鹿。

海康別駕復何爲，帽寬帶落驚童僕。

相看會作兩臞仙，還鄉定可騎黃鵠。⑫

詩中該到土人吃諸芋、鼠、蝙蝠，他肉食少，將來一定很瘦，「還鄉定可騎黃鵠。」他寫了一篇〈菜羹賦〉也記下生活之艱難：「東坡先生卜居南山之下，服食器用，稱家之有無。水陸之味，貧不能致，煮蔓菁、蘆菔、苦薺而食之。」經常吃菜羹，這種貧窮的日子，蘇軾熬過來了，他以老莊思想支持自己，讓自己度過生活的難關。

蘇軾有獨立的精神和人格，處厄運時，思想沒有崩潰，並善於使自己在艱難困若的生活環境中獲得精神上的自我超脱，讓自己領悟到生的希望，敢於超然地面對人生。在海南島的生活，與以前黃州生活比較更加艱苦。處於這一境地，他也能自如地讓自己的精神從絕境中擺脱出來。他在〈與蘇元老書〉中寫道：「近來多病瘦瘁，不復如往日，不知餘年復得相見否？循、惠不得書久矣。旅況牢落，不言可知。又海南連歲不熟，飲食百物艱難，及泉、廣海舶絕不至，藥物鮓醬等皆無，厄窮至此，委命而已。

老人與過子相對，如兩苦行僧爾。然胸中亦超然自得，不改其度。」⑬我們再讀一讀他的〈試筆自書〉，就可領略到蘇軾的自我精神排遣達到何種境地：

> 吾始至海南，環視天水無際，淒然傷之，曰：「何時得出此島耶？」已而思之，天地在積水中，九州在大瀛海中，中國在少海中，有生孰不在島者？覆盆水于地，芥浮于水，蟻附于芥，茫然不知所濟。少焉水涸，蟻即徑去，見其類，出涕曰：「幾不復與子相見，豈知俯仰之間，有方軌八達之路乎？」念此可以一笑。戊寅九月十二日，與客飲酒小醉，信筆書此紙。⑭

面對困境，精神不被困擾，且能一笑置之；這是蘇軾精神上的難能可貴的超然物表的態度！由是，他以「回首向來蕭瑟處，也無風雨也無晴」⑮的人生的反省，靜適地自如地生活于海南黎民之間。

㈡與黎族百姓的親密情誼：

「坡公凡九遷」，連遭厄運。他每到一地，儘管是囚徒之身，但他還是關心當地百姓的疾苦，不獨困于個人的憂患之中。到了海南島，眼看海島農業落後，他積極勸農耕地。他說：「海南多荒田，俗以貿香爲業。所產秔稌，不足於食。乃以藷芋雜米作粥糜以取飽。予既哀之，乃和陶淵明〈勸農〉詩，以告其有知者。」⑯他認爲，「咨爾漢黎，均是一民」，五指山的黎民，都是中華民族兄弟，那麼，爲什麼海島卻這麼荒涼呢？「無禍爾土，不麥不稷。民無用物，珍怪是直。播厥熏木，腐餘是穡。」造成這種局面的根本原因是什麼呢？「貪夫污吏，鷹摯狼食。」他提出如此尖銳的問題，遠勝于惠州時期所寫的〈荔枝嘆〉！蘇軾滿懷深情地說，海南「豈無良田，膴膴平陸」，這大片肥沃的原野乃竟讓其荒廢，野獸橫行，「獸蹤交締，鳥喙諧穆。驚麏朝射，猛豨夜逐。」大家只好以「芋羹藷糜」充飢了。由是，他勸說海南百姓克服遊手好閒的陋習，用自己的勞動創造幸福生活，「聽我苦言，其福永久。利爾耡耜，好爾鄰偶。斬艾蓬藋，南東其畝。父兄搢梃，以抶遊手。」大家一致努力，使「春無遺勤，秋有厚冀」，等到秋天黃金季節，共同享受豐收之樂。「霜降稻實，千箱一軌。大作爾社，一醉醇美。」⑰他對海南百姓一腔熱忱，希望他們能改變貧困狀況。

慢慢地，他逐漸了解海南的歷史和海南的風俗人情；海南島是一個和平之島：「稍善海南州，自古無戰場。奇峰望黎母，何異嵩與邙。」⑱說海南島的黎母山，與中原河南府的嵩山、邙山無異。海南島富有民族文化傳統，從冼夫人治瓊起，黎漢團結，古文化粲然。他寫道：「馮冼古烈婦，翁嫗國於茲。策勳梁武后，開府隋文時。三世更險易，一心無磷緇，錦繖平積亂，犀渠破餘疑。廟貌空復有，碑版漫無辭。我欲作銘誌，慰此父老思。遺民不可問，僂句莫予欺。犦牲菌鳴卜，我當一訪之。銅鼓壺盧笙，歌此送迎詩。」蘇軾歌頌冼夫人的壯烈。據《北史．列女傳》所載：

> 譙國夫人冼氏，世爲南越首領，在父母家，撫循部眾，能壓服諸越，海南儋耳歸附者千餘洞。梁大同初，高涼太守馮寶聘以爲妻。高州刺史李遷仕反，夫人擊之，大捷。及寶卒，嶺表大亂，夫人懷集百越，數州宴然。陳永定二年，廣州刺史歐陽紇反，夫人發兵拒境，詔使持節冊夫人爲高涼郡太夫人，一如刺史之儀。陳亡，隋文帝安撫嶺外。晉王廣遣陳主遺書，喻以歸化，以犀杖兵符爲信。夫人驗知，盡日痛哭。冊夫人爲宋康郡夫人。王伯宣反，夫人進

> 兵至南海，親披甲，乘介馬，張錦傘，領彀騎，衛詔使裴矩巡撫諸州，嶺南悉定，封譙國夫人。賜物各藏于一庫，每歲時大會，皆陳于庭，以示子孫，曰：「我事三代主，惟用一好心，今賜物具存，此忠孝之報。」⑲

冼夫人是海南黎族古代的英雄、領袖，冼夫人祠在高州東門外。海南古老的風俗習慣「雞卜」，海南古老的音樂樂器「銅鼓壺盧笙」，〈嶺表錄異〉云：「蠻夷之樂，有銅鼓焉，形如腰鼓。而一頭有面鼓，面圓二尺許，與身連，全用銅鑄，其身遍有蟲魚花草之狀，通體均匀厚二分，已來鑪鑄之妙，實爲奇巧。擊之響亮，不下鳴鼉。」⑳又「胡盧笙，交趾人多取無柄老瓠，割而爲笙，上安十三簧，吹之音韻清響，雅衆律呂。」㉑對於海南的古代文化藝術，蘇軾心響往之，賦和陶擬古詩以贊頌。過去，唐相李德裕于宣宗大中二年貶崖州，宋代盧多遜、丁謂貶崖州，這些歷史人物，自來評價不同，但都卒于流所，同掩一丘。「來孫亦垂白，頗識李崖州。再逢盧與丁，閱世眞東流，斯人今在亡，未遽掩一丘。」㉒在懷古的喟嘆中，他進而描繪海南純樸的民風以及黎民對他的同情和友誼。詩云：「黎山有幽子，形槁神獨完。負薪入城市，笑我儒衣冠。生不聞詩書，豈知有孔、顏。翛然獨往來，榮辱未易關。日暮鳥獸散，家在孤雲端。問答了不通，嘆息指屢彈。似言君貴人，草莽棲龍鸞。遺我古貝布，海風今歲寒。」㉓黎族百姓送給他古貝布，他自己又用椰子製成椰子冠，「自漉疏巾邀醉客，更將空殼付冠師。規模簡古人爭看，簪導輕安髮不知。更著短簷高屋帽，東坡何事不違時。」㉔慢慢地，他與當地百姓交朋友。他說：「儋人黎子雲兄弟，居城東南，躬農圃之勞。偶與軍使張中同訪之。居臨大池，水木幽茂。坐客欲醵錢作屋，予亦欣然同之。名其屋日載酒堂。」詩云：「城東兩黎子，室邇人自遠。呼我釣其池，人魚兩忘返。使君亦命駕，恨子林塘淺。」㉕他到黎子雲兄弟家作客，受到熱情的接待：「客來有美載，果熟多幽欣。丹荔破玉膚，黃柑溢芳津。借我三畝地，結茅爲子鄰。鴂舌倘可學，化爲黎母民。」㉖他吃到甜美的丹荔、黃柑，蘇軾嚮往著自己「化爲黎母民」了。

蘇軾到南海，昌化軍使張中對他很好，多方照顧他，「賃官屋數間」居住下來，但章惇派董必前來查辦，徹治張中；幸得董必隨員中有一稱彭子民者，勸董必說：「人人家都有子孫」，使董必良心發現，只派一小吏過海清查，說是不許流人佔住官屋，將蘇軾父子逐出官舍，偃息城南南污池之側桄榔林下，不久，黎子雲和符林、王介石等出力幫忙，就地築室，運甓畚土以助之，張中來觀，助其畚鍤。《墓志銘》載：「安置昌化，初僦官屋以庇風雨，有司猶以爲不可，則買地築室爲屋三間。」㉗他在寫給鄭靖老的信中，說及這信事：「初賃官屋數間，居之，既不可住，又不欲與官員相交涉。近買地起屋五間一龜頭，在南污池之側，茂木之下，亦蕭然可以杜門面壁少休也。……小客王介石，有士君子之趣，起屋一行，介石躬其勞辱，甚于家隸，然無絲髮之求也。」㉘他在詩中也寫道：「萬劫互起滅，百年一踟躇。漂流四十年，今乃言卜居。且喜天壤間，一席亦吾廬。稍理蘭桂叢，盡平孤兔墟。黃橼出舊枿，紫茗抽新畬。我本早衰人，不謂老更劬。邦君助畚鍤，鄰里通有無。竹屋從低深，山窗自明疏。一飽便終日，高眠忘百須。自笑四壁空，無妻老相如。」㉙新居建成後，他心滿意足地住下來了：「朝陽入北林，竹樹散疏影。短籬尋丈間，寄我無窮境。歸居無一席，逐客猶遭屏。結茅得茲地，翳翳村巷永。數朝風雨涼，畦菊發新穎。俯仰可卒歲，何必謀二頃。」㉚而在遷居之夕，聞鄰舍兒誦書聲，欣然作詩：「幽居亂蛙黽，生理半人禽。跫然已可嘉，況聞弦誦音。兒聲自圓美，誰家兩青衿。且欣集齊咻，未敢笑越吟。……」㉛有時候，他獨自訪問黎族朋友，樂在其中，如〈被酒獨行，遍至子、雲、威徽、先覺四黎之舍，三首〉

其一

半醒半醉問諸黎，竹刺藤梢步步迷。

但尋牛矢覓歸路，家在牛欄西復西。

其二

總角黎家三四童，口吹蔥葉送迎翁。

莫作天涯萬里意，溪邊自有舞雩風。

其三

符老風情奈老何，朱顏減盡鬢絲多。

投梭每困東鄰女，換扇惟逢春夢婆。㉜

經常有儋人攜酒前來共飲，有時送他雞及酒，使他在寂寞的貶謫生涯中獲得一絲心靈的安慰。如〈縱筆〉三首：

其一

寂寂東坡一病翁，白鬚蕭散滿霜風。

小兒誤喜朱顏在，一笑那知是酒紅。

其二

父老爭看烏角巾，應緣曾現宰官身。

溪邊古路三叉口，獨立斜陽數過人。

其三

北船不到米如珠，醉飽蕭條半月無。

明日東家當祭竈。隻雞斗酒定膰吾。㉝

清代紀昀評此三首詩曰：「眞得好」，他所指的是于平澹中顯奇突的手法。蘇軾這組絕句，生動眞實地再現他在海南的生活、貧窮、寂寞，只有純樸熱情的海南父老的情誼，使這位遠謫天涯的老者獲得一絲溫暖和安慰。

蘇軾到海南，昌化軍使張中對他關懷備至，派兵以修繕倫江驛就房店爲名，爲蘇軾修理住宅，被罷任，蘇軾寫詩記述這位異鄉的知心朋友的情誼：

孤生知永棄，末路嗟長勤。
久安儋耳陋，日與雕題親。
海國此奇士，官居我東鄰。
卯酒無虛日，夜碁有達晨。
小甕多自釀，一瓢時見分。
仍將對床夢，伴我五更春。
暫聚水上萍，忽散風中雲。
恐無再見日，笑談來生因。
空吟清詩送，不救歸裝貧。㉞

張中戀戀不忍離去，他又寫〈和陶王撫軍座送客〉詩以送行，詩中有「汝去莫相鄰，我生本無依」，「懸知冬夜長，不恨晨光遲」句，接著又寫〈和陶答龐參軍〉三首送張中，贊揚張中文武全才，但「才智誰不知，功名嘆無緣。獨來向我說，憤懣當奚宣。」二人成爲互吐心曲的知己。

㈢著述與創作：

陸游說：「東坡在嶺海間，最喜讀柳子厚、陶淵明二集，謂之南遷二友。」㉟蘇軾到海南後，每天除日常生活如散步、沐浴之外，唯有讀書及著述了。但海南無書，他給程全文信裡說：「流轉海外，如逃空谷，既無與晤語者，又書籍舉無有，惟陶淵明一集，柳子厚詩文數策，常置左右，目爲二友。」㊱又「隨行有〈陶淵明集〉，陶寫伊鬱，正賴此爾。」㊲陶淵明集及柳宗元詩數冊成爲他案頭僅有的讀物。朋友來訪，寫詩贈別也是書柳子厚詩：「元符己卯閏九月，瓊守姜君來儋耳，日與予相從，庚辰三月乃歸。無以贈行，書柳子厚〈飲酒〉、〈讀書〉二詩，以見別意。子歸，吾無以遣日，獨此二事日相與往還耳。」㊳在此期間，惠州官吏鄭嘉會（靖老）以海船載書千餘卷，兩次海運至儋皆由廣州道士何德順爲之代致。鄭嘉會舶書至時，使過排列座隅，陶然就讀以慰寂寥：「此中枯寂，殆非人世，然居之甚安。諸史滿前，甚有與語者也。借書，則日與小兒編排整齊之，以須異日歸之左右也。」㊴他在得書時寫詩以謝，其引曰：「得鄭嘉靖老書，欲于海舶載書千餘卷見借。因讀淵明〈贈羊長史〉詩云：愚生三季後，慨然念黃虞。得知千載事，上賴古人書。次其韻以謝鄭君。」詩云：

我非皇甫謐，門人如摯虞。
不持兩鴟酒，肯借一車書。
欲令海外士，觀經似鴻都。
結髮事文史，俯仰六十踰。
老馬不耐放，長鳴思服輿。
故知根塵在，未免病藥俱。
念君千里足，歷塊猶踟躕。
好學眞伯業，比肩可相知。
此書久已熟，救我今荒蕪。
顧慚桑榆迫，久厭詩書娛。
奏賦病未能，草玄老更疏。
猶當距楊、墨，稍欲懲荊舒。㊵

有書可讀，兒子蘇過也與老父一起吟詩作畫，「過子詩似翁，我唱而輒酬。未知陶彭澤，頗有此樂不。」㊶「老可能爲竹寫眞，小坡今與石傳神。」㊷這種生活，也可自得其樂了。於是他繼續寫完專著《易傳》後，又續寫《書傳》。他在〈和陶雜詩〉中寫道：「餘齡難把玩，妙解寄筆端。常恐抱永嘆，不及丘明、遷。親友復勸我，放心餞華顛。虛名非我有，至味知誰餐。思我無所思，安能觀諸緣。已矣復何嘆，舊說《易》兩篇。」㊸他完成了易傳九卷，書傳十三卷。王文誥案：元符三年庚辰四月，公所作書傳成，題《易》、《書傳》、《論語說》。本集：〈題書、易傳、論語說〉云：「孔壁汲冢，竹簡科斗，皆漆書也，終于囊壞，景鐘石鼓益堅，古人爲不朽計亦至矣。然其妙意所以不墜者，特以人傳人耳。大哉人乎，易曰：神而明之，存乎其人。吾作《易》、《書傳》、《論語說》，亦粗備矣，嗚呼又何以多爲。」㊹《易傳》、《論語說》、寫于黃州時期，《書傳》完成于海南時期，可見，他在海南，邊與父老飲酒交往，邊完成自己一生宿願，爲繼承父志而修改、補充，撰寫完成這三部著作。

此外，他在海南，續寫下大量的和陶詩，並于紹聖四年（西元1097年）十二月，檢所寫和陶詩，凡一百九篇，爲書告弟轍使爲敘。蘇轍〈子瞻和陶淵明詩引〉云：「東坡先生謫居儋耳，置家羅浮之下，獨與幼子過負擔渡海，葺茅竹而居之，日啗藷芋，而華屋玉食之念不存于胸中。……於詩人獨好淵明，和其詩凡一百零九篇。」㊺蘇軾在揚州，寫〈和陶飲酒詩〉二十首，這是他進行和陶詩創作這個大工程的開始，到元符三年（西元1100年）在儋州寫完最後一首和陶詩〈和陶始經曲阿〉爲止，共得一百零九篇，「盡和其詩乃已」，他自己檢編全稿，自認爲「追和古人，則始于吾。」他作和陶詩的創作動機十分明確：自己「半生出仕，以犯世患，此所以深愧淵明，欲以晚節師範其萬一也。」

在儋州期間，蘇軾同年的後人劉沔編錄蘇軾詩文二十卷寄給他校正，他回信說：「蒙示書教，及所編錄拙詩文二十卷。軾平生以文字語見知于世，亦以此取疾於人，得失相補，不如不作之安也。以此常欲焚棄筆硯，爲瘖默人，而習氣宿業，未能盡去，亦謂隨手雲散鳥沒矣。不知足下默隨其後，掇拾編綴，略無遺者，覽之慙汗，可爲多言之戒。然世之蓄軾詩文者多矣，率眞僞相半，又多爲俗子所改竄，讀之使人不平。然亦不足怪。識眞者少，蓋從古所病。……今足下所示二十卷，無一篇僞者，又少謬誤。」㊻過去，蘇軾所作詩文，在烏台詩案時被家人燒掉一批，當他被逮捕搜查時，「既去，婦女恚罵曰：『是好著書，書成何所得，而怖我如此，此事定，重復尋理，十亡八九矣。」㊼後來陳師仲爲其編述〈超然〉、〈黃樓〉二集，他很高興，說：「見爲編述〈超然〉、〈黃樓〉二集，爲賜尤重。從來不曾編次，縱有一二在者，得罪日，皆爲家人婦女輩焚毀盡矣。不知今乃足下處。當爲刪去其不合道理者，乃可存耳。」㊽而現在，孤身海外，有下輩爲他輯編集子，在這顛沛流離的寂寥晚年，無疑是最大的安慰！他高興感慨之餘，又把蘇過贊揚一通：「軾窮困本坐文字，蓋願刳形去智而不可得者。然幼子過，文益奇，在海外孤寂無聊，過時出一篇見娛，則爲數日喜，寢食有味，以此知文章爲金玉珠貝，未易鄙棄也。」㊾蘇軾對于創作著述，至死不渝，在這艱難窮困的環境中，仍不停筆耕，寫出傳世之作。

㈣獻身教育：

蘇軾對海南儋州的貢獻，還在于他所爲之獻身教育事業。在儋州，他是流放的罪人，政事是無法插手了，但他爲民造福的心願不歇；在教育與培養年青人方面業績是十分顯著的。受他教育恩澤的有他周圍的年青人，也有是遠道通信教育的，如謝民師等。在島內，近親如對蘇過的教育，要求他手抄《唐書》及《前漢書》。

他在與程秀才書中說：「兒子到此，抄得《唐書》一部，又借得《前漢》欲抄。若了此二書，便是窮兒暴富也。呵呵。老拙亦欲爲此，而目昏心疲，不能自苦，故樂以此告壯者爾。」㊿他對兒子的寫作、讀書嚴格要求，使蘇過琴棋詩畫，都有成績，蘇軾曾遊城東學舍，寫和陶示周掾祖謝，即周續之、祖企、謝景夷三郎。詩云：「聞有古學舍，竊懷淵明欣。攝衣造兩塾，窺戶無一人。邦風方杞夷，廟貌猶殷因。先生饌已缺，弟子散莫臻。忍飢坐談道，嗟我亦晚聞。永言百世祀，未補平生勤。今此復何國，豈與陳、蔡鄰。永愧虞仲翔，絃歌滄海濱。」㊿虞仲翔是三國人虞翻，字仲翔，徙交州，雖處罪放而講學不倦，門徒常數百人，蘇軾以自己比虞仲翔而自愧，他看村塾先生「忍飢坐談道，嗟我亦晚聞。」大加贊揚，頗有感想，因而引起「永愧虞仲翔」之慨。在儋州的年青人中，如黎子雲、王霄、苻林等，瓊山秀才姜唐佐也從蘇軾學。〈別姜君〉書中寫道：「元符己卯閏九月，瓊守（誤，應爲士）姜君來儋耳日與予相從，庚辰三月乃歸。」㊾後來他遇赦北歸時，將自己用的端溪硯送給姜唐佐，並寫詩贈云：「滄海何曾斷地脈，白袍端合破天荒。」鼓勵他「異日登科，當爲子成此篇。」㊿蘇轍曾爲此事記敘云：「予兄子瞻謫居儋耳，瓊州進士姜唐佐往從之游，氣和而言道，有中州士人之風，子瞻愛之，贈之詩曰：『滄海何曾斷地脈，白袍端合破天荒。』且告之曰：『子異日登科，當爲子成此篇。』君遊廣州州學，有名學中。崇寧二年正月，隨計過汝南，以此句相示，時事瞻之喪，再逾歲矣。覽之流涕。念君要能自立，而莫與終此詩者，乃爲足之。」其詩補曰：「生長茅間有異芳，風流稷下古諸姜，適從瓊官魚龍窟，秀出羊城翰墨場。滄海何曾斷地脈，白袍端合破天荒。錦衣它日千人看，始信東坡眼目長。」54在蘇軾北歸後三年，姜唐佐舉鄉貢，王霄、陳功、李迪、劉廷忻等舉明經，杜介之舉文學。大觀三年，儋人符確成了海南歷史上第一個進士。其後「業精而行成，登巍科膺膴壯者繼踵而出。」㊺蘇軾在儋縣建載酒堂，在堂上講學。《儋州志．選舉志》序云：「吾儒自蘇文忠公開化，一時州中人士，王、杜則經述稱賢，應朝廷之聘；符趙則科名濟美，標瓊海之先聲。迄乎有元、荐辟卓著。明清之際，多士崛起，尙書薛遠、進士黃、王，登賢書者五十九人，列鄕元者三科兩解。人文之盛，貢選之多，爲海外所罕覯。」《瓊台記事錄》載：「宋蘇文忠公之謫居儋耳，講學明道，教化日興，瓊州人文之盛，實公啓之。」這是後人對蘇軾在儋州教育業績的肯定。

蘇軾流寓在儋州，自紹聖四年丁丑（西元1097年）七月二日至海南昌化，至元符三年庚（辰西元1100年）元月二十日渡海離開海南，整整三年時間。

元符三年正月十二日，哲宗崩，端王即位，是爲徽宗，皇太后向氏權同處分軍國事。大赦天下，東坡六十五歲，五月告下，仍以瓊州別駕，徙廉州安置。他寫信約秦觀在徐聞縣相會：「某已得移廉之命，治裝十日可辦。……約此月二十五、六間方可登舟。……有書託吳君雇壯夫來遞角場相等，但請雇下，未要發來。至渡海前一兩日，當別遣人去報也，若得及見少游即大幸也。」㊻臨走，作《峻靈王廟碑》云：「自念謫居海南三歲，飲鹹食腥，陵暴颶霧而得生還者，山川之神實相之。」㊼對於離島北歸，蘇軾感到驚喜，但已年老，知道很難一展鴻志了。其〈儋耳〉詩云：

> 霹靂收威暮雨開，獨憑闌檻倚崔嵬。
> 垂天雌霓雲端下，快意雄風海上來。
> 野老已歌豐歲語，除書吹放逐臣回。
> 殘年飽飯東坡老，一壑能專萬事灰。㊽

離開海南，依依不捨，寫〈別海南黎民表〉：

我本海南民，寄生西蜀州。

忽然跨海去，譬如事遠遊。

平生生死夢，三者無劣優。

知君不再見，欲去且少留。

臨行，儋州百姓，深情相送，表達他們對蘇軾的敬愛。他在儋州所養的狗，也隨他遷合浦，過澄邁，泅而濟，似懂人意。經澄邁寫下〈澄邁驛通潮閣〉二首，遼望海南廣闊的山水，「若有若無，杳杳一發」㉟寫詩抒發留戀海島的情懷。其中一首云：

餘生欲老海南村，帝遣巫陽招我魂。

杳杳天低鶻沒處，青山一發是中原。㊱

六月二十日夜渡海，蘇軾即將結束他的放逐天涯的日子，遠離海南了。

參橫斗轉欲三更，苦雨終風也解晴。

雲散月明誰點綴，天容海色本澄清。

空餘魯叟乘桴意，粗識軒轅奏樂聲。

九死南荒吾不恨，茲遊奇絕冠平生。㊲

南荒生活三年，蘇軾毫不悔恨，而且認爲這是一生中最值得慶幸的日子，「茲遊奇絕冠平生」句，總結了他海南三年的心境。

【附　註】

① 《蘇軾詩集》卷41〈行瓊、儋間，肩輿坐睡。夢中得句云：千山動鱗甲，萬谷酣笙鐘。覺而遇清風急雨，戲作此數句〉。

②③ 《蘇軾文集》卷58〈與張逢二首〉。

④⑤ 《蘇軾文集》卷55〈與程秀才三首（一）〉。

⑥ 《蘇軾詩集》卷41〈和陶連雨獨飲二首〉。

⑦　《蘇軾詩集》卷41〈入寺〉。

⑧　《蘇軾詩集》卷41〈和陶雜詩十一首〉（一）。

⑨　《蘇軾文集》卷55〈與程全父〉（十）。

⑩　《蘇軾文集》卷71〈書海南風土〉。

⑪　《蘇軾詩集》卷41〈和陶怨詩示龐鄧〉。

⑫　《蘇軾詩集》卷41〈聞子由瘦〉。

⑬　《蘇軾文集》卷60〈與姪孫元老四首〉（一）。

⑭　《蘇軾文集》第八冊《蘇軾佚文彙編》卷5〈試筆自書〉。

⑮　《蘇軾詩集》卷41〈獨覺〉。

⑯⑰　《蘇軾詩集》卷41〈和陶勸農六首並引〉。

⑱　同上〈和陶擬古九首〉。

⑲　引自《蘇軾詩集》卷41〈和陶擬古九首〉施注，可詳見《北史》卷91〈列女・譙國夫人冼氏〉。

⑳㉑　唐劉恂撰〈嶺表錄異〉卷上。

㉒　《蘇軾詩集》卷41〈和陶擬古九首〉（其七）。

㉓　《蘇軾詩集》卷41〈和陶擬古九首〉（其九）。

㉔　《蘇軾詩集》卷41〈椰子冠〉。

㉕㉖　《蘇軾詩集》卷41〈和陶田舍始春懷古二首并引〉。

㉗　《欒城集》卷22〈亡兄子瞻端明墓誌銘〉。

㉘　《蘇軾文集》卷56〈與鄭靖老四首〉。

㉙　《蘇軾詩集》卷42〈和陶和劉柴桑〉。

㉚　《蘇軾詩集》卷42〈新居〉。

㉛　同上〈遷居之夕，聞鄰舍兒誦書，欣然而作〉。

㉜　《蘇軾文集》卷42〈被酒獨行，遍至子、雲、威徽、先覺四黎之舍，三首〉。

㉝　《蘇軾詩集》卷42〈縱筆三首〉。

㉞ 《蘇軾詩集》卷42〈和陶與殷晉安別〉。

㉟ 陸游《老學庵筆記》卷九。

㊱㊲ 《蘇軾文集》卷55〈與程全父十二首〉（十一）（十）。

㊳ 《東坡志林》卷1〈別姜君〉。

㊴ 《蘇軾文集》卷56〈與鄭靖老四首〉（一）。

㊵ 《蘇軾詩集》卷41〈和陶贈羊長史并引〉。

㊶ 《蘇軾詩集》卷40〈和陶游斜川〉。

㊷ 《蘇軾詩集》卷43〈題過所畫枯木竹石三首〉。

㊸ 《蘇軾詩集》卷41〈和陶雜詩十一首〉（九）。

㊹ 王文誥《蘇文忠公詩編注集成總案》卷43。

㊺ 《欒城後集》卷21〈子瞻和陶淵明詩引〉。

㊻ 《蘇軾文集》卷49〈答劉沔都曹書〉。

㊼ 《蘇軾文集》卷48〈黃州上文潞公書〉。

㊽ 《蘇軾文集》卷49〈答陳師仲主簿書〉。

㊾ 《蘇軾文集》卷49〈答劉沔都曹書〉。

㊿ 《蘇軾文集》卷55〈與程秀才三首〉。

51 《蘇軾詩集》卷41〈和陶示周椽祖謝〉。

52 《東坡志林》卷1〈別姜君〉。

53 54 《欒城集》卷3〈補子瞻贈姜唐佐秀才詩敘〉。

55 李光《遷建儋州學記》。

56 《蘇軾文集》卷52〈答秦太虛七首〉（六）

57 《蘇軾文集》卷17〈峻靈王廟碑〉。

58 《蘇軾詩集》卷43〈儋耳〉。

59 《蘇軾文集》卷17〈伏波將軍廟碑〉。

60 《蘇軾詩集》卷43〈澄邁驛通潮閣〉。

61 《蘇軾詩集》卷43〈六月二十日夜渡海〉。

十三、在最後的日子裏：

在赴廉州的路上，他于徐聞與秦觀相會。六月二十五日將出發時，秦觀出挽詞一篇相質。蘇軾後來寫〈書秦太虛挽詞後〉云：「但自作挽詞一篇，人或怪之，予以謂少游齊死生，了物我，戲作此語，無足怪者。」七月四日至廉州貶所，五年南方的艱苦的貶謫生活，他內心深處自作檢討，決心不再求榮，永遠保持沉默。他說：「投畀遐荒，幸逃鼎鑊。風波萬里，顧衰病以何堪；煙瘴五年，賴喘息之猶在。憐之者嗟其已甚，嫉之者恨其太輕。考圖經止日海隅，其風土疑非人世。食有並日，衣無禦冬。淒涼百端，顛躓萬狀。恍若醉夢，已無意于生還。……此生敢更求榮，處世但知緘默。」①但是他尚未安定下來。八月十日，又接告命，遷舒州團練副使，永州居住。二十九日與幼子過離開廉州，九月六日至鬱林，聞秦觀卒於藤州。大慟當世失去第一流文人。一路經廣州、清遠、番禺，十一月得旨，復朝奉郎提舉成都玉局觀，在外軍州，任便居住。

徽宗建中靖國元年正月四日，度大庾嶺北歸。其贈詩云：「鶴骨霜髯心已灰，青松合抱手親栽。問君大庾嶺頭住，曾見南遷幾個回？」②曾敏行筆記中載：「東坡還至庾嶺上，少憩村店，有一老翁出，問從者曰：『官爲誰？』曰：『蘇尚書。』翁曰：『是蘇子瞻歟？』曰：『是也。』乃前揖坡，曰：『我聞人害公百端，今日北歸，是天祐善人也。』東坡笑而謝之，因題一詩于壁間。」③蘇軾對於北歸之後養老的住處，多所考慮。他曾寫信對胡仁修說：「某本欲居常，得舍弟書，促歸許下勘，今已決計泝汴，至陳留，陸行歸許矣。」④又給鄭嘉會信中說：「某鬚髮皆白，然體力元不減舊，或不即死，聖恩汪洋，更一赦，或許歸農，則帶月之鋤，可以對秉也。本意專欲歸蜀，不知能遂此計否？蜀若不歸，即以杭州爲佳。朱邑有言：『子孫奉祀我，不如桐鄉之民。』不肖亦云。然外物不可必，當更臨時隨宜，但不即死，歸田可必也。公欲相從於溪山間，想是眞誠之願，水到渠成，亦不須預慮也。此生眞同露電，豈通把玩耶。」⑤蘇軾在儋州時，鄭嘉會曾兩次送書過海給蘇軾，信中的話，是他肺腑之言，他願望回故鄉四川，其次是他二度任官的杭州，這時候他感到人生如露電，一倏即逝。在一生波折之後，北歸途中，不斷在考慮退隱地點。在給孫叔靜信中說：「得免湖外之行，余生厚幸。至莫，當求人至永請告敕，遂渡嶺歸陽羨，或歸潁昌，老兄弟相守，過此生矣。」⑥信中說及陽羨或潁與子由相守養老。在虔州，寫信給蘇伯固說：「某留虔州已四十日，雖得舟，猶在贛外，更五七日，乃乘小舫往即之。勞費百端，又到此，長少臥病，幸而皆愈，僕卒死者六人，可駭。住處非舒則常，老病唯退爲上策。子由聞已歸至潁昌矣。」⑦他經常想買一住處歸老：「龍舒聞有一官莊可買，已託人問之。若遂，則一生足食杜門矣。」⑧蘇軾路途疲憊，深知老家遙遠，很難回歸，於是打算歸常州，在子由的勸說下，決定至許昌。與李端叔書曰：「又得子由書，及見教語，尤切至，已決歸許下矣。但須至少留儀眞，令兒子往宜興，刮刷變轉，往還須月餘，約至許下，已七月矣。」⑨是時，路過金山，在金山寺中，尙留有李公麟所畫的蘇軾畫像，他自題詩一首，總結了他所走的艱難奮鬥的一生：

心似已灰之木，身如不繫之舟。

問汝平生功業，黃州惠州儋州。

這時候，在金山聞朝廷政局又有變化，向太后崩，曾布得勢，授意御史中丞趙挺之發動紹述之議，排擊元祐臣僚，朝廷內外，一片混亂，蘇軾深知曾布、趙挺之之姦詐，於是他決心不去許昌自投羅網，復致書子由，決計居常州。其書曰：

子由弟。得黃師是遣人賫來二月二十二日書，喜知近日安勝。兄在眞州，與一家亦健。行計南北，凡幾變矣。遭値如此，可嘆可笑。兄近已決從弟之言，同居潁昌，行有日矣。適値程德孺過金山，往會之，並一二親故皆在坐。頗聞北方事，有決不可往潁昌近地居者。今已決計居常州，借得一孫家宅，極佳。浙人相喜，決不失所也。更留眞十數日，便渡江往常。逾年行役，且此休息。恨不得老境兄弟相聚，此天也，吾其如天何！然亦不知天果於兄弟終不相聚乎？士君子作事，但只於省力處行，此行不遂相聚，非本意，甚省力避害也。候到定疊一兩月，方遣邁去注官，迨去般家，過則不離左右也。葬地，弟請一面果決。八郎婦可用，吾無不用也。更破千緡買地，何如？留作葬事，千萬勿徇俗也。林子中病傷寒十餘日，便卒，所獲幾何，遺臭無窮，哀哉！哀哉！兄萬一有稍起之命，便具所苦疾力辭之，與迨、過閉户治田養性而已。千萬勿相念，保愛！保愛！今託師是致此書。⑪

信中已說及政敵「安排攻擊者衆」，於是他毅然決定定居常州。

蘇軾舟行至儀眞，遇酷暑，一家長幼，多因中暑而臥病。六月一日，與米芾遇於白沙東園，話羅浮赤猿事，絕口不談時事。米芾後來記敘云：「辛巳中秋，聞東坡老以七月二十八日畢此世。季夏相值白沙東園，云羅浮尚見赤猿，後數入夢。」⑫其詩云：「方瞳正碧貌如圭，六月相逢萬里歸，口不談時經噩夢，心已懷蜀俟秋衣。前憐衆熱偏能捨，自是登眞限莫違。書到鄉人望還舍，晉陵雲鶴已孤飛。」⑬當時，蘇軾與米芾同去西山書院遊覽。米芾出太宗草聖及謝安帖求跋。眞州太守傅質邀同程之元爲蘇軾餞別，程之元出銀二百兩，並述是之元、之才意，稍助資斧，公不受，他們去後，即寫信與子由說：「程德孺兄弟出銀二百星相借，兄度手下尙未須如此，已辭之矣。德孺兄弟意極佳，感他！感他！數日熱甚，舟中揮汗寫此。」⑭是時酷熱，染疾，我們可從他給米芾的幾封信中，看其病情的發展：「兩日來，疾有增無減，雖遷閘外，風氣稍清，但虛乏不能食，口殆不能言也。」⑮「海外久無此熱，殆不堪懷。柳子厚所謂意象非中國人也。」⑯「某兩日病不能動，口亦不欲言，但困臥爾。……河水污濁不流，熏蒸成病，今日當遷過通濟亭泊。雖不當遠去左右，且就活水快風，一洗病滯。」⑰「某食則脹，不食則羸甚，昨夜通旦不交睫，端坐餉蚊子爾。不知今夕如何度？」⑱「某昨日飲冷過度，夜暴下，旦復疲甚。食黃薔粥甚美。」⑲「某一病幾不相見，今日始覺有絲毫之減，然未能作書也。跋尾在下懷。」⑳病中，還掛記著爲米芾寫書跋一事。病稍愈，寫信給子由說：「即死，葬我嵩山下，子爲我銘。」至六月十日，病稍愈，可扶杖而行。十二日從儀眞出發，一路上，謠傳蘇軾回朝拜相，眞州太守傅質寫信詢問，章惇當時已貶雷州，其子章援也寫信向蘇軾請求幫助，蘇軾回信安慰。六月十五日坐船至常州，住入顧塘橋孫家宅。這段時間，與錢世雄相會，傾談甚密。何薳曾記載一則佚事：

> 水華居士錢濟明丈嘗跋施能叟藏先生帖後云：建中靖國元年先生以玉局還自嶺海，四月自當塗寄十一詩，且約同程德孺至金山相候，既往迓之，遂決議爲毘陵之居，六月自議眞避疾，臨江再見于奔牛埭，先生獨臥榻上，徐起謂某曰：萬里生還，乃以後事相托也，惟吾子由自再貶及

歸，不復見一面決，此痛難堪，余無言者。久之復曰：某前在海外，了得《易》、《書》、《論語》三書，今盡以付子，願勿以示人，三十年後會有知者。因取藏篋欲開而鑰失匙。某曰：某獲待言方自此始，何遽及是也。即還寓孫氏館。一往造見，見必移時慨然追論往事，且及人間，出嶺海詩文相示，時發一笑，覺眉宇間秀爽之氣照映坐人。七月十二日疾少間，曰：今日有意喜近筆研試，爲濟明戲書數紙，遂書惠州〈江月〉五詩，明日又得跋桂酒頌，自爾病稍增，至十五日而終。㉑

蘇軾與錢濟明可謂生死之交，在流落定州、惠州的日子裏，經常通信互吐心曲，這次北歸，蘇軾遣人約他與程德孺同遊金山，定居常州也是與他相議決定的，常州孫宅也是錢濟明幫忙介紹的。在常州的短暫的日子裏，錢濟明陪他談舊，送藥給他治病。蘇軾家有黃筌畫的龍，及其他名畫，也請他來一同欣賞：

家有黃筌畫龍，拔起兩山間，陰威凜然。舊作郡時，常以祈雨有應，今夕具香燭試禱之。濟明雖家居，必不廢閔雨意，可來燔一炷香否？舊所藏畫，今正曝涼之，只今來閑看否？㉒

至十五日，熱毒轉甚，諸藥盡卻，其與錢濟明信云：

某一夜發熱不可言，齒間出血如蚯蚓者無數，迨曉乃止，困憊不甚。細察疾狀，專是熱毒，根源不淺，當專用清涼藥。已令用人參、茯苓、麥門冬三味煮濃汁，渴即少啜之，余藥皆罷也。莊生云在宥天下，未聞治天下也，如此不愈則天也，非吾過矣。楊評事謖與一來亦佳到此，諸親知所餉無一留者，獨拜蒸作之餽，切望止此而已。㉓

十八日命邁、迨、過侍側，謂曰：「吾生無惡，死必不墜，愼無哭泣以坦化。」㉔二十一日覺有生意，命適、過強扶而起，行數步。二十三日，睡方覺，徑山維琳投刺，驚嘆久之，乃邀與夜涼對榻。其與徑山維琳書曰：

> 某臥病五十日，日以增劇，已頹然待盡矣。兩日始微有生意，亦未可必也。適睡覺，忽見刺字，驚嘆久之。暑毒如此，豈耆年者出山旅次時耶？不審比來眠食何似？某扶行不過數步，亦不能久坐，老師能相對臥談少頃否？晚涼，更一訪，憊甚，不謹。㉕

二十五日，手書與維琳作別：

> 某嶺海萬里不死，而歸宿田裏，遂有不起之憂，豈非命也夫！然死生細故爾，無足道者，惟爲佛爲法爲眾生自重。㉖

蘇軾此時對于死生一事，心地坦然。建中靖國元年（西元1101年）七月二十八日，蘇軾湛然而逝。享年六十六歲。第二年六月癸酉（二十日）葬于汝州郟縣（今河南郟縣）釣台鄉上瑞里嵩陽之峨嵋山。一生著作，有《易傳》九卷、《書傳》十三卷，《論語說》五卷。《東坡集》四十卷，《後集》二十卷，《奏議》十五卷，《內制》十卷，《外制》三卷，《和陶詩》四卷。

當蘇軾噩耗傳出時，「浙西淮南、京東、河北之民相哭于市，其士君子奔吊于家，秦隴楚粵之間車塵馬跡所至，無賢愚皆咨嗟出涕，太學之士數百人相率飯僧慧林佛舍。陳師道方官京師，聞公訃亦卒，張耒在潁舉哀制服，坐貶黃州安置，黃庭堅懸像室中，奉之終身。」㉗李之儀《東坡挽詞》云：「從來憂患許追隨，末路文詞特見之。肯向虞兮悲蓋世，空塹賜也可言詩。炎荒不死疑陰相，漢水相招本素期。月墮星沉豈人力，輝光他日看豐碑。」㉘《宋史．本傳》載「先生文章爲百世之師，而忠義尤爲天下大閑，加以好賢樂善，常恐不及。是以訃聞之日，士民惜哲人之萎，朝野嗟一鑑之逝，皆出於自然之誠。」是時朝野上下，皆爲蘇軾逝世而一哭。

但是，蘇軾逝世尚未及葬，黨禍又復起，與司馬光等皆追削官爵，子孫不許官京師。九月詔籍元祐姦黨，侍制以上以蘇軾爲首惡，宰執以文彥博爲首惡，御書深刻立端禮門，二年癸未四月詔毀東坡文集、傳說、奏議、墨蹟、書、版、碑、崖說。㉙于全國禁蘇氏學。一代學者，死後乃遭如此對待，實在是天理難容，有雷擊黨籍碑的巧合。

不論宋人在黨禍中對蘇軾如何謗貶，蘇軾的高尚人格及其文化精神，後代自有公論。

【附　註】

①　《蘇軾文集》卷24〈將廉州謝上表〉。

②　《蘇軾詩集》卷45〈贈嶺上老人〉。

③　宋，曾敏行〈獨醒雜志〉。

④　《蘇軾文集》卷60〈與胡郎仁修三首〉（一）。

⑤　《蘇軾文集》卷56〈與鄭靖老四首〉（四）。

⑥　《蘇軾文集》卷58〈與孫叔靜三首〉。

⑦⑧　《蘇軾文集》卷57〈答蘇伯固四首〉（二）。

⑨　《蘇軾文集》卷52〈答李端叔十首〉（十）。

⑩　《蘇軾詩集》卷48〈自題金山畫像〉。

⑪　《蘇軾文集》卷60〈與子由弟十首〉（八）。

⑫⑬　米元章《寶晉英光集》卷4〈東坡挽詞敘〉。

⑭　《蘇軾文集》卷60〈與子由弟十首〉。

⑮⑯⑰⑱　《蘇軾文集》卷58〈與米元章二十八首〉（二十一）（二十

二）（二十三）（二十四）。

⑲⑳ 《蘇軾文集》卷58〈與米元章二十八首〉（二十六）（二十八）。

㉑ 何薳《春渚紀聞》卷6《東坡事實・坡仙之路》。

㉒ 《蘇軾文集》卷53〈與錢濟明十六首〉（十五）。

㉓ 《蘇軾文集》卷53〈與錢濟明十六首〉（十六）。

㉔ 《欒城後集》卷22〈亡兄子瞻端明墓誌銘〉。

㉕㉖ 《蘇軾文集》卷61〈與徑山維琳二首〉。

㉗㉙ 王文誥《蘇文忠公詩編註集成總案》卷45。

㉘ 李之儀《姑溪居士文集》卷11。

第二編　蘇軾的哲學社會思想

第三章　哲學思想（上）

一、我們的視角

探討蘇軾哲學思想，必須樹立兩個觀念：

第一、把蘇軾作爲一個普通的知識分子來考察。蘇軾是中國傳統文化重要的繼承者和發揚者，但他從不以一個傳道者的身份，用自己的論著去佈道說教。蘇軾是一個有獨特個性的普通的人，是一個對生活充滿樂觀精神的人，是一個擁抱自然大地的人，是一個具有宏博觀察能力的人，是一位正直善良而又有眞知灼見的人，是一位博學多才的人，而歸根結柢，他又是一位典型的封建時代的知識分子。

朱熹論學，把蘇軾的學術思想命爲蘇氏之學，也稱蘇學。蘇學作爲宋學的一支，在南宋已得到學者們的肯定。①朱熹認爲，蘇軾的學術，形而上者，曲成義理，形而下者，指陳利害，切近人情；他進一步肯定了蘇軾的文章氣概以及他的學術入人之深。這是因爲，蘇軾的思想，切近社會生活，生動活潑，能使「聽者欣然而不知倦」。癥結所在，就是蘇軾不是一個莫測高深的文人，不是一個神秘而不可了解的聖人；蘇軾是一個普普通通的人，一個普通的知識分子，他的躍動的活潑的性格，他的喜怒哀樂，他的思想脈搏，人們容易收受和把握，甚至會直接引發通感和產生共鳴。請讀《朱子語類》中一段記載：「草堂劉先生曾見元城云：『舊嘗與子瞻同在貢院。早起洗面了，遶諸房去胡說亂說。被他撓得不成模樣，人皆不得看卷子。乃夜乃歸張燭，一看數百副。在贛上相會，坐時已自瞌睡，知其不永矣，不知當時許多精神那裡去。』」②這樣的一個普通知識分子，有樂趣，愛「侃大山」，與朋友相處隨隨便便，後來生活遭受許多磨難，多麼實在的敘述。所以，我們要評述蘇軾的思想，先要打破對蘇軾的神秘感，這樣，對他的博大精深的哲學思想，就不難找到突破口了。

第二、蘇軾不僅是一個文學家，而且是一個思想家；我們應該把蘇軾當作一位哲學家來考察。蘇軾沒有輝煌的哲學方面的宏篇巨著；他的哲學思想，除了表現在《易解》、《書傳》、《論語說》等書外，見於他的史論、策論及書信中，靖國元年（西元1101年），他從儋耳北歸過虔州時，寫信給蘇伯固說：「某凡百如昨，但撫視《易》、《書》、《論語》三書，即覺此生不虛過。如來書所諭，其他何足道。」③對於自己的哲學著作，他是頗爲珍惜的，並把這三部書作爲自己傳世的不朽論著。在黃州寫信給滕達道時說：「某閑廢無所用心，專治經書。一二年間，欲了卻《論語》、《書》、《易》，舍弟了卻《春秋》、《詩》，雖拙學，然自謂頗正古今之誤，粗有益于世，瞑目無憾。」④在海南時寫信給李端叔云：「所喜者，海南了得《易》、《書》、《論語傳》數十卷，似有益于骨朽後人耳目也。」⑤他對自己的十年讀《易》是頗爲自得的，其《送蜀僧去塵》詩云：「十年讀《易》費膏火。」⑥對十年苦讀的成績引以自慰。蘇轍在《東坡墓誌銘》中也說：「先君晚歲讀《易》，玩其爻象，得其剛柔，遠近喜怒逆順之情，以觀其詞，皆迎刃而解。作《易傳》，未完，疾革，命公述其志，公泣受命，卒以成書，然後千載之微言，煥然可知也。复作《論語說》，時發孔氏之秘，最後居海南，作書傳，推明上古之絕學，多先儒未達。既成三書，撫之曰：『今世要未能信，後有君子，當知我矣。』」《易傳》凝結了蘇洵和蘇軾、蘇轍兩代人的心血，《書傳》是蘇軾讀《書》的心得積累，《論語說》則是他對儒家學說所作的發展，「時發孔氏之秘」，他在幾十年的人生歷程中，不斷對中國的文化、哲學進行探索，總結，著於翰墨，「欲造其淵」，他研究經術，闢新徑，創新解，立新義。今《論語傳》已佚，但從《易傳》和《書傳》中，蘇軾哲學思想的光輝灼然可見。

蘇軾是一個文學家，這已經是有口皆碑，在文學史上享有盛名，占著重要地位；然而，蘇軾的哲學思想，卻鮮爲學者論及。在哲學史著述中，僅侯外廬主編的《中國思想通史》曾略略提到；不過，這也是因爲敘述到洛學與蜀學時，爲了徹底否定「蜀學學風和蘇氏唯心主義思想」而論及的，遑論肯定蘇軾哲學思想中的精華！其實，對蘇軾哲學思想的認識，蘇軾的學生之一的秦觀，早已指出：「閣下謂蜀之錦綺，妙絕天下。蘇氏蜀人，其於組麗也獨得之於天，故其文章如錦綺焉。其說信美矣。然非所以稱蘇氏也。蘇氏之道最深于性命自得之際，其次則器足以任重，識足以致遠，至于議論文章，乃其與世周旋，至粗者也。閣下論蘇氏而其說止於文章，意欲尊蘇氏，適卑之耳。」⑦北宋的秦觀，追隨蘇軾而一生被貶奔波，他從自己對蘇學的領會中，所得出的結論是，如果僅僅讚許蘇軾的文章，看來似是尊蘇，而究其實是「卑蘇」，因爲蘇軾對當時哲學界熱烈探討的道德性命等重大哲學問題，有過很高的見解和作出了重要的貢獻。忽視蘇氏哲學，必然陷入片面。

把握這樣的視角，再對蘇軾哲學作面面觀，就會方便得多。

那麼，應該如何探究蘇軾的哲學思想呢？

朱熹在《雜學辨》中將蘇軾的學問歸入「雜學」，王安石與蘇軾論辯時，也認爲蘇學是「縱橫之學」。這些說法不無道理。縱觀蘇軾的一生，除在京師任翰林學士那短暫的歲月外，主要活動是任地方官吏，在宦遊生活中讀書、寫作，接受各地的歷史文化的薰陶，如蜀文化、秦文化、吳越文化、南粵文化都對蘇軾有極其深刻的影響。他的學問駁雜廣博，對各派學說兼收並蓄，各種思潮都對他的思想有所衝擊，這就形成蘇軾思想的複雜和多元。蘇轍在「東坡墓誌銘」中記載：「少與轍皆師先君，初好賈誼、陸贄書，論古今治亂，不爲空言。既而讀莊子，喟然嘆息曰：『吾昔有見於中。口未能言，今見《莊子》，得吾心矣。』乃出《中庸論》，其言微妙，皆古人所未喻，嘗謂轍曰：『吾視今世學者，獨子可與我上下耳。』既而謫居於黃，杜門深居，馳騁翰墨，其文一變，如川之方至，而轍瞠然不能及矣。後讀釋氏書，深悟實相，參之孔老，博辯無礙，浩然不見其涯也。」蘇轍與蘇軾，兄弟的骨肉親情不必說，他們一起成長，一起攻讀，一起中科舉，一起共患難，政治理想和學術主張一致，因此《墓誌銘》中對蘇軾所接受的哲學觀念的分析，是可以確信的。因爲蘇軾才氣橫逸，興趣廣泛，融納各家學說，並以開放的眼光，從自己所處的時代、文化環境、生活實踐出發，對傳統思想作多方面的探討和闡述。

二、蘇軾的自然觀

蘇軾對待自然的看法，中心點是從物質本身去尋找「道」。「道」這一哲學概念，是他哲學研討的最高範疇。

(1)「道」與「器」

何謂「道」？孔子歸之於「天命」，「五十而知天命。」⑧天是主宰人間禍福的人格神。老子則認爲「道」在「物」先，「有物混成，先天地生，寂兮寥兮，獨立而不改，周行而不殆，可以爲天下母。吾不知其名，強字之曰道。」⑨把「道」解釋爲超物質感覺的絕對精神、蘇軾在自已的哲學思考中，多次論到「道」。他對「道」的解釋，是從研討《易》生發的，他把「道」作爲自然的規律，作爲宇宙世界中人類共通的道理。他在《日喻》中曾用極其生動的比喻來說明「道」：

> 生而眇者不識日，問之有目者，或告之曰：「日之狀如銅槃。」扣槃而得其聲。他日聞鐘，以爲日也。或告之曰：「日之光如燭。」捫燭而得其形。他日揣籥，以爲日也。日之與鐘、籥亦遠矣，而眇者不知其異，以其未曾見而求之人也。道之難見也甚於日，而人之未達也，無以異於眇。達者告之，雖有巧譬善導，亦無以過于槃與燭也。自槃而之鐘，自燭而之籥，轉而相之，豈有既乎！故世之言道者，或即其所見而名之，或莫之見而意之，皆求道之過也。

顯然，「道」是一種客觀存在，是自然的規律，人們必須從客觀物質存在去了解「道」，不然，象眇者一般，陷于片面性。他強調「道可致而不可求」，所謂「致」，即孫武所說：「故善戰者，致人而不致於人。」⑩子夏所說的「百工居肆以成其事，君子學以致其道。」⑪即是掌握、控制的意思。對「道」也即自然規律的把握，是從對自然、宇宙、世界的全面理解中領會的，所以他反對「不學而求道」或「士雜學而不志於道」，或「士求道而不務學」，提倡從對客觀事物的探究中去獲得「道」。因爲「道」是寄寓在客觀的現象世界中的抽象，是籠罩萬物的，所以他說：

「夫道之大全也，未始有名，而《易》實開之，賦之以名；以名爲不足，而取諸物以寓其意。」⑫又說：「然平生學道，專于待外物之變，非意之來，正須理遣耳。」⑬這樣，道與物的關係是不可分的。爲了說明這種關係，他從《易》中引申出「道」與「器」兩個哲學範疇：「孔子以仁義禮樂治天下，老子絕而棄之或者以爲不同。《易》曰：形而上者謂之道，形而下者謂之器。」又說：「道者器之上，達者也。器者道之下，見者也，其本一也。化之者道也，裁之者器也，推而行之者一之也。」⑭「道」是存在于自然界中的規律，或者是原理法則，「器」是具體的事物，「器」涵蓋在道之中，所以是「道者器之上」，「器者道之下」，但「道」與「器」兩者又是統一於物質世界之中：「其本一也」。蘇軾對於自然的見解是十分明晰的。

(2)**「恆」與「變」**。

蘇軾多次論到「恆」與「變」這一對範疇。蘇軾意識到物質的運動原理。他從「器」的理論進而闡述「恆」與「變」，這也是著眼於社會生活來解析這一哲學觀念的。他在解釋蠱卦時說：「器久不用而蟲生謂之蠱，人久宴溺而疾生之謂之蠱，天下久安無爲而弊生之謂之蠱。《易》曰：蠱者，事也。夫蠱，非事也，以天下爲無事而不事事，則後將不勝事矣。」⑮「久」即是「恆」，當器物處於恆態時，內部已經在生變。「器」的運動規律必然會引向「變」。《易》曰：「終則有始，天行也。」他由時空觀而聯繫到社會現象：「則其治亂皆極其自然之勢，勢窮而後變。」；恆態是表面的，事物運動發展到了一定的極限，就會轉化，於是他進一步指出：

> 物未有窮而不變，故恆非能執一而不變，能及其未窮而變爾。窮而後變，則有變之形，及其未窮而變，則無變

之名，此其所以爲恆也。⑯

客觀的事物的變化是絕對的，變化的表現形態有所不同而已。所謂「恆」，不過是當變化未達到表面化而人們未明顯發覺之時的狀態。蘇軾在《易》的啓示下，意識到人們應該在運動過程中認識客觀事物的本質；同時，他又指出，恆與變還有相對的一面，事物內部往往有一種起主導作用的因素，決定事物的外化，換句話說，事物的外部各種變化狀態，常常被事物內部的一種本質所規定，於是，事物之間便有了質的規定性，故客觀世界事物之能夠變而不亂，保持著「變而不失其常」的狀態。他仍以《易》作根據，《易》曰：「天下之動，正夫一者也。」他又說：「天一於覆，地一於載，日月一於照，聖人一於仁，非二事也。晝夜之代謝，寒暑之往來，風雨之作止，未嘗一日不變也。變而不失其常，晦而不失其明，殺而不害其生，豈非所謂一者常存而不變故耶！聖人亦然。以一爲內，以變爲外。或曰：聖人固多變也歟？不知其一也，惟能一故能變。」⑰內在的「一」是本質的，外在的「變」是現象的，現象的複雜性被單一的本質所決定。論及政治變革時，也以「變」的哲學爲指導。他說：「夫天以日運，故建；日月以日行，故明；水以日流，故不竭；人之四肢以日動，故無疾；器以日用，故不蠹。天下者，大器也。久置而不用，則委靡廢放，日趨於弊矣。」⑱天下大器，政策體制，應該在變革中日新月異而健全。他的人生哲學的立論基underline也是「變」，著名的《赤壁賦》中蘇子對水月與客人抒懷時說：「客亦知夫水與月乎？逝者如斯，而未嘗往也。盈虛者如彼，而卒莫消長也。蓋將自其變者而觀之，則天地曾不能以一瞬。自其不變者而觀之，則物與我皆無盡也。」變與不變都是相對的，人生亦然。《易·繫辭傳下》有「窮則變，變則通，通則久」的說法，蘇軾把「變」

的哲理用來解釋現實生活中的問題。他又在《通其變使民不倦賦》中提出「通物之變民用無倦」的主張，說：「物不可久，勢將自窮。欲民生而無倦，在世變以能通。」⑲「天地變化，聖人效之，效之者，效其體一而周萬物也。」⑳天地萬物，只有在變化中才能發展，「變」是客觀世界消長過程中的一種平衡運動；他在談到水時曾說：「今夫水在天地之間者，下則爲江湖井泉，上則爲雨露霜雪，皆同一味之甘，是以變化往來，有逝而無竭。」㉑以「變」的觀念來觀察和處理各種事物，是蘇軾猜想到的辯證的哲學構想。

⑶**「動」與「靜」**

蘇軾在架構「變」的原理的時候，引發出「動」與「靜」這一對範疇。他在論述「動」與「靜」的對立統一的特徵時，發揮《易傳》的「動靜不失其時，其道光明」的思想，闡明自已的「動」「靜」觀。他說：「所貴於聖人者非貴其靜而不交于物，貴其與物皆入于吉凶之域而不亂也。故艮，聖人將有所施之，艮，止也，止與靜相近而不同，方其動而止之，則靜之始也。方其靜而止之，則動之先也。故曰：時止則止，時行則行，動靜不失其時，其道光明。」㉒把握動、靜的關係，特別是了解靜的性質，目的不是歸入虛無，而是讓人在實踐中逢事而不惶惑，當行則行，當止則止；「止」是靜之始和動之先的狀態，正確認識了「止」，處理好動靜關係，方能自覺地做到「動靜不失其時」。蘇軾自發地把矛盾的觀念引入他的哲學之中，在動、靜這對矛盾中，動是占據主導的地位，動是事物發展的根據。他舉孔子說易爲例：「仲尼贊《易》，稱天之德曰『天行健，君子以自強不息。』由此觀之，天之所以剛健而不屈者，以其動而不息也。惟其動而不息，是以萬物雜然各得其職而不亂，其光爲日月，其文爲星辰，其威爲雷霆，其澤爲雨露，皆生於動者也。使天而不知動，則其塊然者將腐壞而不能自持，況能以御萬物哉。」㉓聯繫到社會政治生活，則動靜又互相制約的。他提出：「非至逸無以待天下之勞，非至靜無以制天下之動。」㉔「動」又是一種創造力，對人類社會產生巨大的影響。因爲「動」能制「靜」，促使社會的平衡與發展。他在分析「教戰守」的道理時說：

> 天下之勢，譬如一身。王公貴人所以養其身者，豈不至哉，而其平居常苦於多疾。至於農夫小民，終歲勞苦，而未嘗告疾，此其故何也？夫風雨霜露寒暑之變，此疾之所由生也。農夫小民，盛夏力作，而窮冬暴露，其筋骸之所衡犯，肌膚之所浸漬，輕霜露而狎風雨，是故寒暑不能爲之毒。今王公貴人處於重屋之下，出則乘輿，風則襲裘，雨則御蓋，凡所以慮患之具，莫不備至。畏之太甚，養之太過，小不如意，則寒暑入之矣。是故善養身者，使之能逸而能勞，步趨動作，使其四體狃於寒暑之變，然後可以剛健強力，涉險而不傷。㉕

天下大勢，也與人體一般，只有在運動中，在與外界環境的作用中才能健全，經受得住風險。而在觀察社會政事時，則必須「先處晦而觀明，處靜而觀動，則萬物之情，畢陳于前。」「動」與「靜」兩者有時似乎是具有不可分性，從不同的角度對動靜作不同的把握；但是，以靜觀動，特別是在局外來觀察「動」，便能更全面、具體地把握事物的動與變。他舉例說：「夫操舟者常患不見水道之曲折，而水濱之立觀者常見之。何則？操舟者身寄於動，而立觀者常靜故也。弈碁者勝負之形，雖國工有所未盡，而袖手旁觀者常盡之。何則？弈者有意於爭，而旁觀者無心故也。」㉖對事物的動態的把握，要用客觀的冷靜的態度。爲什麼「不識廬山眞面目」？「只緣身在此山中」。就是因爲不能做到客觀的緣故。

(4)**「陰」與「陽」**

「陰」與「陽」是闡述行動變化原因的哲學概念。「陰陽」本來是運動的秩序，《易傳》中多次運用「陰陽」的概念來解釋自然和社會現象，如「一陰一陽謂之道，繼之者善也。」㉗「昔者聖人之作易也，幽贊于神明而生蓍，參天兩地而倚數，觀變于陰陽而立卦，發揮于剛柔而生爻。」㉘《易》中關於「陰陽」的觀念，蘇軾加以發揮，並將這對範疇的關係加以推證，說明宇宙世界發展過程的道理。當他在解釋《易傳》的「一陰一陽謂之道」時說：「陰陽果何物哉？雖有婁、曠之聰明，未有得其髣髴者也。陰陽交然後生物，物生然後有象，象立而陰陽隱矣。凡可見者皆物也，非陰陽也。然謂陰陽爲無有可乎，雖至愚知其不然也，物何自生哉。是故指生物而謂之陰陽，與不見陰陽之髣髴而謂之無有者，皆惑也。」㉙這裡指出了陰陽對於物質的支配作用。「陰」和「陽」的相互對立和互相交易，寓於一切具體事物的變化之中；「陰」與「陽」是促成事物發展變化的一種素質，「陰陽交而後生物」，物質的生成源於此。蘇軾對陰陽的理解，是從自然物質第一的意念出發的。有關此，朱熹從他唯心主義的「理」的意念的角度，進行反駁：「愚謂陰陽盈天地之間，其消息闔闢終始，萬物觸目之間有形無形無非是也。而蘇氏以爲象立而陰陽隱，凡可見者皆物也，非陰陽也，失其理矣。達陰陽之本者，固不指生物而謂之陰陽，亦不別求陰陽於物象之見聞之外也。」㉚很顯然，朱熹把陰陽當作一種理念，是充斥於宇宙間的一種先驗的抽象物，近於西方哲學中的絕對理念。然而，中國古代哲學與倫理密切結合，於是對陰陽的不同理解，必然導向對社會政治道德的不同主張。蘇軾說：「陰陽交而生物，道與物接而生善，物生而陰陽隱，善立而道不見矣。故曰繼之者善也，成之者性也，仁者見道而謂之仁，智者見道而謂之智，夫仁智，聖人之所謂善也。善者道之繼，而指以爲道則不可，今不識其人而識其子，因之以見其人，則可，以爲其人，則不可，故曰繼之者善也，學道而自其繼者始，則道不全。」㉛蘇軾把「道」看作是客觀存在的規律，聯繫到人類社會則是「性」，客觀規律與具體事相交接之後，才能產生「善」的社會意識，善是性的繼之者，對「道」的認識，是隨不同的主體而轉移的：「仁者見道謂之仁，智者見道謂之智。」朱熹則從「理」的心學角度論道，因此反對蘇軾的論辯，並斥之爲荒繆。他說：「愚謂繼之者，善言道之所出無非道也，所謂無也，物得是而成之，則各正其性命矣。而所謂道者，固自若也。故率性而行，則無往而非道，此所以天人無二道，幽明無二理，而一以貫之也。而曰：『陰陽交而生物，道與物接而生善，物生而陰陽隱，善立而道不見，善者道之繼而已，學道而自其繼者始，則道不全。』何其言之繆耶！且道外無物，物外無道，今曰道與物接，則是道與物爲二，截然各據一方，至是而始相接也，不亦繆乎。」㉜

這兩段辯駁說明，蘇軾的哲學思想與理學家的距離，幾乎到了水火不相容的地步。過去，論者以爲，蘇軾是北宋第一個高舉反理學的大旗的。我們雖然認爲這過甚其辭，但也不無道理。

蘇軾認爲「陰陽一交而生物，其始爲水。」㉝這一觀念，與古代五行說相同。蘇軾以水爲本：

> 陰陽之相化，天一爲水。六者其壯，而一者其稺也。夫物老死於坤，而萌芽於復。故水者，物之終始也。意水之在人寰也，如山川之蓄雲，草木之含滋，漠然無形而往

來之氣也。爲氣者水之生，而有形者其死也。死者鹹而生者甘，甘者能往能來，而鹹者一出而不復返，此陰陽之理也。㉞

這一「陰陽之理」，力圖說明自然界萬物的變化規律，生與死的交替，如水的鹹與甘的互換一樣，自然規律是不可抗衡的。他還以「陰陽消復之理」來評論時政，說明自然現象及社會生活的通理。如統治者害怕日食，認爲是陰象，蘇軾則在《御試制科策一道》裡，運用陰陽之理加以分析：

夫日食者，是陽氣不能履險也。何謂陽氣不能履險？臣聞五月二十三分月之二十，是爲一交，交當朔則食。交者，是行道之險者也。然而或食或不食，則陽氣之有強弱也。今有二人並行而犯霧露，其疾者，必其弱者也。其不疾者，必其強者也。道之險一也，而陽氣之強弱異。故夫日之食，非食之日而後爲食，其虧也久矣，特遇險而見焉。陛下勿以未食也爲無災，而其既食而復也爲免咎。臣以爲未也，特出於險耳。夫霪雨大水者，是陽氣融液汗漫而不能收也。諸儒或以爲陰盛。臣請得以理折之。夫陽動而外，其於人也爲嘘，嘘之氣溫然而爲濕。陰動而內，其於人也爲噏，噏之氣冷然而爲燥。以一人推天地，天地可見也。故春夏者，其一嘘也。秋冬者，其一噏也。夏則川澤洋溢，冬則水泉收縮，此燥濕之效也。是故陽氣汗漫融液而不能收，則常爲霪雨大水，猶人之嘘而不能噏也。今陛下以至仁柔天下，兵驕而益厚其賜，戎狄桀傲而益加其禮，蕩然與天下爲咻呴溫煖之政，萬事惰壞而終無威刑以堅凝之，亦如人之嘘而不能噏，此淫雨大水之所由作也。天地告戒之意，陰陽消復之理，殆無以易此矣。㉟

顯然，由於時代局限，蘇軾對於自然現象的解釋與當今的自然科學道理有極大距離，但他用陰陽消復之理來向統治者的迷信觀念作開導，又是極有見地的。他所總結的陰陽的消復，不外乎一個「變」字，也即《易》中所謂「一陰一陽謂之道」的「道」之變，並以此告誡統治者應遵循客觀規律辦事。這樣的觀念，是客觀的、切合實際的，與理學家從「心」「理」出發的陰陽觀是不同的。

⑸**「柔」與「剛」**

在「陰」與「陽」這對矛盾的轉化過程中，關繫密切的是「柔」與「剛」這對範疇。「陰陽」與「柔剛」的聯繫，在《易·否卦·彖辭》就指出過，「內陰而外陽，內柔而外剛，內小人而外君子，小人道長，君子道消。」《易·說卦傳》又說：「立天之道，曰陰與陽；立地之道，曰柔與剛；立人之道，曰仁與義。兼三才而兩之，故易六畫而成卦，分陰分陽，迭用柔剛，故易六位而成章。」《易》傳中的「剛」與「柔」的觀念，是一種寄寓，目的是藉以研討事物運動和相互轉化的辯證法，即是討論「變」，假定物質有「剛」和「柔」的兩面，矛盾著的對立面的轉化推動物質的運動發展。蘇軾根據《易》中所闡發的辯證觀念，探究矛盾相互作用從而推動自然界萬物的運動變化過程。

「剛」與「柔」的轉化觀念，《蘇氏易傳》中有較深刻的闡發，概括起來有這樣三個方面：

首先是剛柔分，動而明。

這是《易》䷔（下震上離）噬嗑卦的大傳中所提出的觀念，蘇軾意識到矛盾對立轉化的規律並借此以進行闡釋。他說：「噬嗑之時，噬非其類而居其間者也。陽欲噬陰以合乎陽，陰欲噬陽以合乎陰，故曰剛柔分，動而明也。」㊱「剛」和「柔」的對應範疇是「陽」與「陰」噬嗑卦，照傳統的說法，全卦是講飲食的，象傳在解釋卦辭時說：「頤中有物曰噬嗑。」本義原有上下牙齒相咬的意義。蘇軾把生活中一常見現象，上升爲一種事物的普遍性，賦予哲學意義。認爲，矛盾雙方，本不相容，一方必然要消滅另一方，使對方融入自己一方。蘇軾指出，這種矛盾的現象，是事物變化的動因,也是促使事物之間保持鮮明的質的規定性的前提。

其次是剛、柔相附而相濟。

蘇軾是針對☶☲（離下艮上）賁卦而發揮自己的觀點的。易傳云：「柔來而文剛，故亨，分剛上而文柔，故小利有攸往。」蘇軾析之曰：「剛不得柔以濟之，則不能亨，柔不附剛，則不能有所往。故柔之文剛，剛者所以亨也；剛之文柔，小者所以利往也。」㊲他又說：「夫柔之文剛也，往附于剛，以賁從人者也。剛之文柔也，柔來附之，以人從賁者也。」㊳上文所示，蘇軾對矛盾雙方的對立及其對事物的意義，有比較明確的認識；他同時又意識到，矛盾雙方有相互依存的密切關係，他發揮了《左傳》以來的關於矛盾互濟不足的思想，認爲剛與柔必然相附而且必須互濟，才能使事物獲得平衡,兩者相得益彰。

再次是剛柔相推。

《易・繫辭傳上》說：「剛柔相推而生變化。」指的是自然界中矛盾推動事物的發展變化。蘇軾依此作出他獨特的發揮：「得之則吉，失之則凶，此理之常者，以爲未足以盡吉凶之變也。故又曰剛柔相推而生變化，變化一生，則吉凶之至，亦多故矣。是以有宜若吉而凶，宜若凶而吉者。」所以他進一步指出：「夫剛柔相推而變化生，變化生而吉凶之理無定，不知變化而一之，以爲無定而兩之，此二者皆過也。天下之理未常不一，而一不可執，知其未嘗不一而莫之執，則幾矣。」㊴蘇軾肯定剛柔相推而促使矛盾的轉化，矛盾著的雙方在互相作用、互相推動中，構成物質的變化和發展。所以人們必須掌握客觀世界這種「相摩相蕩」的道理，才能以冷靜的客觀的態度觀察宇宙世界的變化。因此他又說：「是以聖人既明吉凶悔吝之象，又明剛柔變化本出於一，而相摩相蕩，至於無窮之理。」㊵矛盾雙方的對立變化，既統一又相互鬥爭，事物是在矛盾鬥爭的運動中轉化的。蘇軾發展了《易》中的辯證思想，這是他一生學《易》的心得結晶。他還把剛柔的矛盾觀念應用於觀察社會現實，這是他的獨創；不過，在現實的政治生活中能掌握剛柔適中，也不是很容易的。

蘇軾哲學中的自然觀，著眼於研究自然界和社會的發展變化規律；他破除了唯心主義者在對待自然界和社會時所造成的神秘感，以運動變化的觀念來考察自然界及人類社會的發展，並圍繞「道」爲中心，來闡釋他對規律的認識和探索。這種自然觀和認識論，又是與他的道德、倫理觀念有機地聯繫在一起的，形成了蘇軾特有的思想體系的一個組成部分。

【附　註】

① 《朱子文集》卷30《答汪尙書》書：「至若蘇氏之言，尙者出入有無，而曲成義理。下者指陳利害，而切近人情。其智識才辨，謀爲氣概，又足以震耀而張皇之，使聽者欣然而不知倦，非王氏之比也。」

② 《朱子語類》卷第130。

③ 《蘇軾文集》卷57〈答蘇子固〉。

④ 《蘇軾文集》卷50〈與滕達道〉。

⑤ 《蘇軾文集》卷52〈答李端叔〉。

⑥ 《蘇軾詩集》卷49〈送蜀僧去塵〉。

⑦ 《淮海集》卷30〈答傅彬老簡〉。
⑧ 《論語·爲政》。
⑨ 《老子》第25章。
⑩ 《孫子·虛實篇》。
⑪ 《論語·子張篇第十九》。
⑫ 《蘇氏易傳》卷8。
⑬ 《蘇軾文集》卷51〈與滕達道書〉。
⑭ 《蘇氏易傳》卷7。
⑮ 《蘇氏易傳》卷2。
⑯ 《蘇氏易傳》卷4。
⑰ 《蘇軾文集》卷6〈終始惟一時乃日新〉。
⑱ 《蘇軾文集》卷9〈御試制科策一道〉。
⑲ 《蘇軾文集》卷1〈通其變使民不倦賦〉。
⑳ 《蘇氏易傳》卷7。
㉑ 同註⑲。
㉒ 《蘇氏易傳》卷5。
㉓ 《蘇氏文集》卷8〈策略一〉。
㉔ 《蘇氏文集》卷8〈策略二〉。
㉕ 《蘇氏文集》卷8〈策別安萬民五〉。
㉖ 《蘇氏文集》卷36〈朝辭赴定州論事狀〉。
㉗ 《周易·繫辭上》。
㉘ 《周易·說卦傳》。
㉙ 同註⑳。
㉚ 《朱文公文集》卷72〈雜學辨〉。
㉛ 《蘇氏易傳》卷7。
㉜ 《朱文公文集》卷70〈雜學辨〉。

㉝　同註㉛。

㉞　《蘇氏文集》卷1〈天慶觀乳泉賦〉。

㉟　《蘇氏文集》卷9〈御試制科策〉。

㊱㊲㊳　《蘇氏易傳》卷3。

㊴　《蘇氏易傳》卷7。

㊵　同註㉛。

第四章　哲學思想（中）

蘇軾的自然觀，充滿著辯證因素；蘇軾對客觀事物和對人類社會，總是抱著一種實實在在的客觀態度去觀察，以一種冷靜的眼光去進行審視的。因此，他對於所身處的北宋社會中的各種學術思潮和各學派的見解也是廣泛地加以接受、吸取和敞開胸懷加以容納的。

三、儒學的信仰

蘇軾可謂宋儒之一大家！他之治儒學，與其他北宋文人一樣，一方面是通經明義，在對經典著作的大義加以鑽研和把握的基礎上，發揮自己的見解，如論《易》、《論語傳》、《書傳》；一方面是藉以議政，在闡明儒義，窮究儒術中來表達自己的政治理想。蘇軾的學術見解，雖然旁徵博引，滲入了許多思想脈絡，但他的思想體系的邏輯過程，應該說是嬗變於莊學，參證於佛學、禪學，而歸於儒學。

⑴儒學的理想藍圖

作爲一位封建時代的士大夫，蘇軾從小接受儒家學說的教育和薰陶，他也因此從幼年時代起，即在思想上生長出濃厚的儒學意識。蘇軾一生，顛沛流離，但他每到一地，仍然振奮精神，履行一個地方官的職責。《宋史本傳》錄下兩件事，從中可考察蘇軾所接受的儒學的陶染。一是母親程氏的教育：她以東漢《范滂傳》教育蘇軾爲人行事。在蘇軾一生中，無論處境順逐，都胸懷坦蕩，大節凜然，爲堅持正義而不屈不撓鬥爭。一是他在啓蒙學習中受書本的影響：「比冠，博通經史，屬文日數千言，好賈誼、陸贄書。」①賈誼是漢文帝時「通諸家之書」的儒士，文帝召爲博士，賈誼以儒治國。據《賈誼傳》載，他認爲漢朝「天下和洽，宜改正朔，易服色制度，定官名，興禮樂。乃革具其儀法，色上黃，數用五，爲官名悉更，奏之。」②爲漢朝更正各項法令。陸贄是唐德宗時名臣，他以天下爲己任，臧否時政，以儒學爲宗。蘇軾以他們的學習榜樣，建構自己的政治藍圖。當他在回憶當年（嘉祐元年辛丑〔西元1061年〕）與乃弟子由雙雙赴科舉考試時，內心深處的思想意識完全是以儒學爲指導的：「當時共客長安，似二陸初來俱少年。有筆頭千字，胸中萬卷，致君堯舜，此事何難。用捨由時，行藏在我，袖手何妨閒處看。身長健，但優游卒歲，且鬥尊前，」③展現了儒家的政治理想。潘蒼崖評東坡所寫的《范增論》時說：「子瞻祖其家學，氣燄赫奕，人多慕之。要之自六經出，則源深而流長，人見其正大溫粹，不知其所養者本也。」他自己在《上梅聖俞書》中也說：「執事愛其文，以爲有孟軻之風。」④蘇軾博覽經籍群書，思想上深愛六經儒學的影響。

蘇軾傚仿儒家先賢的意念也特別濃厚。這種對於儒家先賢的傚仿意識，是封建社會士大夫階層的氛圍中的一種必然。他所學的是儒家經典，所景慕的是儒家先哲和歷代崇尚儒學的人物。不難看出，蘇軾的思想，是以儒家爲軸心向外輻射，展現出一個開闊的多元的網絡式的體系結構。

蘇軾曾經論及一批儒者。透過這幾例，我們可以推衍他的儒學思想的本源。

對於孔子。蘇軾在《孟子論》中說：

> 昔者仲尼自衛反魯，網羅三代之舊聞，蓋經禮三百，曲禮三千，終年不能究其說。夫子謂子貢曰：『賜，爾以吾爲多學而識之者歟？非也，予一以貫之。』天下苦其難而莫之能用也，不知夫子之有以貫之也。是故堯、舜、禹、湯、文、武、周公之法度禮樂刑政，與當世之賢人君子百氏之書，百工之技藝，九州之內，四海之外，九夷八蠻之事，荒忽誕謾而不可考者，雜然皆列乎胸中，而有卓然不可亂者，此固有以一之也。是以博學而不亂，深思而不惑，非天下之至精，其孰能於此。⑤

蘇軾極贊孔子學問之淵博。他又曾頌孔子的治政氣概：「孔子以羈旅之臣，得政朞月，而能舉治世之禮，以律亡國之臣，墮名都，出藏甲，而三桓不疑其害己，此必有不言而信，不怒而威者矣。孔子之聖，見於行事，至此無疑也。嬰之用於齊也，久於孔子，景公之信其臣也，愈於定公，而田氏之禍不少衰。吾是以知孔子之難也，孔子以哀公十六年卒，十四年，陳恆弑其君，孔子沐浴而朝，告於哀公，請討之。吾是以知孔子之欲治列國之君臣，使如《春秋》之法者，至於老且死而不忘也。」⑥對孔子的政治主張和才能是十分敬慕的。

對於孟子，他則說：

> 自孔子後，諸子各以所聞著書，而皆不得其源流，故其言無有統要；若孟子，可謂深於《詩》而長於《春秋》者矣。其道始於至粗，而極於至精。充乎天地，放乎四處，而毫釐有所必計。至寬而不可犯，至密而可樂者，此其中必有所守，而後世或未之見也。⑦

蘇軾研究孔孟思想的著眼點，在於社會的道德倫理和政治現實。

他把孔孟學說放在橫向的網狀聯繫中去探求儒學所蘊藏的總體精神。首先他把握孔學的核心：「一以貫之」。「一以貫之」指的是什麼？根據孔子自己說法，他「吾道一以貫之」，即是以「仁」作爲他的「道」的核心；「仁」，用今天的語言表述，就是人倫，即人與人之間所構成的錯綜複雜的社會聯繫。處理和探討人之所以是人，人怎樣在社會關係中抑制自我，協調自己與周圍人的關係，使人與人之間的諸多關係得到和諧，人類在這個和諧的環境中得以繁衍和延續。這就是「仁」的內涵，也是孔子「一以貫之」的哲學概括。這一點，當代學者多所闡發。⑧而蘇軾的看法，也正與這些看法相近。因爲蘇軾對孔學的「一以貫之」的解析，同樣也是放在社會政治倫理生活中加以闡說的。政治上的法度禮樂刑政，學藝上的百家學說與百工技藝，大社會中的諸多生活相，之所以「卓然不可亂」，是「固有以一之也。」因此他推崇這「一以貫之」的「仁」是「天下之至精」；而孟子繼承孔學，「其道始於至粗，而極於至精」，也是置之於社會生活中加以衡量的。他強調「仁」與「義」爲孔孟學說之本，是「一以貫之」的精神，「不可勝用」。「仁」和「義」的哲學思想指導著蘇軾一生的實踐活動。

上文所述，《墓誌銘》及《本傳》論到賈誼、陸贄對他影響殊深，也是基於這「一以貫之」的「仁」的思想爲先導的。對於賈誼，是以賈誼的失敗爲訓，他肯定賈誼的超世之才是「王者之佐」，但不能「自用」，賈誼的政治理想及生命的夭折，在於他不能因勢利導。蘇軾以儒家的處世準則作出評論：「爲賈生者，上得其君，下得其大臣，如絳、灌之屬，優游浸漬而深交之，使天子不疑，大臣不忌，然後舉天下而唯吾之所欲爲，不過十年，可以得志。」由於賈誼「不知默默以待其變」，因而「自殘至此。」

⑨儒家的因勢利導的觀念，在他對賈誼的惋惜中鮮明地體現出來。他贊揚陸贄，主要肯定陸贄以儒學論政的得益。指出：「唐宰相陸贄，才本王佐，學爲帝師。論深切於事情，言不離於道德。智如子房，而文則過；辯如賈誼，而術不疎。上以格君心之非，下以通天下之志，三代已還，一人而已。」陸贄兼濟天下的儒家仁義忠厚的利民利政的觀念，切合實際的政治主張，蘇軾認爲是「聚古今之精英，實治亂之龜鑑。」⑩他又贊頌陸贄：「然私所敬慕者，獨陸宣公一人。家有公奏議善本，頃侍講讀，嘗繕寫進御，區區之忠，自謂庶幾於孟軻之敬主，且欲推此學於天下，使家藏此方，人挾此藥，以待世之病者，豈非仁人君子之至情也哉。」⑪從孔、孟到賈、陸，蘇軾都以他們爲自己的先導，並在自己的政治實踐過程中，使儒學的義理更加發揚。他一生的政治活動，得自儒學，這是無庸諱言的。

⑵**蘇軾儒家思想的幾個主要方面：**

北宋儒者具有一種獨立不屈的精神，他們效仿韓愈的氣概，自認爲是繼承儒學的第一流人物。歐陽修尊儒，認爲「仲尼之業，垂之六經，其道閎博，君人治物百王之用，微是無以爲法。」⑫把儒學作爲放之於四海而皆準的法則。他是在韓愈文章的薰陶下發展自己的儒學主張的。蘇軾尊崇師輩歐陽修，在《上梅直講書》中說：「軾七八歲，始知讀書，聞今天下有歐陽公者，其爲人如古孟軻、韓愈之徒。」⑬也把歐陽修與孔、孟、韓愈並列。蘇軾闡揚韓愈「匹夫而爲百世師，一言而爲天下法。」「文起八代之衰，而道濟天下之溺，忠犯人主之怒，而勇奪三軍之帥。豈非參天地，關盛衰，浩然而獨存者乎！」⑭顯然，宋儒中流行著一種浩然獨立的儒家意識，具有一種豪邁不屈的氣概。儒家在宋代的政治生活中，占據著首席的地位。

蘇軾的儒學，在時代氛圍的影響下，形成了自己的理論體系。

蘇軾的儒學理論，主要包括下列幾個方面：

第一，以人本思想爲核心的「仁」的觀念。

中國的人本思想，自魏晉形成爲一種哲學思潮之後，到了北宋，在哲學上著眼以人本思想來闡發儒家教義，成爲一種潮流，蘇軾對仁與義的儒家觀念的論說，也是以人本哲學爲出發點的。

「仁」是儒家思想的核心，蘇軾以人本哲學爲基本思想闡析這一哲學觀念。他從《易》中受到啓發：「《易》曰：『神而明之，存乎其人。』人存則德存，德存則無諸侯而安，無障塞而固矣。」⑮蘇軾解釋仁義以此爲軸心。如說：「聖人之道，造端乎夫婦之所能行，是以天下無不可學。而極乎聖人之所不能知，是以學者不知其所窮。夫如是，則惻隱足以爲仁，而仁不止於惻隱。羞惡足以爲義，而義不止於羞惡。」⑯「仁」必須從每一個普通人中體現出來，即「造端乎夫婦之所能行」，「仁」是人的個體的自我意識，在人的精神生活中，「惻隱足以爲仁」，當然「仁不止於惻隱」，義也如是。他進一步指出「仁」的本義說：「顏淵問仁，孔子曰：『非禮勿視，非禮勿聽，非禮勿言，非禮勿動。』夫視聽期於聰明而已，何與於禮。非禮勿視，非禮勿聽，是禮也，何與於仁。曰視聽不以禮，則聰明之害物也甚於聾瞽。何以言之？明之過也，則無所不視，掩人之私，求人之所不及；聽之過也，則無所不聽，浸潤之譖，膚受之愬或行焉。此其害，豈特聾瞽而已哉！故聖人一之於禮，君臣上下，各視其所當視，各聽其所當聽，而仁不可勝用也。」⑰這是蘇軾在解說《書義》時對「仁」的內涵的闡發。他是以孔子釋仁爲依據，「仁」就是「人」，也即承認人的獨立人格；「仁」的哲學是人的自身的自我意識的表現，人要自重，又要尊重他人。蘇軾從人本思想出發，接受孔子所說的「仁者人也」⑱這一精神，提倡「各視其所當視，各聽其所當聽」，在社會生活的人與人之間的關係中，各自都把自重與尊重別人的人格和行動，當作一種內在的欲求；同時，又以「禮」這一外在的道德標準加以約束，這樣一來，則「仁不可勝用也」。所以說「仁」是人的自我意識的自覺，「仁」的觀念也是蘇軾儒學思想的核心。

蘇軾以「仁」這一基本思想去構想客觀世界及人類的社會生活，他在論證「巽以申命」這一論題時，提出事物的發展靠的是「仁」，他說：「夫發而有所動者，不仁則不可久，不順則不可以行，故發而仁，動而順，而巽之道備矣。」⑲巽卦配於風，配於木，是爲測視事物發展運動的過程；要使之能變，變而不窮，必須以「仁」作爲準則。歸之於「仁」，才能使事物順乎自然地發展。蘇軾寫過一篇「記先夫人不殘鳥雀」的雜記，充分表現了他的「仁」的思想。

> 少時所居書堂前，有竹柏雜花叢生滿庭，眾鳥雀巢其上。武陽君惡殺生，兒童婢僕，皆不得捕取鳥雀。數年間，皆巢於低枝，其鷇可俯而窺。又有桐花鳳，四五日翔集其間。此鳥羽毛至爲珍異難見，而能馴擾，殊不畏人。閭里間見之，以爲異事。此無他，不忮之誠信於異類也。有野老言，鳥雀巢去人太遠，則其子有蛇鼠狐狸鴟鳶之憂，人既不殺，則自近人者，欲免此患也。由是觀之，異時鳥雀巢不敢近人者，以人爲甚於蛇鼠之類也，苛政猛於虎，信哉！⑳

全篇講的是愛鳥的故事。究其深意，在於一個「仁」字，篇末的「苛政猛於虎，信哉！」正顯出「仁」字的實質。凡人之情，皆出於「仁」，否則，其帶給社會的災禍是難以估量的。所以蘇軾提倡以「仁」治天下，「百官之衆，四海之廣，使其關節脈理，相通爲一。叩之而必聞，觸之而必應。夫是以天下可使爲一身。天子之貴，士民之賤，可使相愛。憂患可使同，緩急可使救。」㉑從「仁」的哲學思想而擴展到「仁政」的主張，已屬政治思想的範圍，下文再作詳述。

第二，闡釋儒家「禮」的觀念。

「禮」是儒學思想體系中的重要組成部分。「禮」是「仁」的哲學思想在社會生活中所體現的側面。孔子說：「丘聞之，民之所由生，禮爲大。非禮，無以節事天地之神也；非禮，無以辨君臣上下長幼之位也；非禮，無以別男女父子兄弟之親，婚姻疏數之交也。」㉒禮是一種外在的強制性的道德規範。蘇軾對於「禮」的觀念，是由孔學嬗變而來的，他所闡發的「禮」的意念，也幾乎是對孔門的「禮」的準則的重複。他提出：「禮之見於事業者也。孔子論三代之盛，必歸於禮之大成，而其衰，必本於禮之漸廢。君臣、父子、上下，莫不由禮而定其位。至以爲有禮則生，無禮則死。故孔子自少至老，未嘗一日不學禮而不治其他。」㉓他引用司馬遷的話，強調《春秋》者，禮義之大宗也。「夫禮義之失，至於君不君，臣不臣，父不父，子不子，其意皆以善爲之，而不知其義，是以被之空言而不敢辭。」㉔儒者析「禮」的涵義，完全被蘇軾所接受；他寫過一篇《禮以養人爲本論》，從人性感情的角度論禮，與論「仁」一樣，也是以人爲本析禮。所以蘇軾的「禮」，緣於儒學，但他在時代的人本思想的支配下，對「禮」的理解也有所發展。他提出「禮以養人爲本」的命題。首先，認爲「禮」緣於人情。蘇軾提出：「夫禮之初，緣諸人情，因其所安者，而爲之節文，凡人情之所安而有節者，舉皆禮也，則是禮未始有定論也。然而不可以出人情之所不安，則亦未始無定論也。

執其無定以爲定論，則塗之人皆可以爲禮。」㉕「禮」是帶普遍性的，「凡人情之所安而有節者」都存在「禮」。其次說明「禮」的內容。他說：「禮之大意，存乎明天下之分，嚴君臣、篤父子、形孝弟而顯仁義也。」再次是論述「禮」與「法」的關係，指出：「法者，末也。又加以慘毒繁難，而天下常以爲急。禮者，本也。又加以和平簡易，而天下常以爲緩。」㉖「禮」與「法」的關係，「禮」是本，「法」是末，因而國家的治理，就必需以「禮治」爲本了。

而且，蘇軾認爲「禮」的內容是隨著時代的發展而變化的，並非一成不變。他在《禮論》中，以變化觀念論「禮」的必然變化。指出，商、周時代的「禮」，是「在宗廟朝庭之中，籩豆、簠簋、牛羊、酒醴之薦，交於堂上，而天子、諸侯、大夫、卿、士周旋揖讓獻酬百拜，樂作於下，禮行於上，雍容和穆，終日而不亂。」後世，風俗變易，執禮者在倡導復古的風氣中，雖然所行之禮與商周同，但行禮者的心理狀態迥異：商、周時代的行禮者，「耳目聰明，而手足無所忤，其身安於禮之曲折，而其心不亂，以能深思禮樂之意，故其廉恥退讓之節，睟然見於面而盎然發於其躬。」而在「數千年以至於今」的北宋，雖然也襲古法，「習其俯仰，冠古之冠，服古之服，而御古之器皿，傴僂拳曲勞苦於宗廟朝廷之中，區區而莫得其紀，交錯紛亂而不中節。」㉗究其原因，是因爲時代變了，環境變了，「三代之時，席地而食，是以其器用，各因其所便，而爲之高下大小之制。今世之禮，坐於床，而食於床上，是以其器不得不有所變。」㉘時代的移易變化，「禮」必然隨之而變，否則只求形式上的類似，就會失去「禮」的意義。他說：「且方今之人，佩玉服黻冕而垂旒，拱手而不知所爲，而天下之人，亦且見而笑之，是何所復望於其有以感發天下之心哉！」㉙因此，「禮」的制定，也應隨時代而轉變；禮的內涵，也應在不同時代的要求下有所更易。蘇軾雖然嘆「天下之禮者宏闊而難言。」，但他對於「禮」的發展，誠然是有一種歷史觀念和歷史眼光的。

蘇軾將「禮」與「仁」相持並論。他在《仁說》中，反覆分析孟子所說的「仁者如射」與孔子的「克己復禮」的關係。他指出：「君子之志於仁，盡力而求之，有不獲焉，退而求之身，莫若自克。自克而反於禮，一日足矣。何也？凡害於仁者盡也。害於仁者盡，則仁不可勝用矣。故曰『非禮勿視，勿禮勿聽，非禮勿言，非禮勿動。』一不如禮，在我者甚微，而民有不得其死者矣。非禮之害，甚於殺不辜，不仁之禍，無大於此者也。」㉚「禮」和「仁」是儒家學說的兩個不同側面，「仁」是核心，「禮」是「仁」的行為準則。「仁」與「禮」，一旦體現於社會現實之中，二者的關係就是密切不可分的了！

第三，性論及中庸論。

在蘇軾哲學的邏輯結構中，「性」與「道」是同一的；不過，他認為「性」與「道」是在不同的場所表現的不同形態。《易．繫辭傳》曰：「一陰一陽謂之道，繼之者善也，成之者性也。」「性」與「道」一樣，是一個抽象的概念，《中庸》說：「天命謂之性」，性命之說，是儒家學說的重要內涵之一。蘇軾對儒家性命之說卻提出一些不同的看法和見解。

蘇軾面對北宋各學術流派盛行並存的現狀，重提儒學的「性命之說」。他指出：「夫性命之說，自子貢不得聞，而今之學者，恥不言性命，此可信哉！」㉛他把性命之說與中庸論聯繫在一起加以闡發，對儒家的學說進行一些修改和補充。

「性」是什麼？蘇軾作了一番辯析。他還是以《易》為依據，說：「《易》曰：『窮理盡性，以至於命。』可謂極矣。」如果在現實生活中貫徹這樣的理論，則可能獲得所希望的效果：「愚以謂窮理盡性，然後得事之眞，見物之情。以之事天則天成，以之事地則地平，以之治人則人安。」㉜把盡性作爲處事的原則，但是，問題在於如何看待「性」的實質。歷代儒者對性的理解各不相同，對此，蘇軾有自己的理論見解。

首先，指出儒者對「性」有不同的說法。他在《揚雄論》中說：「昔之爲性論者多矣，而不能定於一。始孟子以爲善，而荀子以爲惡，揚子以爲善惡混。而韓愈者又取夫三子之說，而折之以孔子之論，離性以爲三品，曰『中人可以上下，而上智與下愚不移。』以爲三子者，皆出乎其中，而遺其上下。而天下之所是者，於愈之說爲多焉。」㉝蘇軾對韓愈的「三品」說是有所非議的；雖然他尊韓愈「匹夫而爲百世師，一言而爲天下法」，但他對韓愈的理論，並非盲從。他在《韓愈論》裡指出：「韓愈之於聖人之道，蓋亦知好其名矣，而未能樂其實。何者？其爲論甚高，其待孔子、孟軻甚尊，而拒楊、墨、佛、老甚嚴。此其用力，亦不可謂不至也。然其論至於理而不精，支離蕩佚，往往自叛其說而不知。」㉞蘇軾爲什麼如此評判韓愈呢？因爲韓愈的性「三品」說，其理論根源是天命觀，認爲聖賢的才能是天受的，他以叔魚、楊食我之生的神秘描述來解釋性，無疑是一種非科學的態度。蘇軾所持的性說，認爲「性」與「道」一樣，是人們固有的一種屬性。他說：「儒者之患，患在於論性，以爲喜怒哀樂皆出於情，而非性之所有。夫有喜有怒，而後有仁義，有哀有樂，而後有禮樂。以爲仁義禮樂皆出於情而非性，則是相率而叛聖人之教也。老子曰：『能嬰兒乎？』㉟喜怒哀樂，苟不出乎性而出乎情，則是相率而爲老子之『嬰兒』也。」㊱性是人品中更根本的方面，而「

情」是在「性」的規範下產生的，人的感情受「性」所制約。因此，他又指出：「韓愈之說，則又有甚者，離性以爲情，而合才以爲性。是故其論終莫能通。彼以爲性者，果泊然而無爲耶，則不當復有善惡之說。苟性而有善惡也，則夫所謂情者，乃吾所謂性也。人生而莫不有飢寒之患，牝牡不欲，今告乎人曰：飢而食，渴飲，男女之欲，不出於人性也，可乎？是天下知其不可也。聖人無是，無由以爲聖；而小人無是，無由以爲惡。聖人以其喜怒哀俱愛惡欲七者御之，而之乎善；小人以是七者御之，而之乎惡。由此觀之，則夫善惡者，性之所能之，而非性之所能有也。且夫言性者，安以其善惡爲哉！雖然，揚雄之論，則固已近之。曰：『人之性，善惡混。修其善則爲善人，修其惡則爲惡人。』此其所以爲異者，唯其不知性之不能以有夫善惡，而以爲善惡之皆出乎性也而已。」㊲

蘇軾的性說，比歷代儒者高出一籌，其關鍵處在於他否定了性善論及性惡論，認爲性對於每一個人都是同樣的，並非什麼聖人性善而小人性惡，普通百性與統治者的「性」都是一致的，飲食男女，七情六欲，何有善惡之別？善惡僅是性所能之，而非性所固有。他力破儒者將人性先天地區分爲善惡，進而把「性」當作衡量每一個人的行爲標準。他還說：「夫太古之初，本非有善惡之論，唯天下之所同安者，聖人指以爲善，而一人之所獨樂者，則名以爲惡。天下之人，固將其所樂而行之，孰知夫聖人唯其一人之獨樂不能勝天下之所同安，是以有善惡之辯。而諸子之意，將以善惡爲聖人之私說，不已疎乎！」㊳追根究源，「性」並沒有善惡之論，而是後來根據自己的統治需要而強加上去的。

他進一步批評韓愈立論的主觀和片面。指出：「韓愈又欲以書傳之所聞昔人之事迹，而折夭三子之論，區區乎以后稷之歧疑，文王之不勤，瞽、鯀、管、蔡之迹而明之！聖人之論性也，將以盡萬物之天理，與衆人之所共知者，以折天下之疑。而韓愈欲以一人之才，定天下之性，且其言曰『今之言性者，皆雜乎佛、老』。愈之說，以爲性之無與乎情，而喜怒哀樂皆非性者，是愈流入於佛、老而不自知也。」㊴蘇軾對韓愈性論的論釋，鮮明地表達了自己對於性的理論和看法。他所主張的「性」，是聖人之所與小人共之，而皆不能逃焉，是眞所謂性也。「性」的哲理是具有普遍性的，不能因人而異。蘇軾的理論，對比其他儒者的唯心論斷來說，不能不承認他的智辨是高出一籌了。

其次，論述「性」與「才」的區別。

過去儒者對「性」的理論存在那麼多混亂的看法，原因何在？蘇軾指出是由於他們把「性」與「才」混爲一談。人類的「性」是一致的，但「才」則有高下。他說：「是未知乎所謂性者，而以夫才者言之。」他在指出「性」是聖人與小人所共通的這一道理之後，提出人之才「固將有所不同」。他以樹木爲例：「今夫木，得土而後生，而露風氣之所養，暢然而遂茂者，是木之所同也，性也。而至於堅者爲轂，柔者爲輪，大者爲楹，小者爲桷。桷之不可以爲楹，輪之不可爲轂，是豈其性之罪耶？天下之言性者，皆殺乎才而言之，是以紛紛而不能一也。」㊵他認爲，孔子並沒有提出「性」的善惡說，孔子所說的人分爲上中下三品，指的是「才」，後來儒者違背孔子的理論，提出各種錯誤的說法。蘇軾雖然也批評儒者關於性的各種異說，但實際上，他的出發點，也還是極力維護儒家性說的原始形態並加以尊重。他說：「孔子所謂中人可以上下，而上智與下愚不移者，是論其才也。而至於言性，則未嘗斷其善惡，曰『性相近也，習相遠也』而已。韓愈之說，則又有甚者，離性以爲情，而合才以爲性。是故其論終莫能通。」㊶他尖銳地指出善惡說的自相矛盾：「彼以爲性者，果泊然而無爲耶，則不當復有善惡之說。苟性而有善惡也，則夫所謂情者，乃吾所謂性也。」㊷蘇軾對性的辨說，表現了他的哲學思維的明晰性和敏銳性。

再次，蘇軾把性說與中庸說結合在一起進行討論。「中庸」是孔子學說中的方法論；「中」即「折和」，不偏不倚，無過無不及，「庸」即平常之意。《論語》中提及「中庸」處說：「中庸之爲德也，其至矣乎！民鮮久矣。」㊸《禮記．中庸》則進一步說：「執其兩端，用其中於民。」可見中庸之說，是一種調和事物矛盾的方法，即強調「允執其中」㊹「和而不同」，不讓矛盾激化，以求獲得安定平和的社會環境。但是孔子所主張的中庸是有一定原則的，這原則就是「禮」。《禮記》中《仲尼燕居》記載孔子與子貢一段對話：「子曰：『師也過，而商也不及。……』子貢越席而對曰：『敢問將何以爲此中者也？』子曰：『禮乎禮，夫禮所以制中也。』」「中庸」之論，並非無原則的調和。

蘇軾在接受儒家思想的同時，在「中庸」這一哲學範疇的承襲方面，發揚了儒家的學說。他的《中庸論》三篇，志在闡釋「中庸」的眞義。他自已說過，他寫《中庸論》的目的，在於對「昔之儒者」的駁難，力圖糾正過去儒者對「中庸論」的曲解。蘇轍《欒城遺言》云：「東坡遺文，流傳海內，中庸上、中、下篇，……今後集不載此三論，誠爲闕典。」

一種哲學理論的產生，往往會被不同的讀者從各個不同的角度加以理解和辨析；如果理解錯誤了，代代相傳，以訛傳訛，貽誤無窮。蘇軾辯中庸，是從對於儒學傳統中受一知半解所誤的現象提出批評開始的。他說：「甚矣，道之難明也。論其著者，鄙滯而不通；論其微者，汗漫而不可考。其弊始於昔之儒者，求爲聖人之道而無所得，於是務爲不可知之文，庶幾乎後世之以我爲深知之也。後之儒者，見其難知，而不知其空虛無有，以爲將有所深造乎道者，而自恥其不能，則從而和之曰然。相欺以爲高，相習以爲深，而聖人之道，日以遠矣。」㊺由於儒者對儒學的曲解，所以，人們對「道」的理解也受到障礙了。

蘇軾反對把子思的《中庸》當作「性命之說」。他認爲，《中庸》不過是孔子還沒有完成的遺書；主要內容有三，其始是「論誠明之所入」，講人格的道德美，即內心的誠實。其次是「論聖人之道所從始，惟而至於其所極。」講「道」這一哲理的來龍去脈。其卒是「始內之於《中庸》」，即論「中庸」這一哲理的內涵。㊻他把《中庸》這部書，作爲儒家對人的個性的自我完美的一部理論著作，是論述生命哲學的教科書，它研討了人格美的自我表現和追求人格的完善、完美的途徑，是對人的精神活動及行爲修養所必須遵循的道德規範。蘇軾對中庸的解釋，突出之處在於他把這一理論放在生活中的普通的生命哲理來理解，以實事求是的精神，將哲理普及化，讓每一個普通的人可意會，可言傳，懂得「中庸」爲何物；而不象後來朱熹的《四書集注》，以「理」和「心性」、「天命」來釋《中庸》，把人們帶進神秘的迷宮。

蘇軾《中庸論》的第一個論題，是論述人格修養所追求的最高境界「樂」；他從《中庸》的本義出發來進行闡釋。蘇軾引述說：「《記》曰：『自誠明謂之性，自明誠謂之教。誠則明矣，明則誠矣。』」《中庸》本來是《小戴禮記》的一篇文章，所以《記》即指《中庸》，《中庸》提出的「誠明」，是人所必須具備的道德準則。所謂「誠」，指內心的誠實；所謂明，指明察客觀的事理。由「誠」至「明」，是人天賦的本性；由「明」至「誠」，是後天教育的感化。「明」與「誠」兩者是相輔相成的。

蘇軾認爲「誠」就是「樂」。何謂「樂」？他用孔子的話來詮釋：「子曰：『知之者，不如好之者，好之者，不如樂之者。』」孔子的「樂」的含義，楊伯峻釋爲「因之醉心於其中」。也即人的自我修養達到自得其樂的境界。「樂之則自信」，具有獨立的自我價值了。而「明」則次一等；「明」僅僅是「知之之謂也」，「知之則達」，只是達到懂得、了解的階段而已。「樂」能使人獲得主動權，得到人的價值的自我實現；而「知」則是被動的。如果是以「樂」爲主，那麼「是故有所不知，知之未嘗不行。」㊼因此，聖人及賢人之辨，在於聖人是「樂者」，而賢人是「知者」；聖人是以「樂」先入爲主，賢人是以「知」先入爲主。所以，蘇軾繼而提出「君子之爲學，慎乎其始。」因「其所先入者，重也。」如果未能達到「樂」的境界，那麼不如不「知」更好；一切貴在內心的誠實，也即貴在人的本性，絲毫不掩蓋，不摻進任何雜質。爲了說明這一道理，蘇軾又以孔子及子路、子貢的區別爲例來說明「樂」。他說：「孔子蓋長而好學，適周觀禮，問於老聃，師襄之徒，而後明於禮樂，五十而後讀《易》。蓋亦有晚而後知者。然其所先得於聖人者，是樂之而已。」而孔子的弟子子路、子貢等人，在孔子患難時不能理解，他們「非不知也」，而是未能達到「樂」的境界，即「其所以樂之者未至也。」所以其弟子對其師「非專以求聞所未聞，蓋將以求樂其所有也。」如果僅僅停留於「知」的階段，那麼「可以居安，而未可與居憂患」，只有「憂患至，而後誠明辨。」蘇軾以「樂」作爲人生的最高境界來說明誠的內涵，因爲《中庸》中謂：「誠者，天之道也；誠之者，人之道也。誠者，不勉而中，不思而得，從容中道，聖人也。誠之者，擇善而固執者也。」㊽達到了人的內心坦蕩，人格修養高，人復歸於天性，所以不假力求，也就可以凡處事都達到了中庸的境地；性與中庸的接合點也就於此可見了。

蘇軾中庸論的第二個論題，是在論述「誠」即「樂」的基礎上，進而論述「明」的重要性，這是人格美創造要達到「誠」的重要台階。他說：「君子之欲誠也，莫若以明」。何謂「明」，蘇軾釋之日：「知之則達，故日明。」「明」指明察、聰睿、練達、洞悉一切。那麼，爲什麼在達到「樂」的自由境界之前，必須要強調「明」這一重要的因素呢？這是指對社會生活的本末的認識，只有明察事物的來龍去脈，才能「使吾心曉然，知其當然，而求其樂。」㊾他舉例說，有的事情，看來是違背「人情」的，但經過反覆分析，你就了解其必然性而自覺去履行了，比方『禮』，他說：「人情莫不好逸豫而惡勞苦，今吾必也使之不敢箕踞，而磬折百拜以爲禮；人情莫不樂富貴而羞貧賤，今吾必也使之不敢自尊，而損讓退抑以爲禮；用器之爲便，而祭器之爲貴；褻衣之爲便，而袞冕之爲貴；哀欲其速已，而伸之三年；樂欲其不已，而不得終日；此禮之所以爲強人而觀之於其末者之過也。」㊿禮之設，與人之情的自然狀態的要求相反，但是人們又必須了解「禮」之所由來，「反其本而思之」，探究事物的來龍去脈，才能豁然開朗。譬如「今吾以爲磬折不如立之安也，而將惟安之求，則立不如坐，坐不如箕踞，箕踞不如偃仆，偃仆而不已，則將裸袒而不顧，苟裸袒而不顧，則吾無乃亦將病之！夫豈獨吾病之，天下之匹夫匹婦，莫不病之也，苟爲病之，則是其勢將必至於磬折而百拜。由此言之，則是磬折而百拜者，生於不欲裸袒之間而已也。」(51)一件事物，從正反兩方面加以思考明察，便會得出其所以然的道理，蘇軾稱之爲「辨其所從生，而推之至於其所終極，是之謂明。」(52)

蘇軾認爲，對於客觀現實的認識，都是相對的，不可能達到絕對。《中庸》中所講的，君子所持的中庸之道，其作用是非常廣泛而精微的，「君子之道，費而隱。」普通百姓雖然愚昧，也可以懂得一些普通的日常道理，但是論及這些道理的精微之處，即使是聖人也會有所不知；至於實踐某些準則，百姓雖不賢，反而能實行，若要達到最高準則，則聖人也有所不能。由此觀之，君子所持之道，「推其所從生而言之，則其言約，約則明。推其逆而觀之，故其言費，費則隱。」必須洞察事物各個方面，才能「舉天下之至易，而通之於至難，使天下之安其至難者，與其至易，無以異也。」㊸「難」與「易」是相對的。

能「明」才能上升到「誠」的階段。蘇軾進而論及人必須憑本心即良心誠實地對待事物。他舉孟子的話爲例說：「孟子曰：『簞食豆羹得之則生，不得則死。呼爾而與之，行道之人弗受，蹴爾而與之，乞人不屑也。萬鐘則不辨禮義而受之，萬鐘於我何加焉。』」如果說，『向爲身死而不受，今爲朋友妻妾之奉而爲之，此之謂失其本心。』由此論及兩種人的態度，「且萬鐘之不受，是王公大人之所難，而以行道乞人之所不屑，而較其輕重，是何以異於匹夫匹婦之所能行，通而至於聖人之所不及。」人格完美的高下，不在於人的社會地位之高低，蘇軾強調人們都須「以求安其至難，而務欲誠之者也。」㊹因此，要達到誠的思想境界，必須以「明」爲思想前提。

蘇軾中庸論的第三個論題是闡釋中庸之爲方法論的含義。他的立論是，即使你能達到樂的境界，但又不能掌握中庸思想，「則其道必窮」。事情要做到適中是很難的，他引用《中庸》的話說：「《記》曰：『道之不行也，我知之矣，賢者過之，不肖者不及也。』」說明賢者實行時超過了，不肖者卻又達不到。要做到適中是一件困難的事，這正如《中庸》所講的：「天下國家可均也，爵祿可辭也，白刃可蹈也，中庸不可能也。」蘇軾說中庸是「既不可過，又不可不及」。他說對待中庸有兩種不同的態度，即「君子之中庸也，君子而時中。」「小人之中庸也，小人而無忌憚。」是否符合中道，是君子與小人之別。但是這兩種情況在現實生活中有時很難分得明白，因爲品格完美的人所履行的中庸之道，有時也被小人所利用，「竊以自便」，蘇軾不無感嘆地說道：「君子見危則能死，勉而不死，以求合於中庸。見利則能辭，勉而不辭，以求合於中庸。小人貪利苟免，而亦欲以中庸之名私自便也。此孔子、孟子所爲惡鄉原也。」㊺在社會生活中，經常是難以分辨的，鄉原之惡，在於他表面上貌似中庸，其實無惡不作，孔子　之爲「德之賊」。所謂「惡紫，恐其亂朱也。惡莠，恐其亂苗也。」「惡其似」。㊻所以對於中庸這一道理的實行，有時就難以分辨出好與壞的界限了；這也就是客觀事物的複雜性。

蘇軾的中庸論，也反映了他的正直剛毅的心志。他一生光明磊落，心懷坦蕩，在逆境中能自得其樂；這樣的人生態度，在他的中庸哲學理論中也得到折射的反映。

蘇軾的思想宏博混雜，兼收並容，但其主要核心，尤其是政治及教育方面，都以儒學爲宗，這一點是必須肯定的。

【附　註】

①　《欒城後集》卷22〈亡兄子瞻端明墓誌銘〉。

②　《漢書》卷48〈賈誼傳〉。

③　《東坡樂府箋》卷1〈沁園春〉（孤館燈青）。

④　《蘇軾文集》卷48〈上梅直講書〉。

⑤　《蘇軾文集》卷3〈孟子論〉。

⑥　《蘇軾文集》卷5〈論孔子〉。

⑦ 《蘇軾文集》卷3〈論孟子〉。

⑧ 匡亞明《孔子評傳》。

⑨ 《蘇軾文集》卷3〈賈誼論〉。

⑩ 《蘇軾文集》卷36〈乞校正陸贄奏議上進箚子〉。

⑪ 《蘇軾文集》卷59〈答虔倅俞括〉書。

⑫ 《歐陽修全集》下冊《崇文總目敘釋・儒家類》。

⑬ 《蘇軾文集》卷48〈上梅直講書〉。

⑭ 《蘇軾文集》卷17〈潮州韓文公廟碑〉。

⑮ 《蘇軾文集》卷2〈形勢不如德論〉。

⑯ 《蘇軾文集》卷2〈子思論〉。

⑰ 《蘇軾文集》卷6〈視遠惟明聽德唯聰〉。

⑱ 《禮記・中庸》。

⑲ 《蘇軾文集》卷2〈御試重巽以申命論〉。

⑳ 《蘇軾文集》卷73〈記先夫人不殘鳥雀〉。

㉑ 《蘇軾文集》卷8〈策別課百官三・決壅蔽〉。

㉒ 《禮記・哀公問》。

㉓㉔ 《蘇軾文集》卷2〈學士院試春秋定天下之邪正論〉。

㉕㉖ 《蘇軾文集》卷2〈禮以養人爲本論〉。

㉗㉘㉙ 《蘇軾文集》卷2〈禮論〉。

㉚ 《蘇軾文集》卷10〈仁說〉。

㉛ 《蘇軾文集》卷25〈議學校貢舉狀〉。

㉜ 《蘇軾文集》卷6〈乃言底可績〉。

㉝ 《蘇軾文集》卷4〈楊雄論〉。

㉞ 《蘇軾文集》卷4〈韓愈論〉。

㉟ 博奕本及其他古本都有「如」字，王弼本缺漏；蘇軾這句話，即據王弼本，這樣，文義未足，應據博本補上。

㊱　《蘇軾文集》卷4〈韓愈論〉。

㊲㊳㊴㊵㊶㊷　《蘇軾文集》卷4〈楊雄論〉。

㊸　《論語・雍也》。

㊹　《論語・堯曰》。

㊺㊻㊼　《蘇軾文集》卷2〈中庸論上〉。

㊽　《禮記・中庸》。

㊾㊿(51)(52)(53)(54)　《蘇軾文集》卷2〈中庸論中〉。

(55)(56)　《蘇軾文集》卷2〈中庸論下〉。

第五章　哲學思想（下）

四、老莊思想的蛻變

蘇軾思想的主導面為儒家思想。但他一生宦海浮沉，道路坎坷，中年以後，幾與患難相始終；當他受命運擺佈而發出「人間何處不巉巖」的感慨時，他的思想是複雜的！蘇軾學識廣博，勤奮讀書，除經傳子史外，佛學、道藏、小說、雜記，他都廣泛流覽，加上他有走萬里路的寬廣見聞和豐富的生活體驗，又接受中原、秦、楚、粵各地的文化影響，他的思想境界是開闊的。沈德潛說：「蘇子瞻胸有洪爐，金銀鉛錫，皆歸熔鑄。」①蘇軾的思想，儒家的進取觀念在前期比較濃重，「烏台詩案」之後，產生劇變，百天的烏台「煉獄」，賦予他一次冷靜地思考人生的機會；被貶黃州之後，他對莊學一拍即合，在對人的具體生命的心、性探討中，他逐步地把握到精神的自由和超脫的關鍵。蘇軾在黃州的不斷自我反省，使他從混亂、孤危、絕望的狀態中解脫出來，保持了精神上的純潔，恢復了生命的活力。這是蘇軾開始沖破儒家思想的禁錮，要從生活的壓迫及危機之中，回復人的生命力。因此，他接受老莊思想的熏染，在四十四歲被貶黃州之後，老、莊思想成為他的一種追求。

實際上，對於莊子本人及《莊子》這部書，蘇軾是保持著自己的看法的。在《莊子祠堂記》一文裡，他提到兩個問題：第一，莊子本歸於老子，老莊的道家思想是一致的。他說：「謹按《史記》，莊子與梁惠王、齊宣王同時，其學無所不闚，然要本歸於老子之言。故其著書十餘萬言，大抵率寓言也。」②指出老、莊思想同出一途。但是莊子思想與孔子思想也不是冰火不容，兩者也還是有相通互補的一面的。蘇轍在《墓誌銘》中也提到這一點，他寫道：「既而讀莊子，喟然歎息曰：『吾昔有見於中，口未能言，今見莊子，得吾心矣』。乃出《中庸論》，其言微妙，皆古人所未喻。」他沒有把莊學與儒學截然分開，而且經常讓兩者互相滲透。因而第二，他認爲「莊子蓋助孔子者」，這一點證明，蘇軾一生既尊儒學，又以莊學作爲他的精神支柱，兩者兼容而不悖，就是基於他對莊學和儒學的不可分割的關係的認識。蘇軾在闡述莊子「然要本歸於老子之言」的同時，立刻又提出不能片面認爲莊子「作《漁父》、《盜蹠》、《胠篋》以詆訾孔子之徒，以明老子之術。此知莊子之粗者。」點明持此說的人是因爲沒有全面理解莊子。他說：「余以爲莊子蓋助孔子者，要不可以爲法耳。」莊子的出世哲學，看似與儒家的入世哲學不同道，但在蘇軾看來，它們之間好似「陽擠而陰助之」，他猜測到辯證的觀念，並藉以看待儒學和莊學的同化與區別。他舉例說：「楚公子微服出亡，而門者難之。其僕操箠而罵曰：『隸也不力』。門者出之。事固有倒行而逆施者。以僕爲不愛公子，則不可；以爲事公子之法，亦不可。故莊子之言，皆實予，陽擠而陰助之，其正言蓋無幾。至於詆訾孔子，未嘗不微見其意。其論天下道術，自墨翟、禽滑釐、彭蒙、愼到、田駢、關尹、老聃徒，以至於其身，皆以爲一家，而孔子不與，其尊之也至矣。」③由此可知蘇軾的哲學脈絡，是在崇尚儒家的基礎上接受莊學的影響的。不過，他的儒家融合於現實生活的人際世俗，莊學融合於自然山水和對世俗心理的反抗，從而構成一種互補的心態。而當他接受莊學之後，對於他的人生觀及文學觀念的演變，其影響是無法估量的，它使蘇軾在不知不覺之間，消蝕了早年「致君堯舜，此事何難」（「沁園春」）的狂氣，更加使自己成爲一個具有理性智慧的、富於傳統美德的士大夫。

世界上一切問題本來就是複雜的，從來沒有單純的、一元的單一體；哲學思維更形繁複多樣，往往是多元的狀態。蘇軾的儒道思想的混雜，也說明這種現象。蘇軾所處的生活環境、所走的政治道路以及所受教育的影響，都是屬於儒家文化的系統，但蘇軾的性格卻酷愛自由，嚮往獨立個性，特別是在逆境中所必然產生的諸多逆反心理，又使他能在莊學王國中獲得精神的慰籍。他既承襲儒家的「仁」、「禮」的入世哲學，卻又接受老莊的虛靜超然的思想；他既立足於現實進行哲學的思考，又將眼光探射到精神世界的深處，從而形成思想上的崇尚儒學又附莊學的複雜狀態，讓莊學染成儒學的色彩。這也是中國封建社會特定環境中知識分子思想發展歷程的必由之路，也標誌著哲學思維的深化。

蘇軾所接受的老莊之學，使他身處逆境中能隨遇而安，自得其樂；表現在他的哲學思想上有三個層次。

⑴主客合一的「物化」、「物忘」觀念。

莊子講主客合一，是一種主觀的心靈境界。《齊物論》中說：「天地與我并生，萬物與我爲一。」這種「萬物爲一」的觀念，不是指客觀的萬物都具有普遍性的意義上立論，而是通過人的主觀的修養，在消除了個人的欲望及現實的成見之後，出現了一種泯滅主觀妄見，因而成爲無計較、無分別，主客萬物渾然一體的「玄理」境界。他在《莊子・在宥》中寫的：「意，心養。汝徒處無爲，而物自化，墮爾形體，吐爾聰明，倫與物忘。」就是這個意思。莊子以夢中化蝶釋「物化」更加形象。他說：「昔者莊周夢爲蝴蝶，栩栩然蝴蝶也，自喻適志與，不知周也。俄然覺，則蘧蘧然周也。不知周之夢爲蝴蝶與，蝴蝶之夢爲周與。周與蝴蝶則必有分矣，此之謂物化。」《莊子》中的「物化」、「物忘」的觀念，是「主客合一」、「物我合一」的哲學主張的表達。

這種忘我物化的「主客合一」的意念，蘇軾在他的人生體驗中，在他的哲學思考中，敞開胸懷雙手捧接，甚而成爲構成他後期人生觀的重要部分。

蘇軾從莊子接受「物化」的觀念，藉以探究主體和客體的聯繫中介。他要從此出發來尋找人的個性的解放途徑。蘇軾在《睡鄉記》中所創造的理想境界，是莊周思想啓示的結果。他所描繪的睡鄉之境，是一個虛妄的社會：「其政甚淳，其俗甚均，其土平夷廣大，無東西南北，其人安恬舒適，無疾痛札癘。昏然不生七情，茫然不交萬事，蕩然不知天地日月。不絲不穀，佚臥而自足，不舟不車，極意而遠遊。冬而絺，夏而纊，不知其有寒暑。得而悲，失而喜，不知其有利害。」④這是一種主客冥合而一之後而獲得精神自由的境界。蘇軾說，這樣的理想世界，唯莊周才能獲得；他歷數各代聖賢忙於世俗之爭，無法領略物化的樂趣。他舉的第一個例子是黃帝；「昔黃帝聞而樂之，閒居齋，心服形，三月弗克其治。疲而睡，蓋至其鄉。既寢，厭其國之多事也，召三臣而告之。凡二十有八年，而天下大治，似睡鄉焉。」繼而說堯舜無爲而治的盛世，「世以爲睡鄉之俗」，而後的「禹、湯股無胈，脛無毛，剪爪爲牲，以救天災，不暇與睡鄉往來」；至「武王克商還周，日夜不寢，曰吾未定大業。周公夜以繼日，坐以待旦，爲王作禮樂，伐鼓扣鐘，雞人號於右，則睡鄉之邊徼屢警矣。其孫穆王慕黃帝之事，因西方化人而神遊焉。騰虛空，乘雲霧，卒莫睹所謂睡鄉也。」到了孔子的時代，「有宰予者，亦棄其學而遊焉，不得其塗，大迷謬而返。戰國秦漢之君，悲愁傷生，內窮於長夜之飲，外累於攻戰之具，於是睡鄉始丘墟矣。」歷代的帝王儒者，皆無法體驗睡鄉之境，蘇軾認爲，只有莊周才能進入化境：「蒙漆園吏莊周者，知過之化爲蝴蝶，翩翩其間，蒙人弗覺也。」莊子之後，「山人處士之慕道者，猶往往而至，至則囂然而忘歸，從以爲之徒云。」他們附從於莊周的物化哲學，到了「樂而忘歸」的程度。蘇軾慨嘆自己「幼而勤行，長而競時」，因而無法達到這一境界，「卒不能至，豈不迂哉！」⑤莊子的夢蝶的「物化」，是他的所謂「天地與我並生，萬物與我爲一」⑥的宇宙觀的具體觀照，蘇軾認爲莊周化爲蝴蝶，翩翩於睡鄉，後代莊學之徒，也進入這一境界，「囂然而忘歸」。他們是精神上得到自由超脫的人，是主體個性得到獨立的人，而他自己還爲世俗所羈絆，因此尙不能達到這一化境。他所寫的《醉鄉記》，也同樣是他對理想中的生活境界的追求。

名篇《前赤壁賦》中有一段對話，也同樣體現了這種「物我合一」的物化觀念。他說：「客亦知夫水與月乎？逝者如斯，而未嘗往也。盈虛者如彼，而卒莫消長也。蓋將自其變者而觀之，則天地曾不能以一瞬，自其不變者而觀之，則物與我皆無盡也。而又何羨乎！且夫天地之間，物各有主。苟非吾之所有，雖一毫而莫取，惟江上之清風，與山間之明月，耳得之而爲聲，目遇之而成色，取之無禁，用之不竭，是造物者之無盡藏也。而吾與子之所共適。」⑦這種水月消長之理，變與不變之道，正如《齊物論》中所說的「喜怒哀樂，慮嘆變慹，姚佚啓態，樂出虛，蒸成菌。日夜相代乎前，而莫知其所萌。已乎，已乎！旦暮得此，其所由生乎！非彼無我，非我無所取，是亦近矣，而不知所爲使。」江月的消長變化，只要與人融合爲一，就能使人的精神獲得自我的主動權，不至被客觀所制約。

歐陽修自名「六一居士」，寫過《六一居士傳》，對自已作了客觀的估評：「吾家藏書一萬卷，集錄三代以來金石遺文一千卷，有琴一張，有碁一局，而常置酒一壺，客曰：是爲五一爾，奈何？居士日：以吾一翁老（一作老翁），於此五物之間，是豈不爲六一乎！」歐陽修以此爲名，是表明自己超然於客觀世界之外，讓自己醉心於書齋生活之中，自己與五物合一，苟如是，即可進入忘我之境。他說：「吾之樂可勝道哉，方其得意於五物也，泰山在前而不見，疾雷破柱而不驚，雖響九奏於洞庭之野，閱大戰於涿鹿之原，未足喻其樂且適也。」⑧但是，由於世俗所累，他「常患不得極吾樂於其間」，主要是兩個方面：「軒裳珪組，勞吾形於外；憂患思慮，勞吾心於內，使吾形不病而已悴，心未老而先衰，尙何暇於五物哉。」⑨蘇軾有感於乃師的感觸，寫《六一居士傳後》以表達自己對客觀事物的看法。他寫道：「挾五物而後安者，惑也。釋五物而後安者，又惑也。且物未始能累人也，軒裳圭組，且不能爲累，而況此五物乎？物之所以能累人者，以吾有之也。吾與物俱不得已而受形於天地之間，其孰能有之。而或者以爲己有，得之則喜，喪之則悲。今居士自謂六一，是其身均與五物爲一也，不知其有物邪，物之有也？居士與物均爲不能有，其孰能置得喪於其間？故日：居士可謂有道者也。雖然，自一觀五，居士猶可見也。與五爲六，居士不可見也。居士殆將隱矣。」⑩文中運用了莊子的論辯方法。莊子《養生主》篇有人之形乃受之於天的觀念，而蘇軾文中也發揮了「吾與物俱不得已而受形於天地之間」之說，莊子「齊物論」有莊周與蝴蝶物化之論，而蘇軾則有居士與五爲六，溶化一體的理解，主張忘物、忘我，才能到達超然的境界，讓個性能夠自由地舒展。

⑵蘇軾的「窮」、「達」觀。

莊子忘物我、忘得失的「忘我」、「忘形」的觀念，是蘇軾在遭受現實苦痛、思想陷入困惑時自我解脫、歸於達觀的理論依據。他在自己的論著中，多次明白地表述自己思想上的對於現實的超然態度，《超然臺記》就是這種人生態度淋漓盡致的表現。蘇軾寫道：

> 凡物皆有可觀。茍有可觀，皆有可樂，非必怪奇瑋麗者也。餔糟啜漓皆可以醉，果蔬草木皆可以飽。推此類也，吾安往而不樂。夫所爲求福而辭禍者，以福可喜而禍可悲也。人之所欲無窮，而物之可以足吾欲者有盡。美惡之辨戰乎中，而去取之擇交乎前，則可樂者常少，而可悲者常多。是謂求禍而辭福。夫求禍而辭福，豈人之情也哉。物有以蓋之矣。彼遊於物之內，而不遊於物之外。物非有大小也，自其內而觀之，未有不高且大也。彼狹其高大以臨我，則我常眩亂反覆，如隙中之觀鬥，又烏知勝負之所在。是以美惡橫生，而憂樂出焉。可不大哀乎。⑪

這就是老莊的不計禍福、安貧安賤、恬淡自適的人生哲學的寫照。他在黃州時作的《定風波》詞，又正是這一觀念的形象的表現：「莫聽穿林打葉聲，何妨吟嘯且徐行。竹杖芒鞋輕勝馬，誰怕，一蓑煙雨任平生。　　料峭春風吹酒醒，微冷，山頭斜照卻相迎。回首向來蕭瑟處，歸去，也無風雨也無晴。」⑫人生必須有忘情於得失的心境，對於人世間世事的變幻，有超然物外的態度，才能保持坦然的、寧靜的心境。《和陶讀〈山海經〉》（其十三）詩裡，也流露出一種蕭散達觀的思想意識：「東坡信畸人，涉世眞散材。仇池有歸路，羅浮豈徒來。踐蛇及茹蠱，心空了無猜。攜手葛與陶，歸哉復歸哉。」詩的本旨也歸結到莊子《大宗師》

篇中的哲學意念。蘇軾在《醉白堂記》裡，就是以「窮」「達」隨適觀念來贊美韓忠獻的：「死生窮達，不易其操，而道德高於古人。此公與樂天之所同也。公既不以其所有自多，亦不以其所無自少，將推其同者而自託焉。方其寓形於一醉也，齊得喪，忘禍福，混貴賤，等賢愚，同乎萬物，而與造物者遊，非獨自比於樂天而已。」⑬齊得喪的窮達觀念，也成爲蘇軾追求人生解放的一種有力的手段。

(3)**接受莊子虛、靜、明的心齋哲學**。

對於一個士大夫來說，莊學中的心齋的虛靜明觀念，無疑地是極富於吸引力的。蘇軾對莊學的汲取，莫過於對「心齋」的心領神會了。

「心齋」，據《莊子·人間世》的解釋：「回日：敢問心齋？仲尼日：若一志。無聽之以耳，而聽之以心。無聽之以心，而聽之以氣。聽止於耳，心止於符。氣也者，虛而待物者也。唯道集虛。虛也者，心齋也。」⑭心齋是虛，即指人的精神主體必須擺脫一切欲念，從而獲得精神的自由。這樣，莊子的「心齋」又釋爲虛、靜、明。虛、靜、明就其實質而言，指的就是一種「心齋」修養。他在《天道》篇中解釋道：「聖人之靜也，非日靜也善，故靜也。萬物無足以撓心者，故靜也。水靜則明燭鬚眉，平中準，大匠取法焉。水靜猶明，而況精神。聖人之心靜乎，天地之鑒也，萬物之鏡也。夫虛靜恬淡、寂寞無爲者，萬物之本也。」而「明」呢？《庚桑楚》中謂「正則靜，靜則明，明則虛，虛則無。」故虛、靜、明三者是互相附合，互爲因果的。蘇軾對莊子的虛靜明的意念一拍即合，不過又略有改變。他將儒家的剛直不阿的生活態度聯結心境的虛靜明，在《思堂記》中闡發了這種思考：

余天下之無思慮者也！遇事則發，不暇思也。未發而

> 思之，則未至。已發而思之，則無及。以此終身，不知所思。言發於心而衝於口，吐之則逆人，茹之則逆余。以爲寧逆人也，故卒吐之。君子於善也，如好好色；其於不善也，如惡惡臭。豈復臨事而後思，計議其美惡，而避就之哉！是故臨義而思利，則義必不果，臨戰而思生，則戰必不力。若夫窮達得喪，死生禍福，則吾有命矣。……且夫不思之樂，不可名也。虛而明，一而通，安而不懈，不處而靜，不飲酒而醉，不閉目而睡。將於是記思堂，不亦繆乎。⑮

這裡，充分表露了他的儒道合一的思維結構。他認爲「萬物並育而不相害，道並行而不相悖。」⑯其以老莊思想爲內涵的虛靜明觀念，是附合於儒學的坦蕩和誠明的思想本質的。首先要使人格純美，心胸坦白眞誠，才能正確地對待「窮達得喪，死生禍福。」也只有在這樣的思想基礎上，才能達到「虛而明，一而通，安而不懈，不處而靜」的境界。他解釋「虛」與「靜」的心理定勢是：「虛而一，直而正，萬物之生芸芸，此獨漠然而自定，吾其命之曰靜。」⑰眞正達到了靜的境界，就會出現物我皆空的感受：「無古無今，無生無死，無終無始，無後無先，無我無人，無能無否，無離無著，無證無修。」⑱但這也不是完全超然。他認爲，所謂「靜」的態度是在社會的大環境下產生的，並沒有脫離現實人間。他曾在一首《送參寥師》詩中寫道：「退之論草書，萬事未嘗屏。憂愁不平氣，一寓筆所騁，頗怪浮屠人，視身如丘井。頹然寄淡泊，誰與發豪猛。細思乃不然，眞巧非幻影。欲令詩語妙，無厭空且靜。靜故了群動，空故納萬境。閱世走人間，觀身臥雲嶺。鹹酸雜衆好，中有至味永。」⑲蘇軾的「空」與「靜」，與莊子有同有異。所同者，都把「靜」作爲一種精神上的淨化；「

靜」的境界，歸結爲人的精神已超越了社會生活的喜怒哀樂，死生禍福，象徵著精神的解放。所不同的，是蘇軾主張這種以虛靜爲體的心靈世界，挾雜著濃烈的人情味，涵融著他生活體驗中的激蕩心境，就以「靜故了群動，空故納萬境」這兩句名言看來，也正是這種心境的表徵。「靜」是爲了「了群動」，「空」是爲了「納萬境」，他的虛靜的思想，與儒家的入世哲學仍然滲雜在一起。

這樣看來，老莊的「虛空」的哲學，對蘇軾來說，既是一種純粹思辨的思考，也是一種人生的手段，因爲籍此他可以排遣人生的得失與苦樂情緒，進而在逆境中能持泰然自若的態度。《黠鼠賦》就是從墜鼠狡計而論及人生得失觀：「汝惟多學而識之，望道而未見也。不一於汝，而二于物，故一鼠之齧而爲之變也。人能碎千金之壁，不能無失聲於破釜；能搏猛虎，不能無變色於蜂蠆。此不一之患也。言出於汝，而忘之耶？」⑳在受了黠鼠之騙的頓悟中，以超然的態度去理解人世間的得失，從而採取「俛而笑，仰而覺」的灑脫態度。他一向嚮往一種順其自然的生活情趣，在超思逸想中構思自由的生活境界。《秋陽賦》裡，他以朗朗笑聲，回答「越王之孫」某「賢公子」，此公子自命心如「秋陽之明」，氣如「秋陽之清」，並以此自樂。蘇軾因此而伸述自己的苦樂觀。他說：「公子何自知秋陽哉？生於華屋之下，而長遊於朝庭之上，出擁大蓋，入侍幃幄，暑至於溫，寒至於涼而已矣。何自知秋陽哉？若予者，乃眞知之。方夏潦之淫也，雲烝雨泄，雷電發越，江湖爲一，后土冒沒，舟行城郭，魚龍入室。菌衣生於用器，蛙蚓行於幾席。夜違濕而五遷，晝燎衣而三易。是猶未足病也。耕於三吳，有田一廛。禾已實而生耳。稻方秀而泥蟠。溝塍交通，牆壁頹穿。面垢落塈之途，目泣濕薪之煙。釜甑其空，四鄰悄然。

鸛鶴鳴於戶庭，婦肎興而永嘆。計有食其幾何，矧無衣於窮年。忽釜星之雜出，又燈花之嘆息。清風西來，鼓鐘其鏜。奴婢喜而告余，此雨止之祥也。蚤作而占之，則長庚澹澹其不芒矣。浴於暘谷，升於扶桑。曾未轉盼，而倒景飛於屋梁矣。方是時也，如醉如醒，如瘖而鳴。如痿而起行，如還故鄉初見父兄。公子亦有此樂乎？」只有飽受人間艱辛之後，才能眞正領受大自然所賜予的自然之樂趣。

蘇軾之所以接受老莊哲學，是在烏台詩案備受煉獄之苦以後才眞正領略其奧妙所在的。《秋陽賦》裡的苦樂觀，也是這種擺脫苦難之後所獲得的超然逸然的情景。他的「響松風於蟹眼，浮雪花於兔毫。先生一笑而起，渺海闊而天高」㉒的自在境界，「暫托物以排意，豈胸中而洞然」㉓的虛靜空明的遁世意識，就是老莊哲學在蘇軾思想中產生的深刻影響。他曾借爲江子靜寫序而闡述自己對虛、靜、明的見解：「夫人之動，以靜爲主。神以靜舍，心以靜充，志以靜寧，虛以靜明。其靜有道，得己則靜，逐物則動。」㉔他認爲靜與動是經常轉換的，若想求得眞正的靜，必須自己有自制力，因人世的成敗喜怒，經常給予人以無情的干擾。他舉例說：「以一人之身，晝夜之氣，呼吸出入，未嘗異也。然而或存或亡者，是其動靜殊也。後之學者，始學也既累於仕，其仕也又累於進。得之則樂，失之則憂，是憂樂繫於進矣。平旦而起，日與事交，合我則喜，忤我則怒，是喜怒繫於事矣。耳悅五聲，口悅五味，鼻悅芬臭，是愛繫於物矣。以眇然之身，而所繫如此，行流轉徙，日遷月化，則平日之所養，尙能存耶？喪其所存，尙安明在己之是非與夫在物之眞僞哉？」㉕人爲平日得失有無之累，歸根結底，即是不能守虛靜之故。因此，他在《清風閣記》中進一步闡發：「吾爲汝放心遺形而強言之，汝亦放心遺形而強聽之。木生於山，水流於淵，山與淵且不得有，而人以爲己有，不亦惑歟？天地之相磨，虛空之有物之相推，而風於是焉生。執之而不可得也，逐亡而不可及也。」㉖文慧大師的清風閣，苟且說自己得到清風也是可以的。他以「風」作爲一種憑籍物，說明世上的有與無，其實都是「虛空」。這種以虛靜之心對客觀物象的領悟，即是莊子的「獨與天地精神相往來」的道理。不過他常借此理以自遣，亦以此道理娛人。

蘇軾孜孜以求讓自己能經常保持虛靜明的超脫情趣，但他又常常處於一種極其矛盾的精神煩擾之中：他要在莊子中獲得超脫和寧靜，但世俗的干擾，政治的打擊，儒家思想的驅使，使他內心澎湃激盪。這種騷動不安而又要強抑自己心理平靜的心態，使他不斷地吸收莊子的思想，並極力轉化爲支持自我精神平靜的力量。但時代的普遍心理和社會文化條件的制約，使他又無法徹底擺脫現實的羈絆。蘇軾這樣的思想衝突，正好表現了傳統儒學的危機，以及人們向老莊思想復歸的趨向。

莊學的影響，促使儒學的支離。蘇軾精神的嬗遞的過程，也就是他如何以莊學來調整自己的思想，讓自己獲得思想平衡的過程。當蘇軾第一次貶官黃州的時候，他萬念俱灰，如《送沈逵赴廣南》詩中說：「我謫黃岡四五年，孤舟出沒風浪裡。故人不復通問訊，疾病飢寒疑死矣。」㉗在這種心態下，他建了雪堂，目的是求得自適，在雪堂中使心靈得到寧靜。但蘇軾仍無法達到自己所追求的目的，他寫了一篇《雪堂記》，其精神的躁動與所追求的虛靜的矛盾，是十分激烈的。文中借主客對話表達出來：

蘇子曰：「予之於此，自以爲藩外久矣，子又將安之乎？」客曰：「甚矣，子之難曉也。夫勢利不足以爲藩也，名譽不足以爲藩也，陰陽不足以爲藩也，人道不足以爲藩

> 也，所以藩予者，特智也爾。智存諸內，發而爲言，則言有謂也，形而爲行，則行有謂也。使子欲嘿不欲嘿，欲息不欲息，如醉者之恚言，如狂者之妄行，雖掩其口執其臂，猶且喑嗚躅蹶之不已，則藩之於人，抑又固矣。人之爲患以有身，身之爲患以有心。是圃之構堂，將以佚子之身也？是堂之繪雪，將以佚子之心也？身待堂而安，則形固不能釋。心以雪爲警，則神固不能凝。子之知既焚而燼矣，燼又復然，則是堂之作也，非徒無益，而又重子蔽蒙也。」㉘

蘇軾在此借客語剖析自己內心的活動。建雪堂而居，喻心似雪之白之靜，以雪明志；但還無法達到這一境地。他以自已內心爭辯的方式，說自己即使不斷受蒙蔽，但還是一再表達自己對「靜」的追求。他說：「子以爲登春台與入雪堂，有以異乎？以雪觀春，則雪爲靜。以台觀堂，則堂爲靜。靜則得，動則失。」㉙又說：「是堂之作也，吾非取雪之勢，而取雪之意。吾非逃世之事，而逃世之機。吾不知雪之爲可觀賞，吾不知世之爲可依違。性之便，意之適，不在於他，在於群息已動，大明既升，吾方輾轉，一觀曉隙之塵飛。」㉚內心的紛亂，力求進入一個安靜的處所；蘇軾以忍耐來克制內心的不安，從而轉向穩定情緒，主靜去躁，獲得心理上的安寧。由此我們可以理解到蘇軾的虛靜之心，既與莊子思想超越的一面相通，又無法擺脫儒家思想的羈絆。

他力求以莊學體系來思考客觀環境的「靜」，但還是無法掩蓋心靈深處的動態。如「行瓊、儋間，肩輿坐睡。夢中得句云：千山動鱗甲，萬谷酣笙鐘。覺而遇清風急雨，戲作此數句」詩，他以《莊子．秋水篇》中北海若所說的：「計中國之海內，不似稊米之在太倉乎」的話語，來思考赴瓊州的處境。在這種爲虛靜哲學所左右的情況下，蘇軾的外表看似寧靜，但如深入窺探，則他心靈深處猶有如南海狂濤般的情緒翻滾。詩曰：「四州環一島，百洞蟠其中。我行西北隅，如度月半弓。登高望中原，但見積水空。此生當安歸，四顧眞途窮。眇觀大瀛海，坐詠談天翁。茫茫太倉中，一米誰雌雄。幽懷忽破散，永嘯來天風。千山動鱗甲，萬谷酣笙鐘。安知非群仙，鈞天宴未終。喜我歸有期，舉酒屬青童。急雨豈無意，催詩走群龍。夢雲忽變色，笑電亦改容。應怪東坡志，顏衰語徒工。久矣此妙聲，不聞蓬萊宮。」㉛在旅途中肩輿坐睡之際，人靜而思想無法安靜，「此生當安歸，四顧眞途窮」的感喟，「千山動鱗甲，萬谷酣笙鐘」的急雨幻境，「急雨豈無意，催詩走群龍」的意念，「夢雲忽變色，笑電亦改容」的感觸，與《恍榔菴》中的「蝮蛇魅魑，出怒入娛」同一鑪錘，在極端困迫無聊之中，思緒萬端，非一個「靜」字所能了結的。所以說，生活的迫逼使蘇軾的思緒無法進入虛靜明的境界，最後，也只能在詩詞中去求得寄托，在藝術的虛構世界裡獲得一種暫時的慰籍。如他在黃州所寫的詞篇《江城子》：「夢中了了醉中醒。只淵明。是前生。走偏人間，依舊卻躬耕。昨夜東坡春雨足，烏鵲喜，報新晴。　　雪堂西畔暗泉鳴。北山傾。小溪橫。南望亭丘，孤秀聳曾城。都是斜川當日境，吾老矣，寄餘齡。」㉜他力圖在虛靜的境界中使自己的心靈得到安適，但是當他一旦從精神的迷夢中甦醒過來，現實又給予他許多困擾，而他在困擾中又更加嚮往虛靜明的境界，所以蘇軾這部分思想，實際上是陷入自相纏繞的怪圈，他終其一生，始終沒有從這怪圈中掙脫出來，而蘇軾思想的複雜及其啓示性，也正在這裡。㉝

【附　註】

① 沈德潛《說詩晬語》
②③ 《蘇軾文集》卷11〈莊子祠堂記〉。
④⑤ 《蘇軾文集》卷11〈睡鄉記〉。
⑥ 《莊子・齊物論》
⑦ 《蘇軾文集》卷1〈前赤壁賦〉。
⑧⑨ 《歐陽修全集》卷44〈六一居士傳〉。
⑩ 《蘇軾文集》卷66〈書六一居士傳後〉。
⑪ 《蘇軾文集》卷11〈超然台記〉。
⑫ 龍榆生校箋《東坡樂府箋》卷2。
⑬ 《蘇軾文集》卷11〈醉白堂記〉。
⑭ 《莊子・人間世》
⑮⑯ 《蘇軾文集》卷11〈思堂記〉。
⑰⑱ 《蘇軾文集》卷11〈靜常齋記〉。
⑲ 《蘇軾詩集》卷17〈送參寥師〉。
⑳ 《蘇軾文集》卷1〈黠鼠賦〉。
㉑ 《蘇軾文集》卷1〈秋陽賦〉。
㉒ 《蘇軾文集》卷1〈老饕賦〉。
㉓ 《蘇軾文集》卷1〈酒隱賦〉。
㉔㉕ 《蘇軾文集》卷10〈江子靜字序〉。
㉖ 《蘇軾文集》卷12〈清風閣記〉。
㉗ 《蘇軾詩集》卷24〈送沈逵赴廣南〉。
㉘㉙㉚ 《蘇軾文集》卷12〈雪堂記〉。
㉛ 《蘇軾詩集》卷41。
㉜ 龍榆生《東坡樂府箋》卷2《江城子》。
㉝ 此節由周小華執筆。

五、蘇軾思想中的禪思佛意

禪，既是佛教的一個宗派，也是東方思想的顯著特色。中國的禪宗與玄學，互相依傍；佛學傳入中國，漢魏六朝時期，它在吸取玄學理論之後，跟玄學結合才在中國生根。禪宗形成之後，它以主體內求的方式，排除外在形相，凝心反思，忘我忘物，靜思反照，以求得心理寧靜和自我解脫。①禪學與莊學相通，莊子曾被禪家認爲是第一位中國禪師；莊子《齊物論》中所辨析的是非觀，《逍遙篇》中所倡言的「至人無己，神人無功，聖人無名」的無個人名利的精神境界，《天下篇》中說「不譴是非，以與世俗處」的處衆人之所的隨遇而安的心態，這些相輔相成而不彼此排除的理論，與大乘佛學及禪宗的中道立場是相一致的。因此，慧能開始的中國禪宗，「一方面承繼金剛經等般若系統以來的『一切法空』觀，另一方面又接上以莊子爲主的道家哲學，融貫二者建立而成『無心頓悟，自然無爲』的簡易禪道。」②中國禪的思想，實際上是在中國特定的思想土壤上培養發展的中國式佛教。禪，它融合了印度思想與中國思想，尤其是老莊哲理和道教教義。所以說，禪也是中國莊化的佛學。禪的盛行時期在唐宋，宋代禪宗傳教者廣泛編寫《燈錄》、《語錄》，由「不立文學」變爲「大立文字」，如惠洪的《石門文字禪》。於是，禪與文學開始結緣，禪宗也成爲宋代士大夫階層的一種時尚，「好佛」、「喜禪」成爲一代文人的風氣，紛紛與禪僧交往，禪僧成爲著禪服的士大夫，而士大夫也成爲著官服的禪僧，這種社會習氣是與宋代文人追求自我精神解脫的心理狀態，盼望得到適意生活的人生哲學、自然澹泊的生活情趣相結合的。

活躍在北宋士大夫生活圈中的蘇軾，時代的文化精神對他的影響是豐富而又複雜的。佛教，尤其是佛教中的禪學，與蘇軾一生結下了不解之緣。

蘇軾對佛門禪學的皈依，是有一個思想過程的，而且終其一生，他也不是佛門的忠實信徒。他曾對佛法作出辨析：「佛法浸遠，眞僞相半。寓言指物，大率相似。考其行事，觀其臨福禍死生之際，不容僞矣。而或者得戒神通，非我肉眼所能勘驗，然眞僞之候，見於言語。」③對於禪學，他也是由於在與時代思潮接觸之後，作爲一種精神慰籍來吸取的。蘇軾經常無法擺脫儒學的傳統觀念，因此，他也是以儒學的意識來分析和接受佛學或禪學的。蘇軾對佛、禪不是像他對儒學那樣，是深受家學及社會的灌輸，也不是像他對待莊學一樣，潛心地加以理會與研究，而是在中後期遭受生活浩劫之後，在被貶謫的生活中，與寺院禪僧廣交朋友，在時代文化氛圍的濡染下，思想上的禪學意識逐步加強而已。但他仍然是以孔、老之學來領會禪學的。蘇轍《東坡墓誌銘》中說：「後讀釋氏書，深悟實相，參之孔老，博辯無礙，浩然不見其涯也。」這「博辯」、「浩然」也者，並非指的對佛學的思考，而是與儒學、莊學結合在一起而說的。蘇軾對於佛、禪的接受，如前所述，是他在生活逆境中與禪僧接觸所受的影響，以及他在禪的哲學中求得身處逆境時的思想慰籍；他僅僅是禪的朋友而已。而在他的詩詞中所表達的濃厚的玄思禪意，是追求個性自由和精神解脫的思想反映，這當然是深受禪宗哲學影響所至。

準此，再來探究蘇軾的禪思佛意，就會比較符合思想實際了。

⑴**蘇軾釋佛：**

蘇軾曾引《後漢記》中袁宏論佛來表述自己對佛教的見解。他說：「袁宏《漢記》曰：『浮屠，佛也。西域天竺國有佛道焉。

佛者，漢言覺也，將以覺悟群生也。其教也以修善慈心爲主，不殺生，專務清淨。其精者爲沙門。沙門，漢言息也，蓋息意去欲，歸於無爲。又以爲人死精神不滅，隨復受形，生時善惡，皆有報應。故貴行修善道，以煉精神，以至無生，而得爲佛也。』東坡居士曰：此殆中國始知有佛時語也，雖淺近，大略具足矣。野人得鹿，正爾煮食之耳，其後賣與市人，遂入公庖中，饌之百方。然鹿之所以美，未有絲毫加以煮食時也。」④對於佛家的原來教義以及後人糝雜的內容，作了一番辨釋。在黃州時，蘇軾在《答畢仲舉書》中也談及佛理。他表明自己對佛書的領會只停留表層：「佛書舊亦嘗看，但闇塞不能通其妙，獨時取其粗淺假說以自洗濯。」他以農夫去草喻自己對佛理學習的情況：「若農夫之去草，旋去旋生，雖若無益，然終愈於不去也。若世之君子，所謂超然玄悟者，僕不識也。」⑤蘇軾是立足於現實世界的觀念來談佛學，認爲佛學那些玄機妙理無法理解。他說：「往時陳述古好論禪，自以爲至矣，而鄙僕所言爲淺陋。僕嘗語述古，公之所談，譬之飲食龍肉也，而僕之所學，豬肉也，豬之與龍，則有間矣，然公終日說龍肉，不如僕之食豬肉實美而飽也。不知君所得於佛書者果何耶？爲出生死、超三乘，遂作佛乎？抑尙與僕輩俯仰也？」在蘇軾看來，佛學的玄機如「出生死，超三乘」等太玄，不切合實際，那麼，應該如何學佛呢？他指出：「學佛老者，本期於靜而達，靜似懶，達似放，學者或未至所期，而先得其所似，不爲無害。」⑥按照蘇軾的意念，佛的本旨在「靜」「達」二字，這種思想又與莊學相通，而「靜似懶，達似放」，恰好說到莊佛融合之後的行爲表現，他經常表白自己對佛門的若即若離的關係，如《虔州崇慶禪院新經藏記》云：「吾非學佛者，不知其所自入，獨聞之孔子曰：『《詩》三百，一言以蔽之，曰思無邪。』夫有思皆邪也，善惡同而無思，則土木也，云何能使有思而無邪，無思而非土木乎！嗚呼，吾老矣，安得數年之暇，託於佛僧之宇，出發其書，以無所思心會如來意，庶幾於無所得故而得者。」⑦他曾身體力行求佛；在黃州時，他得安國寺，環境優美，「有茂林修竹，陂池亭榭」，於是他進行佛性修養。他在《黃州安國寺記》中是這樣記述的：「間一二日輒往，焚香默坐，深自省察，則物我相忘，身心皆空，求罪垢所從生而不可得。一念清淨，染汙自落，表裡翛然，無所附麗。」⑧這種虛靜無爲的境界，不也是與莊學相通嗎？

蘇軾以儒學釋佛學，認爲儒釋是「不謀而同」的。他以「道」說佛。指出：「學者以成佛爲難乎，累土畫沙，童子戲也，皆足以成佛。以爲易乎？受記得道，如菩薩大弟子，皆不任問疾。是義安在？方其迷亂顚倒流浪苦海之中，一念正眞，萬法皆具。及其勤苦功用，爲山九仞之後，毫釐差失，千劫不復。嗚呼，道固如是也，豈獨佛乎？」⑨他認爲佛教徒中，有的也是儒佛合一的，儒釋不謀而同，如南華長老明公，「其始蓋學於子思，孟子者，其後棄家爲浮屠氏。不知者以爲逃儒歸佛，不知其猶儒也。」⑩他舉了一個生活中的例子說明『儒釋皆然』的道理：「子思子曰：『夫婦之不肖，可以能行焉，及其至也，雖聖人亦有所不能焉。』孟子則以爲聖人之道，始於不爲穿窬，而穿窬之惡，成於言不言。人未有欲爲穿窬者，雖穿窬亦不欲也。自身不欲爲之心而求之，則穿窬足以爲聖人。可以言而不言，不可以言而言，雖賢人君子有不能免也。因其不能免之過而遂之，則賢人君子有時而爲盜。是二法者，相反而相爲用。儒與釋皆然。」⑪蘇軾認爲儒與釋所遵循之理是一致的；他還借明公的話說明入世和出世間法，「世間即出世間，等無有二。」⑫儒佛合一兼通，理所當然，蘇軾是基於儒學而解釋佛學，這一點是無庸置疑的。他有時也用儒學來排佛老。在《議學校貢舉狀》裡，論及儒家的性命之說時，對佛老頗有非議：「夫性命之說，自子貢不得聞，而今之學者，恥不言性命，此可信也哉！今士大夫至以佛老爲聖人，粥書於市者，非莊老之書不售也，讀其文，浩然無當而不可窮，觀其貌，超然無著而不可挹，豈此眞能然哉。蓋中人之性，安於放而樂於誕耳。使天下之士，能如莊周齊死生，一毀譽，輕富貴，安貧賤，則人主之名器爵祿，所以礪世摩鈍者，廢矣。」⑬這是以另一側面闡明了莊學與佛學對儒學的衝擊。雖然蘇軾是抱維護儒學的態度，尊儒而排佛老的，但在他的心靈深處，何嘗又不是老莊的「齊死生，一毀譽，輕富貴，安貧賤」呢！蘇軾還寫過《鹽官大悲記》，在論學時，以儒家學說爲主導，批評佛學：「古之學者，其所亡與其所能，皆可以一二數而日月見也。如今世之學，其所亡者果何物，而所能者果何事歟？孔子曰：『吾嘗終日不食，終夜不寢，以思，無益，不如學也。』由是觀之，廢學而徒思者，孔子之所禁，而今世之所尙也。豈惟吾學者，至於爲佛者亦然。齋戒持律，講誦其書，而崇飾塔廟，此佛之所以日夜教人者也。而其徒或者以爲齋戒持律不如無心，講誦其書不如無言，崇飾塔廟不如無爲。其中無心，其口無言，其身無爲，則飽食而嬉而已，是爲大以欺佛者也。」⑭他堅持佛教也必需「勤苦從事於有爲，篤志守節，老而不衰」；否則，就是「大以欺佛者」。這完全是儒化的佛學。對於宋代儒者與佛的關係，他也持這一觀念：「予觀范景仁、歐陽永叔、司馬君實皆不喜佛，然其聰明之所照了，德力之所成就，皆佛法也。」⑮蘇軾這一思想，始於早期，一以貫之，晚年在惠州寫《書柳子厚大鑒禪師碑後》，又再一次加以表述：「釋迦以文教，其譯於中國，必託於儒之能言者，然後傳遠。故《大乘》

諸經至《楞嚴》，則委曲精盡勝妙獨出者，以房融筆授故也。柳子厚南遷，始究佛法，作曹谿、南嶽諸碑，妙絕古今，而南華今無刻石者，長老重辯師，儒釋兼通，道學純備，以謂自唐至今，頌述祖師多矣。」⑯他以大海和江河的關係爲例，說明儒釋相通的道理。「孔老異門，儒釋分宮。又於其間，禪律相攻。我見大海，有北南東。江河雖殊，其到則同。」⑰儒釋兼通的觀念，是蘇軾對佛學認識的主要傾向。明代陸樹聲《題東坡禪喜》云：「坡老平生喜談般若，得此中三昧，故信口拈成，無非妙勝。參寥亦謂老坡牙頰間別有一副爐鞴。觀其平生鍛煉佛祖，縱橫自在，具世智辯才，以翰墨作佛事，而他日復謂無始以來，結習口業，未空言語文字性。其自道若此。然此一公案，須此老自判，他人豈易承當」。⑱

當然，蘇軾跟佛寺的關係是密切的，他也曾極口贊頌佛界的玄秘輝煌的方外世界。如《眞相院釋迦舍利塔銘》、《大別方丈銘》、《南安軍常樂院新作經藏銘》、《廣州東莞縣資福寺舍利塔銘》等，贊頌佛教。不過這是一些受人之託的讚美性文字，不能作爲蘇軾虔誠的委身佛門的佐證。

⑵**蘇軾與禪宗關係**

如上所述，在宋代，老莊與禪宗熔爲一爐；禪理很容易融入士大夫的心靈，作爲在生活憂患中尋求精神寄托的手段。蘇軾從禪學中所得到的，是一種能抑制內心衝動和弱化感情波瀾的介質，使自己在逆境中保持適意曠達的心態。

蘇軾與禪關係極爲密切，他還結交了許多禪師朋友。且讀下列兩則記載：

卓契順禪話

蘇台定惠院淨人卓契順，不遠數千里，陟嶺渡海，候無恙於東坡，東坡問：「將什麼土物來？」順展兩手。坡云：「可惜許數千里，空手來。」順作荷擔勢，信步而去。

付僧惠誠遊吳中代書十二

妙總師參寥子，予友二十餘年矣。世所知獨其詩文，所不知者，蓋過於詩文也。獨好面折人過失，然人知其無心，如虛舟之觸物，蓋未嘗有怒者。

徑山長老維琳，行峻而通，文麗而清。始徑山祖師有約，後世止以甲乙住持。予謂以適事之宜，而廢祖師之約，當於山門選用有德，乃以琳嗣事。眾初有不悅其人，然終不能勝悅者之多且公也。今則大定矣。

杭州圜照律師，志行苦卓，教法通洽。晝夜行道，二十餘年矣，無一念須有作相。自辯才歸寂，道俗皆宗之。

秀州本覺寺一長老，少蓋有名進士。自文學言語悟入，至今以筆研作佛事，所與遊，皆一時文人。

淨慈楚明長老，自越州來。始有旨召小本禪師住法雲寺，杭人憂之曰：「本去則淨慈眾散矣。」余乃以明嗣事，眾不散，加多益千餘人。

蘇州仲殊師利和尚，能文，善詩及歌詞，皆操筆立成，不點竄一字。予曰：「此僧胸中無一毫髮事。」故與之遊。

蘇州定慧長老守欽，予初不識，比至惠州，欽使侍者卓契順來問予安否，且寄十詩。予題其後曰：「此僧清逸絕俗，語有璨、忍之通，而詩無島、可之寒。予往來吳中久矣，而不識此僧，何也？」

下天竺淨慧禪師思義，學行甚高，綜練世事。高麗非時遣僧來，予方請其事於朝，使義館之。義日與講佛法，詞辨蜂起，夷僧莫能測；又具得其情以告，蓋其才有過人者。

孤山思聰聞復師，作詩清遠如畫，工而雅逸可愛，放而不流，其爲人稱其詩。

祥符寺可久、垂雲、清順三闍黎，皆予監郡日所與往還詩友也。清介貧甚，食僅足，而衣幾於不足也。然未嘗有憂色。老矣，不知尚健否。

法穎沙彌，參寥子之法孫也。七八歲，事師如成人。上元夜，予作樂滅慧，穎坐一夫肩上顧之。予謂曰：「出家兒亦看燈耶？」穎愀然變色，若無所容，啼呼求去。自爾不復出嬉遊，今六七年矣。後當嗣參寥者。

予在惠州，有永嘉羅漢院僧惠誠來，謂曰：明日當還浙東，問所欲干者。予無以答之。獨念吳越多名僧，與予善者常十九。偶錄此數人，以授惠誠，使歸見之，致予意，且謂道予居此起居飲食狀，以解其念也。信筆書紙，語無倫次，又當尚有漏落者，方醉不能詳也。紹聖二年東坡居士書。⑲

這二則札記表明，所列禪師及沙彌，多數是蘇軾的詩文朋友。參寥寫得好詩，蘇州仲殊師利和尚「能文，善詩文歌詞，皆操筆立成，不點竄一字」。孤山師聰聞復，「作詩清遠如畫，工而雅逸可愛。」這些禪僧，都是著袈裟的詩人。蘇軾與他們結爲密友。甚至，當他貶惠州時，蘇州長老守欽派侍者卓契順來看他，「且寄十詩」。詩友情誼，雖遠離萬里，也濃郁如故。而蘇軾記載《卓契順禪語》一則，反映他們的禪心是相通的。除這些人之外，在蘇軾作品中，還記錄了他的許多禪家朋友。

蘇軾對禪學，也有一個認識的過程。南宋汪應辰給朱熹的信中說：「東坡初年力闢禪學，如《鹽官縣安國寺大悲閣記》，省記不分明，其中引『日知其所亡，月無忘其所能』之類。其後讀釋氏書，見其汗漫而無極，從文關西等遊，又見其辯博不可屈服也，始悔其少作，於是凡釋氏之說，盡欲以智慮憶度，以文字解說。」⑳蘇軾「以文字解說」禪宗哲學，不完全是出於對宗教的信仰，而是以個人的心靈，對人生的理解去把握禪學的玄言妙理的。

禪宗「以心傳心，不立文字」的方法，蘇軾常有所論及。他在《齊州請確長老疏》中寫道：「蓋聞爲一大事因緣，優曇時現；傳吾正法眼藏，達摩西來，直指心源，不立文字。悟道雖由於自得，投機必賴於明師。」㉑對於禪「不立文字」的傳宗方法，以及禪宗的頓悟，明師的指點，深有領會。而且他堅持一貫地指出禪與儒、佛的不可分離性。他說：「指衣冠以命儒，蓋儒之衰；認禪律以爲佛，皆佛之粗。本來清淨，何教爲律；一切解脫，寧復有禪。而世之惑者，禪律相殊，儒佛相笑。不有正覺，誰開衆迷。」㉒他認爲儒、佛、禪三者相通。他在評成都通法師時，就以這一認識爲主導。他說：「成都通法師，族本縉紳，實西州之望；業通詩禮，爲上國之光。爰自幼齡，綽有遠韻。辭君親於方壯，棄軒冕於垂成。自儒爲佛，而未始業儒；由律入禪，而居常持律。」㉓以禪師的行爲實踐，推論禪與儒佛的關係。

他經常在與詩禪的交往中談及禪理，直透心曲。蘇軾對禪師的領略，對禪理的「靜」與「幻」是心領神會的。如他在黃州寫給佛印禪師的《怪石供》和《後怪石供》，就談及空了一物的禪理：「禪師嘗以道眼觀一切，世間混論空洞，了無一物，雖夜光尺璧與瓦礫等。」㉔又借參寥子的話說：「『供者，幻也。受者，亦幻也。刻其言者，亦幻也。夫幻何適而不可。』舉手而示蘇子曰：『拱此而揖人，人莫不喜。戟此而詈人，人莫不怒。同是手也，而喜怒異，世未有非之者也。子誠知拱、戟之皆幻，則喜怒雖存而根亡。』」㉕所表達的虛幻意識，正與禪宗的萬物皆空，清淨無爲的意念相吻合。這種力主虛幻、一切本元，以心爲本的萬物皆空的禪理，頗爲蘇軾所欣賞。《記朱炎禪頌》中說：「芝上人言：近有節度判官朱炎者，學禪久之，忽於《楞嚴經》若有所得者。問講僧義江云：『此身死後，此心何在？』江云：『此身未死，此心何在？』炎良久以偈答曰：『四大不須先後覺，六根還向用時空。難將語默呈師也，只在尋常語默中。』師可之。」㉖以偈語講出心靈幻化的宇宙時空觀念。這種幻化的觀念，他在讀《壇經》後又有所頓悟：「近讀六祖《壇經》，指說法、報、化三身，使人心開目明。然尚少一喻。試以喻眼：見是法身，能見是報身，所見是化身。」㉗這三句話應如何理解呢？蘇軾先釋「見是法身」：「眼之見性，非有非無，無眼之人，不免見黑，眼枯睛亡，見性不滅，則是見性，不緣眼有無，無來無去，無起無滅。」㉘次釋「能見是報身」，他說：「見性雖存，眼根不具，則不能見，若能安善其根，不爲物障，常使光明洞徹，見性乃全。」㉙再釋「所見是化身」：「根性既全，一彈指頃，所見千萬，縱橫變化，俱是妙用。」㉚最後蘇軾自謂「此喻既立，三身愈明。」讀《壇經》而發此頓悟；此處根本觀念即是萬物皆空，彈指之一瞬，萬千變化。這表現出他對現實存在的幻滅感和空虛感。這是一種「以廣大心，得清淨覺」的禪理。

蘇軾在詩歌中，也經常用形象的語言，表述他在人生中體驗的虛空飄渺的禪思；貶儋時期的詩篇，這種心緒尤爲突出：「我是玉堂仙，謫居海南村。多生宿業盡，一氣中夜存。旦隨老鴉起，飢食扶桑暾。光圓摩尼珠，照耀玻璃盆。來從佛印可，稍覺魔忙奔。」㉛《楚辭．遠遊》云：「一氣孔神兮，於中夜存。虛以待之兮，無爲之先。」即是詩中「一氣中夜存」的依據。蘇軾以心地光圓透徹，無所不了的禪意，表現自己貶僧的「閑看樹轉午，坐到鐘鳴昏」的謫居生涯。「紅波翻屋春風起，先生默坐春風裡。浮空眼纈散雲霞，無數心花發桃李。」㉜《圓覺經序》中有「心花發明」語，《道家元氣論》有「氣運息調，榮枝葉也；性情心悅，開花也」語，蘇軾即以這些佛理禪思抒寫心境：「身心兩不見，息息安且久。睡蛇本亦無，何用鈎與手。神凝疑夜禪，體適劇卯酒。我生有定數，祿盡空餘壽。枯腸不飛花，膏澤回衰朽。謂我此爲覺，物至了不受。謂我今方夢，此心初不垢。非夢亦非覺，請問希夷叟。」㉝希夷爲陳圖南自號，有詩云：「常人無所重，惟睡乃爲重。舉世此爲息，魂離神不動。覺來無所知，貪求心愈動。堪笑塵地中，不知夢是夢。」㉞蘇軾詩中「非夢亦非覺」的禪思玄意，與此詩相似。「無心但因物，萬變豈有竭。醉醒皆夢耳，未用議優劣。」㉟「萬劫至起滅，百年一踟躇。」㊱「此生念念隨泡影，莫認家山作本元。」㊲「本元」出自《楞嚴經》：「徒獲此心，未敢認爲本元心地。」其詩情與禪理，融合爲一。

如上所述，蘇軾與禪僧有著親密的交誼；其中的機緣，即是因禪理在他心中引起強烈的共鳴，他在與禪師的友情與詩文交往中，尋找在現實生活中失去了的心靈世界。詩集中有兩首贈南禪湜老的詩，就是這種情緒的映照。試看其中的一首：「從君覓數珠，老境仗消遣。未能轉千佛，且從千佛轉。儒生推變化，乾策數大衍。道士守玄牝，龍虎看舒卷。我老安能爲，萬劫付一喘。默坐閱塵界，往來八十反。區區我所寄，蹙縮蠶在繭。適從海上回，蓬萊又清淺。」㊳詩情、友情、禪思、佛理，都濃縮在短短的詩篇之中了。在蘇軾的詩作中，以禪語入詩的屢見不鮮，如「中間見在心，一一風輪轉」，㊴前句用《金剛經》「過去心不可得，現在心不可得，未來心不可得」語意，後句用《維摩經》「是身無作，風力所轉」語意。又如「居士無塵堪洗沐，道人有句借宣揚。窗間但見蠅鑽紙，門外惟聞佛放光。遍界難藏眞薄相，一絲不掛且逢場。卻須重說圓通偈，千眼熏籠是法王。」㊵詩中多處引用《傳燈錄》中的典故。《傳燈錄》有：「石梯和尚，因侍者請浴，師曰：『既不洗塵，亦不洗體，汝作麼生』」的故事，首句即本此。「門外惟聞佛放光」句也出於《傳燈錄》：古靈行腳遇百丈開悟，却迴本寺，受業師遂遣執役。一日，因澡身，命靈去垢。靈乃拊背曰：「好所佛殿，而佛不聖。」其師回首視之。靈曰：「佛雖不聖，且能放光。」又「一絲不掛且逢場」句，也出自《傳燈錄》：南泉問陸亘：「十二時中作麼生？」陸曰：「寸絲不掛。」類似這些例子，一則說明蘇軾對佛經的純熟記憶，二則也反映他把佛理禪思與詩歌結合，作爲表達自己思想的手段。蘇軾以詩說禪，趙翼指出：「摹仿佛經，掉弄禪理」，「出自東坡」。㊶這一說法，是有道理的。蘇軾經常「楞嚴在床頭，妙偈時仰讀」，㊷足見他對禪學的興趣了。

禪宗的虛靜無爲的思想，是晚年蘇軾的熱烈追求：「一蓑煙雨任平生」，「也無風雨也無晴」㊸在逆境中所產生的若無其事、泰然自若的心態，就是這種禪理的反照。又如《滿庭芳》詞：「蝸角虛名，蠅頭微利，算來著甚乾忙。事皆前定，誰弱又誰強。且趁閒身未老，須放我，些子疏狂。百年裡，渾教是醉，三萬六千場。」㊹視世間萬事萬物爲虛空。這種對生活的疏放曠達的態度，不也是受禪理影響嗎？他《安國寺浴》一詩中寫道：「心困萬緣空，身安一床足，豈惟忘淨穢，兼以洗榮辱。默歸毋多談，此理要觀熟。」㊺也是他遭遇「烏台詩案」的劫難之後所產生的循入空門以洗榮辱的思想。他甚而在靈魂深處以禪學爲指導作了自我的人生檢討：「書生苦信書，世事仍臆度。不量力所負，輕出千鈞諾。當時一快意，事過有餘怍。不知幾州鐵，鑄此一大錯。我生涉憂患，常恐長罪惡。靜觀殊可喜，脚淺猶容卻。而況錢夫子，萬事初不作。相逢更何言，無病亦無藥。」㊻他的自題金山畫像曰：「心似已灰之木，身如不繫之舟。問汝平生功業，黃州、惠州、儋州。」㊼這一自我評語，是禪思玄意的具體體現，「心似已灰之木」出自《莊子·齊物論》：「形固可使如槁木，而心固可使如死灰。」「身如不繫之舟」也出自《莊子·雜篇·列禦寇》：「無能者無所求，飽食而敖游，泛若不繫之舟。」禪學的體系與老莊思想在本質上有相通的地方。蘇軾曾評論禪在北宋的流行，他在《書楞伽經後》一文中說：「近歲學者各宗其師，務從簡便，得一句一偈，自謂了證，至使婦人孺子，抵掌嬉笑，爭談禪悅，高者爲名，下者爲利，餘波末流，無所不至，而佛法微矣。」㊽禪學風靡於社會上下，他自己在「老於憂患，百念灰冷」之中，對於禪學的接受，雖然在他的禪學朋友佛印大師，當他被貶惠州時，曾寫信到惠州開導他說：「嘗讀退之《送李愿歸盤谷序》，愿不遇主知，猶能坐茂林以終日。子瞻中大科，登金門，上玉堂，遠放寂寞之濱，權臣忌子瞻爲宰相耳。人生一世間，如白駒之過隙，三二十年功名富貴，轉則成空，何不一筆勾斷，尋取自家本來面目？萬劫常住，永無墮落。縱未得到如來地，亦可以驂鸞駕鶴，翔三島爲不死人。何乃膠柱守株，待入惡趣。昔有問師：『佛法在什麼處？』師云：『在行住坐臥處，著衣吃飯處，屙屎撒尿處，沒理沒會處，死活不得處。』子瞻胸中有萬卷書，筆下無一點塵，到這地位，不知性命所在，一生聰明要做什麼。三世諸佛，則是一個有血性漢子。子瞻若能腳下承當，把一二十年富貴功名，賤如泥土，努力向前。珍重珍重。」㊾佛印以禪理遊說蘇軾，正針砭蘇軾思想的痛處。由此可見，蘇軾對禪理的頓悟領會，是在他坎坷人生道路上形成的。

明代徐長孺曾集輯東坡禪語，唐徵明訓之，名曰《新刻東坡禪喜集》，其序云：「長公少年之文，與欒城先生皆得老泉法，而終未盡其變。晚而游於禪邦，與佛印、參寥諸子互呈伎倆，於是掀翻寶藏，以三寸不爛舌，顛撲平生，譬張僧繇畫龍，一點眼便如昂首飛去。妖狐老猿，竊獲眞人符籙，則千奇萬怪，跳梁於青天白日之下，而終不可以尺組約束之，《禪喜集》是也。」㊿序中指出蘇軾有關禪的文字，是得之于心而表現出來的。同時，唐文獻在該書的跋文中，把蘇軾與白居易的禪思作一比較：「唐有香山，宋有子瞻，其風流往往相期，而其借禪以爲文章，二公亦差去不遠。香山云：『外以儒行修其身，內以釋教汰其心，旁以琴酒詩歌樂其志』，則不特一眉山之老人而已，子瞻於生死二字，雖不能與維摩龐蘊爭一線，然其談笑輕安，坦然而化。如其爲文章，則餔禪之糟，而因茹其華者多也。」也說出東坡對禪理的頓悟，是在貶謫於落落窮鄉時，以內典爲捐愁捐痛之物，浸淫久之，斐然有得。㊿

⑶**蘇軾與道教**

宋代道教與禪宗一樣，在士大夫階層中廣泛流行；兩者的教義雖然有所不同，但道教主張清淨無爲，卻與佛禪相通。因此，蘇軾與道教，在思想上的聯繫也是極其密切的。

蘇軾幼小時曾受道教的教育與薰陶。他說：「吾八歲入小學，以道士張易簡爲師，童子幾百人，師獨稱吾與陳太初者。」㊷不過，蘇軾也是以儒學來衡量道學的。元豐二年（西元1079年）二月，宋神宗命道士王太初於「居宮之故地，以法籙符水爲民禳禬，民趨歸之，稍以其力脩復祠宇。」並賜名「上清儲祥宮」。

太初死後，皇室又以巨款修建祠宇並以優厚賜予，爲此，蘇軾受帝命寫了一篇《上清儲祥宮碑》，碑文在宏揚道教精神的同時，處處將儒學襯托道教。蘇軾首先討論道教的淵源及道教與儒學的關係：

> 道家者流，本出於黃帝、老子。其道以清淨無爲爲宗，以虛明應物爲用，以慈儉不爭爲行，合於《周易》「何思何慮」、《論語》「仁者靜、壽」之說，如是而已。㊽

繼而說明道術有虛妄性質，不必信其有無：

> 自秦、漢以來，始用方士言，乃有飛仙變化之術，《黃庭》、《大洞》之法；太上、天眞、木公、金母之號，延康、赤明、龍漢、開皇之紀，天皇、太一、紫微、北極之祀，下至於丹藥奇技，符籙小數，皆歸於道家，學者不能必其有無。㊾

對於道教的仙術，蘇軾並不全予置信。他主要是從道教的宗旨及精神來接受道教教義的。所以接著指出：

> 黃帝、老子之道，本也。方士之言，末也。脩其本而末自應。故仁義不施，則韶濩之樂，不能以降天神。忠信不立，則射鄉之禮，不能以致刑措。漢興，蓋公治黃、老，而曹參師其言，以謂治道貴清靜，而民自定。以此爲政，天下歌之曰：『蕭何爲法，顜若畫一。曹參代之，守而勿失。載其清靜，民以寧壹。』其後文景之治，大率依本黃、老，清心省事，薄斂緩獄，不言兵而天下富。㊿

蘇軾從道教的宗旨追溯到黃、老之學，以漢朝的黃老之治爲例，驗證清靜無爲對於政治所起的作用。道教的淡寂虛空的意識，容易與蘇軾的心靈匯合。《前赤壁賦》中的「羽化而登仙」的飄然之感，正是道家思想的閃現。

雖然，蘇軾非議道家的「飛仙變化之術」，「乃至丹藥奇技」，但他在自己的養生之道中也經常煉丹，傳授丹術。《蘇軾文集》中收錄《東坡志林》的《雜記》，有幾篇文章專門錄載煉丹術，如《大還丹訣》、《陽丹陰煉》、《陰丹陽煉》、《鬆氣丹砂》、《龍虎鉛汞說》等，大談煉丹秘方妙訣，講求道教方術。他力主靜心養性，如《龍虎鉛汞說》云：「心動，則氣力隨之而作。腎溢，則精血隨之而流，如火之有煙，未有反復於薪者也。」56他認爲這是「生人之常理」。這些理論及行動，看似瑣事，實質上是他在政治失敗之後一種無可奈何的淡漠情緒的反映，以煉丹談丹的行爲來抑制和沖淡內心的激蕩和矛盾，化解心靈中被套上的鎖鏈，讓心態獲得一時的平靜。

【附　註】

① 參看葛兆光《禪宋與中國文化》第42頁。

② 傅偉勳《（禪）佛教・心理分析與實存分析》見《從西方哲學到禪佛教》，生活・讀書・新知三聯書店，1989年4月北京第一版，第365頁。

③ 《蘇軾文集》卷66〈題僧語錄後〉。

④ 《東坡志林》卷21〈袁宏論佛說〉。

⑤⑥ 《蘇軾文集》卷56〈答畢仲舉二首〉。

⑦ 《蘇軾文集》卷12〈虔州宗慶禪院新經藏記〉。

⑧ 《蘇軾文集》卷10〈黃州安國寺記〉。

⑨⑩⑪⑫ 《蘇軾文集》卷12〈南華長老題名記〉。

⑬ 《蘇軾文集》卷25〈議學校貢舉狀〉。

⑭ 《蘇軾文集》卷12〈鹽官大悲閣記〉。

⑮ 《蘇軾文集》卷66〈跋劉咸臨墓誌〉。

⑯ 《蘇軾文集》卷66〈書柳子厚大鑒禪師碑後〉。

⑰ 《蘇軾文集》卷63〈祭龍井辨才文〉。

⑱ 陸樹聲〈題東坡禪喜〉見《新刻東坡禪喜集》卷首。

⑲ 《東坡志林》卷2〈卓契順禪話〉〈付僧惠誠遊吳中代書十二〉

⑳ 汪應辰《文定集》卷15〈與朱元晦書第九〉。

㉑ 《蘇軾文集》卷62〈齊州請確長老疏〉。

㉒㉓ 《蘇軾文集》卷62〈蘇州請通長老疏〉。

㉔㉕ 《蘇軾文集》卷64〈後怪石供〉。

㉖ 《蘇軾文集》卷66〈記朱炎禪頌〉。

㉗㉘㉙㉚ 《蘇軾文集》卷66〈論六祖壇經〉。

㉛ 《蘇軾文集》卷41〈入寺〉。

㉜ 《蘇軾文集》卷41〈獨覺〉。

㉝ 《蘇軾文集》卷41〈午窗坐睡〉。

㉞ 《蘇軾文集》卷41詩王文浩注引〈翰苑名談〉。

㉟ 《蘇軾文集》卷41〈和陶影答形〉。

㊱ 《蘇軾文集》卷42〈和陶和劉柴桑〉。

㊲ 《蘇軾文集》卷43《庚辰歲人日作，時聞黃河已復北流，老臣舊數論此，今斯言乃驗二首（其二）

㊳ 《蘇軾詩集》卷45〈氣數珠贈南禪湜老〉。

㊴ 《蘇軾文集》卷45〈明日，南禪和詩不到，故重賦數珠篇以督之〉。

㊵ 《蘇軾文集》卷45〈戲贈虔州慈雲寺鑑老〉。

㊶ 趙翼《甌北詩話》卷5。

㊷ 《蘇軾文集》卷42〈次韵子由浴罷〉。

㊸ 龍榆生《東坡樂府箋》卷2〈定風波〉。

㊹ 龍榆生《東坡樂府箋》卷3〈滿庭芳〉。

㊺ 《蘇軾文集》卷20〈安國寺浴〉。

㊻　《蘇軾文集》卷18〈贈錢道人〉。

㊼　《蘇軾文集》卷48〈自題金山畫像〉。

㊽　《蘇軾文集》卷66〈書楞伽經後〉。

㊾　《宋稗類抄》。

㊿　《新刻東坡禪喜集序》。

51　《新刻東坡禪喜集》·唐文獻《跋東坡禪喜集後》

52　《蘇軾文集》卷72〈陳太初尸解〉。

535455　《蘇軾文集》卷17〈上清儲祥宮碑〉。

56　《蘇軾文集》卷73〈龍虎鉛汞說〉。

六、蜀學與洛學

元祐時期的蜀學與洛學之爭，固然是因政見的某些差異，實質上是不同學派在思想上的分歧。朱熹說：「管中策問蘇程之學，二家常時自相排斥。蘇氏以程氏爲奸，程氏以蘇氏爲縱橫。」①

蘇軾、蘇轍兄弟是蜀黨的領袖人物，程頤、程顥兄弟是洛黨的領袖人物，二蘇與二程，在哲宗初期，勢均力敵，元祐元年丙寅（西元1086年）三月辛巳，「以程頤爲崇政殿說書」，爲幼年的哲宗皇帝講學。九月丁卯，又「以蘇軾爲翰林院學士」，是皇帝的侍從官，兼講書職責。封建社會的文人相輕的惡習，宋代士大夫也不能免其濡染；蘇軾非超人，也不例外。「程頤在經筵，歸其門者甚衆。而蘇軾在林翰林，士亦多附之。二人互相非毀。」②《宋史》記載了這麼一段史實：

> 頤在經筵，多用古禮，蘇軾謂其不近人情，深嫉之，每加玩侮。方司馬光之卒也，百官方有慶禮，事畢欲往吊，頤不可，曰：『子於是日哭則不歌。』或曰：『不言歌則

不哭。』軾曰：『此枉死市叔孫通制此禮也。』二人遂成嫌隙。③

注重古禮或強調人情，也是表明一種學術思想的分歧。當時，蘇軾與程頤交惡，其黨也互相攻訐。結果兩敗俱傷。元祐二年（西元1087年）八月，「罷頤出管勾西京國子監。」蘇軾也因累遭攻擊而請求外調。元祐六年（西元1091年）五月十九日，蘇軾曾在給仁宗的奏狀中說：「臣又素疾程頤之姦，未嘗假以色詞，故頤之黨人，無不側目。自朝廷廢黜大姦數人，而其餘黨猶在要近，陰爲之地，特未敢發爾。」④又一次說：「臣與賈易本無嫌怨，只因臣素疾程頤之姦，形於言色，此臣剛褊之罪也。而賈易、頤之死黨，專欲與頤報怨。」⑤洛黨對蘇軾也毫不放鬆，「羅織語言，以爲謗訕，本無疑似，白加誣執。」⑥令蘇軾也只好遠離京師避禍。

蜀學與洛學之爭，除了個人意氣之外，主要是哲學思想的歧異。二程哲學思想的核心是「理」，二蘇哲學思想的核心是「道」。二程的「理」是與有神論相結合，認爲「心、性、天只是一理。」⑦具有濃厚的佛學的神秘觀念，雖然二程也講「道」，但他們認爲「道」是「天道」，與「理」相同，「天有是理，聖人循而行之，所謂道也。」⑧而蘇軾所主張的「道」，上文已詳細述及。用秦觀的話說：「蘇氏之道，最深於性命自得之際」，⑨蘇軾之「道」是寓之於物，「道」存在於客觀萬物之中，他的認識與其弟蘇轍略有不同，他說過：「道之大全也，未始有名，而《易》實開之，賦之以名；以名爲不足，而取諸物以寓其意。」⑩「道」指的是寓於客觀事物的規律性。而且蘇軾的「道」又與「情」相聯繫，他說：「聖人之道，自其本而觀之，則皆出於人情。」⑪「六經之道，唯其近於人情，是以久傳而不廢。」⑫提出「情」是道的出發點。蘇軾對理學有所非議，他反對理學對於心性、人情的壓抑。他說：「近時士人多學談理空性，以追世好，然不足深取。」⑬因爲學術觀念的分歧，致使自己捲入政治漩渦之中，明代李贄對朱熹的揚王安石而貶蘇軾以及蘇軾與洛黨的論爭，說出了很有見地的話。他說：「王安石引用姦邪，傾覆宗社也，乃列之《名臣錄》而稱其道德文章；蘇文忠道德文章，古今所共仰也，乃力詆之，謂得行其志，其禍又甚於安石。夫以安石之姦，則未滅其已著之罪，以蘇子之賢，則巧索其未形之短，此何心哉？」接著指出：「文公非不知坡公也。坡公好笑道學，文公恨之，直欲爲洛黨出氣耳，豈其眞無、心人哉！」評出蘇軾與洛黨的矛盾，實質上是哲學理念的矛盾。⑭學術思想上的差異，導致了雙方門人結合成相互對立的兩個學派，這兩個學派在互相詰難、論辯和攻錯的過程中，客觀上也促進了宋代哲學思想的展開，對於思想認識的深入和思路的拓展都有好處。

【附　註】

① 朱熹《朱子語類》第130卷《道夫》

② 蔡上翔《王荊公年譜考略》。

③ 《宋史紀事本末》卷45〈洛蜀黨議〉。

④ 《蘇軾文集》卷23〈杭州召還乞郡狀〉。

⑤ 《蘇軾文集》卷23〈再乞郡劄子〉。

⑥ 《蘇軾文集》卷23〈杭州召還乞郡狀〉。

⑦ 《二程遺書》第22上。

⑧ 《二程遺書》第21下

⑨ 《淮海集》卷30《答傅彬老》。

⑩ 《蘇氏易傳》卷8。

⑪　《蘇軾文集》卷2〈中庸論〉。

⑫　《蘇軾文集》卷2〈詩論〉。

⑬　《蘇軾文集》卷49〈答劉巨濟書〉。

⑭　李贄《焚書》卷5《文公著書》1975年中華書局版。

第六章　澤民尊主的政治學說

關於政治，就是參預國事，指導國家，確定國家活動的方式。在北宋冗官弊政泛濫的社會情況下，許多具有非凡膽識的官吏，都從不同側面、在不同程度上提出有關政治、經濟、科舉、教育等方面的改革方案，並付諸實施。范仲淹的「慶曆新政」，王安石的「熙寧變法」，蘇軾的各項政治改革主張等，都具同樣性質，不過，這當中有主張的差異和改革層次、方法的不同。

一、從蘇軾的政治實踐中看他的政治品格

論述蘇軾的政治學說，我們必須首先了解蘇軾光明磊落的政治品格。這樣，對於理解他秉公爲國謀籌的各項策略，是會有幫助的。

歷來，知識界特別敬重蘇軾，固然是由於他在文學、史學、哲學等方面所作的突出貢獻；但最令人嘆服和敬佩的，是蘇軾在千艱萬苦的政宦途中，一貫保持著光明磊落的政治品格。他對師長、朋友、同僚、學生，都待之以誠，即使有不同政見，也敢於當面大膽提出；有時明知說出會遭到非難甚至災禍，他也以坦蕩的態度爲之。這是中國知識分子的可貴品格的具體表現。

蘇軾的處世哲學是誠。「誠」是儒家中庸之道的核心主張。他在釋《中庸》時就一再強調：「天下之人，莫不欲誠」，「惟憂患之至，而後誠明之辨，乃可以見。」「君子安可不誠哉。」

①他的政治品格中最爲突出的是一個「誠」字。他曾經闡述作爲一個官吏應有的胸襟：「夫寬深不測之量，古人所以臨大事而不亂，有以鎮世俗之躁，蓋非以隔絕上下之情，養尊而自安也。譽之則勸，非之則沮，聞善不喜，見惡不怒，此三代聖人之所共也，而後之君子，必曰譽之不勸，非之不沮，聞善不喜，見惡不怒，斯以爲不測之量，不已過乎！夫有勸有沮，有喜有怒，然後有間而可入：有間而可入，然後智者得爲之謀，才者得爲之用。後之君子，務爲無間，夫天下誰能入之。」②要治理國家政務，必須有寬厚的胸懷，才能秉公辦事，於國政，百姓有補。蘇軾對自己的估量，比較謙虛，也比較自信，也曾評述自己說：「家世至寒，性資甚下。學雖篤志，本先朝進士篆刻之文；論不適時，皆老生常談陳腐之說。分於聖世，處以散材。一自離去闕庭，屢更歲籥。塵埃筆硯，漸忘舊學之淵源；奔走簿書，粗識小人之情僞。欲自試於民社，庶有助於涓埃。以爲公朝，不廢私願。」③他把爲國奔勞，以服務於家國社會爲榮，「奔走服勤，人臣之常事；褒稱勞勉，學者之至榮。」④由於他具有至誠的爲國盡力的高尚品格，所以在復雜的政治變革中，無論哪一方在用事上出現問題，也不論與自己私交如何密切，都敢於直言不諱，雖可能招致殺身之禍，也不改初衷。以他對王安石、司馬光、章惇三人的交往爲例。蘇軾與王安石，都是歐陽修的學生，私交甚篤。即使是在烏台詩案中受到致命打擊之後，他與王安石仍保存友誼，元豐七年他赴京過金陵，在和王安石詩中還寫道：「騎驢渺渺入荒陂，想見先生未病時。勸我試求三畝宅，從公已覺十年遲。」⑤但在政治方面不論風險如何，卻據理力爭。他曾對仁宗說：「是時王安石新得政，變易法度，臣若少加附會，進用可必。自惟遠人，蒙二帝非常之知，不忍欺天負心，欲具論安石所爲不可施行狀，以裨萬一。」

⑥蘇軾在政治實踐中，明智地看到新法執行過程中的各種弊端，因此據理力諫。雖然新黨對蘇軾「構造飛語，醞釀百端。」，致他於死地，下獄之後，被貶黃州。但幾年以後，元豐八年（1085年），他再被起用事，對於新派的政治失誤，仍然慷慨陳詞，再加抨擊。如對邊境四面用兵的做法，他尖銳地指出：「熙寧以來，王安石用事，始求邊功，構隙四夷。王韶以熙河進，章惇以五溪用，熊本以瀘夷奮，沈起、劉彝聞而效之，結怨交蠻，兵連禍結，死者數十萬人。」⑦對於新法執行後的弊端，也堅持自己的看法。他說：「熙寧以來，行青苗、免役二法，至今二十餘年，法日益弊，民日益貧，刑日益煩，盜日益熾，田日益賤，穀帛日益輕，細數其害，有不可勝言者。」⑧王安石主持變法，雖適應歷史變革的潮流，但其步驟太急，用人不當，政策措施不嚴密，再加上宋朝冗員弊政積重難返，構成諸多不可克服的弊病。蘇軾在新法雷厲風行、大力排斥異己的高潮中，如果「少加附會」，在宦途上即可扶搖直上。但他秉承著政治上的責任感，對國家百姓的忠誠，不顧個人安危，力排衆說。這種剛直的政治品格是難能可貴的！本來，新黨對蘇軾的迫害，也夠心狠手毒了！但王安石死後，蘇軾對王安石在歷史上的功績，仍然給予客觀的公正評價。他在替哲宗寫諡文時寫道：「將有非常之大事，必有希世之異人。使其名高一時，學貫千載。智足以達其道，辯足以行其言。瑰瑋之文，足以藻飾萬物；卓絕之行，足以風動四方。用能於期歲之間，靡然變天下之俗。」對於王安石的文學成就及退隱後的生活，也客觀地作了肯定：「少學孔、孟，晚師瞿、聃。罔羅六藝之遺文，斷以己意；糠粃百家之陳迹，作新斯人。屬熙寧之有爲，冠群賢而首用。信任之篤，古今所無。方需功業之成，遽起山林之興。浮雲何有，脫屣如遺，屢爭席於漁樵，不亂群於麋鹿。

進退之美，雍容可觀。」⑨雖然是代筆，說的也多是溢美之辭，但他沒有意氣用事。

蘇軾與司馬光患難與共，司馬光對他的友誼頗厚。他在從黃州赴登州路上，曾寫信給滕達道說：「君實恩禮既異，責望又重，不易！不易！某舊有《獨樂園》詩云：『兒童誦君實，走卒稱司馬。持此將安歸，造物不我捨。』今日類詩讖矣。」⑩司馬光重新執政，召蘇軾還朝，他內心是興奮的，他對司馬光的尊重，也異於一般朋友。我們讀《司馬溫公神道碑》中的一段敘述就可明白：「公以文章名於世，而以忠義自結人主。朝廷知之可也，四方之人何以知之？士大夫知之可也，農商走卒何自知之？中國知之可也，九夷八蠻何自知之？方其退居於洛，眇然如顏子之在陋巷，纍然如屈原之在陂澤，其與民相忘也久矣，而名震天下如雷霆，如河漢，如家至而日見之。聞其名者，雖愚無知如婦人孺子，勇悍難化如軍伍夷狄，以至於姦邪小人，雖惡其害己仇而疾之者，莫不斂袵變色，咨嗟太息，或至於流涕也。元豐之末，臣自登州入朝，過八州以至京師，民知其與公善也，所在數千人，聚而號呼於馬首曰：『寄謝司馬丞相，愼毋去朝廷，厚自愛以活百姓。』如是者，蓋千餘里不絕。」⑪這裡，蘇軾把自己對司馬光的密切情誼和尊敬，呈現備至。那麼，蘇軾元祐初因司馬光的推薦入京之後，論常理一定追隨司馬光而極治新法派各色人物。但蘇軾坦蕩磊落的政治品格，使他在參政過程中，實事求是地根據客觀情況辦事。多年以來，蘇軾在各地爲政，了解民情及新法弊病，但他也發現新法有可行之處；弊政應該革除，而對百姓有利部分則可保留，不可因黨爭而一概否定！當司馬光要實行差役法以代替免役法時，蘇軾又不顧個人的安危，據理力爭，陳說利害。蘇軾曾對仁宗說：「臣前歲自登州召還，始見故相司馬光，光即與臣論當今要務，條其所欲行者。臣即答言：『公所欲行諸事，皆上順天心，下合人望，無可疑者。惟役法一事，未可輕議。何則？差役、免役，各有利害。免役之害，民常在官，不得專力於農，而貪吏猾胥，得緣爲姦。此二害輕重，蓋略相等，今以彼易此，民未必樂。』⑫他以「法相因則事易成，事有漸則民不驚」的道理，向司馬光陳述差役法與免役法的利弊，指出克服免役法之弊，保存免役法之利，使民得從其便，而「不變其法」，則「民悅而事成」。但司馬光不以爲然，堅持復差役法。蘇軾對此抱著「獨立不倚，知無不言」⑬的態度。當時，司馬光雖不接受蘇軾意見，也不遷怒。但蘇軾卻因此與司馬光手下的一批官吏結成仇怨，他說：「始論衙前差顧利害，與孫永、傅堯俞、韓維爭議，因亦與司馬光異論。光初不以此怒臣，而台諫諸人，逆探光意，遂與臣爲仇。」⑭由於他敢於堅持自己的意見，在不同的政治勢力執政時，都不隨聲附和。但也因此而出現裂痕，以致再一次遭受政治迫害。蘇軾在感到厄運將降臨的時候，又申請外調，待命之時，他曾對楊元素深有感慨地說：「數日來，杜門待命，期於必得耳。公必聞其略，蓋爲台諫所不容也。昔之君子，惟荊是師。今之君子，惟溫是隨。所隨不同，其爲隨一也。老弟與溫相知至深，始終無間，然多不隨耳。致此煩言，蓋始於此。然進退得喪，齊之久矣，皆不足道。」⑮蘇軾的可貴之處，在於他處於任何情況下，都珍惜自己獨立的人格，敢於公開自己獨立的見解。不論親疏，不管在強權面前會遇到什麼厄運，都大膽直言，置「進退得喪」於腦後。正如史書所載：「出入侍從，必以愛君爲本，忠規讜論，挺挺大節。但爲小人忌惡，不得久居朝廷。」⑯在封建時代，忠君與愛國是相通的，不必作爲愚忠論，蘇軾的高風亮節，是深爲人敬佩的。

對於迫害他的政敵，他也不以牙還牙，而是以德報怨。以章惇爲例，章惇本來與蘇軾同榜中進士，彼此都是好朋友；但章惇以新黨自命，而且參與對蘇軾的迫害活動。他任宰相時，把蘇軾貶到惠州，聞知蘇軾在惠州寫詩以自適，再貶儋州。章惇對蘇軾的絕情和所下的毒手，是常理所不容的！元符三年（西元1100年）辛卯，筠州推官雍邱崔鶠應詔上書，歷數章惇之姦，言惇「狙詐凶險，天下士大夫呼曰惇賊。」在衆口的彈劾下，章惇出知潤州，神宗皇后攝政後，元祐大臣全部獲赦，蘇軾得訊北歸，而章惇卻被貶雷州，這時候，蘇軾對章惇的態度不是幸災樂禍，而是抱友好的情誼。他寫信給黃師是說：「子厚得雷，聞之驚嘆彌日。海康地雖遠，無瘴癘，舍弟居之一年，甚安穩。望以此開譬太夫人也。」⑰過京口時，復信給章致平，致平名援，是章惇的次子，蘇軾的晚輩，但蘇軾信中滿懷深情，說：「伏讀來教，感嘆不已。某與丞相定交四十餘年，寄跡海隅，此懷可知。但以往者，更說何益，惟論其未然者而已。主上至仁至信，草木豚魚所知也。建中靖國之意，可恃以安。又海康風土不甚惡，寒熱皆適中。舶到時，四方物多有，若昆仲先於閩客、廣舟準備，備家常要用藥百千去，自治之餘，亦可以及鄰里鄉黨。又丞相知養內外丹久矣，所以未成者，正坐大用故也。今茲閑放，正宜成此。然只可自內養丹。切不可服外物也。某在海外，曾作《讀養生論》一首，甚欲寫寄，病困未能。到毗陵，定疊檢獲，當錄呈也。」⑱該信，見出一顆熱誠的心；他不僅不記舊惡，而且對章惇寄予同情與慰籍，傳授適應環境及養生適意之術，使朋友不致頹喪而影響健康。章惇如稍有良知，當被蘇軾誠摯情意所感動。

蘇軾在政治實踐中對待王安石、司馬光、章惇三人的事例，明晰地反映出蘇軾光明磊落的政治品格。基於此，我們再來審察蘇軾的政治主張。

二、重民澤民、尊主憂國的民本仁政思想

嘉祐四年底（西元1059年），風華正茂的蘇軾，與父親及弟自眉州入嘉陵江轉長江出川，沿途飽覽三峽風光，體察江岸百姓生活。他在《入峽》詩中，敘說他對當時百姓貧困生活的同情。詩云：「板屋漫無瓦，岩居窄似庵。歎息生何陋，劬勞不自慚。」⑲二年以後，蘇軾在岐下，歲暮思歸而不可得，寫三首詩以寄子由，其中《饋歲》一首云：「富人事華靡，綵繡光翻座。貧者愧不能，微摯出舂磨。」⑳如果說，這個時期的蘇軾，僅從見出百姓勞苦的表層而同情百姓的疾苦，那麼，在經歷「烏台詩案」之後，經過百日監獄生活的反思，蘇軾的思想更加深沉了！元豐三年「西元1080年」庚申正月出京赴黃州途中，於蔡州道上遇雪賦一詩，詩中有「下馬作雪詩，滿地鞭箠痕。佇立望原野，悲歌為黎元。」㉑對於百姓所遭受的痛苦，觀察得更加深刻。元祐七年（西元1092年）揚州任上，在多年的宦海生活中，對百姓的疾苦，體驗更深，也敢於揭穿其根本原因的所在。他在向仁宗所寫的報告中，述說他自潁移揚，舟過濠、壽、楚、泗等州，親入村落，訪問父老的所見所聞。指出官吏催欠，甚於虎狼，民不聊生，百姓求死不得的嚴重局面。㉒蘇軾揭示宋朝「苛政猛於虎」的實質，把催欠的吏卒喻為虎狼，其對民生疾苦的體驗，比以前更為深刻具體了。

施行仁政，是蘇軾一以貫之的政治理想。「仁政」，是儒家傳統的政治觀念。孔子的政治思想的精華，在於深化「仁」的哲學內容，並以此跟政治相聯繫，而擴充成為觀念上的仁政觀。《

論語·陽貨》中記錄孔子的仁政的概念是「恭、寬、信、敏、惠」，即「恭則不侮，寬則得衆，信則人任焉，敏則有功，惠則足以使人。」仁政的主要內容，就在於對民的尊重、寬厚、信實和相互了解，「爲政以德」，㉓主張重教化，省刑罰，簿稅賦，厚施予，讓百姓過舒適的生活。蘇軾的仁政思想，完全本諸於儒家的仁政理論。他對宋代的社會生活和政治措施，在不同時期，經過審時度勢之後，不斷深化，並圍繞著仁政理論爲中心，提出了自己的政治見解。

蘇軾第一篇科場文字《刑賞忠厚之至論》，歐陽修賞其豪邁，㉔梅聖俞賞其雄俊㉕，楊萬里《誠齋詩話》中記錄下歐陽修驚嘆的話：「此人可謂善讀書，善用書，他的文章必獨步天下。」㉖

這篇文章得到如此讚譽，不僅僅是文章筆法技巧問題，根本原因在於他提出的仁政的思想。蘇軾在向官場進擊的第一仗，就開宗明義地宣揚自己的政治主張。他寫道：「堯、舜、禹、湯、文、武、成、康之際，何其愛民之深，憂民之切，而待天下之以君子長者之道也。有一善，從而賞之，又從而咏歌嗟嘆之，所以樂其始而勉其終。有一不善，從而罰之，又從而哀矜懲創之，所以棄其舊而知其新。故其吁俞之聲，歡休慘戚，見於虞、夏、商、周之書。成康既沒，穆王立，而周道始衰。然猶命其臣呂侯，而告之祥刑。其言憂而不傷，威而不怒，慈愛而能斷，惻然有哀憐無辜之心，故孔子猶取焉。」又說：「故仁可過也，義不可過也。……先王知天下之善不勝賞，而爵祿不足以勸也，知天下之惡之勝刑，而刀鋸不足以裁也，是故疑則舉而歸之於仁，以君子長者之道待天下，使天下相率而歸於君子長者之道，故曰忠厚之至也。」㉗這是蘇軾第一篇參政的宣言書，他主張仁政，主張忠厚，他一生的政治態度及執政的實踐，也以仁政爲歸宿。這與他以仁爲核心的哲學思想是相一致的。

蘇軾仁政主張的思想基礎是重民澤民的民本思想。

蘇軾說：「民者，天下之本；而財者，民之所以生也。」㉘蘇軾的人本主義的主張，是由於他意識到，社會的發展，政治制度的完善，局勢的安定，都以人爲本；他主張人格的獨立，人的活動的價值，也是以人爲本的思想作基礎的。他認爲，民心所向，「復人心而安國本」，㉙乃治國成敗的關鍵，他對神宗說：「故天下歸往謂之王，人各有心謂之獨夫。由此觀之，人主之所恃者，人心而已。人心之於人主也，如木之有根，如燈之有膏，如魚之有水，如農夫之有田，如商賈之有財。木無根則槁，燈無膏則滅，魚無水則死，農夫無田則飢，商賈無財則貧，人主失人心則亡。」㉚因此，觀察一國的國策，必先觀「衆心之向背」㉛作爲君主，要團結天下士子，爲國獻策盡力。他指出：「自古存亡之所寄者，四人而已，一曰民，二曰軍，三曰吏，四曰士，此四人者，失其心，則足以生變。」㉜要得民心，只有實行仁政，而仁政的帶頭人必須是最高的統治者，孟子所謂「君仁莫不仁，君義莫不義」，「君之所向，天下趨焉。」㉝由此見出，蘇軾政治主張的核心是愛民，首先要樹立與百姓同甘苦、共患難的思想，然後才能在政治實施中，從百姓的利益出發，爲民著想，「視民如視其身，待其至愚者如其至誠者。」㉞政策的實施的目的與歸宿，是與民同勞和與民同樂，即「以其功興而民勞，與之同勞，功成而民樂，與之同樂，如是而已矣。」㉟統治者與被統治者之間，在互相理解的過程中，盡可能協調一致，「使天下樂從而無黽勉不得已之意，其事既發而無紛紜異同之論」，㊱使「君臣相得之心，歡然樂而無間。」㊲統治者首先應該懂得尊重民意，「不忍鄙其民而欺之」。㊳這樣一來，一旦事情發生，「天下有故，而其議及於百姓，以觀其意之所嚮，及其不可聽也，則又後覆而諭之，以窮極其說，而服其不然之心，是以其民親而愛之。」㊴蘇軾力主執政者要「仁治」，是以百姓的利益爲標準的，他說：「何謂至仁？視臣如手足，視民如赤子，戢兵，省刑，時使，薄斂，行此六事而已矣。禍莫逆於好用兵，怨莫大於好起獄，災莫深於興土功，毒莫深於奪民利。此四者，陷民之坑阱，而伐國之斧鉞也。」㊵國家的利益，政權的盛衰存亡，都繫於民心。蘇軾以這一思想審視北宋的社會局勢及政治措施。

在這樣的思想基礎上，蘇軾對百姓的疾苦是特別關切的。熙寧八年在仁和縣湯村督役，親眼看到百姓在服役中的痛苦。而對官政勞民，轉致百姓疲弊，役人在泥水中，辛苦無異鴨與豬的景象，他不禁寫詩規勸，指責朝廷開運鹽河不當，又妨農事。詩曰：「居官不任事，蕭散羡長卿。胡不歸去來，滯留愧淵明。鹽事星火急，誰能卹農耕。薨薨曉鼓動，萬指羅溝坑。天雨助官政，泫然淋衣纓。人如鴨與豬，投泥相濺驚。下馬荒堤上，四顧但湖泓。線路不容足，又與牛羊爭。歸田雖賤辱，豈失泥中行。寄語故山友，愼毋厭黎羹。」㊶備寫人民服役之苦，揭露服役制的弊端。在新法執行過程中，在稅收上任納米錢，而官吏競爭取錢，到處都錢荒米賤，官員於是要錢不要米，農民賣米二石，僅納一石之值，深受其苦。蘇軾爲此寫了《吳中田婦嘆》，揭示百姓痛苦生活的現實。詩云：「今年粳稻熟苦遲，庶見霜風來幾時。霜風來時雨如瀉，杷頭出菌鐮生衣。眼枯淚盡雨不盡，忍見黃穗臥青泥。茅苫一月隴上宿，天晴穫稻隨車歸。汗流肩赬載入市，價賤乞與如糠粞。賣牛納稅拆屋炊，慮淺不及明年飢。官今要錢不要米，西北萬里招羌兒。龔黃滿朝人更苦，不如卻作河伯婦。」㊷百姓的痛苦，使作爲地方官吏的蘇軾，內心深深負疚。他企望作爲清正的官吏，與民共樂，詩中曾寫及新城道中巡視農家時的官清民樂的心境：「東風知我欲山行，吹斷簷間積雨聲。嶺上晴雲披絮帽，樹頭初日掛銅鉦。野桃含笑竹籬短，溪柳自搖沙水清。西崦人家應最樂，煮芹燒筍餉春耕。」㊸當然，這是蘇軾理想的清官生涯，農家春耕之樂，融化著他愛民的深情。蘇軾一生，足跡所到之處，都竭他所能，盡到力量，爲百姓辦點好事。在杭州乞度牒開西湖，在浙西根據百姓受災的實況上書直告，到徐州與民共抗水災，在惠州建東西新橋，即使到蠻荒之地的海南島，他也竭盡全力開發海島智力，開辨教育事業，處處從人民的利益著眼。他讀《尙書》時，曾記錄下這樣一段讀《書》心得：「夫三代之君，惟不忍鄙其民而欺之，故天下有故，而其議及於百姓，以觀其意之所嚮，及其不可聽也，則又反覆而諭之，以窮極其說，而服其不然之心，是以其民親而愛之。」㊹這些都是他的仁政思想的折射。

對老百姓的慈愛襟懷是如此；即使是對獄中囚犯，他也認爲皆屬百姓之列，他們不過爲了糊口而誤入歧途，應以人道主義的精神，對他們施行仁政。熙寧中，杭州歲配鹽犯萬七千人，蘇軾錄囚至於執筆流涕，言官與犯無非謀食，而以此罪彼，是自不知恥。二十年後，再到杭州，庭事蕭然，三圄皆空，他大爲感慨，寫詩記載。《前詩》：「除日當早歸，官事乃見留。執筆對之泣，哀此繫中囚。小人營餱糧，墜網不知羞。我亦戀薄祿，因循失歸休。不須論賢愚，均是爲食謀。誰能暫縱遣，閔默愧前修。」二十年後又寫《今詩》，題作《熙寧中，軾通守此郡。除夜，直都廳，囚繫皆滿，日暮不得返舍，因題一詩於壁，今二十年矣。衰病之餘，復忝郡寄，再經除夜，庭事蕭然，三圄皆空。蓋同僚之力，非拙朽所致，因和前篇呈公濟、子侔二通守》。㊺蘇軾的仁政思想，及於牢獄。詩中反映了他思想上的自責。而在政治措施方面，他㧑提出一些具體可行的建議，元豐二年（西元1079年），他曾向神宗上《乞醫療病囚狀》，對患病獄囚，建議給予及時醫治，提出「軍巡院及天下州司理院各選差衙前一名，醫人一名，每縣各選差曹司一名，醫人一名，專掌醫療病囚，不得更充他役，以一周年爲界。」他認爲「全活無辜之人」，可以「感人心，合天意，無善於此者矣。」㊻這是蘇軾將仁政的政治主張與思想上的人道主義相結合的具體行動，表現了一種「民胞物與」的精神。

蘇軾仁政主張在措施方面的重要一環，是力倡政治改革。在蘇軾看來，治理好國家，必須進行政體的改革；而政體的改革首要的是爲官要清廉，削減冗官和裁減任子。他說，官吏貴廉，「功廢於貪，行成於廉。」官吏在任職過程中，「善者善立事，能者能制宜。或靖恭而不懈，或正直而不隨。法則不失，辨別不疑；第其課兮，事區別矣；舉其要兮，廉一貫之。」㊼官吏的廉潔，是實行仁政的重要條件。宋代擁有一個龐大腐敗的官僚機構，除每年科舉取士增添大批官吏外，還有所謂「特蔭」、「恩蔭」、「奏蔭」，皇親國戚、官僚子弟及有關親屬、姻親甚至門客都可享受恩蔭特權。朝廷還公然賣官。官吏貪污受賄，敲剝百姓，奢靡腐敗。這樣的官員系統，如何能施行什麼仁政呢？蘇軾參政後，雖然他不贊成王安石新法中的許多措施，並表示異議；但新法中裁減冗官的建議，他是擁護的。熙寧四年二月在《上神宗皇帝書》中提到：「臣非敢歷詆新政，苟爲異論，如近日裁減皇族恩例、刊定任子條式、修完器械、閱習鼓旗，皆陛下神算之至明，乾剛之必斷，物議既允，臣安敢有詞。」㊽蘇軾從古今政治的比較中，看出了宋代社會弊害在於冗官。他認爲，從唐代中葉之後，這一積弊已越來越深了，「及唐中葉，列三百州，爲千四百縣，而政益荒。是時宿兵八十餘萬，民去爲商賈，度爲佛老，雜入科役，率常十五。天下常以勞苦之人三，奉坐待衣食之人七。流弊之極。……今朝廷無事，百有餘年，雖六聖相授，求治如不及，而吏惰民勞，蓋不勝弊。今者驕兵冗官之費，宗室貴戚之奉，邊鄙將吏之給，蓋十倍於往日矣。」㊾並嚴肅指責宋代冗吏之弊，他說：「國家自近歲以來，吏多而闕少，率一官而三人共之，居者一人，去者一人，而伺之者又一人，是一官而有二人者無事而食也。且其蒞官之日淺，而閒居之日長，以其蒞官之所得，而爲閒居仰給之資，是以貪吏常多而不可禁，此用人之大弊也。」㊿面對這種情況，是要以民意爲重，還是一味照顧官吏的人情呢，他提出：「安視而不卹歟？則有民窮無告之憂。以義而裁之歟？則有拂逆人情之患。」51這種積弊，必須堅決革除。

怎樣進行呢？

首先，必須重罰贓吏。他指出：「夫吏之貪者，其始必詐廉以求舉，舉者皆王公貴人，其下者亦卿大夫之列，以身任之。居官者莫不愛其同類等夷之人，故其樹根牢固而不可動。連坐者六七人，甚者至十餘人，此如盜賊質劫良民以求苟免耳。爲法之弊，至於如此，亦可變矣。」52

其次，必須減少皇族的浪費。他提出「利入已浚而浮費彌廣」，表現在兩個方面，即「外有不得已之二虜，內有不得已之後宮。」二虜指當時契丹及西夏的邊患，每年賠款及物；而後宮皇族的浪費殊屬驚人。蘇軾指出：「後宮之費，不下一敵國。金玉錦繡之工，日作而不息，朝成夕毀，務以相新，主帑之吏，日夜儲其精金良帛而別異之，以待倉卒之命，其爲費豈可勝計哉。今不務去此等，而欲廣求利之門，臣知所得之不如所喪也。」53力制皇室的浪費，才不致使國家財政遭受嚴重損失。

再次，必須克服「冗官而未澄」。將現任官吏中優劣、有才能與沒有才能的弄清楚，並嚴格加以區別對待。他指出，北宋無法克服冗官的弊政，是「審官吏部與職司無法之過」。說審官吏部，是古代考績黜陟的部門，是以日月爲斷的。現在即使不能恢復過去的做法，但也可以略分其郡縣，不以地區的遠近作爲差別，而以官職難易分等級，將官吏區別對待。有才者令其處於關鍵位置，而不才者則處理容易的事情。如有升遷，難者常速，而易者常久。「使審官吏部，與外之職司，常相關通。而爲職司者，不惟舉有罪，察有功而已。必使盡第其屬吏之所堪，以詔審官吏部。審官吏部常以內等其任使之難易。職司常從外第其人之優劣。才者常用，不才者常閒。則見官可澄矣。」㊾這種澄清官場狀況的辦法，在當時近乎紙上談兵，清談而已，是無法實施的。

關於世襲的任子制，蘇軾對其弊是很清楚的。他曾說：裁減任子自韓琦、富弼等人提出之後，「既立成法，天下肅然，無一人非之者。」因爲「私欲不可以勝公議故也。」但因冗官之弊已入膏盲，無法整治：「流弊之極，至於今日，一官之闕，率四五人守之，爭奪紛紜，廉恥道盡，中材小官，闕遠食貧，到官之後，求取漁利，靡所不爲，而民病矣。今日之弊，譬如羸病之人，負千鈞之垂。」凡事都是積重難返，對於北宋的冗官之弊，當時凡有識之士都力主改革，包括不同政見的王安石、司馬光、范景仁、蘇軾等，意見都是一致的。蘇軾在《范景仁墓誌銘》中也說過：「議減任子及每歲取士，皆公發之。」㊿蘇軾力倡政治上以仁政爲思想基礎的改革，但在當時受著各種政治勢力的制約，他的主張也不外說說而已，無法扭轉北宋的政局，何況他自身的安危也是沒有保障的。

當然，在他歷任地方官吏的政治實踐中，他經常陶醉於與民同樂的境地。早年在鳳翔，他築亭逢雨，與民共樂，《喜雨亭記》中記述他的歡樂之情，讀之令人興奮：「余至扶鳳之明年，始治官舍，爲亭於堂之北，而鑿池其南，引流種樹，以爲休息之所。是歲之春，雨麥於岐山之陽，其占爲有年。既而彌月不雨，民方以爲憂。越三月乙卯，乃雨，甲子又雨，民以爲未足，丁卯，大雨，三日乃止。官吏相與慶於庭，商賈相與歌於市，農夫相與抃於野，憂者以樂，病者以愈，而吾亭適成。」㊻官吏與民之樂，融爲一片，也是蘇軾爲官之樂。他的《眉州遠景樓記》，記述太守黎希聲的德政。黎希聲「簡而文，剛而仁，明而不苛，衆以爲易事。既滿將代，不忍其去，相率而留之，上不奪其請。既留三年，民益信，遂以無事。因守居之北墉而增築之，作遠景樓，日與賓客僚吏遊處其上。」㊼民尊吏，吏愛民，蘇軾表彰黎希聲；他所塑造的賢吏形象，是他仁政思想在文學上的表現。他自己不僅與民同樂，也與人民共患難。當他在徐州任職時，適逢水災，他奮起與徐州百姓一起抗災。蘇轍在《墓誌銘》中就記錄了蘇軾的壯舉。身爲徐州太守的蘇軾，與百姓共同抗災，奮不顧身，過家門而不入的精神，永遠銘刻在徐州百姓心中。蘇軾的行動，也是他的仁政思想的反映。

三、治人與治法幷行的法律觀

蘇軾作爲一個普通的官吏，他的可貴的品格還在於他的勇氣和正義感。他從儒家的中庸之道出發，採取了於心公正的立場，對社會的政治生活進行嚴肅的判斷。他不迴避參政的艱難，對於代表政治權力的法律，在宋代極權主義的體制下，也敢於正視它的嚴肅價值。

歷史昭示我們，秦漢以下，天下「多故而難治」。其根本原因在於仁政不施，法制混亂，「民不愛其身，則輕犯法，輕犯法，則王政不行。」蘇軾是在仁的思想基礎上談立法的，認爲法應該與倫理觀念相結合：「欲民之愛其身，則莫若使其父子親，兄弟和，妻子相好。夫民仰以事父母，旁以睦兄弟，而俯以卹妻子。則其所賴於生者重，而不忍以其身輕犯法。」㊳對宋代政權不循法的情況，他提出嚴厲的批評，說：「今使無功之人，名之以某德而爵之；無罪之人，狀之以某惡而誅之，則天下不知其所從，而上亦將眊亂而喪其所守。」㊴這種基於仁政的法律觀，要求立法必須與用人緊密相聯繫。因此，在他的參政主張中，多次提出以「人與法並行而不相勝」的問題。他說：「夫法者，本以存其大綱，而其出入變化，固將付於人。」㊵因而必須做到人與法並用，這是法治的關鍵；法是由人來執行的，重法首先是重人。他指出：「任人而不任法，則法簡而人重。任法而不任人，則法繁而人輕。法簡而人重，其弊也，人得苟免，而賢不肖均。此古今之通患也。」要克服這二弊，應「人法並用，輕重相持。」㊶如果「任法而不任人，天下之人，必不可信。」㊷由此，蘇軾提出治法、治人、治時同時並舉，認爲「治事不若治人，治人不若治法，治法不若治時」，何謂「時」？蘇軾解釋說：「時者，國之所以存亡，天下之所最重也。」時指的是時代的社會環境。他列舉各朝代盛衰轉換的情況說：「周之衰也，時人莫不苟媮而不立，而不可得也，故秦亡。西漢之衰也，時人莫不柔懦而謹畏，故君臣相蒙，而至於危。東漢之衰也，時人莫不矯激而奮厲，故賢不肖不相容，以至於亂。夫時者，豈其所自爲邪？王公大人實爲之。」㊸時是一種社會的人心的趨向，蘇軾說的，「一國之俗，而家各有法。一家之法，而人各有心。」社會的發展，最爲重要的，是將人心風尚樹立得正。

社會風氣正，風俗淳厚，是與政權執法嚴明與否密切不可分。蘇軾十分強調國家政權執法的重要性。首先，他指出立法的重要。他說：「昔者天下未平而法不立，則人行其私意，仁者遂其仁，勇者致其勇，君子小人莫不以其意從事，而不困於繩墨之間，故易以有功，而亦易以亂。及其治也，天下莫不趨於法，不敢用其私意，而惟法之知。故雖賢者所爲，要以如法而止，不敢於法律之外，有所措意。」因爲有法可依，人無論賢愚貴賤，都應循法。他認爲，人與法是並重的，「夫人勝法，則法爲虛器。法勝人，則人爲備位。人與法並行而不相勝，則天下安。」㊹執法的官吏，依法而行，這對於制度的鞏固，無疑是極其重要的。

其次，主張厲法禁；申述法律上必須賞罰分明，以服民心。他說：「昔者至人制爲刑賞，知天下之樂乎賞而畏乎刑也。」㊺賞與罰處理得當，天下民心就能歸服，蘇軾繼而指出：「民有一介之善，不終朝而賞隨之，是以下之爲善者，足以知其無有不賞也。施其所畏者，自上而下。公卿大臣有毫髮之罪，不終朝而罰隨之，是以上之爲不善者，亦足以知其無有不罰也。」㊻

其三，他又進一步論述用法要服民心，必須在法律面前人人平等，即「厲法禁自大臣始，則小臣不犯矣。」㊼古往今來，這是法制的重要一環，也非蘇軾首創，他不外總結歷代法治的歷史經驗，重申法治自上而下的必要性。他列舉歷代法治的先例闡明這一道理。如史前期的舜，「舜誅四凶而天下服，何也？此四族者，天下之大族也。夫惟聖人爲能擊天下之大族，以服小民之心，故其刑罰至於措而不用。」㊽雖然蘇軾不贊成商鞅、韓非的變法主張，但對他們執法如山，卻大力讚揚，並把他們與舜並列加以評述。他說：「商鞅、韓非峻刑酷法，以督責天下，然其所以爲得者，用法始於貴戚大臣，而後及於疎賤，故能以其國霸。由此觀之，商鞅、韓非之刑法，非舜之刑，而所以用刑者，舜之術也。」⑲犯法者「其位愈尊，則其害愈大，其權愈重，則其下愈不敢言。」因此，對位尊而犯法者，必須重罰，「夫過惡暴著於天下，而罰不傷其毫髮；鹵莽於公卿之間，而纖悉於州縣之小吏。用法如此，宜其天下之不心服也。」⑳如果用法不能服天下之心，那麼，法律就無法生效了。「用法而不服其心，雖刀鋸斧鉞，猶將有所不避，而況於木索、笞箠哉！」㉑蘇軾再三強調所謂「刑不上大夫」的危害，辨析在法律上必須人人平等，法律才能發揮其權威性。他反對「刑不上大夫」的論調，說：「『刑不上大夫』者，豈曰大夫以上有罪而不刑歟？古之人君，責其公卿大臣至重，而待其士庶人至輕也。責之至重，故其所以約束之者愈寬；待之至輕，故其所以隄防之者甚密。夫所貴乎大臣者，惟不待約束，而後免於罪戾也。是故約束愈寬，而大臣益以畏法。何者？其心以爲人君之不我疑而不忍欺也。苟幸其不疑而輕犯法，則固已不容於誅矣。」㉒由此，他主張官吏有罪必罰，「如知其有罪而特免其罰，則何以令天下。今夫大臣有不法，或者既已舉之，而詔曰勿推，此何爲者也。聖人爲天下，豈容有此曖昧而不決。故曰：厲法禁自大臣始，則小臣不犯矣。」㉓

執法必從大臣始；堅持這一原則，才能使天下心服。執法如山的同時，還必須堅持違法必究，使法禁易行。他指出，在宋代「爲惡而不入於刑者，固已衆矣。有終身爲不義，而其罪不可指名以附於法者。有巧爲規避，持吏短長而不可詰者。又有因緣幸會而免者。如必待其自入於刑，則其所去者蓋無幾耳。」㉔執法者必須主動追究，才能使法禁易行，他打了一個比喻說：「譬如獵人，終日馳驅踐蹂於草茅之中，搜求僵兔而搏之，不待其自投於網羅而後取也。」要做到「小惡不容於鄉，大惡不容於國。」這樣一來，「誅一鄉之姦，則一鄉之人悅。誅一國之姦，則一國之人悅。要以誅寡而悅衆，則雖堯舜亦如此而已矣。」⑮作爲一個國家，法律公正，是非分明，才能把國家治理好。他說：「大抵爲國，要在分別是非，以行賞罰，然後善人有所恃賴，平人有所告訴，若不窮究曲直，惟務兩平，則君子無告，小人得志，天下之亂，可坐而待。」⑯

在案情審判的合理性上，蘇軾也堅持嚴肅地按照實際情況進行判決，不能孰輕孰重。他以邢夔及秦課兒兩項刑事案件的比較中，闡述自己的法律觀。他在給呂公著的信中說：

> 軾昨日面論邢夔事，愚意本謂刑鼻是平人，邢夔妄意其爲盜殺之，苟用犯時不知勿論法，深恐今後欲殺人者，皆因其疑似而殺，但云『我意汝是盜』即免矣。公言此自是謀殺，若不勘出此情，安用勘司！軾歸而念公言，既心服矣，然念近者兩京奏秦課兒於大醉不省記中，打殺南貴，就縛，主醒，取眾證爲定，作可憫奏，已得旨貸命，而門下別取旨斷死。竊聞輿議，亦恐貸之啓奸，若殺人者得以醉免，爲害大矣。軾始者亦以爲然，固已書過錄黃，再用公昨日之言思之，若今後實醉不醒而殺，其情可憫，可以原貸，若託醉而殺，自是謀殺，有勘司在。邢夔犯時不知，秦課兒醉不省記，皆在可憫之科，而邢夔臀杖徧管，秦課兒決殺，似輕重相遠，情有未安。人命至重，若公以爲然，文字尚在尚書省，可追改也。⑰

一個國家，要鞏固權力，必須對社會罪犯進行抑制。執法應嚴正，猶其對於死刑的判決，更應慎之又慎，不致因判案的不公而導致犯罪的惡性循環，像課科兒的殺人罪，與刑夔的殺人罪相比，再以對兩人的刑事處理相比較，就顯然是不公平的。蘇軾爲死囚呼籲，說明「輕重相遠，情有未安」，以「人命至重」爲勸戒。蘇軾在《趙清獻公神道碑》裡，也稱讚趙清獻執法仁德的故事，他寫道：當趙清德任武安軍節度推官時，「民有僞造印者，吏皆以爲當死。公獨曰：『造在赦前，而用在赦後。赦前不用，赦後不造，法皆不死。』遂以疑讞之，卒免死。一府皆服。」第二年徙通判宜州，「卒有殺人當死者，方繫獄，病癰，未潰，公使醫療之，得不瘐死。令赦以免。公愛人之周，類如此。」⑱這些讚語，都體現了蘇軾法律觀的仁政思想。

蘇軾的法治思想，與他的仁政思想是分不開的。對百姓執法公斷，才能使民心服。嚴刑酷法於事無補。他說：「民之枉直難其辯，王有刑罰從其公。」使用法律應以致忠義以核其實，悉聰明以神其斷。」，因爲就執刑來說：「殘而肌膚，不足使之畏；酷而憲令，不足制其亂」，蘇軾主張三寬三捨，云「三寬然後制邦辟，三捨然後施刑章。」爲什麼要提出這一法治的仁義的主張呢？他分析其原因是：「蓋念罰一非辜，則民情鬱而多怨；法一濫舉，則治道汩而不綱。」因此，「折獄致刑」，「赦過宥罪」，都是御世的統治措施。在執法時，「當赦則赦，姦不吾惠；可殺則殺，惡非汝縱。」酷暴峻刑，於民有害，於國有損；蘇軾認爲「秦氏之峻刑，喪邦甚速」，力主刑德相濟，生殺得當；即「刑德濟而陰陽合，生殺當而天地參。後世不此務，百姓無以堪。」⑲蘇軾在寫給李公擇的信中說：「吾儕雖老且窮，而道理貫心肝，忠義填骨髓，直須談笑於死生之際，若見僕困窮便相於邑，則與不學道者大不相遠矣。兄造道深，中必不爾，出於相好之篤而已。然朋友之義，專務規諫，輒以狂言廣兄之意爾。兄雖懷坎壈於時，遇事有可尊主澤民者，便忘軀爲之，禍福得喪，付與造物。」⑳

尊主澤民，是蘇軾人本主義的仁政思想的出發點，同時也是法律觀念的歸宿。

四、安邊教戰的軍事主張

蘇軾在《思治論》中，分析國家的強弱盛衰時說：「財之不豐，兵之不強，吏之不擇，此三者，存亡之所從出，而天下之大事也。」軍隊代表國家的軍事力量，是國家能否強盛的標志。

戰爭，在本質上說來，是以武力進行政治、外交的一種形態。在北宋，面臨邊境契丹及西夏的侵擾，西元1004年（宋眞宗景德元年）的「澶淵之盟」，西元1038年（宋仁宗慶曆四年）與西夏元昊求和，加上國內農民戰爭四處紛起，統治集團爲此惴惴不安，蘇軾作爲統治集團中的一員，對此也極爲關注，在他議政的過程中也不斷地發表各項意見。

關於軍隊，蘇軾認爲，古今戰守不同，必須按照國家面臨的實際情況，建設一支自食其力的軍隊。他指出：戰國時代，秦國軍事力量孤立，但能抗敵於千里，「古者師出受成於學，兵固學者之所宜知也。今關中之事，又諸君之所親履而目見者。昔者六國之世，秦盡有今關中之地，地不加廣也，而東備齊，南備楚，近則備韓、魏，遠則備燕、趙，有敵國之憂，而無中原之助，然而當是時也，攘卻西戎，至千餘里。」而當今天下，雖然國家已統一，但面對邊犯，卻惴惴不安，「今也天下爲一，獨以關中之地西備羌戎，三方無敵國之憂，而又內引百郡爲助，惴惴焉自固之不暇。」㉛今昔對比，「以百倍之勢，而無昔人分毫之功」，究竟癥結何在呢？他分析說：「古之爲兵者，戍其地則用其地之民，戰其野則食其野之粟，守其國則乘其國之馬，以是外被兵而內不知，此所以百戰而不殆也。」這就是古代「用民兵儲粟馬之術」，北宋則不然，「戍邊用東北之人，雜糧用內部之錢，騎戰用西羌之馬，是以一郡用兵而百郡騷然，此又不可不論也。」⑫因此，他主張必須「使被邊之郡自用其民，自食其粟，自乘其馬。」⑬而且要「得其術」。⑭這裡，強調了用兵之「術」，何謂用兵之術呢？蘇軾針對當時的形勢，對軍隊的領導，提出了教戰守的治軍主張。指出「當今生民之患」，「在於知安而不知危，能逸而不能勞。」這一點是當前國家危機中的重要問題。因而，他特別強調平時備戰的重要性。這就是「教戰守」，即經常性地訓練軍隊，使官、兵、民都接受備戰教育。他以古代事例進行分析：「昔者先王知兵之不可去也，是故天下雖平，不敢忘戰。秋冬之隙，致民田獵以講武，教之以進退坐作之方，使其耳目習於鐘鼓旌旗之間而不亂，使其心志安於斬刈殺伐之際而不懾。是以雖有盜賊之變，而民不至於驚潰。」⑮百姓受到了經常性的軍事訓練，可臨危不懼；否則，像唐代開元、天寶之際，天下大治，「民安於太平之樂，酣豢於遊戲酒食之間，其剛心勇氣，消耗鈍眊，痿蹶而不復振」，缺乏備戰觀念，當安祿山「漁陽鞞鼓動地來」時，「四方之民，獸奔鳥竄」，⑯唐室也跟著衰敗了。蘇軾認爲，當時北宋與契丹、西夏的形勢，勢在必戰：「今國家所以奉西北之虜者，歲以百萬計，奉之者有限，而求之者無厭，此其勢必至於戰，戰者，必然之勢也。不先於我，則先於彼，不出於西，則出於北。所不可知者，有遲速遠近，而要以不能免也。」既然戰爭不可避免，如果「天下之民知安而不知危，能逸而不能勞」，將釀成國家大患。

面對這樣的現實，蘇軾提出了教戰守的具體內容。他說：「臣欲使士大夫尊尚武勇，講習兵法。庶人之在官者，教以行陣之節。役民之司盜者，授以擊刺之術。每歲終則聚之郡府，如古都試之法，有勝負，有賞罰，而行之既久，則又以軍法從事。」⑱這種做法的好處有二，一是天下一旦發生戰爭，因平民皆習於兵，懂得克敵的辦法。二是可以抑制驕兵。他說：「今天下屯聚之兵，驕豪而多怨，凌壓百姓而邀其上者何故？此其心以爲天下之知我者，惟我而已。」如果百姓都受過軍事訓練，就可「破其姦謀，而折其驕氣。」⑲所以，教戰守的辦法，既訓練了百姓臨戰不懼，也可以此抑制驕兵對百姓的凌壓。

關於軍事建設，蘇軾有一系列的看法，概括起來，大致有五個方面。

第一，指出聚兵之弊。力陳兵「無事而食，則不可使聚；聚則不可使無事而食。」⑳他舉例說：「夫有百頃之閑田，則足以牧馬千駟，而不知其費。聚千駟之馬，而輸百頃之芻，則其費百倍，此易曉也。」聚兵無事而食，必然增加國家的經濟負擔，而宋代的禁軍，過份集中，釀成大弊。蘇軾指出：「今天下之兵，不耕而聚於京畿之輔者，以數十萬計，皆仰給於縣官。」這樣一來，「天下之財，近自淮甸，而遠至於吳、蜀，凡舟車所至，人力所及，莫不盡取以歸於京師，晏然無事，而賦斂之厚，至於不可復加，而三司之用，猶苦其不給。其弊皆起於不耕之兵聚於內，而食四方之貢賦。」㉑聚兵之弊如是。

第二，議論禁兵之弊。宋代禁兵多而驕，換防時更使民無寧日；蘇軾指出了禁兵的弊端，建議必須進行整頓。他說：「費莫大於養兵，養兵之費，莫大於征行。今出禁兵而戍郡縣，遠者或數千里，其月稟歲給之外，又日供其芻糧。三歲而一遷，往者紛紛，來者纍纍，雖不過數百爲輩，而要其歸，無以異於數十萬之兵三歲而一出征也。農夫之力，安得不竭？餽運之卒，安得不疲？」

⑫禁兵耗資已成民害，而宋之禁兵，驕嬌之氣淩人已甚，蘇軾尖銳地抨擊這一現象：「且今爲天下未嘗有戰鬥之事，武夫悍卒，非有勞伐可以邀其上之人，然皆不得爲休息閑居無用之兵者，其意以爲爲天子出戍也。是故美衣豐食，開府庫，輦金帛，若有所負，一逆其意，則欲群起而噪呼，此何爲者也。由於專信禁兵，而對四方之兵採取懷疑態度，在軍隊中分等級，打擊了地方軍隊的積極性。」蘇軾說：「今之士兵，所以鈍弊劣弱而不振者，彼見郡縣皆有禁兵，而待之異等，是以自棄於賤隸役夫之間，而將吏亦莫之訓也。」因而他建議：對「郡縣之士兵，可以漸訓而陰奪其權，則禁兵可以漸省而無用。」「禁兵可以漸省，而以其資糧益優郡縣之士兵，則彼固已歡欣踴躍出於意外，戴上之恩而願效其力，又何遽不如禁兵耶？」只有禁兵日少，那麼，「內無屯聚仰給之費，而外無遷徒供億之勞。」朝廷就可節省開支，「費之省者，又已過半矣。」⑬

第三，軍隊建設，應從選拔軍事人材開始。蘇軾指出，北宋軍事力量之薄弱，「豈士卒寡少而不足使歟？器械鈍弊而不足用歟？抑爲城郭不足守歟？廩食不足給歟？此數者，皆非也。然所以弱而不振，則是無材用也。」⑭蘇軾提出，軍事人材，對於國家的作用是十分重要的，必須引起朝廷的重視。他認爲「國之有材，譬如山澤之有猛獸，江河之有蛟龍，伏乎其中而威見其外，悚然有所不可押者。至於鰍蚖之所蟠，牲豚之所牧，雖千仞之山，百尋之溪，而人易之，何則？其見於外者不可欺也。」⑮人材之有無，關係到國家對外有無威懾力量。北宋面對外患侵擾，所缺的是像猛獸、蛟龍一樣威鎮四方的軍事幹材。蘇軾指出：「天下之大，不可謂無人。幹廷之尊，百官之富，不可謂無才。然以區區之二虜，舉數州之衆，以臨中國，抗天子之威，犯天下之怒，而其氣未嘗少衰，其詞未嘗少挫，則是其心無所畏也。」⑯契丹、西夏無視北宋王朝的力量，也是因北宋缺乏軍事幹材，這樣一來，形成邊患越演越烈，致使「緣邊之民，西顧而戰慄。牧馬之士，不敢彎弓而北響。吏士未戰而先期於敗，則是民輕其上也。」這種局面，「外之蠻夷無所畏，內之朝廷無所恃，而民又自輕其上」，能說「國之有材」嗎？在這種情況下，蘇軾提出迫切招攬人才的辦法。首先必須先名而後實，如「不先其名，而唯實之求，則來者寡。來者寡，則不可以有所擇」，繼而必須名實兼重；要注重人的實際才幹。他指出，有的人是說的高明而不能戰，「孫、吳之書，其讀之者，未也能戰也。」「多言之士，喜論兵者，未必能用也。」有的人不願參加武舉考試，「進之以武舉，而試之以騎射，天下之奇才，未必至也。」而北宋羅致人才，往往是名實不一，不就是有名無實，否則又是有實無名，因而不能得到眞正的幹才，正如蘇軾所說：「夫既已用天下之虛名，而不較之以實，至其弊也，又舉而廢其名，使天下之士不復以兵術進，亦已過矣。」名與實二者必須兼顧，才能避免各自的弊端。再則在選拔人才時要眞正從實地觀察，進行考核，才能發現眞正的人才。他說：「天下之實才，不可以求之於言語，又不可以較之於武力，獨見之於戰耳。戰不可得而試也，是故見之於治兵。」他指子玉、孫武治兵爲例：「子玉治兵於蔿，終日而畢，鞭七人，貫三人耳。蔿賈觀之，以爲爲剛而無禮，知其必敗。孫武始見，試以婦人，而猶足以取信於闔閭，使知其可用。故凡欲觀將帥之才否，莫如治兵之不可欺也。」要在治兵過程中去考核人才，「今夫新募之兵，驕豪而難令，勇悍而不知戰，此眞足以觀天下之才也。武舉、方略之類以來之，新兵以試之。觀其顏色和易，則足以見其氣；約束堅明，則足以見其威；坐作進退，各得其所，則足以見其能。

凡此者皆不可強也。故曰：先之以無益之虛名，而較之以可見之實。庶乎可得而用也。」⑰人材的獲得，必須存名有實，才能任用眞正的將才率領軍隊。

第四，兵貴精，「練軍實」。他僅反對驕兵、冗兵，而且主張對軍隊應實施精兵簡政政策，還兵於民。這樣，國家財政負擔輕，軍士的素質精，才能抵禦外敵。當然，蘇軾常以傳統的儒家觀念來審視軍隊的建設，往往援引三代的古例來論證自己的觀念，顯得迂腐。但從中導引出來的看法，也還是可取的，他說：「三代之兵，不待擇而精，其故何也？兵出於農，有常數而無常人，國有事，要以一家而備一正卒，如斯而已矣。是故老者得以養，疾病者得以爲閒民，而役於官者，莫不皆其壯子弟。故其無事而田獵，則未嘗發老弱之民，師行而餽糧，則未嘗食無用之卒。使之足輕險阻，而手易器械。聰明足以察旗鼓之節，強銳足以犯死傷之地，千乘之衆，而人人足以自捍。故殺人少而成功多，費用省而兵卒強。」⑱以三代爲訓，論說精兵，說得極爲精彩！「兵出於民」則兵強，這是一種帶規律性的現象。

蘇軾指出，歷代冗兵的弊政就在於兵、民分開，國家背上無法擺脫的包袱，致使兵弱財盡，國家衰敗。他說：「及至後世，兵民既分，兵不得復而爲民，於是始有老弱之卒。」而當募民爲兵之後，「其妻子屋廬，既已託於營伍之中，其姓名既已書於官府之籍，行不得爲商，居不得爲農，而仰食於官，至於衰老而無歸，則其道誠不可以棄去。」這樣一來，對無用士卒雖薄其糧，但他們終身得廩俸；每一個兵士，從二十歲到衰老，有四十年，能效力的年齡僅二十年，有二十年是閑食於官而不能發揮作用的。蘇軾推論說：「自此而推之，養兵十萬，則是五萬人可去也；屯兵十年，則是五年爲無益之費也。」⑲經過這一番分析，很明顯，國家受冗兵的損失太嚴重了！蘇軾析之爲「棄財」和「棄民」，也就是說：「有兵而不可使戰，是謂棄財。不可使戰而驅之戰，是謂棄民。」而且，宋代又多爲募兵，募兵又多非良民；兵民分離，民不知兵，從而造成「兵常驕悍而民常怯，盜賊攻之而不能禦，戎狄掠之而不能抗。」所以，最好的辦法，是使「民得更代而爲兵，兵得復還而爲民。」當兵以「十年爲代」，這並非說全部軍隊進行更換，其中「有始至者，有既久者，有將去者，有當代者，新故什居而教之，則緩急可以無憂矣。」⑽這就是蘇軾「練軍實」的主張。

第五，軍隊的素質要好。蘇軾認爲，必須培養和提倡軍隊的勇敢精神。他說：「戰以勇爲主，以氣爲快。天子無皆勇之將，而將軍無皆勇之士」，因此「致勇有術」，在軍隊中，必倡勇敢。如何實行呢？這種「致勇之術」是什麼呢？蘇軾提出：「勇莫先乎倡」和「倡莫善乎私」兩項。

先說「勇莫先乎倡」。蘇軾解釋說：凡人「皆食其食，皆任其事，天下有急，而有一人焉奮而爭先而致其死，則翻然者衆矣。」在戰鬥激烈的時候，如有「一夫之先登，則勃然者相繼矣。」蘇軾析之曰：「天下之大，可以名劫也。三軍之衆，可以氣使也。諺曰：『一人善射，百夫決拾。』苟有以發之，及其翻然勃然之間而用其鋒，是之謂倡。」

次說「倡莫善乎私」。這裡所謂「私」，指的是從感情及待遇上的得到優厚的對待。因天下勇者難得，「怯者居其百，勇者居其一。」這些人「捐其妻子，棄其身以蹈白刃，是勇者難能也。以難得之人，行難得之事，此必有難報之恩者矣。」所以對於勇士必須厚愛，給予厚遇，他們在關鍵時刻就會振臂而上。蘇軾認爲：「天子必有所私之將，將軍必有所私之士，視其勇者而陰厚之。人之有異材者，雖未有功，而其心莫不自異。自異而上不異之，則緩急不可以望其爲倡。故凡緩急而肯爲倡者，必其上之所異也。」⑩如果國家能實行這一政策，救國就有望了。

蘇軾看出，北宋政權令人擔憂的地方，就在於用軍賞罰不明，不倡勇敢，不善於「私」。他說：「方西戎之叛也，天子非不欲赫然誅之，而將帥之臣，謹守封略，收視內顧，莫有一人先奮而致命，而士卒亦循循焉莫肯盡力，不得已而出，爭先而歸，故西戎得以肆其猖狂，而吾無以應，則其勢不得不重賂而求和。」這種情況的產生，究其原因，在於「天子無同憂患之臣，而將軍無心腹之士。」⑩賢者不見異，勇者不見私」，因此，也就沒有危難中肯於赴湯蹈火的人了！

蘇軾對軍隊的建設，除了上述的五點意見外，還有建禁軍營房，增修弓箭社，加強軍紀等項重要建議。審視北宋兵制及軍事情況，禁軍的驕惰、龐大而腐敗的軍隊，老弱不堪的又無法裁減，士兵沒有經常訓練，「生於無事，而飽於衣食」，一旦遇到了遼、夏的侵擾，完全暴露了軍事力量的虛弱，宋對西夏作戰屢戰屢敗，國家積貧積弱；蘇軾所提的建議，有補於時政，符合於國情，可惜的是這些議論爲紙上談兵，無濟於事；蘇軾的雄才大略，只好徒嘆爲「屠龍之術」了。

北宋與遼及西夏的長期戰爭，是朝野內外所共同關心的熱門話題，蘇軾也不例外。他無論是進策、寫詩、塡詞、作文章，都經常表露他對戰事的關切。西元1075年，蘇軾在密州任上，曾寫《江城子》〈老夫聊發少年狂〉詞以明志：「酒酣胸膽尙開張，鬢微霜，又何妨。持節雲中，何日遣馮唐。會挽雕弓如滿月，西北望，射天狼。」⑩強烈地盼望自已能赴邊疆臨陣殺敵！這「西北望，射天狼」的志向，飽含著一腔愛國的熱忱。蘇軾貶黃州後，聞說种諤領兵深入，破殺西夏六萬餘人，獲馬五千匹，他寫了《聞捷》及《開洮西捷報》二詩以慶。《聞捷》云：「聞說官軍取乞誾，將軍旂鼓捷如神。故知無定河邊柳，得共中原雪絮春。」⑩在詩詞裡，蘇軾的拳拳愛國心，昭然可見。他對於遼、夏的戰爭，在和與戰的決策之間，他曾寫了《策斷一》、《策斷二》、《策斷三》三篇，向神宗表述自己的意見。

在宋王朝與遼、夏之戰的當時，蘇軾所擔憂的是外患會招致內禍。他說：「臣以爲當今之患，外之可畏者，西戎、北狄，而內之可畏者，天子之民也。西戎、北狄，不足以爲中國之大憂，而其動也，有以招內之禍。內之民實執其存亡之權，而不能獨起，其發也必待外之變。先之以戎狄，而繼之以吾民，臣之所謂可畏者，在此而已。」⑩這顯然是封建社會官吏的明智看法：外患與內禍互爲因果，既懼外敵，更憂內亂。根據當時國情，必須先解外患。在和、戰問題上，蘇軾主戰而反對求和。他指出：「昔者敵國之患，起於多求而不供。供者有倦而求者無厭，以有倦待無厭，而能久安於無事，天下未嘗有也。」在這種局面下，是戰是和，應果斷決策，否則就喪失主動權；「當其危疑擾攘之間，而吾不能自必，則權在敵國。權在敵國，則吾欲戰不能，欲休不可。進不能戰，而退不能休，則其計將出於求和。」而求和，則爲國家之大患，蘇軾清醒地看到：「求和而自我，則其所以爲媾者必重。軍旅之後，而繼之以重媾，則國用不足。國用不足，則加賦於民。加賦而不已，則凡暴取豪奪之法，不得不施於今之世矣。」⑩求和是被動挨打，只有掌握戰爭的主動權，才能克敵制勝。他認爲：「用兵有權，權之所在，其國乃勝。是故國無大小，兵無強弱，有小國弱兵而見畏於天下者，權在焉耳。千鈞之牛，制於三尺之童，弭耳而下之，曾不如狙猿之奮擲於山林，此其故何也？

權在人也。我欲則戰，不欲則守。戰則天下莫能支，守則天下莫能窺。」⑩對敵作戰，應「使人備已，則權在我，而使已備人，則權在人。」蘇軾力陳掌握戰爭的主動權，才能禦敵於天下。

再則，對敵人必須分而治之；對付不同的敵人，要使用不同的辦法。其「攻守之方，戰鬥之術」，應根據實際情況決定。蘇軾認爲，「西戎、北胡，皆爲中國之患。而西戎之患小，北胡之患大。」那麼，對付西戎之法，可以以吾之長，擊彼之短，西戎之於中國，是小國，蘇軾獻策日：「用吾之所長，則莫若數出，數出莫若分兵。」所謂分兵，是「使其十一而行，則一歲可以十出；十二而行，則一歲可以五出。十一而十出，十二而五出，則是一人而歲一出也。吾一歲而一出，彼一歲而十被兵焉，則衆寡之不侔，勞逸之不敵，亦已明矣。」⑩對西戎是分兵以擊之計。對北狄又如何呢？他詳細分析匈奴這一遊牧民族的特點，以及它長期與中國相互戰爭過程後指出，中國是以法勝，匈奴是以無法勝，何謂中國之法，即「築爲城郭，塹爲溝池，大倉庫，實府庫，明烽燧，遠斥堠，使民知金鼓這退坐作之節，勝不相先，敗不相後。此其所以謹守其法而不敢失也。」⑩但一旦失其法，而匈奴則改變自己的策略，那就不能長治久安了。所以對匈奴也要改變作戰的方針，找出可乘之機，如「使其上下相猜，君民相疑，然後可以攻也。」而且要自己揚長避短，以己之長，擊彼之短，如「彼僭立四都，分置守宰，倉廩府庫，莫不備具，有一旦之急，適足以自累，守之不能，棄之不忍，華夷雜居，易以生變。」這樣一來，「則中國之長，足以有所施矣。」⑩

因此，對於西夏及契丹的戰爭，他進一步分析禦外政策的立足點，即在於正確估量雙方策略。他說：「夫蠻夷者以力攻，以力守，以力戰，顧力不能逃。中國則不然。其守以形，其攻以勢，其戰以氣，故百戰而力有餘。形者，有所不守，而敵人莫不忌也。勢者，有所不攻，而敵人莫不憛也。氣者，有所不戰，而敵人莫不懾也。」中國必須揚長避短，才能取勝，如果「苟去此三者而角之於力，則中國固不敵矣。」⑪對邊防的政策，蘇軾反對滿足敵人的「無厭之求」，他力誡統治者要有自強精神，不可忍讓：「今者二虜不折一矢，不遺一鏃。走一介之使，馳數乘之傳，所過騷然，居人為之不寧。大抵皆有非常之辭，無厭之求，難塞之請，以觀吾之所答。」⑫因此，他建議收羅天下俊才，詳細研究對方情況，尋求談判的方針策略，才不使國家受損失。蘇軾懇切地提出：「凡吾所以遣使於虜，與吾所以館其使者，皆得以自擇。而其非常之辭，無厭之求，難塞之請，亦得以自答。使其戰攻守禦之策，兼聽博採，以周知敵國之虛實，凡事之關於境外者，皆以付之。」⑬

蘇軾對邊防戰爭的關注，表明了他可貴的愛國精神。前面說過，蘇軾對國家形勢有外患內禍之兩憂，在內禍方面，蘇軾不是怕民造反，動搖封建社會的根基，究其根源，還在於蘇軾的「仁政」思想。他認為「國家畜兵以衛民，而賦民以養兵，此二者不可以有所厚薄也。」而這兩者之間，「薄於養兵者，其患近而易除。厚於賦民者，其憂遠而難救。」問題在於要分清本末，一般的執政者，「徒知畏其易除之近患，而不知畏其難救之遠憂。」⑭養兵、衛民兩者要處理得好，才能安民強兵，才能使國家長治久安。

儒家的仁政思想，左右著蘇軾的社會政治學說，他的法治觀及軍事主張，也是在儒家思想的影響下形成的。蘇軾是儒家學說的繼承者和發揚者，他的主張，對當時的國計民生是有利的。可惜的是，北宋王朝的最高統治者，並沒有重視或接納他用心血寫成的建議，北宋大刀闊斧地施行王安石熙寧新法，甚而把蘇軾的正確意見也統統視爲異端。今天回過頭來再一次審視，我們可以清楚地看出，這種門戶之見，朋黨之爭，對國家民族造成的損失是巨大的。歷史的昭示，後人是不該置若罔聞的！

【附　註】

① 《蘇軾文集》卷2〈中庸論上〉。
② 《蘇軾文集》卷8〈策略四〉。
③ 《蘇軾文集》卷23〈密州謝表〉。
④ 《蘇軾文集》卷23〈徐州謝獎諭表〉。
⑤ 《蘇軾文集》卷24〈次荊公韻四絕〉。
⑥ 《蘇軾文集》卷32〈杭州召還乞郡狀〉。
⑦ 《蘇軾文集》卷27〈繳進沈起詞頭狀〉。
⑧ 《蘇軾文集》卷17〈乞不給青苗錢斛狀〉。
⑨ 《蘇軾文集》卷38〈王安石贈太傅〉。
⑩ 《蘇軾文集》卷50〈與滕達道六十八首〉（四七）。
⑪ 《蘇軾文集》卷17〈司馬溫公神道碑〉。
⑫ 《蘇軾文集》卷27〈辯試館職策問劄子二首〉（二）。
⑬⑭ 《蘇軾文集》卷30〈杭州召還乞郡狀〉。
⑮ 《蘇軾文集》卷55〈與楊元素〉（十七）
⑯ 《續資治通鑑》卷88。
⑰ 《蘇軾文集》卷57〈與黃師是〉。
⑱ 《蘇軾文集》卷55〈與章致平書〉。
⑲ 《蘇軾詩集》卷1〈入峽〉。
⑳ 《蘇軾詩集》卷4〈饋歲〉。
㉑ 《蘇軾詩集》卷20〈正月十八日蔡州道上遇雪，次子由韻二首〉。

㉒　《蘇軾文集》卷34〈論積欠六事并乞檢會應詔所論四事一處行下狀〉。

㉓　《論語・爲政》。

㉔　陸游《老學庵筆記》卷8（中華書局1979年1版，第102頁）。

㉕　葉夢得《石林燕語》卷8（中華書局1984年版）。

㉖　楊萬里《誠齋詩話》見丁福保《歷代詩話續編》（上）。

㉗　《蘇軾文集》卷2〈刑賞忠厚之至論〉。

㉘　《蘇軾文集》卷9〈策別訓兵旅二〉。

㉙㉚　《蘇軾文集》卷25〈上神宗皇帝書〉。

㉛　《蘇軾文集》卷25〈再上皇帝書〉。

㉜　《蘇軾文集》卷25〈議學校貢舉狀〉。

㉝　《蘇軾文集》卷2〈既醉備五福論〉。

㉞　《蘇軾文集》卷2〈既醉備五福論〉。

㉟㊱㊲㊳㊴　《蘇軾文集》卷2〈書論〉。

㊵　《蘇軾文集》卷4〈上初即位論治道二首〉。

㊶　《蘇軾詩集》卷8〈湯村開運鹽河雨中督役〉。

㊷　《蘇軾詩集》卷8〈吳中田婦嘆〉。

㊸　《蘇軾詩集》卷9〈新城道中二首〉（其一）。

㊹　《蘇軾文集》卷2〈書論〉。

㊺　《蘇軾文集》卷32。

㊻　《蘇軾文集》卷26〈乞醫療病囚狀〉。

㊼　《蘇軾文集》卷1〈六事廉爲本賦〉。

㊽㊾　《蘇軾文集》卷25〈上神宗皇帝書〉。

㊿　《蘇軾文集》卷8〈策別課百官〉。

(51)　《蘇軾文集》卷7〈省冗官裁奉給〉。

(52)　《蘇軾文集》卷8〈策別課百官五〉。

(53)(54)　《蘇軾文集》卷9〈御試制科策一道〉。

㊸ 《蘇軾文集》卷14〈范景仁墓誌銘〉。

㊹ 《蘇軾文集》卷11〈喜雨亭記〉。

㊺ 《蘇軾文集》卷11〈眉州遠景樓記〉。

㊻ 《蘇軾文集》卷8〈策別安萬民二〉。

㊼ 《蘇軾文集》卷7〈賞功罰罪之疑〉。

㊽ 《蘇軾文集》卷8〈策別課百官二〉。

㊾ 《蘇軾文集》卷7〈人與法並用〉。

㊿ 《蘇軾文集》卷8〈策別課百官二〉。

63 《蘇軾文集》卷8〈應制舉止兩制書〉。

64 《蘇軾文集》卷48〈應制舉上兩制書〉。

65 《蘇軾文集》卷8〈策別課百官一〉。

66676869707172 73 《蘇軾文集》卷8〈策別課百官一〉。

7475 《蘇軾文集》卷8〈策別安萬民六〉。

76 《蘇軾文集》卷29〈述災沴論賞罰及修河事繳進歐陽修議狀箚子〉。

77 《蘇軾文集》卷50〈上呂相公書〉。

78 《蘇軾文集》卷17〈趙清獻公神道碑〉。

79 《蘇軾文集》卷1〈三法求民情賦〉。

80 《蘇軾文集》卷51〈與李公擇十七首〉（十一）。

81828384 《蘇軾文集》卷7〈關中戰守古今不同與夫用民兵儲粟馬之術〉。

8586878889 《蘇軾文集》卷8〈策別安萬民五〉。

90919293949596979899100 《蘇軾文集》卷9〈策別厚貨財二〉。

101102 《蘇軾文集》卷9〈策別訓兵旅三〉。

103 龍榆生《東坡樂府箋》卷1。

104 《蘇軾詩集》卷21〈聞捷〉。

105106107 《蘇軾文集》卷9〈策斷一〉。

⑽　《蘇軾文集》卷9〈策斷二〉。

⑽⑾⑾　《蘇軾文集》卷9〈策斷三〉。

⑿⒀　《蘇軾文集》卷8〈策略二〉。

⒁　《蘇軾文集》卷48〈上知府王龍圖書〉。

第七章「為國興利」的經濟思想

經濟，也是一個歷史範疇；每個時代都有它的經濟狀況。各個時代的經濟發展、經濟的效率以及生產創造的價值，是各個時代社會文明的保障；每個時代，也都有些有識之士，看到經濟的重要作用，從而倡導經濟政策的改革，作爲當朝國家強弱的重要轉機。

司馬遷寫《史記》，對經濟與社會生活的各個方面的本質聯繫，作過中肯的闡述。他說：「『倉廩實而知禮節，衣食足而知榮辱。』禮生於有而廢於無。故君子富，好行其德；小人富，以適其力。淵深而魚生之，山深而獸往之，人富而仁義附焉。」他不諱言利，認爲「天下熙熙，皆爲利來；天下壤壤，皆爲利往。」一再強調，社會上下，都有趨富的觀念，這是正常的：「夫千乘之王，萬家之侯，百室之君，尙猶患貧，而況匹夫編戶之民乎！」①歷史上有遠見卓識的政治家，都著眼於國家經濟的發展。蘇軾也是這樣。

蘇軾的經濟思想，受到思維空間的限制，也是受封建社會的經濟規律支配的。他無法超越君主專制的現實，而只能在君主政治的前提下提出自己對於經濟政策的建議。封建社會單一的經濟結構，也意味著單調的利益結構；不過，作爲一個清醒的政治家，他看見了商業經濟從農業經濟中游離出來的事實，他不諱言談功利，把百姓的利益放在第一位。他沒有要職，自覺不自覺地希望自己的思想、自己的各項建議獲得君主的接受，作爲得到君主信任的敲門磚。尤其複雜的是，他參政時正處於王安石熙寧變法的高潮時期，他所提出的許多經濟政策方面的意見，又經常與新法相齟齬。這是因爲他了解封建社會的經濟危機，又目睹新法不僅不能解決危機，反而加深現實的混亂和百姓的災難的緣故。

蘇軾對北宋五朝的經濟現狀的認識是清醒的，他看到封建經濟的崩潰和百姓貧困所經受的苦難。蘇軾與乃弟蘇轍，是兩位實事求是面對現實的人，而不是政治革新的絆腳石。他們只不過是力爭改革能完善一些，對百姓更有利一些。但由於王安石剛愎自用，在組織革新領導班子時用人不當，對周圍持不同意見的人不能兼容。對凡是與自己意見相左的人，一律加以排斥，甚或迫害。熙寧變法，雖符合歷史發展趨向，但最後終歸失敗了。現在我們研討蘇軾的經濟思想，其複雜之處，在於與王安石變法的經濟政策交錯在一起，而宋代的經濟環境又是如此的錯綜複雜，有時還很難作出明確的論斷。

歷史上所掀起的每一次大的政治改革，都是極其複雜的，也是極其艱難的；王安石的改革也是如此。熙寧變法是中國歷史上一次影響最大的改革運動。在神宗的支持下，雷厲風行；還組織了三司條例司的專門領導班子，進行計劃和領導。但也由於求之過猛過急，許多設想不完備周到，便被付之實施，再加上王安石思想的局限和性格的弱點，以及北宋五朝的積重難返的現實，使蘇軾對此憂心忡忡。爲了國家和百姓的利益，他不顧個人的前途和自身的安危，挺身而出，提出了許多意見和建議。過去，論者以此責備蘇軾是什麼保守派。這種簡單的非此即彼的分析法，是不能解剖複雜多端的歷史狀況的。剖析蘇軾的經濟思想，必須把握好這一點，才能將問題放在一定的歷史過程中來看它的本來的面目。

熙寧變法的提出者與執行者王安石，在變法過程中，處處都著手於理財，在理財中施行一整套的新經濟法規：如農田水利法、方田均稅法、青苗法、免役法等，所有這些，都是從社會經濟的發展需要出發的，目的在於促進北宋的貨幣流通。蘇軾處於王安石改革的時代，顯然其政治觀念與王安石有異，但作爲一個清醒的富於愛國心的士大夫，他對國家的經濟也是極端重視的；在他的進策及其他文字裡，反映了自己的經濟思想。

蘇軾在經濟方面的基本觀念，是在吸取司馬遷的「衣食足而後知禮義」的思想基礎上開展的。他認爲國家之治亂，決定於百姓生活的富裕與否。他曾說：「人之所以爲盜者，衣食不足耳。農夫市人，焉保其不爲盜，而衣食足，盜豈有不能返農夫市人也哉！故善除盜者，開其衣食之門，使復其業。善除小人者，誘以富貴之道，使隳其黨。以力取威勝者，蓋未嘗不反爲噬也。」②治國不能以力取勝，而必須使百姓生活富足，爲其開衣食之門，安居樂業。

蘇軾與王安石在經濟改革方面的分歧，在於王安石所制定的政策，從國家集權制著想，爲國集利，以國家的權力控制商品和貨幣流通，汲汲於國家的集中聚財，忽視了對百姓生活安排的一面，加上執行政策的過程中流弊多端，因而抑制百姓的利益，致使經濟改革陷於窘境。蘇軾的觀念相反，他從施「仁政」出發，著眼於百姓生活的改善。這樣，在經濟問題上兩相比較，冷靜考察，我們認爲，儘管蘇軾仍然是站在封建的矮屋裡評點現實，但他對於傳統的經濟思想的突破，對於百姓利益的考慮，可以說，比王安石的改革方案略勝一籌；可惜的是，當時神宗接納了王安石的改革方案，而對蘇軾的上書置之不理，使蘇軾對經濟改革的思考流於一紙空言，未能在歷史的政治舞台上發揮應有的作用。

站在封建官吏的立場上，蘇軾提出「捐利予民」，保持社會穩定的主張。他說：「《易》曰：『理財正辭，禁民爲非曰義。』先王之理財也，必繼之以正辭，其辭正則其取之也義。三代之君食租衣稅而已，是以辭正而民服。自漢以來，鹽鐵酒茗之禁，稱貸榷易之利，皆心知其非而冒行之，故辭曲而民爲盜。今欲嚴刑妄賞以去盜，不若捐利以予民，衣食足而盜賊自止。」③捐稅合理，「衣食足而盜賊自止」，正是司馬遷經濟思想的再現。《論語》中曾記錄了有若與哀公的對話時說：「百姓足，君孰與不足？百姓不足，君孰與足？」④民富與國富，兩者並行不悖！

蘇軾這樣的經濟觀念，與王安石有所不同，癥結即在於人主是否與民爭利。蘇軾認爲，民者國之本，官吏衙門在爲國謀利時就是爲民謀利，不爲「身謀」，才能挽救國家的貧困。而王安石的經濟政策，不管其主觀意圖如何，其實行的結果是與民爭利，急功近利；這正如當時司馬光所指出的，「天下安有此理？天地所生財貨百物，不在民，則在官，彼設法奪民，其害乃甚於加賦。」⑤

蘇軾主張維護民利，王安石則認爲，國家要富強，人主可以與民爭利。基於這一原則分歧，才引起了政策執行中的一系列論爭。在議行新法時，王安石說：「周置泉府之官，以榷制兼併，均濟貧乏，變通天下之財，後世唯桑弘羊、劉晏粗合此意。學者不能推明先王法意，更以爲人主不當與民爭利。今欲理財，則當修泉府之法，以收利權。」⑥按照王安石的經濟觀念，可以說，他爲集權制國家的財想得多，爲官吏衙門聚財想得多，面對百姓的利益相對想得少了點，對百姓的統治的意味濃了一點，而蘇軾呢，他也爲統治者著想，因爲他畢竟是封建社會的官員，但他在考慮國家利益的同時，爲百姓想得多一點，對老百姓仁慈一點，令百姓感到心暖。這一差別，不能不使人們的感情色彩向蘇軾傾斜了。王安石的主張是「因天下之力，以生天下之財；取天下之財，以供天下之費。」⑦在「取」與「費」這一環節上，王安石於官吏這一中間層對百姓的盤剝，估計不足，他自己說：「自古治世，未嘗以不足爲天下之公患，患在治財無其道耳。」⑧所以他要實行「理財以其道，而通其變」。主觀願望是良好的；但在他理財的過程中，組織官吏收賦斂稅考慮得多，百姓因此而受的損害，他則疏忽了。正如當時三司條例司出發去考察農田、水利、賦役等情況時，蘇轍說：「役人之不可不用鄉戶，猶官吏之不可不用士人也。有田以爲生，故無逃亡之憂，樸魯而少詐，故無欺謾之患。今乃捨此不用，竊恐掌財者必有盜用之姦，捕盜者必有竄逸之弊。唐楊炎爲兩稅，取大歷十四年應當賦斂之數以定兩稅之額，則租調與庸既兼之矣。今兩稅如舊，奈何復取庸錢？且品官之家復役已久，蓋古者國子俊造，將用其才者，皆復其身；胥史賤吏，既用於官者，皆復其家。聖人舊法，良有深意，奈何至於官戶而又將役之耶！⑨」蘇轍認爲，理財首先應考慮百姓利益，不能讓掌財者籍此以飽私囊。蘇軾兄弟的思想是一致的。

蘇軾的經濟思想，概括起來有如下幾個方面：

一、均民富國的經濟主張

蘇軾理財思想的基本概念是均民富國。他說：「古者天子取諸侯之士，以爲國均，則市不二價，四民常均，是謂之五均，獻王之所致以爲法，皆所以均民而富國也。」⑩那麼，如何達到均民富國呢？蘇軾在《策別》及奏議中多所論及。

首先，力主「省費以養財」。這一觀念，是發自於蘇軾敢於以嚴峻的眼光審視北宋的現實。他曾在評論北宋「利入已浚而浮費彌廣」時說：「外有不得已之二虜，內有不得已而不已之後宮。後宮之費，不下一敵國，金玉錦繡之工，日作而不息，朝成夕毀，務以相新，主帑之吏，日夜儲其精金良帛而別異之，以待倉卒之命，其爲費豈可勝計哉。今不務去此等，而欲廣求利之門，臣知所得之不如所喪也。」⑪面對如此現實，蘇軾極力呼籲的是「省費用」、「省費以養財」。他說：

夫興利以聚財者，人臣之利也，非社稷之福。省費以養財者，社稷之福也，非人臣之利。何以言之？民者國之本，而刑者民之賊。興利以聚財，必先煩刑以賊民，國本搖矣，而言利之臣，先受其賞。近歲宮室城池之役，南蠻、西夏之師，車服器械之資，略計其費，不下五千萬緡，求其所補，卒亦安在？若以此積糧，則沿邊皆有九年之蓄，西夷北邊，望而不敢近矣。⑫

理財必須從省費著手，「凡人臣欲器利而不欲省費者，皆爲身謀，非爲社稷計也。」行事要爲國家謀利，而不爲私利，於國於民才能獲益。他提出君主對於百姓，「廣取以給用，不如節用以廉取之爲易。」⑬在省費用的問題上，蘇軾提出了許多可貴的建議，一是財政的收入與支出應有長遠打算。他說：

夫爲國有三計，有萬世之計，有一時之計，有不終月之計。古者三年耕必有一年之蓄，以三十年之通計，則可以九年無飢也。歲之所入，足用而有餘。是以九年之蓄，常閑而無用。卒有水旱之變，盜賊之憂，則官可以自辦而民不知。若此者，天不能使之災，地不能使之貧，四夷盜賊不能使之困，此萬世之計也。而其不能者，一歲之入，纔足以爲一歲之出，天下之產，僅足以供天下之用，其平居雖不至於虛取其民，而有急則不免於厚賦。故其國可靜而不可動，可逸而不可勞，此亦一時之計也。至於最下而無謀者，量出以爲入，用之不給，則取之益多。天下晏然無大患難，而盡用衰世苟且之法，不知有急則將何以加之，此所謂不終月之計也。⑭

一個國家，應該是歲之所入，足用而有餘，方爲上計。如果不是有計劃地量入而出，而是不斷搜刮民財，揮霍浪費，把國庫挖空，「今天下之利，莫不盡取，山陵林麓，莫不有禁，關有征，市有租，鹽鐵有榷，酒有課，茶有算，則凡衰世苟且之法，莫不盡用矣。」⑮這種做法，對國家的根本利益危害匪淺。二是必須正視北宋官僚階層浪費國家資財的可惡現實，蘇軾對當時社會的弊病，毫不諱言地揭示其實質：

夫無益之費，名重而實輕。以不急之實，而被之以莫大之名，是以疑而不敢去。三歲而郊，郊而赦，赦而賞，此縣官有不得已者。天下吏士，數日而待賜，此誠不可以卒去。至于大吏，所謂股肱耳目，與縣官同其憂樂者，此豈亦不得已而有所畏耶！天子有七廟，今又飾老佛之宮，而爲之祠，固已過矣，又使大臣以使領之，歲給以巨萬計，此何爲者也！天下之吏，爲不少矣，將患未得其人。苟得其人，則凡民之利，莫不備舉，而其患莫不盡去。今河水爲患，不使濱河郡之吏親視其災，而責之以救災之術，徒爲都水監。夫四方之水患，豈其一人坐籌於京師，而盡其利害！天下有轉運使足矣，今江淮之間，又有發運，祿賜之厚，徒兵之眾，其爲費豈可勝計哉。蓋嘗聞之，裡有蓄馬者，患牧人欺之而盜其芻菽也，又使一人焉爲之廄長，廄長立而馬益癯。今爲政不求其本，而治其末，自是而推之，天下無益之費，不爲不多矣。⑯

國家的財政開支無度，官吏層層揮霍，不制止這樣的惡習，蠹蟲那麼多，國家哪能富強呢？三是節省龐大的軍事開支。國家豢養大批老弱的沒有戰鬥力的軍隊，加之北宋禁軍極爲集中，其弊更甚，蘇軾指出當時國家財政深受軍用供給之苦。他說：「今天下之兵，不耕而聚於京畿三輔者，以數十萬計，皆仰給於縣官。有漢、唐之患，而無漢、唐之利，擇其偏而兼用之，是以兼受其弊而莫之分也。天下之財，近自淮甸，而遠至於吳、蜀，凡舟車所至，人力所及，莫不盡取以歸於京師。晏然無事，而賦斂之厚，至於不可復加，而三司之用，猶苦其不給，其弊皆起於不耕之兵聚于內，而食四方之貢賦。」⑰軍費之浩瀚無度，成了財政支出的災難性問題了。還有北宋禁軍的經常調動，三年一遷，使兵無常帥，帥無常兵，這筆費用，也是驚人的。蘇軾說：「費莫大于養兵，養兵之費，莫大于征行。今出禁兵而戍郡縣，遠者或數千里，其月廩歲給之外，又日供其芻糧。三歲而一遷，往者紛紛，來者纍纍，雖不過數百爲輩，而要其歸，無以異於數十萬之兵三歲而一出征也。農夫之力，安得不竭？餽運之卒，安得不疲。」⑱因而他主張省禁兵而訓練郡縣之士兵，這樣一來，「則內無屯聚仰給之費，而外無遷徙供億之勞，費之省者，又已過半矣。」⑲

其次，對於百姓經濟的貧困，他提出「均戶口」，用移民的辦法緩和經濟窘局。北宋的商業經濟已逐漸發達，人口向城市集中，而造成了許多弊端。蘇軾以銳敏的眼光，用追溯歷史來評點現實。他指出：

自井田廢，而天下之民，轉徙無常，惟其所樂，則聚以成市，側肩躡踵，以爭尋常，挈妻負子，以分升合，雖有豐年，而民無餘蓄，一遇水旱，則弱者轉於溝壑，而強者聚爲盜賊。地非不足，而民非加多也，蓋亦不得均民之術而已。⑳

百姓居住的過分集中，造成了社會經濟的超負荷狀態，一旦遇到荒年，災難就降臨了！蘇軾冷靜地分析了這種弊端的兩種表現及其產生的原因，一是「上之人賤農而貴末，忽故而重新，則民不均。夫民之爲農者，莫不重遷，其墳墓廬舍，桑麻果蔬，牛羊耒耜，皆爲子孫百年之計。唯其百工技藝，無事種藝，游手浮食之民，然後可以懷輕資而極其所住。是故上之人賤農而貴末，則農民釋其耒耜而游於四方，擇其所樂而居之，其弊一也。」這是「賤農貴末」的經濟政策所引起的後果。二是「凡人之情，怠於久安，而謹於新集。水旱之後，盜賊之餘，則莫不輕刑罰，薄稅斂，省力役，以懷逋逃之民。而其久安而無變者，則不肯無故而加卹。是故上之人忽故而重新，則其民稍稍引去，聚於其所重之地，以至於衆多而不能容，其弊二也。」㉑針對這兩種情況，蘇軾提出「均戶口」的辦法，其對象是「天下之吏仕」，他們爲了爵祿，樂於流動。另一類是受飢饉而流亡的民衆，「募其樂徙者，而使所過廩之，費不甚厚，而民樂行。」㉒對這二種人，「皆授其田，貸其耕耘之具，而緩其租，然後可以固其意。」實行這一措施之後，可望「天下之民，其庶乎有息肩之漸也。」㉓

對於賦役制度的弊病，蘇軾也極爲重視。他提出了「較賦役」的問題。關於賦役，自兩稅法實行之後，根據地的廣狹瘠腴而制賦，又據賦的多少而制役。這樣，戶無常賦，視地以爲賦，人無常役，視賦以爲役。因此，貧窮者鬻田則賦輕，富貴者加地則賦重。其辦法實行起來似爲合理。但到了北宋，弊政就出在土地兼併的關節上。買賣田地時，貧窮者迫於飢寒而賣地，但賦役不變，因而賣地的富人地益多而賦不增加，賣地的窮人地益少而賦不減，天下的賦役甚爲混亂，百姓被迫逃亡，「其賦存而其人亡者，天下皆是也。」㉔蘇軾針對這一情況，提出對賦役制度的整頓，建議「易田者必有契，契必有所直之數，具所直之數，而取其易田之稅。」㉕這樣，就可以根據所占土地的廣狹瘠腴而收稅，防止了賣買中間的姦弊，減輕了貧苦農民的負擔。蘇軾對於經濟政策的制訂和實施，處處都從大多數的底層百姓著想，這是難能可貴的。

二、對榷與稅的弊政分析

稅收是國家經濟的重要來源之一，怎樣使國家與百姓的利益大致平衡，這一點王安石在變法過程中也只能徒呼奈何，無法解決。王安石主張稅而不榷，反對榷法。他曾在《議茶法》中寫道：「國家罷榷茶之法，而使民得自販，於方今實爲便，於古義實爲宜。而有非之者，蓋聚斂之臣，將盡財利於毫末之間，而不知與之爲取之過也。」他認爲，官茶質粗劣，不可食，民之所食大抵私販；如果奪民之所甘而使不得食，「則嚴刑峻法有不能止者，故鞭扑流徒之罪未常少弛，而私販私市亦未嘗絕於道路也。即罷榷之之法，則凡此之爲患，皆可無矣。」王安石深明榷法之害，這一點與蘇軾的見解是一致的，即他們都反對官場壟斷而給老百姓造成的危害，蘇軾對此多次論及。當時，章惇因河北獨不榷鹽而不滿，認爲是「祖宗一時之誤恩」，蘇軾反對這種看法，說免榷鹽是對的，「獨不榷河北鹽者，正事之適宜耳。」㉖百姓不可一日無鹽。蘇軾指出官鹽之害曰：「且淮、浙官鹽，本輕而利重，雖有積滯，官未病也。今以三錢爲本，一錢爲利，自祿吏購賞修

築廒庾之外，所獲無幾矣。一有積滯不行，官之所喪，可勝計哉！失民而得財，明者不爲。況民財兩失者乎？」㉗

在國家稅收過程中，地方官吏對百姓的催殘，使稅務成爲經濟工作的大患。蘇軾爲此多次呼籲。在揚州時，曾及時揭露稅務中的弊端說：「軾自入淮南界，聞二三年來，諸郡稅務刻急日甚，行路咨怨，商賈幾於不行。有稅物者既無脫遺，其無稅物及號有不多者，皆不與點檢，但多喝稅錢，商旅不肯認納，則苛留十日半月。人船既衆，貲用坐竭，則所喝唯命。州郡轉運司皆力主，此輩無所告訴。」㉘百姓走投無路，想擺脫這無理的盤剝，只有賄賂稅官。他舉例說：「如揚州稅額，已壇不虧，而數小吏爲虐不已。原其情，蓋爲有條許酒稅鹽官分請增剩賞錢。」㉙民欠稅款，無力抵償，雖皇帝詔書赦免，但當時執法者三司曹吏，仍拒不執行，蘇軾忍無可忍，不得不爲此事呼號了。他指出在稅收的過程中經常出現一些意外情況，「或管押竹木，風水之所漂；或主持糧斛，歲久之所壞；或布帛惡弱，估剝以爲虧官；或糟滓潰爛，紐計以爲實欠；或未輸之贓，責於當時主典之吏；或敗折之課，均於保任干係之家。官吏上下，舉知其非辜，而哀其不幸，迫於條憲，勢不得釋，朝廷亦深知其無告也，是以每赦必及焉。凡今之所追呼鞭撻日夜不得休息者，皆更數赦，遠者六、七赦矣。問其所以不得釋之狀，則皆曰：吾無錢以與三司之曹吏。以爲不信，而考諸舊藉，則有事同而先釋者矣。曰：此有錢者也。嗟夫，天下之人以爲言出而莫逆者，莫若天子之詔書也。今詔書且已許之，而三司之曹吏獨不許，是猶可忍邪？」㉚地方官吏在稅收過程中對百姓的盤剝，甚至抗上而欺民，給百姓帶來不測的災難！作爲一個地方官，哪能不大聲疾呼，爲民請命呢！即使蘇軾已貶到南荒惠州，他目睹現狀寫信給程正輔告以實情，以求解決的辦法。尤其是以實物折錢的納役錢，使農民益困，成為嶺南之大患，他說：「今來秋大熟，米賤已傷農矣。所納秋米六萬三千餘石，而漕府乃令五萬以上折納見錢，餘納正色，雖許下戶便取納錢，然納米不得過五千碩元科之數，則取便之說，乃空言爾。」㉛北宋的稅收，經常巧立名目，除租調與庸兩稅既兼之外，又別出科名，使百姓備受其苦，無以為生。蘇軾說：「古者官養民，今者民養官。」㉜官所施於民的災難，已使民忍無可忍，而致挺而走險，這也是蘇軾所深慮的。

北宋的稅收政策，在王安石變法時雖在體制上有所改動，但冗官冗吏的腐敗，地方官吏對百姓的殘酷剝奪，已形成積重難反的局勢，這方面王安石的新政是無法解決的，難怪蘇軾要據實進行抨擊了。後世治史者無須因此而給蘇軾加上所謂反對順歷史潮流的新法的罪名。

三、賑濟論

北宋時期，水旱蟲災紛至沓來，民不聊生，災民無已，只好淪為盜賊。蘇軾歷任地方官，深切了解根由，認為官吏必須體卹民情，賑濟災民，穩定民心，才是上策。

熙寧七年甲寅（公元1074年），蘇軾從杭州移知密州時，蝗災正在吞噬這一帶的莊稼。蘇軾寫道：「自入境，見民以蒿蔓裹蝗蟲而瘞之道左，累累相望者，二百餘里，捕殺之數，聞于官者幾三萬斛，然吏皆言蝗不為災，甚者或言為民除草，……軾近在錢塘，見飛蝗自西北來，聲亂浙江之濤，上翳日月，下掩草木，遇其所落，彌望蕭然。此京東餘波及淮浙者耳。而京東獨言蝗不為災，將以誰欺乎！」㉝地方官吏對自然災害的熟視無睹，欺上瞞下，使民怨沸騰。浙西淫雨颶風之災，在秀州數千人訴風災，官吏以爲訴水旱而無訴風災，拒閉不納。老幼相騰踐死者十一人。蘇軾說：「吏不喜言災者，蓋十人而九，不可不察也。」㉞災傷之後，米價昂貴，民無以聊生。他在杭州對災傷情況甚爲了解，報導說：「去年浙中，冬雷發洪，太湖水溢，春又積雨，蘇、湖、常、秀皆水，民就高田秧稻，以待水退，及五六月，稍稍分種，十不及四五，而又繼之以旱，以故早晚皆傷，高下並損。自元豐以來，民之艱食，未有如今歲者也。」㉟面對民衆流殍，蘇軾力主朝廷應賑濟以安百姓，穩定米價以安民心。如政府坐視不救，餓殍四野，全國就會淪入混亂局面。

蘇軾的濟賑辦法是從多方面考慮的。他主張以常平法代替青苗法，穩定市場物價。他說：「常平之爲法也，可謂至矣，所守者約，而所及者廣。借使萬家之邑，止有千斛，而穀貴之際，千斛在市，物價自平。一市之價既平，一邦之食自足，無操瓢乞匄之弊，無里正催驅之勞。今若變爲青苗，家貸一斛，則千戶之外，孰救其飢？」㊱

在穩定物價方面，他採用調運官府倉糧，以平價拋出救飢的措施。他在杭州上書中也說到此事：「自正月至七月，本州里外九縣，日糶官米千五百石，乃可以平價救飢。」㊲除此之外，在災荒之年，蘇軾還申請上司減免上解錢斛，他希望官吏不可「催迫賦租，督促欠免」。他說：「熙寧中，飢疫人死大半，至今城市寂寥，少欠官私逋負，十人而九，若不痛加賑恤，則一方餘民，必在溝壑。」㊳建議暫寬「轉運司上供年額錢斛」，使官吏「不行迫急之政」。具體地說，就是對浙西一路來年的上解錢斛，「且起一半或三分之二，其餘候豐熟日，分作二年，隨年額上供錢物起發，所貴公私稍獲通濟。」而且還希望上交的供米和省倉軍糧，也暫緩支用，以平米價，並由官府發官錢購買民間金銀絹絲綿，「若得官錢三二十萬，散在民間，如水救火。欲乞指揮提、轉令將合發上供錢，散在諸州稅戶，令買金銀紬絹充年額起發。」㊴而且，他要求「乞免五穀力勝稅錢」，因爲這一收稅法「不稅五穀，使豐熟之鄉，商賈爭糴，以起太賤之價；災傷之地，舟車輻輳，以壓太貴之直。」蘇軾認爲，濟賑的根本辦法，不在於上列的許多應急措施，而是應有長遠之計。這長遠的辦法就是免五穀力勝稅錢。他在黃州時，親自見到穀熟之後，農民載米入市還賣不到了鹽茶之費；而蓄積之家則盼望飢荒年。在浙西時，親自見到水災之後，中民之家有錢無穀，被服珠金，餓死於市。這些情況，都是因爲官府收五穀力勝稅錢的原因。蘇軾認爲「以物與人，物盡而止，以法活人，法行無窮。」北宋從元祐以來，年年救災，但餓殍流亡沒有減少，即以浙西水災爲例，調江西、湖北雇船運米救災，有百餘萬石。所耗資金官府的不貸，而客船被差雇的，都失業破產，爲害如此，不如取消所立的五穀力勝稅錢一條，只行《天聖附令》免稅指揮，這樣一來，可使「豐凶相濟，農末皆利，縱有水旱，無大飢荒。」㊵

還有一個當時百姓中普遍存在的問題，就是民間對政府稅收的積欠。蘇軾對此極爲重視，寫了幾次論積欠的狀子，論及百姓爲積欠所壓，如負千鈞重擔，尤其在夏麥熟時，官府舉催債欠，因此流民不敢歸鄉。蘇軾說：「臣聞之孔子曰：『苛政猛于虎。』昔常不信其言，以今觀之，殆有甚者。水旱殺人，百倍於虎，而人畏催欠，乃甚於水旱。」㊶而且，全國每年催欠的吏卒，「是常有二十餘萬虎狼，散在民間，百姓何由安生，朝廷仁政何由得成乎？」㊷因此，他提出了緩和積欠的許多具體措施，如分清大赦前後的積欠，適當減免；在物價上漲的情況下，只據當時所支官物實直爲官本催納，不是災傷地區，亦可二年作四料送納積欠，等等。他認爲，爲了使百姓過著安定的生活，「與其法外拯濟於既流之後，曷若依法檢放於未流之前。」㊸爲了減輕百姓受收稅吏卒的迫害，蘇軾建議罷稅務終賞格的規定。他說，幾年來在淮南體訪諸處稅務，那些稅務監官刻虐日甚，詳究厥由，「不獨以財用窘急，轉運司督迫所致，蓋緣有上件給錢充賞條貫，故人人務爲刻虐，以希歲終之賞，顯是借關市之法，以蓄聚私家囊橐。」㊹因此，他力諫取消歲終賞格的決定，使深山窮谷之民，免受虐害。

蘇軾爲賑濟災民提出了這一系列的辦法，對百姓是有利的，是發自於他對百姓的同情，尤其是在自己的政治災難臨頭的時候，他還在爲百姓著想，設法讓百姓減輕痛苦。當然，作爲一個官吏，也出自於他對宋王朝統治的深思熟慮，他耽心「飢貧之民，無路逃死，必將聚爲盜賊」，㊺他「深恐飢饉之民，散流江海之上，群黨愈衆，或爲深患。」因此，他以懇切的言辭，上書仁宗，希望皇帝能接納他的建議，安民救國。在封建時代的官吏的思維空間，局限性是顯而易見的，我們不能過份強求了。

四、嚴禁對外走私，控制國家錢財流失

北宋海外貿易有很大發展，國家由江、浙、閩、廣各海口的關稅收入，都有增加。但宋商人從海運私販貨物的事經常發生。蘇軾在杭州時，了解到商人的走私活動，已嚴重地損害了國家的經濟利益。他向仁宗上《乞禁商旅過外國狀》。狀中所說的，不是主張閉關自守，不得對外貿易；而是爲了維護國家的財政收入，必須制止走私漏稅。他舉下列事件爲例：一是泉州徐戩，專擅爲高麗國雕造經板二千九百餘片，公然載往彼國，卻受酬答銀三千

兩，公私並不知覺。而且由於當時契丹與北宋的戰爭，高麗屬契丹，情僞難測，徐戩略無畏忌，公然交通，因此蘇軾主張對此應法外重行，以警閩、浙之民，杜絕姦細。二是客商王應昇，冒請往高麗公憑，卻發船入遼國買賣。船中行貨皆是大遼國南挺銀絲錢物，并有過海祈平安將入大遼國願子二道。三是李資義、李球等人請杭州市舶司公憑往高麗國經紀，因此與高麗國先帶到實封文字一角；及寄搭松子四十餘布袋前來。顯然是李球爲之嚮導，以希厚利。從這些事例中，蘇軾認爲，這些「奸民猾商，爭請公憑，往來如織，公然乘載外國人使，附搭入貢，搔擾所在。」因此建議，必須嚴格按照國家當時各種法令，凡海道商販走私或夾帶武器禁物，必須嚴懲。他還提出了許多具體的意見和措施。

這一對外的經濟政策，在北宋時已成爲官府所關注的問題，可見當時對外的經濟交流意識，也在蘇軾的經濟視野中有了反映。

五、對水利設施的經濟效益的討論

興修陂湖河渠水利，灌溉農田，防止旱澇災害，疏通河道，有利於交通運輸，對農業生產及國民經濟的發展，也極端重要。蘇軾每到一處，都開浚湖泊，築橋樑，溝通河道。他說：「陂湖河渠之類，久廢復開，事關興運。」㊼元祐三年，他第二次到杭州時，適逢乾旱，爲解決水源，他接受了臨濮縣主簿、監杭州商稅蘇堅（伯固）的建議，濬治杭州兩條運河，即南抵龍山浙江閘口，北出天宗門的茆山河，和南至州前碧波亭下，東合茆山河而北出餘杭的鹽橋河。自元祐四年十月開工後，不到半年完成，兩河河床深度在八尺以上，船隻暢行無阻，獲得杭州父老的讚揚。

舉世聞名的杭州西湖的蘇堤，就是爲紀念蘇軾開西湖之功而命名的。當他熙寧年間第一次通判杭州的時候，發現西湖葑合有十分之二、三，而元祐四年第二次通判杭州，事隔十六七年，西湖已堙塞其半了，再過二十年，西湖就湮沒無存了。蘇軾說：「使杭州而無西湖，如人去其眉目，豈復爲人乎？」㊽西湖對於杭州百姓生活，休戚相關，西湖一廢，水產、飲水、灌溉、運河水的吞吐排洩，釀酒及工業用水等方面的損失，將無法估量。「西湖之利，上自運河，下及民田，億萬生聚，飲食所資，非止游觀之美。」㊾於是，蘇軾提出西湖「五不可廢」的理由，主張集資開除葑田，興工治湖。他研究歷代整治西湖的經驗，學習唐代白居易濬治西湖的壯舉，籌備開湖費用，訂出治湖的詳細規劃。他在狀文中寫道：「宜於湧金門內小河水，置一小堰，使暗門、湧金門二道所引湖水，皆入法慧寺東溝中，南行九十一丈，則鑿爲新溝二十六丈，以東達於承天寺東之溝，又南行九十丈，復鑿爲新溝一百有七丈，以東入於貓兒橋河口，自貓兒橋河口入新水門，以入於鹽橋河，則咫尺之近矣。此河下流，則江潮清水之所入，上流，則西湖治水之所注，永無乏絕之憂矣。而湖水所過，皆闤闠曲折之間，頗作石櫃貯水，使民得汲用澣濯，且以備火災，其利甚博。此所謂參酌古今而用中策也。」㊿濬湖工程的計劃，制訂得詳細具體，處處爲民著想。

開湖之外，在杭州還領導開石門新河，他訪問父老，參之舟人，反覆考察沿河地勢及兩岸經濟實情，計劃以錢十五萬貫，用捍江兵及諸郡廂軍三千人，二年而工程乃成，而使福建、兩浙士民，可獲「莫大無窮之利」。再則，吳江水患，使蘇、常、湖三州深受其害，蘇軾上《錄進單鍔吳中水利書》，爲單鍔治吳江的計劃而呼籲，促成治吳方案的實現。單鍔是常州宜興縣進士，有水學，著有《吳中水利書》2冊，蘇軾與熟悉水利的官吏考論其書，認爲可以施用，因此向皇帝推荐，力爭實現。用我們現在的眼光來看，蘇軾可謂是一位水利專家，他不僅敢於提拔水利人材，而且在興修水利中，處處注重經濟效益，於民有利則雷厲風行，於民不利則竭力制止。如他在潁州時，陳州知縣李承之等人主張開八丈溝，他經過調查研究之後，制止了這一勞民傷財的違背自然規律的行動。他在《奏論八丈溝不可開狀》裡寫道：「臣今來到任已兩月，體問得潁州境內諸水，但遇淮水漲溢，潁河下口壅遏不得通，則皆橫流爲害，下冒田廬，上逼城郭，歷旬彌月，不減尺寸。但淮水朝落，則潁河暮退，數日之間，千溝百港，一時收縮。以此驗之，若淮水不漲，則一潁河洩之足矣。若淮不復漲，則雖復旁開百溝，亦須下入於淮，淮水一漲，百溝皆壅，無益於事，而況一八丈溝乎？」㉛他對於盲目開八丈溝的計劃，將要耗費十八萬人與三十七萬貫石的行動，及時申述利害，指出計劃的疏謬，遏止了這一勞民傷財的決定實施。

蘇軾對興修水利的熱心腸，見諸於他的實際行動中；但他又反對王安石變法中的「農田水利法」。這不難理解。蘇軾反對的是那些不切實際，浪費國家錢糧，禍國殃民的行動。他在給神宗的上書裡講得很明白，他勸說神宗不可輕信「農田水利法」，此法如果貫徹下去，勢必造成「上糜帑廩，下奪農時，隄坊一開，水失故道，雖食議者之肉，何補於民。」㉜因爲新法條文中過於籠統，下屬奸習之輩可鑽空子而造成新的災難，這點，蘇軾看得很清楚。《農田水利法》有規定：「應逐縣并令具管內大川溝瀆行流所歸，有無淺塞合要濬導，及所管陂塘堰埭之類可以取水灌溉者，有無廢壞合要興修，及有無可以增廣創興之處，如有，即計度所用工料多少，合如何出辦；（若）係衆戶，即官中作何條約；與糾率衆戶不足，即如何擘畫假貸，助其闕乏。」㉝從文字看來，似無稗漏，但實行起來，漏洞百出。爲什麼呢？蘇軾明確指出：「今欲鑿空訪尋水利，所謂即鹿無虞，豈惟徒勞，必大煩擾。凡有擘畫利害，不問何人，小則隨事酬勞，大則量才錄用。若官私格沮，並重行黜降，不以赦原，若材力不辦興修，便許申奏替換，賞可謂重，罰可謂輕。然並終不言諸色人妄有申陳或官私悞興工役，當得何罪。如此，則妄庸輕剽，浮浪姦人，自此爭言水利矣。」由於「成功則有賞，敗事則無誅。」因此，各地的水利設施，官吏就無法堅持原則了，「若非灼然難行，必須且爲興役」，原因是「格沮之罪重，而悞興之過輕」，他們可以不負責任地治水利，更何況「吏卒所過，雞犬一空」，勞民傷財，也在所不惜。再則有的不法之徒，也可利用法令的疏漏而循私。他指出：「且古陂廢堰，多爲側近冒耕，歲月既深，已同永業，苟欲興復，必盡追收，人心或搖，甚非善政。又有好訟之黨，多怨之人，妄言某處可作陂渠，規壞所怨田產，或指人舊業，以爲官陂，冒佃之訟，必倍今日。」水利法引起的混亂，是必須估計到的，所以蘇軾說：「臣不知朝廷本無一事，何苦而行此哉。」⑭

由此，我們可以了解到，蘇軾對水利建設，是抱著一種實事求是的態度的，他反對新法的錯誤條文是不無道理的，而他自己任地方官時，辦水利事業又是何等認眞，只有把百姓的利益裝在心中的正直官吏，才有這種可貴的求實、堅韌卓絕的精神。所以，凡是蘇軾行蹤所及，莫不備受當地百姓的愛戴了。

蘇軾經濟思想的核心是爲國興利，爲民造益，他在經濟政策上的各項主張、建議和措施，都體現了這樣的出發點。

【附　註】

①　《史記》卷129〈貨殖列傳〉。

② 《蘇軾文集》卷4〈讀歐陽子朋黨論〉。
③ 《蘇軾文集》卷4〈刑政〉。
④ 《論語·顏淵第十二》。
⑤ 《宋史紀事本末》卷37。
⑥ 《宋史紀事本末》卷3。
⑦ 《玉臨川集》卷39〈上仁宗皇帝言事書〉。
⑧ 《玉臨川集》卷39〈上仁宗皇帝言事書〉。
⑨ 《宋史紀事本末》卷37。
⑩ 《蘇軾文集》卷9〈御試制科策一道〉。
⑪ 《蘇軾文集》卷9〈御試制科策一道〉。
⑫ 《蘇軾文集》卷4〈刑政〉。
⑬ 《蘇軾文集》卷8〈策別厚貨財一〉。
⑭ 《蘇軾文集》卷8〈策別厚貨財一〉。
⑮ 《蘇軾文集》卷8〈策別厚貨財一〉。
⑯ 《蘇軾文集》卷8〈策別厚貨財一〉。
⑰ 《蘇軾文集》卷9〈策別厚貨財二〉。
⑱⑲ 《蘇軾文集》卷9〈策別厚貨財二〉。
⑳ 《蘇軾文集》卷8〈策別安萬民三〉。
㉑ 《蘇軾文集》卷8〈策別安萬民三〉。
㉒㉓ 《蘇軾文集》卷8〈策別安萬民三〉。
㉔㉕ 《蘇軾文集》卷8〈策別安萬民四〉。
㉖ 《蘇軾文集》卷48〈上文侍中論榷鹽書〉。
㉗ 《蘇軾文集》卷48〈上文侍中論榷鹽書〉。
㉘㉙ 《蘇軾文集》卷48〈揚州上呂相公論稅務書〉。
㉚ 《蘇軾文集》卷48〈上蔡省主論放欠書〉。
㉛ 《蘇軾文集》卷54〈與程正輔〉。

㉜　《蘇軾文集》卷25〈上神宗皇帝書〉。

㉝　《蘇軾文集》卷48〈上韓丞相論災傷手實書〉。

㉞　《蘇軾文集》卷48〈上呂僕射論浙西災傷書〉。

㉟　《蘇軾文集》卷48〈上執政乞度牒賑濟因修廨宇書〉。

㊱　《蘇軾文集》卷25〈上神宗皇帝書〉。

㊲　《蘇軾文集》卷48〈上執政乞度牒賑濟因修廨宇書〉。

㊳㊴　《蘇軾文集》卷30〈乞賑濟浙西七州狀〉。

㊵　《蘇軾文集》卷35〈乞免五穀力勝稅錢劄子〉。

㊶㊷　《蘇軾文集》卷34〈論積欠六事并乞檢會應詔所論四事一處行下狀〉。

㊸　《蘇軾文集》卷34〈論積欠六事并乞檢會應詔所論四事一處行下狀〉。

㊹　仝上〈乞罷稅務終賞格狀〉。

㊺㊻　《蘇軾文集》卷34〈乞罷稅務終賞格狀〉。

㊼　《蘇軾文集》卷30〈杭州乞度牒開西湖狀〉。

㊽　《蘇軾文集》卷30〈杭州乞度牒開西湖狀〉。

㊾　仝上〈申三省起請開湖六條狀〉。

㊿　《蘇軾文集》卷30〈申三省起請開湖六條狀〉。

(51)　《蘇軾文集》卷33〈奏論八丈溝不可開狀〉。

(52)　《蘇軾文集》卷25〈上神宗皇帝書〉。

(53)　《宋會要輯稿・食貨》1之27〈農田水利法〉。

(54)　《蘇軾文集》卷25〈上神宗皇帝書〉。

第八章　寬容、真誠的倫理觀

倫理，通俗地說，是人理，即關於人與人之間的關係。中國的倫理思想，淵源於孔子所提出的一系列的倫理觀念。孔子以「仁」爲核心的道德規範，他所重視的政治道德以及他所強調的「修己以安人」的修養，對後代倫理思想都有極其深遠的影響。漢代，董仲舒把儒家倫理思想系統化和神學化，提出了綱常名教的思想。魏晉的玄學，掀起了一股逆反思潮，在名教與自然之爭中，嵇康、阮籍等人揭露了名教的虛僞，但又陷入玄學的空虛迷惘的思考。隋唐時代的儒、道、釋三教在合流的過程中，韓愈排斥佛、老，推崇孔孟，提出了道性的哲學，開啓了宋明理學的先河。到了北宋，周敦頤、程頤、程顥等，吸取了儒學和佛學中的唯心思想的因素，逐步形成理學的思想體系，認爲萬物皆由理出。「存天理，滅人慾」是宋代程朱理學的綱領，也是理學學派道德修養論的理論宗旨。處於這樣的思想潮流之中，我們來考究蘇軾的倫理觀，不難發現其中的複雜性和獨特性。

作爲哲學的一個分支的倫理學，屬於道德哲學，是對道德及道德判斷的哲學思考。蘇軾在這方面的思考，無法越過封建傳統法則的支配，擺脫不了儒家倫理思想的影響，也不能超越社會的道德規範的制約力，尤其是在理學已逐漸控制整個社會思想的宋代，蘇軾的倫理哲學，是無法阻攔理學在宋代的形成和發展的！不過，也不能不看到，蘇軾的自由個性和自由思想，反映在倫理方面，在北宋的思想領域裡，是獨樹一幟的。

蘇軾的道德倫理哲學，是與他的政治思想、哲學思想相聯繫的。因此，他的道德倫理意識與他的政治行爲和生活態度是相一致的。

一、「至誠」和「至仁」的道德觀念

蘇軾在《上神宗皇帝書》中，提出了「結人心，厚風俗，存紀綱」的倫理綱領。他的一整套君臣倫理的學說，無不圍繞著「誠」「仁」爲核心而加以展開的！

渴望公正、眞誠和寬容，是蘇軾對人際關係的理想。至於對君主的要求，蘇軾多次直言不諱，要求最高的權力執行者的行動準則，必須以對國家百姓是否有利爲標準。

關於君臣與百姓關係的觀念，並非以封建專制制度的「君君、臣臣、父父、子子」的絕對服從作爲出發點，而是把君與臣、官與民，看作是一種社會責任和社會分工，是政治權力的合理安排。因此，他希望整個社會能做到公正、眞誠和寬容。

蘇軾認爲，君主的道德是「至誠」和「至仁」。他說：「人君以至誠爲道，以至仁爲德」。①這是君主的最高道德準則，「至誠之外，更行他道，皆爲非道；至仁之外，更作他德，皆爲非德。」②那麼，什麼是「至誠」呢？「上自大臣，下至小民，內自親戚，外至四夷，皆推赤心以待之，不可以絲毫僞也。如此，則四海之內，親之如父子，信之如心腹，未有父子相圖，心腹相欺者，如此而天下之不治，未之有也。」③如果人主對臣民的心意不誠，而有僞意，那麼，天下之人也對人主缺乏誠意，最終是自己陷於孤立，成爲獨夫。蘇軾指出：「絲毫之僞，一萌於心，如人有病，先見於脈，如人飲酒，先見於色。聲色動於幾微之間，而猜阻行於千里之外，強者爲敵，弱者爲怨，四海之內，如盜賊之憎主人，鳥獸之畏弋獵，則人主孤立而危亡至矣。」④這不僅是說道德，而且也是談哲理，君臣以誠相見，上下一心，有什麼事辦不好呢？一國的事業，最可怕的是君臣有貳心，這其中主導面在於君主。「至仁」指的又是什麼呢？蘇軾說：「視臣如手足，視民如赤子，戢兵，省刑，時使，薄斂，行此六事而已矣。禍莫逆於好用兵，怨莫大於好起獄，災莫深於興土功，毒莫深於奪民利。此四者，陷民之坑穽，而伐國之斧鉞也。去此四者，行彼六者，而仁不可勝用矣。」⑤這樣，可以「主逸而國安」，如果君主以「百姓爲芻狗」，對鄰國窮兵黷武，而以「吾以威四夷而安中國」的話作籍口，欲煩刑多殺，而以「吾以禁姦慝而全善人」爲口實；欲虐使厚斂，而以「吾以強兵革而誅暴亂，雖若不仁而卒歸於仁」爲掩飾，這些，都是亡國之言。作爲人君，應是「天下公議之主」，應該「捨己而從衆，衆之所是，我則與之，衆之所非，我則去之」。否則，在衆人面前作威作福，那麼，「人主的威福，而其實左右之私意也。」這樣一來，「姦人竊吾威福，而賣之於外，則權與人主侔矣。」⑥蘇軾對君主品德的要求，是相當嚴格的，這裡，他沒有把君主作爲神來對待，他把君主作爲人的一員來規勸，不把君主神化。這一點，也可以看到蘇軾較之於理學家，高出一籌了。

在這一思想基礎上，他認爲，君主有不足之處，可以進行忠告，讓他改進；而君主的品德，也體現在接受下屬的忠言。他提出：「臣不難諫，君先自明」⑦，君臣之間的關係是「上之人聞危言而不忌」，「智既審乎情僞」，而「下之士推赤心而無本」，「言可竭其忠誠」，君主以至明爲本，否則，「目有眯則視白爲黑，心有蔽則以薄爲厚。」其結果「遂使諛臣乘隙以彙進，智士知微而出走。」⑧因此說，君主必須順德而行，以「至誠」、「至仁」處理事務，「視民如視其身，待其至愚者如其至賢者」，在治政過程中，「始之于至誠，中之以不欲速，而終之以不懈，才能把國政治理好。」⑨

蘇軾對君臣之間的道德倫理關係的分析，態度是比較客觀的。他不把人強分爲先天性的等級，然後令百姓服服貼貼接受統治，而是從人際關係之中，分析君臣之間、上下分工及其中的利害關係。論述上下協調對國政民生的益處。他以人體的各部分肌能的相互作用比喻君臣之間的倫理關係：

> 今夫一人之身，有一心兩手而已。疾痛苛癢，動於百體之中，雖其甚微不足以爲患，而手隨至。夫手之至，豈其一一而聽之心哉，心之所以素愛其身者深，而手之所以素聽於心者熟，是故不待使令而卒然以自至。聖人之治天下，亦如此而已。百官之眾，四海之廣，使其關節脈理，相通爲一，叩之而必聞，觸之而必應。夫是以天下可使爲一身。天子之貴，士民之賤，可使相愛。憂患可使同，緩急可使救。⑩

蘇軾不把君主當成至高無上的神的化身，僅僅把君主作爲國家權力的集中體現者，就像人體的心可以指揮手足而行動一樣。而所謂「貴」、「賤」之別，固然是封建社會的傳統意識，但同時也指分工的不同，社會地位的高下而言。他反對以暴力治天下，主張以仁愛治天下；君臣之間相愛，憂患與共，因此君主的品格就在於「結人心」。他指出：「人主之所恃者，人心而已。人心之於人主也，如木之有根，如燈之有膏，如魚之有水，如農夫之有田，如商賈之有財。木無根則槁，燈無膏則滅，人主失心則亡。」⑪「結人心」是君主可貴的品德；人心向背，是政權成敗的關鍵。

政權是「安而爲太山」，或「危而爲累卵」，就在於人心的向背。蘇軾指出：「古之聖人，不恃其有可畏之資，而恃其有可愛之實，不恃有不可拔之勢，而恃其有不忍叛之心。」⑫因爲在治天下的過程中，經常出現許多危險、複雜的事情，如以力勝，以勢制人，那麼，平居無事時猶可相制，一旦有急，就有如路人掉臂而去，因而必須「去苛禮而務至誠」，「通上下之情」，「開心見誠」，才能深入人心，以「御天下之大權」。⑬

蘇軾對君主提出下列五項具體要求：「其一曰：將相之臣，天子所恃以爲治者，宜日夜召論天下之大計，且以熟視其人。其二曰：太守刺史，天子所寄以遠方之民者，其罷歸，皆當問其所以爲政，民情風俗之所安，亦以揣知其才之所堪。其三曰：左右扈從侍讀侍講之人，本以論說古今興衰之大要，非以應故事備數而已，經籍之外，苟有以訪之，無傷也；其四曰：吏民上書，苟小有可觀者，宜皆召問優慰，以養其敢言之氣。其五曰：天下之吏，自『一命以上，雖其至賤，無以自通於朝廷，然人主之爲，豈有所不可哉，察其善者，卒然召見之，使不知其所從來』。如此，則遠方之賤吏，亦務自激發爲善，不以位卑祿薄無由自通于上而不修飾。」⑭這五項，也可說是蘇軾的「至仁」、「至誠」的道德觀的具體體現，是從君主這一端而言，君主對下屬以誠相待，「使天下習知天子樂善親賢卹民之心孜孜不倦如此，翕然皆有所感發，知愛於君而不可與爲不善。」⑮因此，蘇軾又一再提出人主的行爲公正的重要性。他說：「人主之職，在於察毀譽，辨邪正。夫毀譽既難察，邪正亦不易辨，惟有坦然虛心而聽其言，顯然公行而考其實，則眞妄自見讒搆不行。若陰受其言，不考其實，獻言者既不蒙聽用，而被謗者亦不爲辯明，則小習知其然，利在陰中，浸潤膚受，日進日深，則公卿百官，誰敢自保，懼者甚衆，豈惟小臣。」⑯所以君主除具備「至仁」、「至誠」之德外，還必須明察是非，掌握全局。

二、禮、義、信、廉、孝悌說

在傳統文化面前，蘇軾是以儒學爲主，接納了各家思想，融合爲自己獨特的思想系統。禮、義、信、廉、孝悌的理解，即是一例。這些社會道德的範疇，雖原於儒家系統，但從深層的意義看來，已融進了蘇軾的人格修養和社會責任感。

蘇軾析禮，他不把禮作爲政權統治的手段，給予禮一種嚴酷的、限制人們行動自由的法規的面孔，而是從「人情」出發來理解「禮」的產生和發展。他指出：「夫禮之初，緣諸人情，因其所安者，而爲之節文，凡人情之所安而有節者，舉皆禮也，則是禮未始有定論也。然而不可以出於人情之所不安，則亦未始無定論也。執其無定以爲定論，則塗之人皆可以爲禮。」⑰「禮」是「緣諸人情」而生發的，因爲禮具有穩定人情而爲之節制的品格，所以禮是在日常的生活中存在，並不斷地演化發展的。蘇軾認爲，「禮」是上自人君、下至百姓所共同約制的行爲標準，是客觀存在的，無尊卑貴賤之分。在此，我們約略地窺探到一種自由平等的思想脈路，在蘇軾思想中萌動著。他這種「禮」是屬大衆的思想，應該說是對儒家思想體系的突破。這正如他所說的：「今儒者之論則不然，以爲禮者，聖人之所獨尊，而天下之事最難成者也。牽於繁文，而拘於小說，有毫毛之差，則終身以爲不可。論明堂者，惑於《考工》、《呂令》之說；議郊廟者，泥於鄭氏、王肅之學。紛紛交錯者，累歲而不決。或因而遂罷，未嘗有一人果斷而決行之。此皆論之太詳而畏之太甚之過也。」⑱儒家拘泥於繁文褥節的俗禮，那種「毫毛之差，則終身以爲不可」的人爲的禮教，乃束縛人的制度，是限制人身自由的法規。蘇軾主張「禮以養人爲本」，不能「議之太詳，畏之太甚」，而應該是培養人的處世的品格。他說：「夫禮之大意，存乎明天下之分，嚴君臣、篤父子、形孝悌而顯仁義也。」⑲「禮」是調節人與人之間的感情交流的工具，是社會人際的道德行爲規範。他以孔子定《春秋》爲例，說明「禮」在辨明人際的邪正時所起的作用。他指出，《春秋》一書，標示「禮」在事業中的地位，三代的盛衰，是禮之大成或衰廢的反映。「君臣、父子、上下，莫不由禮而定其位，至以爲有禮則生，無禮則死」，⑳孔子一生，未嘗一日不學禮而治其他；孔子是以「禮」作標準來評定歷史事件的，「凡《春秋》之所褒者，禮之所與也，其所貶者，禮之所否也。」蘇軾引《禮記》的話來析禮：「禮者，所以別嫌、明疑，定猶豫也。」而《春秋》就是根據這一思想而寫成的，所以蘇軾又指出：「凡天下之邪正，君子之所疑而不能決者，皆至於《春秋》而定。非定於《春秋》，定於禮也。」㉑他所辨析的「禮」，並不是後來的那種封建法規，而是作爲人的行爲的「別嫌、明疑、定猶豫」的道德修養。

基於對「禮」的本質的理解，他提出了「禮義信足以成德」的論題，這涉及如何看待社會分工的問題。人類歷史上不同的時代，都有人提出社會分工論。戰國時，諸子百家的學說對此出現了分歧的看法，許行有凡人必須自耕自織、自作之說，提出「賢者與民並耕而食」的主張。孟子則針鋒相對地反對說：「有大人之事，有小人之事。且一人之身而百工之所爲備，如必自爲而後用之，是率天下而路也。故曰：或勞心，或勞力。勞心者治人，勞力者治於人；治於人者食人，治人者食於人：天下之通義也。」㉒

關於這一點，三千年來，人們辯說不一。處於北宋封建制度下的蘇軾，他是以上層官吏的眼光及思想觀念，從倫理學的角度，來辨析這一問題。

蘇軾接受了儒家的觀點，認爲社會分工是客觀存在的。他說：「有大人之事，有小人之事。愈大則身愈逸而責愈重，愈小則身愈勞而責愈輕。綦大而至天子，綦小而至農夫，各有其分，不可亂也。責重者不可以不逸，不逸，則無以任天下之重。責輕者不可以不勞，不勞，則無以逸夫責重者。二者譬如心之思慮於內，而手足之動作步趨於外也。是故不耕而食，不蠶而衣，君子不以爲愧者，所職大也。自堯舜以來，未之有改。」㉓當然，這完全是孟子的「勞心者治人，勞力者治于人」的思想的重覆，蘇軾也進而辨析春秋時代類似許行思想的言論，指出有人僅僅從小事出發而存偏面看法，「以爲有國者，皆當惡衣糲食，與農夫並耕而治，一人之身，而自爲百工。」㉔這是在孔子時已有人說過的了，當樊遲向孔子問學稼時，孔子已意識到這種思潮的蔓延，所以深折其詞，而且提出禮、義、信三者，是君主治理國家所必須具備的品質。蘇軾重新論述這三者可以構成國民的道德觀念，並從社會分工與倫理觀的結合上，賦予這一觀念以新的社會內容。他說：「君子以禮治天下之分，使尊者習爲尊，卑者安爲卑，則夫民之慢上者，非所憂也。君子以義處天下之宜，使祿之一國者，不自以爲多，抱關擊柝者，不自以爲寡，則夫民之勞苦獨賢者，又非所憂也。君子以信一天下之惑，使作於中者，必形於外，循其名者，必得其實，則夫空言不足以勸課者，又非所憂也。是三者足以成德矣。」㉕把禮、義、信作爲道德觀念來理解，以此規範人們的行動；而且，在社會分工方面，人各司其職，就不會出現「一人之身，而自爲百工」的論調了。就以道德觀念而論，沒有高低貴賤之別。蘇軾在他的諸多文章中，一再談到道德的普遍性，指出道德並非王公貴族所獨有。他說：「今夫匹夫匹婦皆知潔廉忠信之爲美也，使其果潔廉而忠信，則其智慮未始不如王公大人之能也。」㉖不過，因爲生活環境不同，他們考慮問題的角度也不同罷了：「惟其所爭者，止於簞食豆羹，而簞食豆羹足以動其心，則宜其智慮之不出乎此也。」而這一道德觀念在實踐中推而廣之，治一鄉或治一國，都是一樣的。他接著說：「簞食豆羹，非其道不取，則一鄉之人，莫敢以不正犯之矣。一鄉之人，莫敢以不正犯之，而不能辦一鄉之事者，未之有也。推此而上，其不取者愈大，則其所辦者愈遠矣。讓天下與讓簞食豆羹，無以異也。治天下與治一鄉，亦無以異也。」㉗蘇軾指出，孟子的道德觀與子思相同，但爲什麼孟子的道德觀常被人們所辯駁，而子思之說則「天下同是而莫非」，問題在於「孟子得之而不善用之，能言其道而不知其所以爲言之名」，就以道德觀而論，子思說過：「夫婦之愚，可以與知焉。及其至也，雖聖人亦有所不知焉。夫婦之不肖，可以能行焉，及其至也，雖聖人亦有所不能焉。」蘇軾解釋其內涵說：「聖人之道，造端乎夫婦之所能行，而極乎聖人之所不能知。造端乎夫婦之所能行，是以天下無不可學。而極乎聖人之所不能知，是以學者不知其所窮。夫如是，則惻隱足以爲仁，而仁不止於惻隱。羞惡足以爲義，而義不止於羞惡。此不亦孟子之所以爲性善之論歟！」㉘其實，子思與孟子的理論是一致的，只不過「子思取必於聖人之道，孟子取必於天下之人」而已。由此可見，蘇軾認爲，禮是實踐性的，可以掌握的；關於對禮義的認識，則是無窮的，禮義應該在行惻隱、知羞惡中實行。

在蘇軾的倫理觀念中，「廉」之爲德也占有重要的地位；這是他根據自己的參政實踐經驗及其深刻的領悟而提出的。他寫了一篇「六事廉爲本賦」，專門闡述廉作爲一種道德所應有的標準。他說：「事有六者，本歸一焉。各以廉而爲首，蓋尙德以求全。官繼條分，雖等差而立制；吏功旌別，皆清愼以居先。器爾衆才，由吾先聖。人各有能，我官其任。人各有德，我目其行。是故分爲六事，悉本廉而作程；用啓庶官，俾厲節而爲政。善者善立事，能者能制宜。或靖恭而不懈，或正直而不隨。法則不失，辨別不疑。第其課兮，事臣別矣；舉其要兮，廉一貫之。」㉙蘇軾將「廉潔」作爲官德的最重要內容來看待。他在贊揚孔子時說：「昔者夫子廉潔而不爲異衆之行，勇敢而不爲過物之操，孝而不徇其親，忠而不犯其君。凡此者，夫子之全也。」㉚廉潔是官吏的美德。至於君臣關係，以廉恥來維繫，也是極其重要的。他說：「君以利使臣，則其臣皆小人也。幸而得其人，亦不過健於才而薄於德者也。君以禮使臣，則其臣皆君子也。不幸而非其人，猶不失廉恥之士也。其臣皆君子，則事治而民安。士有廉恥，則臨難不失其守。小人反是。故先王謹於禮。」㉛「廉」作爲官德，屬於「禮」的範疇，也是君臣之間建立信任的紐帶。

在以「禮」爲核心的倫理觀念中，還有「孝悌」之說。他指出：「天下固知有父子也，父子不相賊，而足以爲孝矣。天下固知有兄弟也，兄弟不相奪，而足以爲悌矣。孝悌足而王道備，此固非有深遠而難見，勤苦而難行也。」㉜所謂孝悌，即父子、兄弟之間的敬愛和親情厚意。家庭，作爲社會的一個基本單位，做到孝悌，則社會安定，王道實行。他一再說：「夫婦、父子、兄弟之親，天下之至情也。」㉝「仁義之道，起於夫婦、父子、兄弟相愛之間。」㉞家庭成員間，遵守道德規範，社會倫理道德自然也就得到彰顯。

蘇軾所闡述的倫理觀念在內容方面，乍看起來，與儒家倫理思想如出一轍。的確，蘇軾是承接了中國傳統文化中的儒家意識觀念的，這一點無庸諱言，不過，蘇軾的倫理觀念，不是像理學家的「存天理、滅人慾」的主張那樣，把「天理」看成天經地義，把「人欲」又作爲應滅之物。相反，蘇軾認爲，倫理道德，都是由於人類有了七情六欲，從而引發的；社會在調節「人欲」的過程中，用約定俗成的方式，來平衡人際關係，於是形成了人所必須共有的道德品格。他說：「事有近而用遠，言有約而義博者，渴必飲，飢必食，食必五穀，飲必水。此夫婦之愚所共知，而聖人之智所不能易也。一言而可以終身行之者，恕也。仁者得之而後仁，智者得之而後智。施於君臣父子夫婦朋友之間，無所適而不可，是飢渴飲食之道也。」㉟他認爲，道德的存在，是人情的需要，不是什麼天理的不可逾越的東西。而忠、恕與厚，這三者作爲社會的道德範疇，是聖人所堅持的道。或稱爲穀，稱爲米，稱爲飯，與忠、恕、厚都是一回事，都是人們的日用要求。因此，禮、義、忠、信、廉、孝悌等道德觀念，不應該是綑縛人類行爲的法規，而應該成爲人們的內在要求進而養成一代的社會風氣，「人皆有六親相娛」，「飢思食，壯思室，自然之理」，社會的安寧與發展，也是取決於人的生活的需要。而在整個社會結構中，君主也不是天生的聖人，只不外是執掌了中央的權柄，對於風俗倫理起到了重要的調節作用而已！因爲在封建社會裡，君權是決定性的，但蘇軾也不把君主神化，而將君主看作是人的一員，在道德平衡過程中，倫理道德也不斷地得到調整和完善。

蘇軾在對封建社會的倫理意識的形成進行一番考察、分析之後，獲得了對倫理道德規範形成的前因後果的認識，他說：「聖人之始制爲君臣、父子、夫婦、朋友也，坐而治政，奔走而執事，此足以爲君臣矣。聖人懼其相易而至於相陵也，於是爲之車服采章以別之，朝覲位著以嚴之。名非不相聞也，而見必以贄。心非不相信也，而出入必以籍。此所以久而不相易也。杖履必爲安，飲食必爲養，此足以爲父子矣。聖人懼其相褻而至於相怨也，於是制爲朝夕問省之禮，左右佩服之飾。族居之爲歡，而異官以爲別。合食之爲樂，而異膳以爲尊。此所以久而不相褻也。生以居於室，死以葬於野，此足以爲夫婦矣。聖人懼其相狎而至於相離也，於是先之以幣帛，重之以媒妁。不告於廟，而終身以爲妾。晝居於內，而君子問其疾。此所以久而不相狎也。安居以爲黨，急難以相救，此足以爲朋友矣。聖人懼其相瀆而至相侮也，於是戒其群居嬉遊之樂，而嚴其射享飲食之節。足非不能行也，而待擯相之詔禮。口非不能言也，而待紹介之傳命。此所以久而不相瀆也。」㊱就蘇軾的闡釋看來，他認爲君臣、父子、夫婦、朋友之間的關係，各項道德規範的形成，是從生活出發，生活中要求有各種不同的節制，故產生禮儀。這裡的所謂「聖人」，是指在約定俗成時的某一制定禮儀的代表人物，並非「聖人」的神化。如果把禮儀制度作爲上天的規定，爲統治百姓加之以上天賜予的籍口，則爲愚弄百姓。蘇軾的求實之處，就在於把倫理觀念的形成，也都放在現實生活之中來探討：倫理意識的存在，來源於人人目所共睹的日常生活。他打破了一種神秘感，認爲社會上的倫理規範並不神秘，只不過是人與人之間的關係中所體現的不同品格而已。他並不以封建的倫理道德去束縛人的意志，反而以對倫理的理解和實踐，讓生活中的不幸，得到更多的挽救。試舉兩例：

北宋黃州有溺嬰習俗。他在「與朱鄂州書」裡，詳細地談論黃州溺嬰的殘酷習俗。黃州諱養女，故民間少女，多鰥夫。有的因家窮，男嬰也被溺殺。孩子初生時，「輒以冷水浸殺，其父母亦不忍，率常閉目背面，以手按之水盆中，咿嚶良久乃死。」面對這種惡習，他的朋友朱壽昌守鄂州，於是寫信商量如何「立賞罰以變此風」。㊲《黃鄂之風》一文中寫道：「黃之士古耕道，雖椎魯無它長，然頗誠實，喜爲善。乃使率黃人之富者，歲出十千，如願過此者，亦聽。使耕道掌之，多買米布絹絮，使安國寺僧繼蓮書其出入。訪閭里田野有貧甚不舉子者，輒少遺之。若歲活得百箇小兒，亦閑居一樂事也。吾雖貧，亦當出一千。」㊳行善求義，使社會父子母女之間減少悲劇，蘇軾的倫理思想體現於普通的生活之中。

在夫婦生活之間，蘇軾所稱頌的，是忠貞不喻的情愛，是相待以誠的可貴品德。他曾對在密州的朋友劉庭式的家庭生活，專文以載。他寫道：「庭式通禮學究。未及第時，議娶其鄉人之女，既約而未納幣也。庭式及第，其女以疾，兩目皆盲。女家躬耕，貧甚，不敢復言。或勸納其幼女。庭式笑曰：『吾心已許之矣。雖盲，豈負吾初心哉！』卒娶盲女，與之偕老。」後來，盲女死於密州，庭式爲之居喪，「逾年而哀不衰，不肯復娶。」蘇軾爲此記錄下他們之間的一段對話，意味頗爲深長。蘇軾問庭式說：「哀生於愛，愛生於色。子娶盲女，與之偕老，義也。愛從何生，哀從何出乎？」庭式答曰：「吾知喪吾妻而已，有目亦吾妻也，無目亦吾妻也。吾若緣色而生愛，緣愛而生哀，色衰愛弛，吾哀亦忘。則凡揚袂倚市，目佻而心招者，皆可以爲妻也耶。」㊴夫婦之間的互敬互愛的倫理意識，在這一事跡的記錄中，感人至深。

這兩個例子說明，蘇軾的倫理觀念，不是建立在虛無縹緲的上天賜予之神明，作迂腐的烈夫節婦的從一而終的「存天理，滅人欲」「三綱五常」的條規的解辯，而是在耳可聽、目可見的現實生活之中，對倫理道德觀念作實事求是的合於人情的認同，封建社會的倫理綱常，在蘇軾的理解中，已成爲人情味極其濃厚的關係調節；他把倫理觀念通俗化，破除了封建倫理的神秘性。既不欺己，也不欺人，這就是蘇軾之所以為蘇軾，也是蘇軾為平常百姓所接近喜愛的原因所在。

三、名實觀

對「名」與「實」的關係的理解，實質上也屬道德觀範圍。

歷來儒者，重名而輕實；道釋則重實而輕名。在蘇軾看來，「名」與「實」一致，才是社會人事平衡的準則。他在論述「名」、「實」的內涵時，聯繫到君民關係，也是把君主置於常人之中來進行分析的。他曾引述司馬遷的話析名實為道德範疇：「太史遷曰：『申子卑卑，施於名實。韓子引繩墨，切事情，明是非，其極慘覈少恩，皆原於道德之意。』」㊵

「名」與「實」兩者的關係如何呢？他在論正統這一觀念時，就一個國家而正面申述名實的實質。他說：「正統者，何耶？名邪？實邪？正統之說曰：『正者，所以正天下之不正也；統者，所以合天下之不一也。』不幸有天子之實，而無其位，有天子之名，而無其德，是二人者立於天下，天下何正何一？而正統之論決矣。正統之為言，猶曰有天下云爾。人之得此名，而又有此實也。夫何議。」㊶蘇軾從歷史的過程中考察皇帝的德行，大膽地提出問題。封建社會，君主是至高無上的，是上天任命之驕子，是不能提出疑問的。蘇軾則不然，他從名與實的側面，指出歷史上的君主名與實不相符的情況：有的是有實無名，即有君主的才德而無其位；有的是有名無實，徒有天子虛名而無其德。那麼誰該屬於正統呢？「天下固有其實而得其名者，聖人於此不得已焉，而不以實傷名。而名卒不能傷實，故名輕而實重。不以實傷名，故天下不爭。名輕而實重，故天下趨於實。」㊷高尙的道德，優於虛名，天下從善如流，故天下不爭。蘇軾從道德的普遍性的角度，倡導評價人的道德時應本著平等思想，君主、大臣以及老百姓，雖然地位不同，但賢不肖之別是一致的。這是他對人的問題的思考中很重要的一環。在名實觀方面，他也堅持這一觀念。他認爲名與實應該是統一的；之所以名實不一，不在於人之地位高低，也即所謂貴賤，而是人的品格和才德的差別。他指出：「天下之貴者，聖人莫不貴之，恃有賢不肖存焉。輕以與人貴，而重以與人賢，天下然後知貴之不如賢、知賢之不能奪貴，故不爭。知貴之不如賢，故趨于實。使天下不爭而趨於實，是亦足矣。正統者，名之所在焉而已。名之所在，而不能有益乎其人，而後名輕。名輕而後實重「吾欲重天下之實，於是乎始輕。」㊸他認爲，讓天下人知道貴之不如賢，天下也就不爭而趨於實。名與實的關係中就會形成一種注重實際，趨向德行的好風尙。就以帝皇的正統觀念而論，「使夫堯舜三代之所以爲賢於後世之君者，皆不在乎正統。故後世之君不以其道而得之者，亦無以爲堯舜三代之比。於是乎實重。」㊹有的帝皇，雖也占居帝王之位，也「傷乎名而喪于實者。」因而，就國家的「正統」來闡析名實觀，蘇軾所強調的，是重實輕名，給社會一種正確的倫理導向。

對一個人的考察，他也認爲應重實而不重名。就以君臣之間的關係說，他提出「黜虛名而求實效」的主張。蘇軾說過一段很精闢的話：

> 創業之君，出於布衣，其大臣將相，皆有握手之歡，凡在朝廷者，皆嘗試擠掇，以知其才之短長，彼其視天下如一身，苟有疾痛，其手足不期而自救，當此之時，雖有近憂，而無遠患。及其子孫，生於深宮之中，而狃於富貴

之勢，尊卑濶絕，而上下之情疎，禮節繁多，而君臣之義薄。是故不為近憂，而常為遠患。及其一旦，固已不可救矣。㊺

基於這樣的情況，因此他提出：「聖人知其然，是以去苛禮而務至誠，黜虛名而求實效，不愛高位重祿以致山林之士，而欲聞切直不隱之言者，凡皆通上下之情也。」㊻在用人方面，從「黜虛名而求實效」的角度去考察，才能眞正啓用品格高尙的人材。蘇軾認為，三代以後的一些偽儒家，只重「名」而不重「實」，「使民好文而益媮，飾作而相高，則有之矣。」㊼針對這種弊端，蘇軾指出，這些「皆好古而無術，知有教化而不知名實之所存也。」㊽他說，有名而無實，則其名不行。有實而無名，則其實不長。有名而無實，必然帶來人際關係之間的虛僞，見利而忘義。不過，在徵用人才的過程中，也還必須名實並重的。他在談論到如何求將才時說過，古代的聖人，以無益之名，而致天下之實，以可見之實，而較天下之虛名。二者相為用而不可廢。「是故其始也，天下莫不紛然奔走從事於其間，而要之以其終，不肖者無以欺其上。此無他，先名而後實也。不先其名，而唯實之求，則來者寡。來者寡，則不可以有所擇。以一旦之急，而用不擇之人，則是不先名之過也。」㊾招攬人才，先以名招來賢材，在衆多人才之中選擇，以求實用，實際上是名實一致的觀點。他繼而指出，「既以用天下之虛名，而不較之以實，至其弊也，又舉而廢其名，使天下之士不復以兵術進，亦已過矣。」所以說，「先之以無益之虛名，而較之以可見之實。庶乎可得而用也。」㊿他還說：「古之君子，貴賤相因，先後相援，固多矣。軾非敢廢此道，平生相知心，所謂賢者則於稠人中譽之，或因其言以考其實，實至則名隨之，名不可掩，其自為世用，理勢固然，非力致也。」㉛

蘇軾論名與實，體現了他的實事求是的精神；重實際而輕虛名，「黜虛名而求實效」，是蘇軾名實觀的核心所在。

四、士大夫的品格修養

作爲一代文人名士，不論是政治生活或文化生活，蘇軾都可以說是士大夫的典型。在他的文章、書信及詩詞中，對於士大夫個人的品格修養，多所涉及。這也反映了蘇軾的道德意識和倫理觀念。他所涉及的品格情趣，在北宋的文人圈裡，也是具有代表性的。

北宋士大夫的人品胸次，和他們對於個人氣質的追求，受著時代的哲學倫理的制約。當時，儒、佛、道三教的揉合，社會意識形態形成了一個又矛盾又統一的哲學體系，這一點與文人的個性修養密切相關。政治上的正直，生活上的清高，文化情趣的陶情養性，已經是上層知識分子中所形成的一個品類，蘇軾對當時士大夫的生活情趣的理解和看法，既是時代精神的折射，同時也反映了他對個性解放的一種潛在要求。

在士大夫的品質修養上，蘇軾最強調的是個人所應特具的氣質。士大夫固然必需具備才能，但更重要的還在於氣質。他說：「軾聞天下之所少者，非才也。才滿於天下，而事不立。天下之所少者，非才也，氣也。」㊽什麼叫氣呢？這是一個不容易說清楚的特殊概念，是可意會而不可言傳的東西，「是不可名也，若有鬼神焉而陰相之。」㊾在「才」與「氣」之間，「氣」是決定的因素。他說：

今夫事之利害，計之得失，天下之能者，舉知之而不能辨。能辨其小，而不能辨其大，則氣有所不足也。夫氣之所加，則己大而物小，於是乎受其至大，而不爲之驚，納其至繁，而不爲之亂，任其至難，而不爲之憂，享其至樂，而不爲之蕩。是氣也，受之於天，得之於不可知之間，傑然有以蓋天下之人，而出萬物之上，非有君長之位，殺奪施與之權，而天下環嚮而歸之，此必有所得者矣。多才而敗者，世之所謂不幸者也。若無能焉而每以成者，世之所謂天幸者也。夫幸與不幸，君子之論，不施於成敗之間，而施於窮達之際，故凡所以成者，其氣也，其所以敗者，其才也。氣不能守其才，則焉往而不敗？世之所以多敗者，皆知求其才，而不知論其氣也。㉞

這裡，他充分肯定了士大夫的品格；一個人除了才能，重在氣質。優秀的個人氣質，能使人臨難而不懼不憂，克服逆境，循著既定的生活目標勇往直前。因而，對人的了解和觀察，以氣質爲主。他論韓愈就著重說氣：「匹夫而爲百世師，一言而爲天下法，是皆以參天地之化，關盛衰之運。其生也有自來，其逝也有所爲。故申、呂自岳降，而傅說爲列星，古今所傳，不可誣也。孟子曰：『我善養吾浩然之氣。』是氣也，寓于尋常之中，而塞乎天地之間。卒然遇之，則王公失其貴，晉、楚失其富，良、平失其智，賁、育失其勇，儀、秦失其辯。是孰使之然哉？其必有不依形而立，不恃力而行，不待生而存，不隨死而亡者矣。故在天爲星辰，在地爲河岳，幽則爲鬼神，而明則復爲人。此理之常，無足怪者。」㉟他又一再指出韓愈的影響關係於氣，韓愈「文起八代之衰，而道濟天下之溺，忠犯人主之怒，而勇奪三軍之帥，此豈非參天地，關盛衰，浩然而獨存者乎？」㊱氣對於韓愈的道德文章，起著決定性的作用。

蘇軾提倡知人論氣。認爲人是十分難以認識的：「江海不足以喻其深，山谷不足以配其險，浮雲不足以比其變。」人雖然很難了解，很難把握，但古代也積累了許多考察人的方法。如「委之以利，以觀其節；乘之以猝，以觀其量；伺之以獨，以觀其守；懼之以敵，以觀其氣。」㊼士大夫的氣量節守是評價他的品格的準繩。品格之高下，表現於氣質，氣質，是由士大夫文人內在高超、超然的情志及個性、素養等多方面因素構成的內在心理結構，這種心理結構，通過特定的環境、遭遇而形成爲一種綜合性的外在的表現。當然，這種個性氣質的形成，既是受傳統文化的薰陶，同時也是個人在生活中長期的、潛移默化的人格修養的結晶。

蘇軾對士的氣質的肯定，突出地表現在他的《李太白碑陰記》一文中。李白失節於永王璘，他從「氣」的角度進行辯析，他指出，李太白是一介狂士，失節於永王璘，這難道是濟世之人嗎？士大夫常有大言而無實，虛名不適於用，但不能用這標準來判斷天下士。「士以氣爲主。方高力士用事，公卿士大夫爭事之，而太白使脫韡殿上，固已氣蓋天下矣。使之得志，必不肯附權倖以取容，其肯從君以昏乎！又說：「夏侯湛贊東方生云：『開濟明豁，包含宏大。陵轢卿相；嘲哂豪傑。籠罩靡前，跆籍貴勢。出不休顯，賤不憂戚。戲萬乘若僚友，視儔列如草芥。雄節邁倫，高氣蓋世。可謂拔乎其萃，游於方外者也。』吾於太白亦云，太白之從永王璘，當由迫脅。不然；璘之狂肆寢陋，雖庸人知其必敗也。太白識郭子儀之爲人傑，而不能知璘之天成，此理之必不然者也。吾不可以不辯。」㊽蘇軾之爲李白辯護，是透視了李白的士的氣質而得出的判斷。他在贊揚張方平時說，張方平是一介布衣，自少出仕，直到老歸，未嘗以言徇物，以色假人。即使是面對人主，必同而後言，毀譽不動，得喪若一，眞的是孔子所說的大臣以道事君的人，「世遠道散，雖志士仁人，或少貶以求用，公獨以邁往之氣，行正大之言，曰：『用之則行，捨之則藏。』上不求合於人主，故雖貴而不用，用之不盡。下不求合於士大夫，故悅公者寡，不悅者衆。然至言天下偉人，則必以公爲首。」⑲張方平的「邁往之氣」，在漫長的人生歷程中，始終如一。蘇軾在談到孔融的爲人時也講到氣，說「孔北海志大而論高，功烈不見於世，然英偉豪傑之氣，自爲一時所宗。」⑳張方平的氣質，也是他受了孔融以及諸葛亮等人的人品氣質的薰陶而形成的。蘇軾曾在一封信中談到，朋友交往，首先也看氣質：「足下望其貌而壯其氣，聆其語而知其心，握手見情愫，交論古今，歡然若與之忘年焉。」㉑

蘇軾逝世後七十年時，宋孝宗皇帝贈蘇文忠公太敕曰：「蘇軾養其氣以剛大。」並御製蘇文忠公序並贊，特別闡述「氣」和「節」：

> 成一代之文章，必能立天下之大節，立天下之大節，非其氣足以高天下者，未能焉。孔子曰：『臨大節而不可殺，君子人歟！』孟子曰：『我善養吾浩然之氣。』以直養而無害，則塞乎天地之間，蓋有之於身謂之氣，見之於事謂之節，節也，氣也，合而言之道也。……蘇軾忠言讜論，立朝大節，一時適臣無出其右，負其豪氣，志在行其所學，放浪嶺海，文不少衰，力斡造化，元氣淋漓，窮理盡性，貫通天人，山川風雲，草木華實千彙萬狀，可喜可愕，有感於中一寓之于文，雄觀百代，自作一家，渾涵光芒至是而成矣。㉒

蘇軾一生的生活實踐及其學術創作活動，也都貫串一個「氣」字。宋史本傳論曰：蘇軾「器識之閎偉，議論之卓犖，文章之雄儁，政事之精明，四者皆能以特立之志爲之主，而以邁往之氣輔之，

故意之所向，言足以適其有，猶行足以遂其有爲，至於禍患之來，節義足以固其有守，皆志與氣所爲也。」㊳

氣質是士大夫品格修養的總體表現，那麼表現於行動上，作爲一個士大夫應具備那些素質呢？有才能、穩重、簡樸、質直，是蘇軾常常引以贊頌的。如他說：「機略足以應無方，而有樸忠沉厚之量；文華足以表當世，而有簡素質直之風。置之於都會，則其爲效也速，而所及者廉；委之於樞機，則其成功也遲，而所被者廣。」㊴這一段話，不僅是對某一個人而言，我們可看作是他對人的全面要求和評價，是士大夫的人格修養的綜合。他說過：「昔者夫子廉潔而不爲異衆之行，勇敢而不爲過物之操，孝而不徇其親，忠而不犯其君，凡此者，是夫子之全也。」㊵廉潔、勇敢、忠孝，也是士大夫所必須具備的品格。在與朋友的交往中，應有「自知」與「自達」。他指出，「有自知之明者，乃所以知人。有自達之聰者，乃所以達物。自知矣可以無疑矣，而徇人則疑於人，自達矣可以無蔽矣，而徇物則蔽於物。」㊶只有「自知」和「自達」，才能做到知己知彼，以誠待人。蘇軾還提到士大夫之「思」，闡述士大夫的坦率胸懷，他說：「余天下之無思慮者也。遇事而發，不暇思也。未發而思之，則未至。已發而思之，則無及。以此終身，不知所思。言發於心而衝於口，吐之則逆人，茹之則逆余。以爲寧逆人也，故卒吐之。君子之於善也，如好好色；其於不善也，如惡惡臭。豈復臨事而後思，計儀而美惡，而避就之哉！是故臨義而思利，則義必不果，臨戰而思生，則戰不力。若夫窮達得喪，死生禍福，則吾有命矣。」㊷他在《送杭州進士詩敍》中對於士的品格也有過一段名言：「流而不返者，水也；不以時遷者，松柏也；言水而及松柏，於其動者，欲其難進也。萬世不移者，山也；時飛時止者，鴻雁也；言山而及鴻雁，於其靜者，欲其及時也。」⑱這就是所謂士之志了。與士交朋友，應是推心置腹，交臂而交，他說：「夫直者，剛者之長也。千夫諾諾，不如一士之諤諤。誠得直士與居，彼不資吾子之過，切磋琢磨，成子金玉，使子日知不足。雖然，取直友，猶有四物，有直而修於直者，有直而陷於曲者，有曲而盜名直者，有曲而遂其直者。邦有道無道如矢，此直而修於直者也。」⑲他贊揚文與可說：「與可之爲人也，守道而忘勢，行義而忘利，修德而忘名，與爲不義，雖祿之千乘不顧也。」⑳贊文與可曰：「壁上墨君不解語，見之尚可消百憂。而況我友似君者，素節凜凜欺霜秋。清詩健筆何足數，逍遙齊物追莊周。奪官遣去不自覺，曉梳脫髮誰能收。江邊亂山赤如赭，陵陽正在千山頭。君知這別懷抱惡，時遣墨君解我愁。」㉑這些議論，都反映了蘇軾對士的氣質的理解。

蘇軾主張簡樸、淡適的生活情趣；他曾多次談到人生的四適，即「無事以當貴」，「早寢以當富」，「安步以當車」，「晚食以當肉」。他說：「夫已飢而食，蔬食有過于八珍。而既飽之餘，雖芻豢滿前，惟恐其不持去也。若此可謂善處窮者矣。然而道則未也。安步自佚，晚食自美，安以當車與肉爲哉？車與肉猶存於胸中，是以有此言也。」㉒他在談及顏蠋時，引用顏蠋的一段故事。當齊王賜予顏蠋錦衣玉食時，蠋辭去，曰：「玉生於山，制則破焉，非不寶貴也，然而太璞不完。士生於鄙野，推選則祿焉，非不尊達也，然而形神不全。蠋願得歸，晚食以當肉，安步以當車，無罪以當貴，清淨貞正以自娛。」蘇軾對顏蠋這段話作了評論：

> 嗟乎，戰國之士，未有如魯連、顏蠋之賢者也，然而未聞道也。曰：『晚食以當肉，安步以當車』，是猶有意於肉與車也。夫晚食自美，安步自適，取於美與適足矣，

何以當肉與車爲哉。⑬

蘇軾以顏蠋的例子，闡發士大夫對淡泊生活應有的態度及對生活的疏淡情趣的追求。說明超然逸然的安於貧賤的生活格式，可以使士大夫在逆境中處之泰然，對人生的窮達得喪，死生禍福，等閑視之。他們對於「卿相之位，千金之富，有所不屑，將以自廣其心，使窮達利害不能爲之芥蒂，以全其才，而欲有所爲耳。」⑭這就是蘇軾所倡導的士大夫的素質和修養，唯其如此，士大夫能置名利於度外，才能培養自己獨特的人格。

他曾以贊揚的口吻記錄了幾位具有獨特性格的人物，如對石康伯的記載：「舉進士不第，即棄去；當以蔭得官，亦不就。讀書作詩以娛自己，不求人知。獨好書法、名畫、古器、異物，遇有所見，脫衣輟食求之，不問有無。」⑮又如對文與可，他寫道：「與可之爲人也，端靜而文，明哲而忠，士之修潔博習，朝夕摩治洗濯，以求交於與可者，非一人也。而獨厚君如此。君又疎簡抗勁，無聲色臭味，可以娛悅人之耳目鼻口，則與可之厚君也，其必有以賢君矣。世之能寒燠人者，其氣燄亦未至若雪霜風雨之切於肌膚也，而士鮮不以爲欣戚喪其所守。自植物而言之，四時之變亦大矣，而君獨不顧。雖微與可，天下其孰不賢之。然與可獨能得君之深，而知君之所以賢。雍容談笑，揮洒奮迅而盡君之德。稚壯枯老之容，披折偃仰之勢。風雪凌厲以觀其操，崖石犖确以致其節。得志，遂茂而不驕；不得志，瘁瘠而不辱。群居不倚，獨立不懼。與可之於君，可謂得其情而盡其性矣。」⑯這裡雖然講的是文與可與藝術的關係，但他確實是一支士大夫的頌歌，他讚美文與可，從中也表達了蘇軾對士大夫的品德的理想典型的塑造。又如他在評黃道輔《品茶要錄》一書時說：「物有畛而理無方，窮天下之辯，不足以盡一物之理，達者寓物以發其辯，則一物之變，可以盡南山之竹。學者觀物之極，而游於物之表，則何求而不得。故輪扁行年七十而老于斲輪，庖丁自技而進乎道，由此其選也。」⑰他認爲「博學能文，淡然精深，有道之士也。」他所贊揚的是這些實事求是的有獨特性格的士大夫。至於那些徒有虛名而說空話的士子，他是很鄙薄的。他說：「近日士大夫皆有僭侈無涯之心，動輒欲人以周、孔譽己，自孟軻以下者，皆憮然不滿也。此風殆不可長。」這種患禍的原因，「皆由名過其實，造物者所不能堪，與無功而受千鍾者，其罪均也。」⑱蘇軾對士大夫的品格修養的看法，也反映了北宋文人圈子中的一股思想潮流，一種既問世又超然、既求實又飄逸的思想的融合；他對士大夫的道德行爲的主張，確也包含著值得後代知識分子承繼的積極的思想因素。

儒家的倫理觀念，所注重的是人際關係和人與自然關係的和諧，蘇軾在倫理思想中的思維定勢，也是屬於儒家的人格的心理體系，他繼承和發揚了儒家文化傳統中合乎人情和邏輯的觀念意識，是值得我們總結和重視的。

【附　註】

①②③　《蘇軾文集》卷4〈上初即位論治道二首〉。

④　《蘇軾文集》卷4〈上初即位論治道二首〉。

⑤⑥　《蘇軾文集》卷4〈上初即位論治道二首〉。

⑦⑧　《蘇軾文集》卷1〈明君可與爲忠言賦〉。

⑨　《蘇軾文集》卷2〈既醉備五福論〉。

⑩　《蘇軾文集》卷8〈策別課百官〉。

⑪　《蘇軾文集》卷33〈上神宗皇帝書〉。

⑫⑬　《蘇軾文集》卷8〈策略五〉。

⑭　《蘇軾文集》卷8〈策略五〉。

⑮　《蘇軾文集》卷8〈策略五〉。

⑯　《蘇軾文集》卷29〈乞將台諫官章疏降付有司根治箚子〉

⑰　《蘇軾文集》卷2〈禮以養人爲定論〉。

⑱⑲　《蘇軾文集》卷2〈禮以養人爲本論〉。

⑳㉑　《蘇軾文集》卷2〈學士院試春秋定天下之正邪論〉。

㉒　《孟子・滕文公章句上》。

㉓　《蘇軾文集》卷2〈禮義信足以成德論〉。

㉔　《蘇軾文集》卷2〈禮義信足以成德論〉。

㉕　《蘇軾文集》卷2〈禮義信足以成德論〉。

㉖　《蘇軾文集》卷3〈伊尹論〉。

㉗　《蘇軾文集》卷3〈伊尹論〉。

㉘　《蘇軾文集》卷3〈子思論〉。

㉙　《蘇軾文集》卷1〈六事廉爲本賦〉。

㉚　《蘇軾文集》卷48〈上富丞相書〉。

㉛　《蘇軾文集》卷6〈君使臣以禮〉。

㉜　《蘇軾文集》卷3〈孟子論〉。

㉝　《蘇軾文集》卷3〈論鄭伯克段于鄢〉。

㉞　《蘇軾文集》卷4〈韓非論〉。

㉟　《蘇軾文集》卷10〈張厚之忠甫字說〉。

㊱　《蘇軾文集》卷2〈物不可以苟合論〉。

㊲　《蘇軾文集》卷49〈與朱鄂州書〉。

㊳　《蘇軾文集》卷72〈黃鄂之風〉。

㊴　《蘇軾文集》卷66〈書劉庭式事〉。

㊵　《蘇軾文集》卷4〈韓非論〉。

㊶　《蘇軾文集》卷4〈正統論〉。

㊷ 《蘇軾文集》卷4〈正統論〉。

㊸㊹ 《蘇軾文集》卷4〈正統論〉。

㊺ 《蘇軾文集》卷8〈策略五〉。

㊻ 《蘇軾文集》卷8〈策略五〉。

㊼㊽ 《蘇軾文集》卷8〈策別安萬民〉。

㊾㊿ 《蘇軾文集》卷9〈策別訓兵旅〉。

(51) 《蘇軾文集》卷49〈與李方叔書〉。

(52) 《蘇軾文集》卷48〈上劉侍讀書〉。

(53) 《蘇軾文集》卷48〈上劉侍讀書〉。

(54) 《蘇軾文集》卷48〈上劉侍讀書〉。

(55)(56) 《蘇軾文集》卷17〈潮州韓文公廟碑〉。

(57) 《蘇軾文集》卷6〈論語義・觀過斯知仁矣〉。

(58) 《蘇軾文集》卷51〈李太白碑陰記〉。

(59) 《蘇軾文集》卷10〈樂全先生文集敘〉。

(60) 《蘇軾文集》卷10〈樂全先生文集敘〉。

(61) 《蘇軾文集》卷49〈與葉進叔書〉。

(62) 王文誥《蘇文忠公詩編註集成》卷首〈序贊〉。

(63) 《宋史》卷142〈蘇軾傳〉。

(64) 《蘇軾文集》卷47〈賀吳副樞君〉。

(65) 《蘇軾文集》卷48〈上富丞相書〉。

(66) 《蘇軾文集》卷49〈與葉進叔書〉。

(67) 《蘇軾文集》卷11〈思堂記〉。

(68) 仝上卷10〈送杭州進士詩敘〉。

(69) 《蘇軾文集》卷10〈講田友直字序〉。

(70) 仝上〈文與可字說〉。

(71) 《蘇軾詩集》卷6〈送文與可出守陵州〉。

⑫　《蘇軾文集》卷66〈書四適贈張鶚〉。

⑬　《蘇軾文集》卷65〈顏蠋巧貧〉。

⑭　《蘇軾文集》卷3〈伊尹論〉。

⑮　《蘇軾文集》卷11〈石氏畫苑記〉。

⑯　《蘇軾文集》卷11〈墨君堂記〉。

⑰　《蘇軾文集》卷66〈書黃道輔品茶要錄後〉。

⑱　《蘇軾文集》卷49〈答李方叔書〉。

第九章　感化育能的教育思想

教育，不是以謀實利爲動機，而是使人在受教育的過程中理解人生的目的和意義，選擇正確的生活方式，同時也獲得知識和技能；所以，教育是開發和發展個人才能的一種途徑。而在中國的封建社會裡，「學而優則仕」，教育成爲官的階梯，尤其在唐宋時期，由於實行科舉制度，知識分子都要通過科舉考試步入仕途。北宋時，三年一次殿試，及格的名爲進士。蘇軾就是通過科舉考試參加政權的。

北宋的知識分子，要應付考試，爲了熟識規定的必考科目內容，窮年累月地啃一些無用的書。這正如蘇軾所說：「軾少年時，讀書作文，專爲應舉而已。既及進士第，貪得不已，又舉制策，其實何所有。而其科號爲直言極諫，故每紛然誦說古今，考論是非，以應其名耳。」①「少年應科目時，記錄名數沿革及題目等，大略與近歲應舉者同爾。亦有少節目，文字才塵忝後，便被舉主取去，今日皆無有，然亦無用也。」②又說：「今程試文字，千人一律，考官亦厭之，未必得也。」③葉夢得《石林燕語》對這種科舉制的可笑作過記載：「熙寧以前，以詩賦取士，學者無不先徧讀五經，余見前輩雖非科名人，亦多能雜舉五經，蓋自幼學，時習之，故終老不忘。自試經術，人之教子者，往往便以一經授之，他經縱讀，亦不能精，其教之者未必皆通五經，故雖經書正文，亦多遺誤。」

試經而經亡，這個樣子的士風，這個樣子的試法，怎能選拔得出眞正的人才。當時，士子都爲應科舉而讀書，以尋得進入官場的捷徑，考完試後，就成爲無用的廢物。蘇軾以自己親身的經歷驗證了這一社會現象。王安石變法時，改定考試科目內容，同時實行「三舍法」，即增加太學生名額，分爲「外舍」、「內舍」、「上舍」三部，通過月考以次升舍，以學校和科舉雙軌並行的辦法錄用知識分子。當時還辦了各種學校，中央有太學、律學、宗學、武學、算學、道學，地方有府學、州學、縣學等。雖然如此，朝廷給予各地的教育經費的菲薄，盡人皆知。蘇軾在他參政及任地方官的過程中，對於教育工作及人才的培養，是非常重視的；他不僅提出了許多改善教育的切實可行的意見，而且對於學生的培養及人才的提拔，作了許多卓有成效的實踐活動。即使貶到南荒絕境，他仍一如既往，不忘辦學校，教育下一代。他的精神，是極可貴的。說蘇軾是北宋的一位受尊敬的教育家，也不過份。

蘇軾的教育思想，主要表現爲下列幾個方面：

一、學校是感化社會與培養管理國家人才的基地

蘇軾博學洽文，他從中國傳統的「學政」中，認識到教育的多種功能。他說：「古之爲國者四，井田也，肉刑也，封建也，學校也。今亡矣，獨學校僅存耳。古之爲學者四，其大者則取士論政，而其小者則絃誦也。舜之言曰：『庶頑讒說，若不在時，候以明之，撻以記之。書用識哉，欲並生哉。工以納言，時而颺之。格則承之庸之，否則威之。』格之言改也。《論語》曰：『有恥且格。』承之言薦也。《春秋傳》曰：『奉承齊犧。』庶頑讒說不率是教者，舜皆有以待之。夫化惡莫若進善，故擇其可進者，以射候之禮舉之。其不率教甚者，則撻之，小則書其罪以記

之，非疾之也，欲與之並生而同憂樂也。此士之有罪而未可終棄者，故使樂工採其謳謠諷議之言而颺之，以觀其心。其改過者，則薦之，且用之。其不悛者，則威之、屛之、棘之、寄之之類是也。此舜之學政也。」⑤學校兼有感化和培養人才的雙重任務；不僅如此，還應該是一個論政的場所。蘇軾認爲：「以射致衆，衆集而後論士，蓋從所來遠矣。《詩》曰：『在泮獻囚。』又曰：『在泮獻馘。』《禮》曰：『受成於學。』鄭人游鄉校，以議執政，或謂子產：『毀鄉校何如？』子產曰：『不可。善者吾行之，不善者吾改之，是吾師也。』孔子聞之，謂子產仁。古之取士論政者，必於學。有學而不取士、不論政，猶無學也。」由此，學校在傳授知識和本領的同時，也是議論集中的地方。大凡每朝官吏，皆從學校出。蘇軾盛贊江西南安太守曹侯登熱心辦學，記載他辦學的經過，說宋朝廷自慶歷、熙寧、紹聖以來都十分注意興辦學校。即使是僻遠的郡縣也必然有學校，而南安是江西之南境，儒術之富，與閩蜀一樣，太守曹侯登，以治郡顯聞，所到的地方必建學校，故南安的學校，甲於江西。蘇軾贊揚說：「侯仁人也，而勇於義。其建是學也，以身任其責，不擇劇易，期於必成。士以此感奮，不勸而力。費於官者，爲錢九萬三千，而助者不貲。爲屋百二十間，禮殿講堂，視大邦君之君。凡學之用，莫不嚴具。又以其餘增置廩給食數百人。始於紹聖二年之冬，而成於四年之春。」一年多時間，興辦起這樣一個規模頗爲完備的學校，無怪乎蘇軾備加贊嘆：「夫學，王者事也。故首以舜之學校告之。然舜遠矣，不可以庶幾。有賢太守，猶可以爲鄭子產也。學者勉之，無愧於古人而已。」⑦說出了他對南安太守曹侯登辦學的敬意，目的在於說明，爲郡官興學，治郡顯聞。

蘇軾自己也熱心辦學，他晚年貶海南儋州時，有一天，忽聽朗朗讀書聲，欣然命筆寫詩：「幽居亂蛙黽，生理半人禽。跫然已可喜，況聞弦誦音。兒聲自圓美，誰家兩青衿。且欣集齊咻，未敢笑越吟。九齡起韶石，姜子家日南。吾道無南北，安知不生今。海闊尙掛斗，天高欲橫參。荊榛短牆缺，燈火破屋深。引書與相和，置酒仍獨斟。可以侑我醉，琅然如玉琴。」⑧在那孤寂海外的蠻荒的海島上，聽到誦書聲，欣喜賦詩，喜形於紙。在儋州四年，他培養了一批學生，如詩集中提到的王霄、姜唐佐、黎子雲、苻林等。他以詩書禮樂之教轉移海南風俗，變化其人心，使以後海南人材在歷代脫穎而出，這些，我們在前面關於蘇軾生平的敘述中已經提及，這裡不再贅述。

二、對北宋教育和科舉制度弊政的揭示

辦教育，是一種社會文化事業，首先要解決的問題之一是經費；沒有辦學經費，儒生是束手無策的。蘇軾對於北宋教育的流弊的分析，是從朝廷對教育經費的支付問題開始的。在狀奏裡，他對朝庭尅扣教育費用的批評是相當尖銳的。元祐四年八月，他在杭州寫了一份上書，歷數從上到下，層層減少學糧的不合理措施。他指出杭州州學，現管生員二百餘人，及入學參假之流，日益增多。因爲社會上看到朝廷尊用儒術，更定貢舉條法，逐漸恢復祖宗舊法，人人慕義，學習的人多了起來。「若學糧不繼，使至者無歸，稍稍引去，甚非朝廷樂育之意。」⑨蘇軾爲教育費用而呼籲，希望朝廷用廢罷市易務書版，以這筆錢資助學校。他說：「前知州熊本，曾奏乞用廢罷市易務書版，賜與州學，印貨收錢，以助學糧；或乞賣與州學，限十年還錢。今蒙都督指揮，只限五年。見今轉運司差官重行估價，約計一千四百六貫九百八十三文。

若依限送納，即州學歲納二百八十一貫三百九十七文，五年之間，深爲不易。學者旦夕闕食，而望利於五年之後，何補於事。而朝廷歲得二百八十一貫三百九十七文，如江海之中增損涓滴，了無所覺。徒使一方士民，以謂朝廷既已捐利與民，廢罷市易，所放欠負，動以萬計，農商小民，銜荷聖澤，莫知紀極，而獨於此飢寒儒素之士，惜毫末之貴，猶欲於此追收市易之息，流傳四方，爲損不小，此乃有司出納之吝，非朝廷寬大之政也。」⑩因此，他要求朝廷「盡以市易書版賜與州學，更不估價收錢，所貴稍服士心以全國體。」⑪這種請求，可謂爲那些「飢塞儒素之士」代言了。

除了經費問題外，北宋自王安石改「三舍」學制之後，出現了不少弊端。蘇軾痛心地指出了令人髮指的學校貪污的事實：「昔元豐之《新經》未頒，臨川之《字說》不作。止戈爲武兮，曾試於京國。通天爲王兮，必舒於禁籥。……太凡法既久而必弊，士貽患而益深。謂罷於開封，則遠方之隘者，空自韞玉；取諸太學，則不肖之富者，私於懷金。雖負凌雲之志，未酬題柱之心。三舍既興，賄賂公行於庠序；一年爲限，孤寒半老於山林。自是憤愧者莫不顰眉，公正者爲之切齒。」⑫學校成了賄賂的場所。

科場的弊法，也害人不淺。在每年考試選錄中，弊端百出。蘇軾說：「竊謂累奏舉名，已是濫恩，而經明行脩，尤是弊法。其間權勢請託，無所不有，侵奪解額，崇獎虛名，有何功能，復令升甲！人主所以礪世磨鈍，正在科舉等級升降榮辱之間，今乃輕以與人，不復愛惜，臣所未喻。」⑬錄取中的「權勢請託」，也即當今的所謂「送條子」、「走後門」，此其一。還有的本來過省舉人殿試落選的，按舊制應給予黜落，蘇軾在奏文中說：「近歲流弊之極，什犯亦或收錄，遂使過省舉人便同及第，縱使紕繆，亦玷科舉。」⑭不合格的人也中進士。此其二。分經取士的規定，也不合理。蘇軾指出：自來條貫分經取士，既於逐經中紐定分數取人，或一經中合格者少，即取詞理淺謬卷子，以足其數，如合格者多，則雖優長亦須落下，顯是弊法。此其三。考試時分差經義詩賦試官也是問題。自從考試恢復詩賦內容之後，禮部新立條貫，「將來科場如差試官三員者，以二員經義，一員詞賦，兩員者各差一人」，蘇軾認爲，舉人尚不分經，而試官乃分之爲二，是沒有道理的。他的意見是：「凡差試官，務在有詞學者而已。若得其人，則治《易》及第不害其能問《春秋》經義，入官不害其能考詩賦。若不得入，雖用本科，不免乖錯。須自聲律變爲經義，則詩賦之士，便充試官，何曾別求經義及第之人然後取士。若必用本科各考所試，則經義、策論、詩、賦四場，文理不同，亦須各差試官一人而後可。」⑮這種詳細分科的做法，弊端很大，蘇軾深明其中原因，他分析說：「自來試官，患在競爭不一，又分爲兩黨。試經義者主虛浮之文，考詩賦者主聲病之學。紛紜爭競，理在不疑，舉人聞之，必興詞訟，爲害如此，了無所益。」⑯試官分科之弊，貽誤士子，此其四。在考試內容上，不應立下詩賦、經義各五分取人的決定，因與天下士子的學習內容矛盾太大。蘇軾說：「天下學者，寅夜競習詩賦，舉業率皆成就，雖降平分取人之法，緣業已習就，不願再有改更，兼學者亦以朝廷追復祖宗取士故事，以詞學爲優，故士人皆以不能詩賦爲恥。比來專習經義者，十無二三，見今本土及州學生員，多從詩賦，他郡亦然。若平分解名，委是有虧詩賦進士，難使捐已習之詩賦，抑令就經義之科。」⑰此其五。此外，如對出試題的範圍限制於史書，蘇軾都針對其弊端，一一提出改善的建議。

對於科舉考試，蘇軾因親自參加並當試官，對其中奧秘深爲了解。他在中進士後給梅摯的謝信中說：考試方法，「簡且約，故天下之士皆敦樸而忠厚；詳且難，故天下之士虛浮而矯激。詩賦將以觀其志，而非以窮其所不能，策論將以觀其才，而非以掩其所不知，使士大夫皆得寬然以盡其心，而無有一日之間，蒼惶擾亂，偶得偶失之嘆。」⑱他又說：「取士之道，古難其全。欲求倜儻超拔之才，則懼其放蕩，而或至於無度；欲求規矩尺寸之士，則痛其齷齪，而不能有所爲。進士之科，昔稱浮剽。本朝更制，漸復古風。博觀策論，以開天下豪俊之塗；精取詩賦，以折天下英雄之氣。使齷齪者望而不敢進，放蕩者退而有所裁。此聖人所以網羅天下之逸民，追復先王之舊迹。元臣大老，皆出此塗。」⑲當然，蘇軾這一看法，也僅僅是從北宋五朝的政治需要出發的，他的思維定勢無法脫離當時北宋的政治環境，其中一些意見，也是針對王安石新法的弊政而發的。

三、人才觀

蘇軾是一位曠世才子，初出茅廬，即受歐陽修的賞識。南宋《郡氏見聞後錄》載：「歐陽公謂梅聖俞云：『讀蘇軾書，不覺汗出，快哉！老夫當避路，放他出一頭地也。』又曰：『軾所言樂，乃修所得深者爾，不意後生達斯理也。』」蘇軾在未成名時，爲歐陽修所發現，自此以後，馳騁文壇、政界，在歷史上的影響不亞於歐陽修。而當蘇軾爲人師表之後，他也以同樣的態度獎掖後進，發現人才，蘇門四學士的黃庭堅等，都是他培養提拔成才的。蘇軾自己在回憶他一生的坎坷經歷時曾經說過：「獨於文人勝士，多獲所欲，如黃庭堅魯直、晁補之無咎、秦觀太虛、張來文潛之流，皆世未之知，而軾獨先知之。」⑳又：「秦少游、張文潛才識學問，爲當世第一，無能優劣二人者。少游下筆精悍，心所默識而口不能傳者，能以筆傳之。然而氣韻雄拔，疎通秀朗，當推文潛。二人皆辱與余遊，同升而並黜。」㉑蘇軾對人才的關注，不下於乃師六一居士。

人才，指的是一個人的能力、長處與天資得到表現並爲社會所承認；每一個人都要以自己的學問修養表現出個人存在的價值，或者是讓人發現有潛在才幹。作爲一代英才的蘇軾，他的人才觀是極其豐富而又深刻的。

蘇軾以「相馬之說」來表述自己對人才的認識：

> 騏驥之馬，一日行千里而不殆，其脊如不動，其足如無所著，升高而不輊，走下而不軒。其技藝卓絕，而效見明著至於如此，而天下莫有識者，何也？不知其相而責其技也。夫馬者，有昂目而豐臆，方蹄而密睫，捷乎若深山之虎，曠乎若秋後之兔，遠望目若視日而志不存乎芻粟，若是者飄忽騰踔，去而不知所止。是故古之善相者立於五達之衢，一目而眄之，聞其一鳴，顧而循其色，馬之技盡矣。何者？其相溢於外而不可蔽也。士之賢不肖，見於面顏而發洩於辭氣，卓然其有以存乎耳目之間，而必曰久居而後察，則亦名相士者之過矣。㉒

以駿馬喻有才之士，形象生動！馬的飄忽曠捷的神態，隱現於神色動作之中，而人的才能與特質，則隱現於其特殊的素質，也即人的精神、人格、智慧和行爲之中。

當然，蘇軾論人才，僅局限於對士大夫圈子裡人才的考察，著眼點是在中國封建社會的上層知識分子之中。中國的文化傳統，造就了一批具有豐富文化學養的人才，他們對於改造國家制度和推動社會進步，有自己獨特的見解和貢獻。作爲一個領導者或作爲人師，發現人才和任用人才，也表現出他的一種高貴的品格。如何發現與任用人才呢？

㈠「士如良金美玉，市有定價」

蘇軾對於人才的愛惜，見於他對下輩學子的培養中。他經常以「良金美玉」喻人才的價值，因爲這種價值對於國家和社會來說，是與世長存的。蘇軾說過兩件事。一是以孔融對盛孝章的評價說明人才的存在，非譏評者所能抹煞。他說，孔北海與曹公論盛孝章，孔融說：孝章，實在是大丈夫之雄者，游談之士，依以成聲。今天的少年喜謗前輩，或能譏評孝章，孝章要爲天下重名，天下人都會共同稱贊的。蘇軾說，他讀到這段故事，未嘗不廢出太息：「嗟乎！英偉奇逸之士，不容於世俗也久矣。雖然，自今觀之，孔北海、盛孝章猶在世，而向之譏評者與草木同腐久矣。」人才是客觀存在的，它是以人的社會價值而爲社會所肯定。二是以自己及門人的例子說明人才的存在價值。他說：「昔吾舉進士，試於禮部，歐陽文忠公見吾文，曰：『此我輩人也，吾當避之。』方是時，士以剽裂爲文，聚而見訕，且訕公者所在成市。曾未數年，忽焉若潦水之歸壑，無復見一人者，此豈復待後世哉。今吾衰老廢學，自視缺然，而天下士不吾棄，以爲可以與於斯文者，猶以文忠公之故也。張文潛、秦少游此兩人者，士之超逸絕塵者也，非獨吾云爾。二三子亦自以爲莫及也。士駭於所未聞，不能無異同，故紛紛之言，常及吾與二子，吾策之審矣。士如良金美玉，市有定價，豈可以愛憎口舌貴賤之歟？」㉓由於蘇軾對人才的珍視，所以在他的文章及書信中，經常有贊揚後輩的文字。如對陳師道，他說：「陳師道文詞尤古，度越流輩，安貧守道，若將終身，苟非其人，義不往見，過壯未仕，實爲遺才。」㉔他推薦林豫：「自爲布衣，已有奇節，及其從事，所至有聲。其在漣水，掮除群盜，尤著方略。其人勇於立事，常有爲國捐軀之意。試之盤錯之地，必顯利器。」一文一武，各有評價。又如他對蘇門四學士的發現：「比年於稠人中，驟得張、秦、黃、晁及方叔、履常輩，意謂天下不愛寶，其獲益未艾也。比來經涉世故，間關四方，更欲求似，邈不可得。以此知人決不徒出，不有益于今，必有益于後，決不碌碌與草木同腐也。」㉕對黃庭堅則說：「此人如精金美玉，不即人而即之，將逃名而不可得，何以稱揚爲？然觀其文以求其爲人，必輕外物而自重者，今之君子莫能用也。其後過李公擇於濟南，則見足下之詩文愈多，而得其爲人益詳，意其超逸絕塵，獨立萬物之表，馭風騎氣，以與造物者遊，非獨今世之君子所不能用，雖如軾之放浪身棄，與世濶疎者，亦莫得而友也。」㉖又如對秦觀，他曾向仁宗陳說：「秦觀自少年從臣學文，詞采徇發，議論鋒起。臣實愛重其人，與之密熟。」㉗秦觀死後，他以極其婉惜悲痛的心情哀嘆：「哀哉！痛哉！何復可言。當今文人第一流，豈可復得。此人在，必大用於世，不用必有所論著以曉後人。前此所著，已足不朽，然未盡也，哀哉！」㉘人才難得，蘇軾惜才之心，對人才的愛護，昭然可見。

㈡「獲盡其才而各當其處」

知人用人，是決策者的重要任務。如何讓人才用在恰當處？蘇軾指出漢武帝的「獲盡其才而各當其處」的做法，從而獲得事業的成功。他評論漢武帝知人之舉：「古之人，惟漢武帝號知人。蓋其平生所用文武將帥、郡國邊鄙之臣，左右侍從、陰陽律曆博學之士，以至錢穀小吏、治刑獄、使絕域者，莫不獲盡其才，而各當其處。然此猶有所試，其功效著見，天下之所共知而信者。」㉙對於霍光，當他尙未顯露才能的時候，「無尺寸之功，而才氣術數，又非有以大過於群臣。」武帝已了解到他的才幹，「擢之於稠人之中，付以天下後世之事。而霍光又能忘身一心，以輔幼主。處於廢立之際，其舉措甚閑而不亂。」㉚爲什麼武帝能這樣做呢？「獲盡其才，而各當其處。」是他的一條重要準則。

對待人才，蘇軾主張不苛求於完人，而著重看氣節。他說：「夫欲有所立於天下，擊搏進取以求非常之功者，則必有卓然可見之才，而後可以有望於其成。至於捍社稷，託幼子，此其難者不在乎才，而在乎節，不在乎節，而在乎氣。天下固有能辦其事者矣，然才高而位重，則有僥倖之心，以一時之功，而易萬世之患，故曰：『不在乎才，而在乎節』。古人之有失之者，司馬仲達是也。天下亦有忠義之士，可托以死生之間，而不忍負者矣。然狷介廉潔，不爲不義，則輕死而無謀，能殺其身，而不能全其國，故曰『不在乎節，而在乎氣』，古之人有失之者，晉荀息是也。夫霍光者，才不足而節氣有餘，此武帝之所爲取也。」㉛這就說明，對人才的要求，不是樣樣顧及，而是用到恰當處，即所謂「人盡其才，物盡其用」的道理。

當然，人才也具備多方面的條件，也是相互聯繫而呈整體的表現的。所以還是以霍光爲例，蘇軾又回過頭來談到氣節與才能的關係。他提出：「才者，爭之端也。夫惟聖人在上，驅天下之人各走其職，而爭用其所長。苟以人臣之勢，而居於廊廟之上，以捍衛幼衝之君，而以其區區之才，與天下爭能，則姦臣小人有以乘其隙而奪其權矣。霍光以匹夫之微而操生殺之柄，威蓋人主，而貴震於天下。其所以歷事三主而終其身天下莫與爭者，以其無他技，而武帝也以此取之歟？」㉜用人要用其長處，「獲盡其才，而各當其處。」把才能用在刀刃上。

㈢選拔人才於「芻牧之中」

蘇軾主張不拘一格降人才。人的賢不肖，不在於其社會地位的高低，他說：「世之賢者，何常之有。或出于賈豎賤人，甚者至于盜賊，往往而是。而儒生貴族，世之所望爲君子者，或至于放肆不軌，小民之不若。」㉝明白了這一道理之後，才能眞正冷靜地考察人才。他說：「聖人知其然，是故不逆定於其始進之時，而徐觀其所試之效，使天下無必得之由，亦無必不可得之道。天下知其不可以必得也，然後勉強於功名而不敢僥倖。知其不至於必不可得而可勉也，然後有以自慰其心，久而不懈。」㉞所以，人才不在於社會地位的貴賤，要在長期的考察過程中「徐觀其所試之效」，蘇軾以漢朝爲例，他認爲「漢之得人，盛於武、宣，皆拔之芻牧之中，而表之公卿之上。世主不認爲疑，士大夫不以爲嫌者，風俗厚而論議正也。」㉟漢武帝及漢宣帝，選拔人才於「芻牧之中」，他們有此眼光和魄力，在老百姓中物色有才幹的人治國，漢朝國運的強盛也是必然的結果了。

㈣「擇人宜精」、「任人宜久」，「任人無內外輕重之異」

在用人問題上，他認爲「任人不可以倉卒而責其成效」，如果說，「有長材異能之士，朝夕而去，則不如庸人之久且便也。」㊱因此他提出了「擇人宜精」、「任人宜久」的觀點。他分析說：「天下之賢者，不可以多得。而賢者之中，求其治繁者，又不可以從人人而能也。幸而有人人焉，又不久而去。夫世之君子，苟有志於天下，而欲爲長遠之計者，則其效不可以朝夕見，其始若迂濶，而其終必將有所可觀。」㊲選拔人才要經過長期觀察，看準了之後就給予充分信任，長期任用，盡量讓他們發揮才幹。而且用人應是「無內外輕重之異」，詰責與褒賞，以其工作效果爲準。蘇軾以漢宣帝用杜延年爲例說：「古者賢君用人，無內外輕重之異，故雖杜延年名卿，不免出爲邊吏。治效不進，則詰責之，既進，則褒賞之。所以歷試人才、考覈事功蓋如此。孝宣之治，優於孝文者以此也。馬周諫唐太宗，亦以爲言。治天下者，不可不知也。」㊳對杜延年，是賞罰分明。蘇軾又舉唐朝天寶年間用人重內輕外的弊端：「古者任人，無內外輕重之異，故雖漢宣之急賢，蕭望之得君，猶更出治民，然後大用。非獨以歷試人材，亦所以維持四方，均內外之勢也。唐開元、天寶間，重內輕外，當時公卿名臣，非以罪責不出守郡，雖藩鎮帥守，自以爲不如寺監之僚佐，故郡縣多不得人。祿山之亂，河北二十四郡一朝降賊，獨有一顏眞卿，而明皇初不識也。此重內輕外之弊，不可不爲鑑。」㊴

㈤「青出於藍而青於藍」辯

長期以來，人們都把學生的成就超過老師，以荀子的「青出于藍而勝于藍」一語來概括。而沒有人反思其中道理的眞僞。蘇軾對這一道理加以辯駁說：「荀子有云：『青出於藍，而青於藍，冰生於水，而寒於水。』故世之言弟子勝師者，輒以爲口實。此無異醉夢中語。青，即藍也。冰，即水也。今釀米以爲酒，殺羊豕以爲膳饈，而曰『酒甘於米，膳饈美於羊豕』，雖兒童必皆笑之。而荀卿乃以爲辯，信其醉夢顚倒之言。」㊵蘇軾笑荀卿之疎謬，並沒有引起後來人的重視或附和。事實上，蘇軾在這裡以形式上有似詭辯而內涵卻比荀卿接近眞理。這一點，前人有所忽視。凡從舊事物中所產生的新事物，絕沒有重複再現；師生兩代的知識相傳，所謂青出於藍而勝於藍者，只能說明學生所吸取的知識層的變化，其所創造的成果的價値的變化而已，因爲兩代人之間，所處的社會、時代條件必然不同，其文化素質、思想意識、接受教育的條件、實踐方法也必然有所變化，下一代的知識範圍擴大了，會自然地累積爲精神上的進步，這是歷史進化的現象，所以人們不能以今天去否定昨天，學生是老師教育出來的，但已成爲新的一代，成爲物質發展中的新的物質，不可能是老師的原貌。這才符合發展的理論。正如蘇軾所說的，米釀出來的是酒，豬羊肉做出來的是美味佳肴，已經起了質的變化。對於人物的評價，從發展的眼光來研究，才切中事物的本質。所以青出於藍而勝於藍的近似眞理的言論，實質上卻是謬誤了。因爲實質上已不是什麼勝於藍，而是已經起了質的變化。這一理論，也涉及到對人才的評說，贊揚人才的超過老師的教育，必須結合時代社會發展的因素來分析，不可籠統地作形而上學的判斷。

四、學習態度與學習方法

關於學習態度和學習方法，孔子對他的學生的教導，留下了許多精闢的言論，如「學而時習之」、「溫故而知新」、「舉一隅，不以三隅反，則不復也。」等，都是從思和學的不同角度啓發學生獨立思考。蘇軾教育拜他爲師的青年學子，在態度和方法方面，是對孔子教育思想的繼承與發展，又體現了蘇軾自己的獨創。

蘇軾一生讀書著書，勤奮不倦。他認爲知識的獲得，人格的修養，皆來自於書，書優於珍寶及五穀六材。他說：「象犀珠玉怪珍之物，有悅於人之耳目，而不適於用。金石草木絲麻五穀六材，有適於用，而用之則弊，取之則竭。悅於人之耳目而適於用，用之而不弊，取之而不竭，賢不肖之所得，各因其才，仁智之所見，各隨其分，才分不同，而求無不獲者，惟書乎！」㊶在書籍面前人人平等，每一個人都可從書籍中獲得收益，仁者見仁，智者見智，因而歷代聖賢，其學問來源皆始於書。蘇軾進而論及得書越難，而讀書越認眞，越有心得，如在春秋時代，「自孔子聖人，其學必始於觀書。當是時，惟周之柱下史老聃爲多書。韓宣子適魯，然後見《易象》與《春秋》。季札聘於上國，然後得聞《詩》之風、雅、頌。而楚獨有左史倚相，能讀《三墳》、《五典》、《八索》、《九丘》。士之先於是時，得見《六經》者蓋無幾，其學可謂難矣。而皆習於禮樂，深於道德，非後世君子所及。」到了秦漢時代，書雖然多一些，但獲得也不易。他說：「自秦漢以來，作者益衆，紙與字畫日趨於簡便，而書益多，士莫不有，然學者益以苟簡，何哉？余猶及見老儒先生，自言其少時，欲求《史記》、《漢書》而不可得，幸而得之，皆手自書，日夜誦讀，惟恐不及。」而到了宋代，紙發明之後，書籍多了，人們讀書的積極性反而比不上前人，「近歲市人轉相摹刻諸子百家之書，日傳萬紙，學者之於書，多且易致如此，其文詞學術，當倍蓰於昔人，而後生科舉之士，皆束書不觀，遊談無根，此又何也？」追究原因，關鍵在於學習精神與學習態度。蘇軾贊揚李公擇的讀書精神及方法，他介紹李氏山房，有藏書九千餘卷；李公擇又如何讀書呢？「公擇既已涉其流，探其源，採剝其華實，而咀嚼其膏味，以爲己有，發於文詞，見於行事，以聞名於當世矣。」㊷取書之精華，成自己的詞章，又讓成果在社會上起到應有的作用，這也就是他所倡導的讀書的方法和目的了。

蘇軾主張學以致用。他說：「自漢以來，世之儒者，忘己以徇人，務射策決科之學，其言雖不叛於聖人，而皆泛濫于辭章，不適于用。」㊸又說：「聖人設文章之教，本以御民；君子在田野之間，亦學爲政。故知《禮》、《樂》者可與言化，通《春秋》者長於治人。」雖然目的是爲了服務於封建專制之政治實踐，倡導所學的知識能服務於當時的社會需要，其主導思想是明晰的。蘇軾認爲，古代治理國家的經驗，都記載在所傳的書本之中：「

三代之所常行，於六經可以備見。事爲之制，曲爲之防。使學者皆能明其心，則天下可以運諸掌。」但到了北宋時代，書本知識與實際應用，「析爲二塗」，「凡王政皆出於刑書，故儒術不通於吏事。惟其所以治民者，固不本於學；而其所以爲學者，亦無施於民。遊庠校者忘朝廷，讀法律者捐詩賦。」這樣一來，在科場之間，在平時交往之間，形成極端不良的風氣；蘇軾抨擊這種惡習。他說：「場屋後進，挾聲技以相夸；王公大人，顧雕蟲而自笑。舊學無用，古風遂忘，終始之意，曾不相沿；貴賤之間，亦因遂濶。下之士有學古之意，而無學古之功；上之人有用儒之名，而無用儒之實。」㊹基於這樣的思想觀念，他強調學習必須與自己所處的客觀實際緊密聯繫，才有所收效。他說：「凡學之難者，難於無私。無私之難者，難於通萬物之理。故不通乎萬物之理，雖欲無私，不可得也。己好則好之，己惡則惡之，以是自信則惑也。是故幽居默處而觀萬物之變，盡其自然之理，而斷之於中。其所以不然者，雖古人所謂賢人之說，亦有所不取。」㊺這可以說是他自己的學習的經驗談。在另一方面，蘇軾強調科舉考試中選拔的人才，應是「在家者能孝而恭，在官者能廉而愼。臨之以患難而能不變，邀之以寵利而能不回。既已得其行己之大方，然後責其當世之要用。學博者又須守約而後取，文麗者或以用寡而見龍。特於萬人之中，求其百全之美。」㊻凡是入選的人，必須觀察他們的實際才幹，以「有不可測知之論，以觀其默識之能；無所不問之策，以效其博通之實。」㊼這樣才能眞正搜集到「絕異之材」。

但他又反對趨時隨俗。認爲讀書不能俯仰潮流；趨時是無益的。在海南儋耳時，曾寫信給其姪孫說：「姪孫近來學何如？想不免趨時。然亦須多讀史，務令文字華實相副，期於適用，乃佳，勿令得一第後，所學便爲棄物也。」㊽趨時之弊，在於一陣子過後，就會棄之如敝履。隨俗也然。他指出：「士之不能自成，其患在於俗學。俗學之患，枉人之材，窒人之耳目，誦其師傅造字之語，從俗之文，才數萬言，其爲士之業盡此矣。」㊾因此，學習必須有自己的目的和個性之所近，才能獲得眞正的學問：「夫學以明禮，文以述志，思以通其學，氣以達其文。古之人道其聰明，廣其聞見，所以學也，正志完氣，所以言也。」㊿如果抹煞自己的個性和需要而趨時隨俗，那麼，作爲一個有獨立精神的人也被歪曲了。蘇軾說：「今之讀書取官者，皆屈折拳曲，以合規繩，曾不得自伸其喙。」51讀書也像生活一樣，要「自適其適」，「其在窮也，能知捨，其在通也，能知用。」這樣，才能驚世俗而有益於社會。

在學習方法上，蘇軾對後輩也屢有教誡。其一是「勤讀書而多爲之，自工」。在一則雜記裡，他記下歐陽修的學習經驗說：「頃歲孫莘老，識歐陽文忠公，嘗乘間以文字問之云：『無它術，唯勤讀書而多爲之，自工。世人患作文字少，又嬾讀書，每一篇出，即求過人。如此，少有至者。疵病不必待人指擿，多作自能見之。』此公以其嘗試者告人，故尤有味。」52勤讀多練，是歐陽修讀書的經驗之一，蘇軾領味其中好處，記下來以告後人。其二是學習要有重點。他在談自己學習經驗時說：「卑意欲少年爲學者，每一書，皆作數過盡之。書富如入海，百貨皆有之，人之精力，不能兼收盡取，但得其所欲求者耳。故願學者，每次作一意求之。如欲求古人興亡治亂聖賢作用，但作此意求之，勿生餘念。又別作一次求事迹故實典章文物之類，亦如之。他皆倣此。此雖迂鈍，而他日學成，八面受敵，與涉獵者不可同日而言也。」53這種「八面受敵法」，蘇軾自笑不是「速化之術」，學習時每次圍繞一個中心，所學的知識能夠系統化，也比較全面、扎實，因此，與那些淺淺涉獵的人，當然不可同日而語了。其三是「博觀而約取，厚積而薄發」。他以種莊稼爲例：「曷嘗觀於富人之稼乎？其田美而多，其食足而有餘。其田美而多，則可以更休，而地方得完。其食足而有餘，則種之常不後時，而斂之常及其熟。故富人之稼常美，少秕而多實，久藏而不腐。今吾十口之家，而共百畝之田，寸寸而取之，日夜而望之，鋤耰銍艾，相尋於其上者如魚鱗而地力竭矣。」(54)種莊稼的道理如此，學習也然。蘇軾引申曰：「古之人，其才非有以大過今之人也，其平居所以自養而不敢輕用以待其成者，閔閔焉如嬰兒之望長也，弱者養之以至於剛，虛者養之以至以充。三十而後仕，五十而後爵，信於久屈之中，而用於至足之後，流於既溢之餘，而發於持滿之末，此古之人所以大過人，而今之君子所以不及也。」(55)指出了學問的積蓄與運用之間的辯證關係。積累多了，應用就自如了，成就也必然超過一般人。他由此又告訴張琥說：「吾少也有志於學，不幸而早得與吾子同年，吾子之得亦不可謂不早也。吾今雖欲自以爲不足，而衆且妄推之矣。嗚呼！吾子其去此而務學也哉。博觀而約取，厚積而薄發，吾告子止於此矣。」(56)他一再強調「積學」。如對張嘉父說：「君年少氣盛，但願積學，不憂無人知。譬如農夫，是穮是蓘，雖有飢饉，必有豐年。」(57)又說：「當且博觀而約取，如富人之築大第，儲其材用，既足，而後成之，然後爲得也。」(58)他對張嘉父說：「公文章自己得之於心，應之於手矣。譬如百貨，自有定價，豈小子區區所能貴賤哉。」(59)主張勤學積累，對自己要「自信不疑」。在「博觀而約取，厚積而薄發」的原則指導下，擴大學習的知識面，多讀多練，運用起來也就會得心應手了。

在學習廣博知識的基礎上，蘇軾也強調思考的重要性。他主張「博學而不亂，深思而不惑」，前者是指學習的條理化、系統化的把握，一以貫之。他認爲，「堯、舜、禹、湯、文、武、周公之法度禮樂刑政，與當世之賢人君子百氏之書，百工之技藝，九州之內，四海之外，九夷八蠻之事，荒忽誕謾而不可考者，雜然皆列乎胸中，而有卓然不可亂者，此固有以一之也。」㊅後者指在掌握豐富知識的基礎上要有獨立見解及思考能力。博學與深思是相互相成的，不能廢學而徒思，只思考而沒有廣博學問爲基礎，這「思」也是徒勞的。這種「思」，當時已成爲北宋人的通病。蘇軾說：「天文、地理、音樂、律曆、宮廟、服器、冠婚、喪祭之法，《春秋》之所去取，禮之所可，刑之所禁，歷代之所以廢興，與其人之賢不肖，此學者之所宜盡力也。曰：是皆不足學，學其不可載於書而傳之於口者。子夏曰：『日知其所亡，月無忘其所能，可謂好學也已。』古之學者，其所亡與其所能，皆可以一二數而日月見也。如今世之學，其所亡者果何物，而所能者果何事歟？孔子曰：『吾嘗終日不食，終夜不寢，以思，無益，不如學也。』由此觀之，廢學而徒思者，孔子之所禁，而今世之所尙也。」㊆學與思兩者是一種辯證的關係，相得而益彰。

蘇軾強調培養人的優秀品質，提高人的學習積極性，並能學以致用。這些思想，對於我們今天的教育事業，無疑地是可供借鑑的。

【附　註】

①　《蘇軾文集》卷49〈答李端叔書〉。

②③　《蘇軾文集》卷60〈與王庠書〉。

④　葉夢得《石林燕語》卷8（中華書局1984版第115頁）。

⑤　《蘇軾文集》卷11〈南安軍學記〉。

⑥ 《蘇軾文集》卷11〈南安軍學記〉。

⑦ 《蘇軾文集》卷11〈南安軍學記〉。

⑧ 《蘇軾詩集》卷42〈遷居之夕，聞鄰舍兒誦書，欣然而作〉。

⑨ 《蘇軾文集》卷29〈乞賜州學書版狀〉。

⑩⑪ 《蘇軾文集》卷29〈乞賜州學書版狀〉。

⑫ 《蘇軾文集》卷1〈復改科賦〉。

⑬⑭ 《蘇軾文集》卷28〈放榜後論貢舉合行事件〉。

⑮⑯ 《蘇軾文集》卷28〈乞不分差經義詩賦試官〉。

⑰ 《蘇軾文集》卷29〈乞詩賦經義各以分數取人將來只許詩賦兼經狀〉。

⑱ 《蘇軾文集》卷49〈謝梅龍圖書〉。

⑲ 《蘇軾文集》卷46〈謝王內翰啓〉。

⑳ 《蘇軾文集》卷49〈答李昭玘書〉。

㉑ 《蘇軾佚文彙編》卷5〈書付過〉。

㉒ 《蘇軾文集》卷48〈上王兵部書〉。

㉓ 《蘇軾文集》卷64〈太息一章送秦力章秀才〉。

㉔ 《蘇軾文集》卷27〈薦布衣陳師道〉。

㉕ 《蘇軾文集》卷53〈答李方叔〉。

㉖ 《蘇軾文集》卷52〈答黃魯得〉。

㉗ 仝上卷33〈辨賈易彈奏待罪劄子〉。

㉘ 《蘇軾文集》卷58〈與歐陽元老〉。

㉙ 《蘇軾文集》卷4〈霍光論〉。

㉚ 《蘇軾文集》卷4〈霍光論〉。

㉛ 《蘇軾文集》卷4〈霍光論〉。

㉜ 《蘇軾文集》卷4〈霍光論〉。

㉝ 《蘇軾文集》卷8〈策別·課百官六〉。

㉞ 《蘇軾文集》卷8〈策別·課百官〉。

㉟　《蘇軾文集》卷7〈宰相不當以讚舉爲嫌〉。

㊱㊲　《蘇軾文集》卷8〈策別·課百官四〉。

㊳　《蘇軾文集》卷7〈漢宣帝詰責杜延年治郡不進〉。

㊴　《蘇軾文集》卷7〈顏眞卿守平原以抗安祿山〉。

㊵　《蘇軾文集》卷65〈荀子疎謬〉。

㊶　《蘇軾文集》卷11〈李氏山房藏書記〉。

㊷　以上引文均見《蘇軾文集》卷11〈李氏山房藏書記〉。

㊸　《蘇軾文集》卷8〈策總敘〉。

㊹　以上引文均見《蘇軾文集》卷46〈謝秋賦試官啓〉。

㊺　《蘇軾文集》卷48〈上曾丞相書〉。

㊻㊼　《蘇軾文集》卷46〈謝秋賦試官啓〉。

㊽　《蘇軾文集》卷16〈與姪孫元老四首〉。

㊾㊿51　《蘇軾文集》卷10〈送人序〉。

52　《蘇軾文集》卷66〈記歐陽公論文〉。

53　《蘇軾文集》卷60〈與五庠五首〉。

54 55　《蘇軾文集》卷10〈稼說〉。

56　《蘇軾文集》卷10〈稼說〉。

57 58 59　《蘇軾文集》卷53〈與張嘉父書〉。

60　《蘇軾文集》卷3〈孟子論〉。

61　《蘇軾文集》卷12〈鹽官大悲閣記〉。

第十章　通古今之變的歷史哲學

蘇軾不是史學家，但他從小熱愛史書，學問淵博，他說自己「自七八歲知讀書，及壯大，不能曉習時事，獨好觀前世盛衰之迹，與其一時風俗之變，自三代以來，頗能論著。」①在論政論學之中，往往通古今而考成敗，以史論今，陳詞述理，意闢語工，思想滌邃。

蘇軾的歷史哲學，基本出發點是對歷史不要作抽象的道德判斷，而是在歷史的全過程中作出實事求是的分析，從而能做到稽古通今。他論陸贄奏議時有一句名言，說陸贄之論是「聚古今之精英，實治亂之龜鑑。」②他說，士大夫治史，目的即在於「通古今而考成敗」，把歷史作爲借鑑，以避免當今政治的失誤，這是對的；但同時又指出，歷史現象是十分複雜的，那種「成者襲之，敗者反之」的簡單態度，是不可取的。他在國學秋試策問時提出《勤而或治或亂、斷而或興或衰、信而或安或危》的問題時，反映了他對於歷史的成敗得失，持實事求是地分析並以其結論提供今日參照的態度。他說：「所貴乎學士大夫者，以其通古今而考成敗也。昔之人嘗有以是成者，我必襲之，嘗有以是敗者，我必反之。」接著他反詰說：「如是其可乎？」接著，他提出了可供分析的三類歷史現象，來考察作爲人君治國的經驗教訓。一是關於人君之勤。他說：「昔之爲人君者，患不能勤。然而或勤以治，亦或以亂。文王之日昃，漢室之厲精，始皇之程書，隋文之傳餐，其爲勤一也。」二是關於人君之斷。他說：「昔之爲人君者，患不能斷。然而或斷以興，亦或以衰。晉武之平吳，憲宗之征蔡，苻堅之南伐，宋文之北侵，其爲斷一也。」三是關於人君之信。他說：「昔之爲人君者，患不能信其臣。然而或信以安，亦或以危。秦穆之於孟明，漢昭之於霍光，燕噲之於子之，德宗之於盧杞，其爲信一也。」③蘇軾認爲：「此三者，皆人君之所難，有志士所常咨嗟慕望曠世而不獲者也。」然而，歷史又像是在開玩笑，皇帝勤可以致治也可以致亂；天子辦事能決斷，但效果可能是讓國家興旺發達，也可能讓國家衰敗；人君信其臣子，也是或者得到安定，或者國運危急。上列人君得到的治亂、興衰、安危的結果如此相反，難道不應該從中分析出原因嗎？

蘇軾指出，對於複雜的歷史事實，採取簡單化的判斷是不對的：「夫貪慕其成功而爲之，與懲其敗而不爲，此二者皆過也。」又說：「按其已然之迹，而詆之也易；推其未然之理，而辨之也難。是以未及見其成功，則文王之勤，無以異於始皇。而方其未敗也，苻堅之斷，與晉武何以辨？」④蘇軾的結論是提醒人們，對於歷史事實，應該拭去其塵埃，將歷史事件的全過程，結合著時代背景及歷史人物活動的歷史動機，分析其或得或失的淵源，從而掌握一此帶規律性的認識，提供今天治國的借鑑。所以他說，分析這些人君「得失之源所以相反之故」才是史學家所應著力的地方。

蘇軾要求對歷史事實作具體分析而不要作簡單化的肯定或否定的觀念，也表現在他對周代之古法，在當今社會中，應持「變古」或「復古」的態度上面。對於「變古」與「復古」，歷史上多有爭論。他舉《春秋》之法爲例說：「《春秋》之法，變古則譏之，復古則太之。明乎古之不可易，易則亂矣。觀秦、漢之治，率然以其制易古之制，故卒以是至於敗亂者，有由然矣。」⑤他借《春秋》中的史學觀念，譏「變古」而大「復古」來提出問題。

一方面是因爲「以其制易古之制」，另一方面，又從「泥古之失」從而造成敗亂的角度進行質疑，他說：「雖然，由秦、漢而下距至今，去古愈遠，幸一旦思復，則又懼牽泥古之失，否則《春秋》之所譏，然則果復之爲可耶，抑亦從時之變爲可也？」⑥蘇軾並不拘泥於「變古」與「復古」的簡單結論。他本著「歷代世變」的具體分析態度來對待這個問題，在《書義》中說：「傅說有言：『事不師古，以克永世，匪說攸聞。』今不師古，後不師今。」⑦在歷史演變過程中，不同時期有不同的人物和事件，因此，對前後不同歷史情況，研究者應具發展的眼光。蘇軾就秦以來的歷史作出闡釋。他說：「秦以暴虐，焚詩書而亡。漢興鑒其弊，必尚寬德，崇經術之士，故儒者多。雖未知聖人，然學宗經師，有識義理者衆。故王莽之亂，多守節之士。世祖繼起，不得不廢經術，褒尚名節之士。故東漢之士，多名節，知名節而不能節之以禮，遂至於苦節。苦節之士，有視死如歸者。苦節既極，故晉、魏之士，變而爲曠蕩，尚浮虛而亡禮法，禮法既亡，與夷狄同。故五胡亂華，夷狄之亂已甚，必有英雄出而平之。故隋、唐混一天下。隋不可謂一天下，第能驅除耳。唐有天下，如貞觀、開元間，雖號治平，然亦有夷狄之風。三綱不正，無父子、君臣、夫婦，其原始於太宗也。故其後世子孫，皆不可使。玄宗纔使肅宗，便叛。肅宗纔使永王璘，便反。君不君，臣不臣，故藩鎮不賓，權臣跋扈，陵夷有五代之亂。漢之治過於唐矣，漢有綱正。」⑧歷史的盛衰治亂是延續發展的，有相同也有變化，治史者既要看到發展的一面，同時也應該強調對前代的借鑑。

就以思想觀念的發展、演變而論，蘇軾也肯定了不同時代的社會情況造就了不同的思想意識。他以漢代爲例：「以爲西漢之衰，其大臣守尋常，不務大略。東漢之末，士大夫多奇節，而不循正道。元、成之間，天下無事，公卿將相安其祿位，顧其子孫，各欲樹私恩，買田宅，爲不可動之計，低回畏避，以苟歲月，而皆依放儒術六經之言，而取其近似者，以爲口實。孔子曰：『惡居下流而訕上，惡訐以爲直。』而劉歆、谷永之徒，又相與彌縫其闕而緣飾之。故其衰也，靡然如蛟龍釋其風雲之勢，而安於豢畜之樂，終以不悟，使其肩披股裂登於匹夫之俎，豈不悲哉！其後桓、靈之君，懲往昔之弊，而欲樹人主之威權，故頗用嚴刑，以督責臣下。忠臣義士，不容於朝廷，故群起於草野，相與力爲險怪驚世之行，使天下豪俊奔走於其門，得爲之執鞭，而其自喜，不啻若卿相之榮。於是天下之士，囂然皆有無用之虛名，而不適於實效。故其亡也，如人之病狂，不知堂宇宮室之爲安，而號呼奔走，以自顛仆。昔者太公治齊，舉賢而尙功。周公曰：『後世必有篡弒之臣。』周公治魯，親親而尊尊。太公曰：『後世浸微矣。』漢之事迹，誠大類比。」⑨意識形態的變化，也依時代變革及歷史人事關係的變化而轉移的。

在蘇軾的史評中，對於歷史人物的評價占有重要的地位。他論歷史人物，主要掌握人物的淵源流變，從而見出他在歷史上的深遠影響，借以提供鑑誡。

在評價歷史人物時，他將歷史人物的具體行爲和心理狀態相結合，從政治心理的深層結構來研究人物的歷史地位和歷史價值，而這首先是把人物的政治心理結構與時代社會的意識形態直接聯繫起來進行研究。如對荀子的闡說，蘇軾先分析先秦時期的時代意識，是被儒家學說的傳統觀念所統治，而荀卿卻對傳統的心理進行冲擊，打破了意識形態領域的劃一狀況。對當時人們的心理狀態，蘇軾作了一番描述，他說：「嘗讀《孔子世家》，觀其言語文章，循循莫不有規矩，不敢放言高論，言必稱先王，然後知聖人憂天下之深也。茫乎不知其畔岸，而非遠也；浩乎不知其津涯，而非深也。其所言者，匹夫匹婦之所共知；而所行者，聖人有所不能盡也。嗚呼！是亦足矣。使後世有能盡吾說者，雖爲聖人無難，而不能者，不失爲寡過而已矣。」⑩當時的整個時代意識，是遵循著儒家所提倡的先王聖人之道；而荀卿呢？則出之於對儒教的叛逆，以一種反叛意識審視儒家的傳統觀念，提出了驚世駭俗的思想見解，蘇軾指出：「荀卿者，喜爲異說而不讓，敢爲高論而不顧者也。其言愚人之所驚，小人之所喜也。子思、孟軻，世之所謂賢人君子也。荀卿獨曰：『亂天下者，子思、孟軻也。』天下之人，如此其衆也；仁人義士，如此其多也。荀卿獨曰：『人性惡。桀、紂，性也。堯、舜，僞也。』由是觀之，意其爲人必也剛愎不遜，而自許太過。」⑪蘇軾從人的心理性格的角度，論述歷史人物的思想。而荀卿的思想，影響所及，直至李斯。由是，蘇軾進一步證明，荀卿的思想，產生了不可估量的後果。

他先談李斯爲秦始皇焚書的行動，其心理淵源於荀卿的書：「昔者常怪李斯事荀卿，既而焚滅其書，大變古先聖王之法，於其師之道，不啻若寇仇。及今觀荀卿之書，然後知李斯之所以事秦者皆出於荀卿，而不足怪也。」⑫李斯執行秦始皇焚書坑儒的決定，其思想實質和心理活動，是荀卿的政治心理趨向於深化的結果。蘇軾說：「今夫小人之爲不善，猶必有所顧忌，是以夏、商之亡，桀、紂之殘暴，而先王之法度、禮樂、刑政，猶未至於絕滅而不可考者，是桀紂猶有所存而不敢盡廢也。彼李斯者，獨能奮而不顧，焚燒夫子之六經，烹滅三代之諸候，破壞周公之井田，此亦必有所恃者矣。彼見其師歷詆天下之賢人，以自是其愚，以爲古先聖王皆無足法者。不知荀卿特以快一時之論，而荀卿亦不知其禍之至於此也。」⑬所謂「禍」，即指李斯焚燒六經之舉，蘇軾認爲其思想淵源出自荀卿，荀卿「歷詆天下之賢人」的「以快一時之論」，造成秦朝的焚書浩刼。蘇軾從歷史人物的思想脈路和政治心理去測量人物的行爲，把握歷史人物的獨特性格和歷史作用。他認爲秦火源於荀卿，此論正確與否，存而不論。但他評價歷史人物時，看到意識形態之影響的巨大作用，足見他的歷史眼光。

蘇軾在對歷史人物的審視過程中，還注重對人物的自我品格的研究，讓讀者在歷史的功過中領悟做人的道理。

歷史人物也是富於個性的。在漫長的歷史長河中，每一個人都有一個自我的精神歷程，它讓每個人在歷史舞台上，扮演成一個悲劇的或喜劇的、正劇的或丑劇的角色。如賈誼，歷代的文學家、史學家對他的評論甚多，李商隱詩云：「宣室求賢訪逐臣，賈生才調更無倫。可憐夜半虛前席，不問蒼生問鬼神。」⑭詩中強調賈生的才學不被宣帝重視，而致有「不問蒼生問鬼神」之嘆。蘇軾論賈誼，則不把責任完全歸咎於客觀，而是從賈誼的自我品格出發進行探索，把握了賈誼一生悲劇的主要原因。他說：「夫絳侯親握天子之璽，而授之文帝，灌嬰連兵數十萬，以決劉、呂之雄雌。又皆高帝之舊將。此其君臣相得之分，豈特父子骨肉手足哉。賈生洛陽之少年，欲使其一朝之間，盡棄其舊而謀其新，亦已難矣。爲賈生者，上得其君，下得其大臣，如絳、灌之屬，優游浸漬而深交之，使天子不疑，大臣不忌，然後舉天下而唯吾之所欲爲，不過十年，可以得志。安有立談之間，而遽爲人痛哭哉？觀其過湘，爲賦弔屈原，紆鬱憤悶，趯然有遠舉之志。其後卒以自傷哭泣，至於夭絕。是亦不善處窮者也。夫謀之一不見用，安知終不復用也。不知默默以待其變，而自殘至此。嗚呼，賈生志大而量小，才有餘而識不足也。」⑮賈生的悲劇，在於個人自我品格上的「志大而量小，才有餘而識不足」，因而當他一旦認爲自己才志不被重用時，就「自傷哭泣，至於夭絕」，這是他「不善處窮」的緣故。在蘇軾看來，是他不懂得「默默以待其變」的人生哲學，一次不見用，安知終不復用？由於賈生心胸太狹窄，所以「一不見用，則憂傷痛沮，不能復振」，造成了個人的悲劇。所以蘇軾指出：「若賈生者，非漢文之不用生，生之不能用漢文也。」他把悲劇產生的原因，從賈誼自身的人品中去探求，從社會規定的人格與個人的人品之間的矛盾衝突中去研究人物的眞實面貌，令讀者從中領略做人的原則。

他對阮籍的分析也一樣，也是從阮籍的人品入手。他先引用阮籍的一段辯論：「世之所謂君子者，惟法是修，惟禮是克。手執圭璧，足履繩墨。行欲爲目前檢，言欲爲無窮則。少稱鄉黨，長聞鄰國。上欲圖三公，下不失九州牧。獨不見夫群虱之處褌中乎？逃乎深縫，匿乎敗絮，自以爲吉宅也。行不敢離縫際，動不敢出褌襠，自以爲得繩墨也。然炎丘火流，焦邑滅都，群虱處於褌中不能出也。君子之處域內，僅異乎虱之處褌中乎？」⑯阮籍以虱之處褌中的處境來形容世俗的所謂君子的行爲準則，極盡辛辣譏諷之能事！蘇軾由此而引申論述阮籍的品格說：「此阮籍之胸懷本趣也。」⑰但他又以阮籍本身的人格矛盾來論阮籍，也頗爲尖銳。蘇軾說：「籍未嘗臧否人物，口不及世事，然禮法之士，疾之如仇讐，獨賴司馬景王保持之爾，其去死無幾。」⑱阮籍的思想，憤世嫉俗；但作爲古代知識分子，他品格上的弱點也是很明顯的，他自己也擺脫不了對官僚的依賴和投靠，以致惹來幾乎殺身之禍。蘇軾議論說：「亦虱之出入往來於衣褌中間者也，安能笑褌中之藏乎？」把人物剖析得入木三分！封建社會知識分子的悲劇，是由所處社會及自身品格決定的。阮籍對士大夫的趨炎附勢嫉惡如仇；作出的譏諷到了無以復加的地步。這是他性格與社會相矛盾的一面。但他的個人行爲，也同樣擺脫不了社會政治力量的規範，所以必須依附司馬景王以保持社會地位。這樣，形成了一個人物有雙重人格，扮演了雙重角色。阮籍身上的社會角色的衝突，表現了歷史人物的複雜性。

蘇軾爲了讓歷史人物的某些特徵更爲突出，更加鮮明，給讀者的鑑誡更深刻，故常常通過對不同的歷史人物的比較來評定人物的得失。他在論魏武帝時就運用這一論證方法。他以曹操與劉備對比，指出「魏武長於料事，而不長於料人。是故有所重發而喪其功，有所輕爲而至於敗。」⑲而劉備的特點則與曹操不同，「劉備有蓋世之才，而無應卒之機。方其新破劉璋，蜀人未附，一日而四五驚，斬之不能禁。釋此時不取，而其後遂至於不敢加兵者終其身。」⑳繼而分析孫權，指出「孫權勇而有謀，此不可以聲勢恐嚇取也。」㉑蘇軾從對三人的比較分析中，論斷歷史人物的得失。先說曹操：「魏武不用中原之長，而與之爭於舟楫之間，一日一夜，行三百里之爭利。犯此二敗以攻孫權，是以喪師於赤壁，以成吳之強。」㉒次說劉備：「且夫劉備可以急取，而不可以緩圖，方其危難之間，卷甲而趨之，雖兵法之所忌，可以得志。」㉓再說孫權：「孫權者，可以計取，而不可以勢破也。」㉔然後論三者之關係成敗，指出劉備「欲以荊州新附之卒，乘勝而取之。彼非不知其難，特欲僥倖於權之不敢抗也。此用之於新造之蜀，乃可以逞。」㉕因此，「魏武重發於劉備而喪其功，輕爲於孫權而至於敗。此不亦長於料事而不長於料人之過歟？」㉖對曹操的述評，通過三人的實力及智慧的較量，顯示出他的優點和弱點來。

對於歷史的事實，蘇軾執筆直書，毫不掩瑕或爲之辯護。如周公輔成王，蘇軾實事求是地分析周公伐管叔的行動，批評周公之過。他說：「管、蔡之叛，非逆也，是其智不足以深知周公而已矣。周公之誅，非疾之也，其勢不得不誅也。故管、蔡非所謂大惡也。兄弟之親，而非大惡，則其道不得不封。管、蔡之封，武王之世也。武王之世，未知有周公、成王之事。苟無周公、成王之事，則管、蔡何從而叛，周公何從而誅之。故曰：周公居禮之變，而處聖人之不幸也。」㉗這可以說是蘇軾對周公的獨特的見解。

另外，蘇軾不以得失評價歷史人物的成敗優劣，而是從得失兩個不同側面考察歷史人物的歷史價值。如他對商鞅的評論，不作片面的肯定或否定，而是看到商鞅在歷史上的功與罪。他指出：「商君之法，使民務本力農，勇於公戰，怯於私鬥，食足兵強，以成帝業。然其民見刑而不見德，知利而不知義，卒以此亡。故帝秦者商君也，亡秦者亦商君也。其生有南面之福，既足以報其帝秦之功矣；而死有車裂之禍，蓋足以償其亡秦之罰。理勢自然，無足怪者。」㉘這是他在讀《戰國策》之後對商鞅所作的評論，鑑於後代評史的人的片面性，因此他從功與罪這兩個不同的側面，作了辯證的評析。他說：「後之君子，有商君之罪，而無商君之功，饗商君之福，而未受其禍者，吾爲之懼矣。」㉙蘇軾對商君的評價，可謂一語中的。評諸葛亮亦然。正史、野史中，諸葛亮以仁義治國治軍著稱；蘇軾則有自己的看法。他認爲諸葛亮是「仁義詐力雜用以取天下」，因此，他最終還是失敗了。他詳細地分析諸葛孔明的政治行爲：「曹操因衰乘危，得逞其姦，孔明恥之，欲信大義於天下。當此時，曹公威震四海，東據許、兗，南牧荊、豫，孔明之恃以勝之者，獨以其區區之忠信，有以激天下之心耳。夫天下廉隅節概慷慨死義之士，固非心服曹氏也，特以威劫而強臣之，聞孔明之風，宜其千里之外有響應者，如此則雖無措足之地，而天下固爲之用矣。且夫殺一不辜而得天下，有所不爲，而後天下忠臣義士樂爲之死。」㉚孔明在舉事之初，以大義號召天下，於是取得了成功。但孔明的人格和思想也不是單一的。蘇軾分析了孔明的另一面，他指出：「劉表之喪，先主在荊州，孔明欲襲殺其孤，先主不忍也。其後劉璋以好逆之至蜀，不數月，扼其吭，拊其背，而奪之國。此其與曹操異者幾希矣。曹、劉之不敵，天下之所共知也。言兵不若曹操之能，而有以一勝之者，區區之忠信也。孔明遷劉璋，既已失天下義士之望，乃始治兵振旅，爲仁義之師，東嚮長驅，而欲天下響應，蓋亦難矣。」㉛諸葛亮的得與失，繫於仁義與詐力之間；而諸葛亮自身品格的複雜性，在於爲了得天下，他又以仁義、詐力雜用以取天下，終於造成失敗的結局。蘇軾從人物品格的複雜性方面評論歷史人物，也是頗有見地的。

盡信書不如無書。蘇軾面對浩瀚的歷史事件和人物，他以廣博的知識進行把握，而且在此基礎上，對於書本的記載，也經常以自己的知識經驗及從事物發展的規律中進行推測，提出疑點，進行質疑和糾正。如對管仲的看法，他提出了自己的意見：「宋君奪民時以爲台，而民非之，無忠臣以掩其過也。子罕釋相而爲司空，民非子罕而善其君。齊桓公宫中七市，女閭七百，國人非之，管仲故爲三歸之家，以掩桓公。此《戰國策》之言也。蘇子曰：管仲仁人也，《戰國策》之言，庶幾是乎？然世未有以爲然者也。雖然，管仲之愛其君亦陋矣，不諫其過，而務分謗焉。或曰：『管仲不可諫也。』蘇子曰：用之則行，捨之則藏。諫而不聽，不用而已矣。故孔子曰：『管仲之器小哉。』」㉜就歷史上對管仲的成說，蘇軾提出了自己的看法。又如司馬穰苴，蘇軾也對史書發出疑問：「《史記》：『司馬穰苴，齊景公時人也。』其事至偉，而《左氏》不載，予嘗疑之。《戰國策》：『司馬穰苴，爲政者也。閔王殺之，大臣不親。』則其去景公也遠矣。太史公取《戰國策》作《史記》，當以《戰國策》爲信。凡《史記》所書大事，而《左氏》無有者，皆可疑。如程嬰、杵臼之類是也。穰苴之事不可誣，抑不在春秋之世，當更徐考之。」㉝疑史是爲了信史，提出對《史記》的懷疑，目的在於更精確地弄清歷史的眞相。蘇軾對世俗已有定評的歷史人物，也敢於提出自己的看法。如對嚴子陵，他寫道：「昔侯霸爲司徒，其故人嚴子陵以書遺之曰：『君房足下，位至台鼎，甚善。懷仁輔義天下悅，阿諛順旨要領絕。』世以子陵爲狂，以軾觀之，非狂也。方是時，光武以布衣取天下，功成志滿，有輕人臣之心，躬親吏事，所以待三公者甚薄。霸爲司徒，奉法循職而已，故子陵有以感發之。」㉞他對歷史人物的評論，不是人云亦云，而是中肯地提出自己的判斷。他的斷語，用豐富的歷史知識作爲基礎從而經得起驗證。

蘇軾所寫的人物論及史評，篇幅短小，文字精悍，往往記一人、一事，直筆而書，忠實於歷史原貌，這也是後代史學家所稱道的。

【附　註】

①　《蘇軾文集》卷48〈上韓太尉書〉。

②　《蘇軾文集》卷36〈乞校正陸贄奏議上進箚子〉。

③　《蘇軾文集》卷7〈國學秋試策問二首〉。

④　《蘇軾文集》卷7〈國學秋試策問〉。

⑤⑥　《蘇軾文集》卷7〈策問六首·復古〉。

⑦ 《蘇軾文集》卷6〈書義·作周恭先作周孚先〉。

⑧ 《蘇軾文集》卷65〈歷代世變〉。

⑨ 《蘇軾文集》卷48〈上韓太尉書〉。

⑩⑪ 《蘇軾文集》卷4〈荀卿論〉。

⑫ 《蘇軾文集》卷4〈荀卿論〉。

⑬ 《蘇軾文集》卷4〈荀卿論〉。

⑭ 清·馮浩箋注《玉谿生詩集箋注》卷2。

⑮ 《蘇軾文集》卷4〈賈誼論〉。

⑯⑰⑱ 《蘇軾文集》卷65〈阮籍〉。

⑲⑳㉑㉒ 《蘇軾文集》卷3〈魏武帝論〉。

㉓㉔㉕㉖ 《蘇軾文集》卷3〈魏武帝論〉。

㉗ 《蘇軾文集》卷3〈周公論〉。

㉘㉙ 《蘇軾文集》卷65〈商君功罪〉。

㉚ 《蘇軾文集》卷4〈諸葛亮論〉。

㉛ 《蘇軾文集》卷4〈諸葛亮論〉。

㉜ 《蘇軾文集》卷65〈管仲分君謗〉。

㉝ 《蘇軾文集》卷65〈司馬穰苴〉。

㉞ 《蘇軾文集》卷48〈上韓樞密書〉。

第十一章　蘇軾的自然科學觀

也許有人認為，蘇軾是文豪不是思想家，更不是一位科學家，何談自然科學觀呢！至於烹調美食，更何談思想史的價值？然而，我們認為，對一位重要的歷史人物的研究，不能單向度地從某一側面去評論，而應觀照人物生活的方方面面，深入地窺探人物的精神面貌，尤其是對蘇軾，他有如《論語》中所說的是一個「成人」①，即全面發展的、有多方面成就的文化人，他是一位熱愛生活的文學家和哲人，他既向往豐富的精神生活，又十分關注客觀的物質世界。由於受時代的人類技術能力的制約，蘇軾對自然的認識與把握，在今天看來，是十分有限的；他的生活的基本理念，是為了獲得更美好的生活，於是，他對自然界蘊含的科學內容以及五彩繽紛的特點，進行了多方面的探究。可以說，蘇軾是一位業餘的醫學家，他對中國傳統文化中極富特色的中醫，作過多方的研究和實踐；他又是一位業餘的科學工作者，對機械、冶金、農業技術等有過一些出人意料的創舉；他也是一位水利學家，當他任地方官時，常努力於興修水利，對水利事業關心備至；他又是一位美食家，對各類飲食烹調頗有見地。這位多才多藝的人物，他的興趣不限於經史和藝術，凡是他所接觸到的生活各個方面，他都興味盎然，寄寓著濃厚的情感，並在不斷的追求中作出應有的貢獻。

一、飲食烹調

蘇軾「一生凡九遷」，無論貧富窮達，他都樂呵呵的。我們讀蘇軾的作品，經常被他這種樂觀精神所感染。在徐州他移守膠西，曾因「齋廚索然，不堪其憂」，時食杞菊，而且不以爲苦，反以爲樂，寫下《後杞菊賦》。賦中說：「人生一世，如屈伸肘。何者爲貧？何者爲富？何者爲美？何者爲陋？或糠覈而瓠肥，或粱肉而墨瘦。何侯方丈，庾郎三九。較豐約於夢寐，卒同歸於一朽。」②他以杞爲糧，以菊爲糗。春食苗，夏食葉，秋食花實而冬食根，其樂無窮。在海南島居南山之下，「水陸之味，貧不能致，煮蔓青、蘆菔、苦薺而食之，其法不用醯醬，而有自然之味。」他吃野菜羹，也很樂觀，寫賦以自娛曰：「汲幽泉以揉濯，搏露葉與瓊根。爨鉶錡以膏油，泫融液而流津。湯濛濛如松風，投糝豆而諧匀。覆陶甌之穹崇，謝攪觸之煩勤。屏醯醬之厚味，卻椒桂之芳辛。水初耗而釜泣，火增壯而力均。滃嘈雜而麋潰，信淨美而甘分。登盤盂而薦之，具匕箸而晨飧。」③他把製作的過程寫成美妙的詩賦，接著還抒發自己的心情：「先生心平而氣和，故雖老而體胖。計餘食之幾何，固無患於長貧。」④他不計貧窮，故雖吃山野中的露葉與瓊根，也好像是天上美味一般。還賦詩云：「香似龍涎仍釅白，味如牛乳更全清。莫將南海金虀膾，輕比東坡玉糝羹。」⑤貧窘的生活，甘美的野菜，樂觀的精神，蘇軾對生活的愛，流溢於字裡行間。

蘇軾是一位美食家，他的食譜，並非葷腥佳肴，龍肝鳳膽，而是貴在粗疏，有大衆風味。故他製作的食譜，其中有一些廣爲流傳，成爲他所到之處的特殊的風味餐。黃州的東坡餅、東坡肉，仍是當今的風味食品。蘇軾自製酒，有「蜜酒」、「桂酒」、「眞一酒」，他對酒的製作工藝，竟然寫得有板有眼，有滋有味，讀來猶如看到一位調侃的老人，邊釀酒邊歡唱的歡樂情景。如他對釀蜜酒的記載：「蜜酒法，予作蜜格與眞一水亂，每米一斗，用蒸麵二兩半，如常法，取醅液，再入蒸餠一兩釀之。三日嘗，看味當極辣且硬，則以一斗米炊飯投之。若甜輭，則每投更入麵與餠各半兩。又三日，再投而熟，全在釀者斟酌增損也。入水少爲佳。」⑥序畢歌曰：「眞珠爲漿玉爲醴，六月田夫汗流泚。不如春甕自生香，蜂爲耕耘花作米。一日水沸魚吐沫，二日眩轉清光活。三日開甕香滿城，快瀉銀瓶不須撥。百錢一斗濃無聲，甘露微濁醍醐清。君不見南園採花蜂似雨，天教釀酒醉先生。先生年來窮到骨，問人乞米何曾得。世間萬事眞悠悠，蜜蜂大勝監河侯。」眞是醉翁之意不在酒！邊頌酒，邊抒懷言志，窮而志堅，超然自得。這是在黃州釀的蜜酒。到了嶺南惠州，他釀的是眞一酒和桂酒，其製作過程他也作了詳細記載，⑦自稱「東坡先生眞一酒」，並有詩曰：「撥雪披雲得乳泓，蜜蜂又欲醉先生。稻垂麥仰陰陽足，器潔泉新表裡清。曉日著顏紅有暈，春風入髓散無聲。人間眞一東坡老，與作青州從事名。」⑧這可以說是《蜜酒歌》的續篇；語意詼諧，東坡老的精神，已於酒中見出。嶺南無酒禁，以酒禦瘴，他又作桂酒，意謂楚辭有「莫桂酒兮椒漿」爲酒名也。桂酒可治病，因桂有「主溫中，利肝腑氣，殺三蟲，輕身堅骨，養神發色，使常如童子，療心腹冷疾，爲百藥先，無所畏。」蘇軾作此酒，又寫《桂酒頌》，其目的是：「『酒，天祿也。其成壞美惡，世以兆主人之吉凶，吾得此，豈非天哉！』故爲之頌，以遺後之有道而居夷者。其法，蓋刻石置之羅浮鐵橋之下，非忘世求道者莫至焉。」⑨此外，如「東坡酒經」等文章，寫酒的製作過程者有多方。

有名的「東坡羹」，是蘇軾富有創意的名菜。他把製作方法寫得津津有味：「東坡羹，蓋東坡居士所煮菜羹也。不用魚肉五味，有自然之甘。其法以菘若蔓菁、若蘆菔、若薺，揉洗數過，去辛苦汁。先以生油少許塗釜，緣及一瓷盌，下菜沸湯中。入生米爲糝，及少生薑，以油盌覆之，不得觸，觸則生油氣，至熟不除。其上置甑，炊飯如常法，既不可遽覆，須生菜氣出盡乃覆之。羹每沸湧。遇油輒下，又爲盌所壓，故終不得上。不爾，羹上薄飯，則氣不得達而飯不熟矣。飯熟羹亦爛可食。若無菜，用瓜、茄，皆切破，不揉洗，入罨，熟赤豆與粳米半爲糝。餘如煮菜法。」在這菜羹烹調之中，又寄托了蘇軾的禪思玄意。他作頌曰：「甘苦嘗從極處回，鹹酸未必是鹽梅。問師此箇無眞味，根上來麼塵上來？」⑩他以禪理問傳法者應純道人，表達了自己的人生觀。

豬肉烹調，蘇軾記錄更多，原因是民間易得豬肉。他說：「淨洗鍋，少著水，柴頭罨煙焰不起。待他自熟莫催他，火侯足時他自美。黃州好豬肉，價錢如泥土。貴人不肯吃，貧人不解煮，早晨起來打兩椀，飽得自我君莫管。」⑪一種自得其樂的意味隱於豬肉的美味之中。他在黃州寫給友人的一封信說：「常親自煮豬頭，灌血腈，作薑豉菜羹，宛有太安滋味。」⑫在惠州吃羊肉，也是於窮中取樂。寫道：「惠州市井寥落，然猶日殺一羊，不敢與仕者爭。買時，囑屠者買其脊骨耳。骨間亦有微肉，熟煮熱漉出，漬酒中，點薄鹽炙微燋食之。如食蟹螯，率數日一食，甚覺有補。子由三年食堂庖，所食芻豢，沒齒而不得骨，豈復知此味乎？戲書此紙遺之，雖戲語，實可施用也。」⑬

蘇軾游戲於食肉之間，烹魚也然。他在杭州時寫信給錢穆父授食魚法：「竹萌亦佳貺，取筍簟菘心與鱖相對，清水煮熟，用薑蘆服自然汁及酒三物等，入少鹽，漸漸點灑之，過熟可食。不敢獨味此，請依法作，與老嫂共之。呵呵。」⑭他自己這麼樂呵呵地傳授吃魚法。元祐中，雖官居高位，但也仍以此爲樂。在《

書煮魚羹》文中說：「予在東坡，嘗親執鎗匕，煮魚羹以設客，客未嘗不稱善，意窮約中易爲口腹耳！今出守錢塘，厭水陸之品，今日偶與仲天貺、王之直、秦少章會食，復作此味，客皆云：此羹超然有高韻，非世俗庖人所能彷彿。歲暮寡欲，聚散難常，當時作此，以發一笑也。」⑮又：「子瞻在黃州，好自煮魚。其法，以鮮鯽魚或鯉治斫冷水下入鹽如常法，以菘菜心芼之，仍入渾蔥白數莖，不得攪。半熟，入生薑、蘿蔔汁及酒各少許，三物相等，調勻乃下。臨熟，入桔皮線，乃食之。其珍食者自知，不盡談也。」⑯

蘇軾把飲食與文藝欣賞等同視之，把飲食之樂與聽讀自作詩賦之樂放在生活裡相同的位置。他曾寫道：「爛蒸同州羊羔，灌以杏酪，食之以匕不以箸；南都麥心麵，作槐芽溫淘，滲以襄邑抹豬炊、共城香粳，薦以蒸子鵝；吳興人庖人斫松江鱠。既絕，以廬山康王谷廉泉，烹曾坑鬥品茶。少焉，解衣仰臥，使人誦東坡先生《赤壁前·後賦》，亦足以一笑也。」⑰

這裡，筆者僅能列舉這幾個突出一點的烹調法，在蘇軾著作中所載的有關烹草木食飲事極多，不一一詳錄。蘇軾日常的食譜，花樣品味繁多，與他的文藝創作一樣，豐富多采。他對生活的興趣，觸處皆是。一個熱愛生活的人，一位極富人情味的普通藝術家和思想家，在蘇軾身上，更多的是與平民一起同甘苦的氣質，他不是一個與衆不同的超人或偉人。

二、保健與醫藥

蘇軾自謂「從來頗識長年養生妙理」。⑱他寫過《問養生》與《續養生論》，談論養生之道。蘇軾認爲，養生的方法最爲重

要的是「靜」，具體地說是「安」與「和」；因爲

> 安則物之感我者輕，和則我之應物者順。外輕內順，而生理備矣。⑲

這就是說，人的心境，要始終保持安靜，靜觀萬物之變，不浮躁，保持心緒平衡；即使遇到驚濤駭浪，也不爲所動。何謂「安」呢？他說：「吾嘗自牢山浮海達於淮，遇大風焉。舟中之人，如附於桔槔，而與之上下，如蹈車輪而行，反逆眩亂不可止。而吾飲食起居如他日。吾非有異術也，惟莫與之爭，而聽其所爲。故凡病我者，舉非物也。食中有蛆，見者莫不嘔也。其不知而食者，未嘗嘔也。請察其所從生。論八珍者必噈，言糞穢者必唾。二者未嘗與我接也，唾與噈何從生哉。果生乎物乎？果生乎我乎？知其生於我也，則雖與之接而不變，安之至也。」⑳何謂「和」？蘇軾解釋說：「子不見天地之爲寒暑乎？寒暑之極，至於折膠流金，而物不以爲病，其變者微也。寒暑之變，晝與日俱逝，夜與月並馳，俯仰之間，屢變而人不知者，微之至，和之極也。使此二極者，相尋而狎至，則人之死久矣。」㉑養生論的主旨在「靜」，做到客觀方面能順應自然，主觀方面能自我穩定，即所謂「順利則爲人」，㉒不隨喜怒哀樂的感情所激發。他說：「喜怒哀樂皆出於心者也。喜則攫拏隨之，怒則歐擊隨之，哀則擗通隨之，樂則抃舞隨之。心動於內，而氣應於外，是鉛虎之出於火者也。」㉓蘇軾的養生術，關鍵處即在摒除生活中的傷身之物，力戒浮華生活。他說：「東坡居士自今日以往，早晚飲食，不過一爵一肉，有尊客盛饌，則三之，可損不可增。有召我者，預以此告之，主人不從而過是，乃止。一曰安分以養福，二曰寬胃以養氣，三曰省費以養財。」㉔他提出「四戒」、「四適」的主張，元豐三年十一月於黃州雪堂寫的《書四戒》，說的就是這個道理：「出輿

入輦，命曰：『蹷痿之機』；洞房清宮，命曰『寒熱之媒』；皓齒娥眉，命曰『代性之斧』；「甘脆肥濃，命曰『腐腸之藥』。此三十二字，吾當書之門窗、几席、縉紳、盤盂，使坐起見之。」㉕「四戒」對於養生來說，固然重要，但人體健康在乎正常的飲食養氣，他指出：「人之生也，以氣爲主。」目的是「頤性養壽」。「四適」亦然。他曾書以贈張鶚：「吾聞《戰國策》中有一方，吾嘗服之，有效，故以奉傳。其藥四味而已，一曰『無事以當貴』，二曰『早寢以當富』，三曰『安步以當車』，四曰『晚食以當肉』。夫已飢而食，蔬食有過於八珍。而既飽之餘，雖芻豢滿前，惟恐其不持去也。若此可謂善處窮者矣。然而於道則未也。安步自佚，晚食自美，安以當車，與肉爲哉？車與肉猶存於胸中，是以有此言也。」㉖這「四戒」、「四適」，也在於人的修養。他說：「士之得道者，視死生禍福，如寒暑晝夜，不知所擇，而況膏梁文繡布褐之間哉！如是者，天地不能使之壽夭，人主不能使之貴賤，不得道而能若是乎，吾其敢以恭儉名之。」㉗養身保健，蘇軾是重養而不重藥物，因而他把保健氣功放在重要的地位上。

蘇軾告訴張安道一個「養生訣」，類似我們今日的保健按摩或氣功。他寫道：「每夜以子夜後，披衣起，面東或南，盤足，叩齒三十六通，握固，閉息，內觀五臟，肺白、肝青、脾黃、心赤、腎黑。次想心爲炎火，光明洞徹，入下丹田中。待腹滿氣極，即除出氣。候出入勻調，即以舌接唇齒，內外漱煉津液，未得嚥下。復前法。閉息內觀，納心丹田，調息漱津，皆依前法。如此者三，津液滿口，即低頭嚥下，以氣送入丹田。須用意精猛，令津與氣谷谷然有聲，徑入丹田。又依前法爲之。凡九閉息，三嚥津而止。然後以左右手熬摩兩腳心，次以兩手摩熨眼、面、耳、項，皆令極熱。仍按捏鼻樑左右五七下，梳頭百餘梳而臥，熟寢至明。」㉘這套養生的口訣，直指精要，至言不煩，但蘇軾同時指出，有下列「三疾」的人不能學到：一曰忿躁，二曰陰險，三曰貪慾。首先是個人的思想要純正，有「雅量清德」，才能做到清淨專一，靜心養性，可除百病。

蘇軾多次談到氣功、布氣，相信氣功之神效。他自言「頗識長年養生妙理」㉙屢屢談及氣功之妙用。他寫信對李公擇說：「氣術又近得其簡妙者，早來此面傳，不可獨不死也。」㉚在與王定國通訊中，也談及氣功鍛煉。他說：「揚州有待其太保者，官於瘴地十餘年。北歸，面色紅潤，無一點瘴氣。只是用摩腳心法耳。」㉛又說：「子由昨來陳相別，面色殊清潤，目光炯然，夜中行氣臍腹間，隆隆如雷聲。其所行持，亦吾輩所常論者，但此君有志節能力行耳。」㉜又說：「禦瘴之術惟絕欲練氣一事。」㉝他到處向朋友宣傳子由養氣存神的益處，對張文潛也作如是說。經過自己身體力行，益信其中的好處。他對張文潛說：「疾久已掃除，但凡害生者無復有，則眞氣日滋骨髓，餘益形神，卓然復壯，無三年之功也。某清淨獨居，一年有半爾。已有所覺，此理易曉無疑也。」㉞他還以氣功醫治痔疾，也言頗有療效。蘇軾有專門著文記述氣功療效者，如《待其公氣術》及《李若之布氣》二篇，對氣功療法作了詳細記述。

揚州有武官侍其者，偶忘其名，官于二廣惡地十餘年，終不染瘴。面紅盛，腰足輕快，年八十九乃死。初不服藥，唯用一法，每日五更起坐，兩掌相向，熱摩湧泉穴無數，以汗出爲度。歐陽文忠公不信仙佛，笑人行氣。晚年見之，云：『吾數十年患足氣，一痛殆不可忍。近日有人傳一法，用之三日，不覺失去。』其法：垂足坐，閉目握固，縮谷道，搖颭兩足，如攝氣毯狀，無數。氣極即少休，氣平復爲之，日七八度，得暇即爲之，無定時。蓋湧泉與腦通，閉縮搖颭，即氣上潮，此乃運捷法也。文忠疾已則廢，使其不廢，當有益。至言不煩，不可忽也。㉟

《晉·方技傳》有幸靈者，父母使守稻。牛食之，靈見而不驅，牛去，乃理其殘亂者。父母怒之。靈曰：「物各欲得食，牛方食，奈何驅之？」父母愈怒，曰：「即如此，何用理亂者爲？」靈曰：「此稻又欲得生。」此言有理，靈故有道者也。呂猗母皇得痿痺病十餘年，靈療之。去皇數步，坐瞑目，寂然有頃，曰：「扶夫人起。」猗曰：「老人得病十有餘年，豈可倉卒令起耶？」靈曰：「但試扶起。」令兩人扶起，兩人夾扶而立。少頃去扶者，遂能行。學道養氣者，至足之餘，能以運氣與人。都下道士李若之能之，謂之「布氣」。吾中子迨，少羸，多疾。若之相對坐爲布氣，迨聞腹中如初日所照，溫溫地。若之蓋遇得道異人於華嶽下云。㊱

以上二文描述，也如當今氣功療法。可見中國氣功醫療之流傳，在北宋已經普及了。

至於醫藥衛生，蘇軾也頗熟識。他曾收集整理各種藥方，所得秘方，後來與沈括良方一起出版，稱爲《蘇沈良方》，對中醫藥理作出了貢獻。《四庫全書》提要中說：「宋士大夫通醫理，而軾與括無博學多聞。其所徵引，於病症治驗，皆詳其狀，鑿鑿可據。其中如蘇合香丸、至寶丹、礡石丸、椒樸丸等類，已爲世所常用，至今神效。即有奇秘之方，世不恆見者，亦無不精妙絕倫，是資利濟。」蘇軾相信丹藥，就也常給自己治病。如得熱病，即自己煎藥治理。他在給錢濟明的信中說及此事：「某一夜發熱不可言，齒間出血如蚯蚓者無數，迨曉乃止，困憊之甚。細察疾狀，專是熱毒，根源不淺。當專用清涼藥。已令用人參、茯苓、麥門冬三味煮濃汁，渴即少啜，餘藥皆罷也。」㊲他患痔疾，則「斷酒斷肉，斷鹽酢醬菜，凡有味物，皆斷，又斷硬米飯，惟食淡麵一味。其間更食胡麻、伏苓麨少許取飽。胡麻，黑芝麻是也。去皮，九蒸曝白。伏苓去皮，擣羅入少白蜜，爲麨、雜胡食之，甚美。如此服食已多日，氣力不衰，而痔漸退。」㊳蘇軾迷信丹藥，集中有《大還丹訣》、《陽丹陰煉》、《陰丹陽煉》、《符陵丹砂》、《松氣煉砂》、《龍虎鉛汞說》等煉丹藥的記載文字，多屬道家丹術。他在杭州曾捐五十兩黃金，加上公家費用，建立一個安樂坊爲民治病，治癒千餘病人。

蘇軾反對家傳秘方，認爲應將秘方公開，博施濟衆。他在杭州時制「聖散子」藥劑，以防瘟疫。他寫道：「昔常覽千金方三建散云：風冷痰飲，症癖皆瘧，無所不治。而孫思邈特爲著論，以爲此方用藥節度，不近人情，至於救急，其驗特異，乃知神物效靈，不拘常制，至理開惑，智不能知，今僕所蓄聖散子，殆此類耶。」㊴這個秘方，蘇軾得來不易：「其方不知所從出，得之于眉山人巢君穀。穀多學，好方秘，借此方不傳其子，余苦求得之。謫居黃州，比年時疫，合此藥散之，所活不可勝數。巢初與余約不傳人，指江水爲盟，余竊溢之，乃以傳蘄水人龐君安時，安時以善醫聞於世，又善著書，欲以傳後，故以授之，亦使巢君之名，與此同朽也。」㊵

三、科學與技術

(一)用煤炭煉鐵

蘇軾對於冶煉業的記載，可以說是中國的鍊鐵史上最早的了。

他在《徐州上皇帝書》中，就已注意到徐州的冶鐵業，他寫道：「州之東北七十餘里，即利國監，自古爲鐵官、商賈所聚，其民富樂，凡三十六冶，冶戶皆大家，藏鏹巨萬。」當然，他是從社會政治的角度來論述這一問題的，我們苟且不論。他記下當地百姓皆善煉鐵，說：「地既產精鐵，而民皆善鍛」，「今三十六冶，冶各百餘人，採鑛伐炭，多飢寒亡命強力鷙忍之民也。」㊶奏議中記錄了徐州煉鐵業之盛。

煉鐵需要石炭，元豐元年十二月，蘇軾在徐州，派人採獲石炭煉鐵，用自己的科學思想以利民；後來還寫下《石炭》歌以記其事。詩引曰：「彭城舊無石炭。元豐元年十二月，始遣人訪獲於州之西南白土鎮之北，以冶鐵作兵，犀利勝常云。」歌曰：「君不見前年雨雪行人斷，城中居民風裂骭。濕薪半束抱衾裯，日暮敲門無處換。豈料山中有遺寶，磊落如礐萬車炭。流膏迸液無人知，陣陣腥風自吹散。根苗一發浩無際，萬人鼓舞千人看。投泥潑水愈光明，爍玉流金見精悍。南山栗林漸可息，北山頑鑛何勞鍛。爲君鑄作百鍊刀，要斬長鯨爲萬段。」㊷徐州煤礦的發現，解決了鍊鐵燃料的問題，蘇軾對此作了忠實的紀錄。

㈡創秧馬農具

《周益公題跋》云：「東坡年五十九，南遷，過太和縣，作《秧馬歌》贈曾移忠。心聲心畫，惟意所造，殆是得意之作。既到嶺南，往往錄示邑宰。近歲，移忠姪孫名之謹者，已譜農器，成公素志，余嘗爲之序，其與《禾譜》並傳無疑。」㊸秧馬的原理出於《史記》，也在《唐書》中得到考證，蘇軾寫道：「近讀《唐書·回鶻部族黠戛斯傳》，其人以木馬行水上，以板薦之，以曲木支腋下，一蹴輒百餘步，念殆與秧馬類歟。」可見蘇軾刻意留心這一農器的創造。在惠州，他寫給博羅縣令林天和的信中說：「加減秧馬，曲盡其用，非撫字究心，何以得此，已具白太守矣。」「吏民畏愛，謠頌布聞，甚慰所望。秧馬聊助美政萬一爾，何足云乎！」秧馬的應用，也成爲所在地太守德政的一部分。

秧馬，是種植水稻的農民爲減輕勞動強度而使用的一種板秧的工具。雖說是一項小小的技術，但卻與蘇軾的愛民思想和他的博聞強記的品性分不開。事情的起因是在江西時曾安止出其所著《禾譜》給他閱看，他讀後感到不足，因書中不譜農器，想起武昌農民的秧馬，聯繫到《史記》的記載，這樣一來，民間的創造就被科學地使用了。他在《秧馬歌引》中記錄了這一過程：「過廬陵，見宣德郎致仕曾安止。出所作《禾譜》。文既溫雅，事亦詳實，惜其有所缺，不譜農器也。予昔遊武昌，見農夫皆騎秧馬。以榆棗爲腹欲其滑，以楸桐爲背欲其輕，腹如小舟，昂其首尾，背如覆瓦，以便兩髀雀躍於泥中，係束藁其首以縛秧，日行千畦，較之傴僂而作者，勞佚相絕矣。《史記》：禹乘四載，泥行乘橇。解者曰：橇形如箕，擿行泥上，豈秧馬之類乎？作《秧馬歌》一首，附於《禾譜》之末云。

秧馬可以使勞累強度極高的秧田勞動的農民，減少彎腰之苦，這是他勤民卹農思想的體現。他在歌中寫道：「春雨濛濛雨淒淒，春秧欲老翠剡齊。嗟我婦子行水泥，朝分一壠暮千畦。腰如箜篌首啄雞，筋煩骨殆聲酸嘶。我有桐馬手自提，頭尻軒昂腹脇低。背如覆瓦去角圭，以我兩足爲四蹄。聳踊滑汰如鳧鷖，纖纖束藁亦可齎。何用繁纓與月題，卻從畦東走畦西。山城欲閉聞鼓鼙，忽作的盧躍檀溪。歸來掛壁從高棲，了無芻秣飢不啼。少壯騎汝逮老黧，何曾蹶軼防顛隮。錦韉公子朝金閨，笑我一生蹋牛犁，不知自有木駃騠。」㊹他把秧馬比駿馬的盧，其想像力夠豐富了。詩中列舉秧馬的形狀及其應用方法，詳細明白。後來在惠州，他又與博羅縣令林君抃對此進行改進。蘇軾說，當時林縣令得秧馬後，甚喜，「躬率田者製作閱試，以謂背雖當如覆瓦，然須起首尾如馬鞍狀，使前卻有力。」惠州人民施用之後，感到方便，又加以改進，認爲「以楡棗爲腹患其重，當以梔木，則滑而輕矣。」又認爲：「俯傴秧田，非獨腰脊之苦，而農夫倒於脛上打洗秧根，積久皆至瘡爛。今得秧馬，則又於兩小頰子上打洗，又完其脛矣。」㊺秧馬是一種「家賜之牛」，他還將這種農具介紹給龍川令翟東玉、吳中張秉道等人。

㈢水利工程

1.介紹筒井用水鞴法

蘇軾記錄了四川於鹽井中取鹽水的方法。他寫道：「自慶歷、皇祐以來，蜀始創筒井，用圜刃鑿如碗大，深者數十丈，以巨竹去節，牝牡相銜爲井，以隔橫入淡水，則咸泉自上。又以竹之差小者，出入井中爲桶，無底而竅其上，懸熟皮數寸，出入水中，氣自呼吸而啓閉之，一筒致水數斗，凡筒井皆用機械，利之所在，人無不知。」㊻應用活塞原理製作的唧筒吸水的方法，十一世紀時已被四川人民普遍採用；蘇軾還考證說：「《後漢書》有水鞴，此法惟蜀中鐵冶用之，大略似鹽井取水筒。」東漢時，中國已運用這一機械原理了，《後漢書》作了記載。他還糾正唐代李賢的謬誤說：「太子賢不識，妄以意解，非也。」《後漢書》卷31《杜詩傳》中有：「造作水排，鑄爲農器。」下有唐章懷太子李賢注云：「冶鑄者爲排以吹炭，令激水以鼓之也，排當作橐，古字通用也。」蘇軾從四川民間的唧筒應用的驗證，糾正李賢的錯誤解釋。對這一機械科學的記錄，又爲中國的水利機械史立下了汗馬功勞了。

2.建橋及興修水利

蘇軾爲民造福，所到之處，修橋鋪路，建湖挖井，遍修水利，興利除害，他在杭州疏濬茅山河、鹽橋河，疏濬西湖，開撩葑封，排水清湖，以解除百姓吃水的憂患，又有游觀之美。在徐州抗水災建堤防，在惠州建東西二橋等，這些前面已略有論及，此處簡略。

四、文物與考古

蘇軾一向重視文物收藏，在黃州時曾獲一銅鏡：「近獲一銅鏡，如漆色，光明冷徹。背有銘云：『漢有善銅出白陽，取爲鏡，清如明，左龍右虎輔之。』字體雜篆隸，眞漢時字也。」㊼他得此文物後，對後面銘文大惑不解，他說：「白陽不知所在，豈南陽白水乎？『如』字應作『而』字使耳。『左龍右虎』，皆未甚曉，更閑，爲考之。」㊽對於古迹的考證，他也極爲留心，如陳州鐵墓，他寫道：「余舊過陳州，留七十餘日，近城可游觀無不至。柳湖旁有丘，俗謂之鐵墓，云陳胡公墓也。城濠水往嚙其址，見有鐵錮之。又有寺，日厄台，云孔子厄於陳蔡所居者，其說荒唐，不可信。」㊾

【附　註】

① 《論語·憲問》。

② 《蘇軾文集》卷1〈後杞菊賦〉。

③ 仝上《菜羹賦》。

④ 《蘇軾文集》卷1〈菜羹賦〉。

⑤ 《蘇軾詩集》卷42〈過子忽出新意，以山芋作玉糝羹，色香味皆奇絕。天上酥陀則不可知，人間決無此味也〉。

⑥　《蘇軾文集》卷21〈蜜酒歌叙〉。

⑦⑧　《蘇軾詩集》卷39〈眞一酒并引〉。

⑨　《蘇軾文集》卷20〈桂酒頌并敘〉。

⑩　《蘇軾文集》卷20〈東坡羹頌并引〉。

⑪　仝上〈豬肉頌〉。

⑫　《蘇軾文集》卷60〈與子安兄書〉。

⑬　仝上《與子由書〉。

⑭　《蘇軾文集》卷51〈與錢穆父〉。

⑮　《蘇軾佚文彙編》卷6〈書煮魚羹〉。

⑯　《蘇軾文集》卷73〈煮魚法〉。

⑰　《蘇軾佚文彙編》卷6〈論食〉。

⑱　《蘇軾文集》卷72〈與王定國書〉。

⑲　《蘇軾文集》卷64〈問養生〉。

⑳㉑　《蘇軾文集》卷64〈問養生〉。

㉒㉓　《蘇軾文集》卷64〈續養生論〉。

㉔　《蘇軾文集》卷73〈節飲食說〉。

㉕　《蘇軾文集》卷66〈書四戒〉。

㉖　《蘇軾文集》卷66〈書四適贈張鶚〉。

㉗　仝上〈跋司馬溫公布衾銘後〉。

㉘　《蘇軾文集》卷73〈養生訣〉。

㉙㉛㉜㉝　《蘇軾文集》卷52〈與王定國書〉。

㉚　《蘇軾文集》卷51〈與李公擇〉。

㉞　《蘇軾文集》卷52〈答張文潛〉。

㉟　《蘇軾文集》卷73〈侍其公氣術〉。

㊱　《蘇軾文集》卷73〈李若之布氣〉。

㊲　《蘇軾文集》卷53〈與錢濟明〉。

㊳ 《蘇軾文集》卷54〈與程正輔〉。
㊴ 《蘇軾文集》卷10〈聖散子敘〉。
㊵ 《蘇軾文集》卷10〈聖散子敘〉。
㊶ 《蘇軾文集》卷26〈徐州上皇帝書〉。
㊷ 《蘇軾詩集》卷17〈石炭并引〉。
㊸ 《蘇軾詩集》卷38〈秧馬歌并引〉注。
㊹ 《蘇軾詩集》卷38〈秧馬歌〉。
㊺ 《蘇軾文集》卷68〈題秧馬歌後四首〉。
㊻ 《東坡志林》卷4。
㊼ 《蘇軾文集》卷53〈答李方叔〉。
㊽ 《蘇軾文集》卷53〈答李方叔〉。
㊾ 《東坡志林》卷4。

第三編　蘇軾的文藝思想及創作成就

第十二章　蘇軾的藝術哲學

蘇軾是聞名遐邇的大文豪，他的藝術成就，連他的政敵也無法抹煞。蘇軾的創作，與他一生政治生活的坎坷緊密相連。元豐二年（西元1079年）己未的「烏台詩案」，禍端出於詩歌。元祐六年（西元1091年）辛未出知潁州，也因往揚州竹西寺寫詩：「此生已覺都無事，今歲仍逢大有年。山寺歸來聞好語，野花啼鳥亦欣然。」①而被誣得罪；紹聖四年（西元1097年）丁丑惠州再貶儋州，也因寫《縱筆》一詩而遭嫌，詩中有句：「爲報先生春睡美，道人輕打五更鐘」，傳到京都，章子厚見之，頓起惡心，「遂再貶儋耳，以爲安穩，故再遷也。」②幾次災難，都因寫詩見禍。而他的作品，也因歷次政治災難而被毀；「烏台詩案」發生時，蘇軾自己曾寫道：「軾始就逮赴獄，有一子稍長，徒步相隨。其餘守舍，皆婦女幼稚。至宿州，御史符下，就家取文書。州郡望風，遣吏發卒，圍船搜取，老幼幾怖死。既去，婦女恚罵曰：『是好著書，書成何所得，而怖我如此！』悉取燒之。比事定，重復尋理，十亡其七八矣。」③「見爲編述《超然》、《黃樓》二集，爲賜尤重。從來不曾編次，縱有一二在者，得罪日，皆爲家人婦女輩焚毀盡矣。」④這從反面證明，蘇軾的文字，與他的思想和政治生活的關係，十分密切。爲此，蘇軾自己也深有感慨。當他的學生爲他編錄詩文時，他寫信說：「軾平生以文字言語見知於世，亦以此取疾於人，得失相補，不如不作之安也。以此常欲焚棄筆硯，爲瘖默人，而習氣宿業，未能盡去，亦謂隨手雲散鳥沒矣。」⑤蘇軾以詩文著稱於世，也以詩文惹禍羅難；他明知其中利害，累欲綴筆，但「習氣宿業，未能盡去」，寫作已成爲他生活中必不可少的部分，蘇軾的藝術精神已與他的生命融合在一起了。

蘇軾以他的生命寫作，從心靈深處抒寫萬世不朽的文字，他是操縱著北宋以後的精神寶藏的重要人物之一，因而蘇軾的藝術哲學，是他的全人的重要組成部份。

法國丹納在評論十八世紀的巴爾札克時說：「巴爾札克，在我們這個時代所有操縱精神寶藏的人中間，他資本最雄厚。……他的才能始終在於把構成人物的大量原素與大量的精神影響集中在一個河床之內，一個斜坡之上，彷彿滙合大量的水擴大一條河流，使它往外奔瀉。」⑥我們借鑑丹納的說法，也完全可以這樣判斷，蘇軾是有宋一代「所有操縱精神寶藏的人中間，他的資本最雄厚。」在時代精神的推動下，有自身超逸的人品和思想情趣的主宰，蘇軾以他橫溢的才情，獨特的「行雲流水」式的藝術風格，創作了題材和形式都豐富多樣的藝術作品，提出了令人深思的藝術見解。

蘇軾的藝術哲學，與當時文壇上所強調的空靈、含蓄、平淡、自然美的文藝思潮分不開的。

宋初，文壇上被西崑派所控制，梅堯臣、歐陽修等力詆西崑體的文弊，提倡古文運動。蘇軾在前輩的影響下，對於當時文壇積弊，也提出自己的見解。嘉祐二年（西元1057年）丁酉，進士及第，寫信謝歐陽修，對五代以來的古文運動發展情況進行了一番評說：

> 自昔五代之餘，文教衰落，風俗靡靡，日以塗地。聖上慨然太息，思有以澄其源，疏其流，明詔天下，曉諭厥旨。於是詔來雄俊魁偉敦厚樸直之士，罷去浮巧輕媚叢錯采繡之文，將以追兩漢之餘，而漸復三代之故。士大夫不深明天子之心，用意過當，求深者或至於迂，務奇者怪僻而不可讀，餘風未殄，新弊復作。大者鏤之金石，以傳久遠；小者轉相摹寫，號稱古文。紛紛肆行，莫之或禁。蓋唐之古文，自韓愈始。其後學韓而不至者爲皇甫湜。學皇甫湜而不至者爲孫樵。自樵以降，無足觀矣。⑦

他抨擊五代以來不良的文風，對北宋文壇的思潮起伏作了分析，要求「罷去浮巧輕媚叢錯采繡之文」，以復古的口號開路，進行文壇革新的觀念，在年青的蘇軾思想上，已經十分清晰。正如他在熙寧五年（西元1072年）在杭州監試時寫的詩，描述過科舉的弊端一樣：「緬懷嘉祐初，文格變已甚。千金碎全璧，百納收寸錦。調和椒桂釅，咀嚼沙礫磣。廣眉成半額，學步歸踔踸。」⑧文壇上抄襲模仿、怪譎浮華的陋習已經忍無可忍了！他自己中舉後曾說：「自始操筆，知不適時。會宗伯之選掄，疾時文之靡弊。」⑨歐陽修主持科舉考試時，通過考試的手段，抑制不良文風，提倡樸實的古文。至王安石變法，又改變考試內容，廢除詩賦，專以策論取士；蘇軾曾上書反對，在《議學校貢舉》中，充分陳述了自己的意見。他說：「議者必欲以策論定賢愚，決能否，臣請有以質之。近世士大夫文章華靡者，莫如楊億，使楊億尚在，則忠清鯁亮之士也，豈得以華靡少之。通經學古者，莫如孫復、石介，使孫復、石介尚在，則迂濶矯誕之士也，又可施之於政事之間乎？自唐至今，以詩賦爲名臣者，不可勝數，何負於天下，而必欲廢之！近世士人纂類經史，綴緝時務，謂之策括，待問條目，搜抉略盡，臨時剽竊，竄易首尾，以眩有司，有司莫能辨也。且其爲文也，無規矩準繩，故學之易成，無聲病對偶，故考之難精。以易學之士，其弊有甚於詩賦矣。」⑩表面看來，雖是科舉考試的內容之爭，實際上卻揭示了當時文壇弊端。他擁護歐陽修的文字是表達道的工具的主張，反對王安石認爲文學是儒家經典在政治上的應用的觀念，蘇軾面對文壇的現狀，以自己畢生的精力，投身於文藝創作之中，他把藝術作爲自己的精神寄托，藝術是蘇軾的第二生命。

蘇軾的藝術哲學，是理論與實踐融合爲一的，他的藝術趣味，廣泛而又豐富，他的藝術精神，不斷煥發出新的光彩。

藝術精神是主體意識的體現。如果說，蘇軾在哲學、政治、教育思想中儒家的觀念佔據了主導地位的話，那麼，他在文學藝術方面所體現的精神，則是莊學與儒學的糅合，而且是源自老莊、以莊學爲核心的。

㈠追求「出新意于法度之中」的自由活潑的藝術精神

繁雜的案牘生活，艱險的官場傾軋，導致蘇軾心靈深處對自由寧靜境界的強烈追求，藝術是心靈的窗口；蘇軾在藝術上的超逸風格，是他精神上對自由灑脫的嚮往的眞實體現。

蘇轍爲他所寫的「墓誌銘」中，對蘇軾讀書，寫作的思想境界的演變，進行了一番精闢的論述。他指出，蘇軾讀書有過三個階段：開頭是讀賈誼、陸贄的書，「論古今治亂，不爲空言」。既而讀《莊子》，有感於「得吾心矣」。被貶黃州之後，「杜門深居，馳騁翰墨，其文一變，如川之方至。」過去他對莊學的理解僅僅處於「得吾心」的感觸，而謫居黃州之後，莊學已經主宰他的思想，並已融合到他的藝術精神裡面，因而在風格上有「馳騁翰墨」、「如川之方至」的變化。晚年在儋州，蘇軾的藝術個性已流貫著莊學血液，莊子的藝術精神成為蘇軾藝術創作過程中的主導因素，莊子的藝術氣質注入胸次，發諸筆端，成諸格調。蘇軾對莊學有著深層的體驗，莊學也在蘇軾作品中得到升華與深化，體現出一種淨化、超脫的藝術精神，處處涵攝著莊學的虛、靜、明的藝術境域。

錢鍾書先生對蘇軾有過這樣的評價：

> 他一向被推為宋代最偉大的文人，在散文、詩、詞各方面都有極高的成就。他批評吳道子的畫，曾經說過：「出新意於法度之中，寄妙理於豪放之外」。從分散在他著作裡的詩文評看來，這兩句話也許可以現成的應用在他自己身上，概括他在詩歌裡的理論和實踐。後面一句說：「豪放」要耐人尋味，並非發酒瘋似的胡鬧亂嚷。前面一句算得「豪放」的定義，用蘇軾所能了解的話來說，就是「從心所欲，不踰矩」；用近代術語來說，就是：自由是以規律性的認識為基礎，在藝術規律的容許之下，創造力有充分的自由活動。這正是蘇軾所一再聲明的，作文該像「行雲流水」或「泉源湧地」那樣自由活潑，可是同時候很謹嚴的「行於所當行，止於所不可不止」。李白以後，古代大約沒有人趕得上蘇軾這種「豪放」。⑪

這段評論，道出了「出新意於法度之中，寄妙理於豪放之外」的內涵所在。藝術創作追求自由，規律何在？這是歷代文學家孜孜以求和苦苦探索的。蘇軾對藝術的自由規律的思考，對於後代文藝術創作的影響是極為深遠的。

「出新意于法度之中，寄妙理於豪放之外」⑫一語，出自於蘇軾對唐代畫家吳道子的評論。他說：

> 詩至於杜子美，文至於韓退之，書至於顏魯公，畫至

> 於吳道子，而古今之變，天下之能事畢矣。道子畫人物，如以燈取影，逆來順往，旁見側出，橫斜平直，各相乘除，得自然之數，不差毫末，出新意於法度之中，寄妙理於豪放之外，所謂遊刃餘地，運斤成風，蓋古今一人而已。⑬

這是一番藝術領悟的縱橫談。錢鍾書先生釋之爲自由與規律的關係。藝術創作是一種複雜的精神活動，需要有自由解放的精神；每一個作家，又都以這種來駕馭各自的生活體驗，使之物化成爲瑰麗多彩的自由的藝術王國。蘇軾論中所說的「智者創物，能者述焉，非一人而成也。」⑭每一個能者對客觀事物的描述，都是從不同的角度，進行觀察和反映的，「非一人而成也」已揭示了藝術的多樣化及其自由多姿的構合，並非一人一事或某一單一的格調。藝術家中，如杜子美、韓退之、顏魯公、吳道子，他們的藝術成就，畢「天下之能事」，其藝術風格之美，內容之雄渾廣濶，已盡「古今之變」。蘇軾特以吳道子而論，說到吳道子的繪畫藝術時，強調寓藝術的自由意志於特定的藝術規律之中。因爲吳道子的藝術創作，有主體意識指使構思和運筆，所以「逆來順往」地自由馳騁於藝術領地裡，絲毫不差地「得自然之數」。「出新意於法度之中，寄妙理於豪放之外」這兩句名言，即是強調藝術創造力在法度之中的充分的自由發揮。蘇軾所謂「豪放」的涵義，指的是這種藝術的「自由活動」；而「寄妙理於豪放之外」，是指作家思想的寄托應該在藝術作品的言外，也即象外之象，言外之旨，包括了讀者在接受藝術時的自由想像的藝術價值。所以蘇軾接著說：「所謂遊刃餘地，運斤成風，蓋古今一人而已。」莊學的遊刃之說，出自於《莊子・養生主》篇中庖丁解牛的體會：「恢恢乎其於遊刃必有餘地」，一旦掌握了規律，就遊刃有餘，達到了自由的境界。「運斤成風」之說出自於《莊子・徐无鬼》：

「郢人堊漫其鼻端，若繩墨，使匠石斲之。匠石運斤成風，聽而斲之，盡堊而鼻不傷，郢人立不失容。」說的也是由於技巧的熟練而進入自由之境。而蘇軾的所謂「新意」，指的是藝術家的創造，所謂「妙理」，即藝術家的一種言不可傳之道，言不可傳之意的微妙的精神世界。藝術家在主體意識達到這一境界，在創作活動中才能達到「遊刃有餘，運斤成風」的境地。

藝術家個人創作過程的自由意識，蘇軾以「有道有藝」兩者兼進來加以統率。他在評李伯時畫《山莊圖》時，特別談到畫面的逼眞：「使後來者入山者，信足而行，自得其道路，如見所夢，如悟前世；見山中草木，不問而知其名；遇山中漁樵隱逸，不名而識其人。」⑮這種反映眞實的藝術畫面，乃是個人的意與客觀的物神交相通的結果。他說：「此豈強記不忘者乎？曰：非也。畫日者常疑餅，非忘日也。醉中不以鼻飲，夢中不以趾捉，天機之所合，不強而自記也。居士之在山也，不留于一物，故其神與萬物交，其智與百工合。」藝術家對客觀世界的藝術把握，應該是一種因於天性，順其自然的眞性流露。其神與物交，這一神字，即強調了藝術家應以自身的主觀精神及氣概擁抱世界，從而對客觀世界有積極的領會。所以蘇軾提出在藝術創作中的「有道有藝」的原則，「道」屬於對自然規律的掌握，「天機之所合」，「藝」指的是藝術造詣。他說：「有道而無藝，則物雖形于心，不形于手。」⑯藝術家的主觀意識通過高超的藝術造詣進行完美的表達。只有兩者的結合和統一，才能進入藝術創作的自由領地。

蘇軾在《衆妙堂記》一文中，借夢中張易簡道士的話，又進一步闡述「庖丁之理解，郢人之鼻斲」的道理。指出：「子未覩眞妙，非無挾而徑造者也。子亦見夫蜩與雞乎？夫蜩登木而號，不知止也。夫雞俯首而啄，不知仰也。其固也如此。然至蛻與伏也，則無視無聽，無饑無渴，默化於荒忽之中，候伺於毫髮之間，雖聖智不及也。是豈技與習之助乎。」⑰這完全是以莊化的語言來說明技與道的關係。他以蜩與雞爲喻，闡釋了熟練的技巧已在潛移默化之中表達了平時所學習的「道」，技與道已融化爲一，達到了「得乎心而應乎手」的程度。道與藝兩者是相輔相成的，強調某一項就無法達到藝術的至境。

在「有道有藝」的規範下，蘇軾談到創作過程中個人的主體意識的表現時，強調精神要自由適意。他曾借朱象先談論繪畫藝術的體會的話：「文以達吾心，畫以適吾意。」⑱在給張嘉父的信中也說：「公文章自已得之於心，應之於手矣。」⑲作爲創造和觀照的藝術品的先決條件，是藝術家把生活中的感性對象，根據個人的氣質來領悟，把心靈的主觀狀態轉化爲客觀化的快感。歌德評狄德羅的《畫論》時說：藝術「有著自己的深度，自己的力量。它借助於這些表面現象中見出合規律性的性格，盡善盡美的和諧一致，登峰造極的美，雍容華貴的氣氛，達到頂點的激情，從而將這些現象的最強烈的瞬間定形化。」⑳這一理論，與蘇軾的「達吾心」、「適吾意」、「得之于心而應之于手」的藝術主體的自由的希求是一致的。中國的老莊哲學所祈求的，是人的精神的安定和獲得精神的自由解放，後來的西方哲學家所主張的也是要求藝術「是給我們以用其他方法所不能達到的內心的自由。」㉑這都是相類的追求。這些不外乎說明，蘇軾在藝術創作方面力求達到適意自由的境界，是中外古今的哲人們所苦苦思索和追求的，而蘇軾在藝術方面關於主體精闢的理論，過去人們沒有從藝術的根本特質去思考總結罷了。作爲一個藝術家，蘇軾從他一生的修養陶冶中，從自己的人格、氣質去領悟藝術的眞諦，在十一世紀已達到這一高度，是難能可貴的。

在創作過程中，蘇軾所探求的是藝術家精神如何得到自由發揮，唯有此才能寫出美好的作品。他曾說：「所示書教及詩賦雜文，觀之熟矣。大略如行雲流水，初無定質，但常行於所當行，常止于不可不止，文理自然，姿態橫生。孔子曰：『言之不文，行而不遠。』又曰：『辭達而已矣。』夫言止於達意，即疑若不文，是大不然。求物之妙，如繫風捕影，能使是物了然於心者，蓋千萬人而不一遇也。而況能使了然於口與手者乎？是之謂辭達，辭至於能達，則文不可勝用矣。」㉒這封信寫於元符三年（西元1100年），是蘇軾從海南島北歸時寫給廣州推官謝民師的，他對謝民師詩文的評論，也可以說是蘇軾一生藝術經驗的結晶。「行雲流水」的文說，豈不是對藝術的自由特質的最好比擬嗎？創作貴在主體意識的無牽無礙，眞正自然地表達藝術家對客觀世界的認識及自身誠摯的感情，而沒有任何限制和框架。蘇軾所說的「初無定質，但常行於所當行，常止于不可不止，文理自然，姿態橫生」，就是這個道理。信中還特別強調「辭達」的主張，對「辭達」的涵蓋的意義作了詳細的分析，認爲對事物了然於口與手者就能做到辭達。因爲並不是每一個人都能達到這一境地，他以「求物之妙如係捕風捉影」，並非人人都能捕捉到那一瞬即逝的靈感，籍以表達客觀事物的美妙；蘇軾又說，能將事物了然於心者，千萬人而不一遇，只有眞正的藝術家才能進入藝術王國的自由世界，探尋到藝術的本質。他在另外的一些詩文中，也不斷重複自己的藝術體會。如說：「作詩火急追亡逋，清景一失後難摹。」㉓這是寫詩的思想靈趣。又說：「空腸得酒芒角出，肝肺槎枒生竹石。森然欲作不可回，吐向君家雪色壁。」㉔這是繪畫的思想靈趣。「畫竹必先得成竹于胸中，執筆熟視，乃見其所欲畫者，急起從之，振筆直遂，以追其所見，如兔起鶻落，少縱則逝矣。」㉕這種「少縱則逝」的靈感，正是藝術家「火急追亡逋」的一瞬間，連藝術家自己也是不由自主，無法克制的。陸機《文賦》裡所說的：「應感之會」的「來不可遏，去不可止」，也是同一回事，都是強調藝術家主體意識的自由，使充滿靈性的內心世界，擺脫了一切外在的界定，眞正地捕捉藝術的眞實美。蘇軾在解釋「辭達」的實義時，認爲是在於「求物之妙，如繫風捕影」；這不外乎是要求藝術創作要「道意所欲言者」，這是蘇軾所遵循的藝術的最高典範。他多次提到「辭達」，如又一封給王庠的信中也說：「孔子曰：『辭達而已矣。』辭至於達，止矣，不可以加矣。」㉖因此，蘇軾談到自己創作經驗時作如是說：「吾文如萬斛泉源，不擇地皆可出，在平地滔滔汩汩，雖一日千里無難。及其與山石曲折，隨物賦形，而不可知也。所可知者，常行於所當行，常止於不可不止，如是而已矣。其他雖吾也不能知也。」㉗其所領悟的「常行于所當行，常止於不可不止」的創作定勢，正是作者的創作思維及其創作技巧已經達到極其嫻熟的融會貫通的地步了。藝術的規律在藝術家對自由的求索中自然體現出來。

㈡藝術風格論

文學史上每一位有成就的藝術家，都十分認眞地追求自己創作中獨特的風格；他們在創作實踐上孜孜以求，在理論方面，也畢生在探索這一重大的課題。蘇軾在論述主體的藝術精神時，對藝術風格的多樣和豐富，也有深入的探討。

一個有藝術追求的作家，他的思想和藝術，在長期的實踐積累中逐漸形成獨特的富於個性化的思想藝術美；讀者在審美過程中也很容易把握到作家的風格。黑格爾說：「風格一般指的是個別藝術家在表現方式和筆調曲折等方面完全見出他的個性的一些特點。」㉘劉勰曾經說過近乎「風格即人」的話。他說，作家「

各師成心，其異如面。」㉙以後，南宋姜夔認爲「一家之語，自有一家風味」。蘇軾的學生張耒在論述蘇門師生不同藝術風格時寫道：「長公（蘇軾）波濤萬頃波，少公（蘇轍）巉秀千尋麓，黃郎（山谷）蕭蕭日下鶴，陳子（師道）峭峭霜中竹，秦（觀）文倩麗舒桃李，晁（補之）論峥嶸走珠玉。」㉚蘇門師生雖知識相傳，但各人性格不同，風格各異。清代的沈德潛也說：「性情面目，人人各具。讀太白詩如見其脫屣千乘；讀少陵詩如見其憂國傷時；其世不我容愛才若渴者，昌黎之詩也；其嬉笑怒罵風流儒雅者，東坡之詩也。即下而賈島李洞輩，拈其一章一句，無不有賈島李洞者存。倘詞可餽貧，工同鞶悅，而性情面目，隱而不見，何以使尙古人者讀其書想見其爲人乎？」㉛其中所說的「性情面目」「想見爲人」，就是作家的個性和人格在作品中的具體體現——風格。蘇軾藝術主體論中，也特別強調藝術家的「自成一家」的風格。

蘇軾認爲，每一個傑出的藝術家，都具有自己的創作個性；因此，藝術風格是千差萬別，豐富多采的。他在《祭柳子玉文》中提到「元輕白俗，郊寒島瘦」，㉜以「輕」、「俗」、「寒」、「瘦」來概括元稹、白居易、孟郊、賈島的風格特徵。他在論書法時曾對鍾繇、王羲之的墨迹的風格，說過一句很精粹的話：「鍾、王之迹，蕭散簡遠，妙在筆畫之外。」㉝這種「妙在筆畫之外」所體現出來的「蕭散簡遠」的格調，正是體現出鍾、王的書法獨特的風格。他接著說：

> 至于詩亦然。蘇李之天成，曹劉之自得，陶謝之超然，蓋亦至矣。而李太白、杜子美以英瑋絕世之姿，凌跨百代，古今詩人盡廢，然魏、晉以來，高風絕塵，亦少衰矣。李、杜之後，詩人繼作，雖間有遠韻，而才不逮意，獨韋應物、

柳宗元發纖穠於簡古，寄至味於澹泊，非餘子所及也。唐末司空圖，崎嶇兵亂之間，而詩文高雅，猶有承平之遺風。其論詩曰：『梅止于酸，鹽止於鹹。』飲食不可無鹽、梅，而其美常在鹹酸之外。蓋自列其詩之有得于文字之表者二十四韻，恨當時不識其妙。予三復其言而悲之。㉞

這裡所舉的詩史上的名家，每一位都獨具自己的創作個性，形成自己獨特的風格，如蘇武、李陵的「天成」，曹植、劉楨的「自得」，陶淵明、謝朓的「超然」，韋應物、柳宗元的「發纖穠於簡古，寄至味於澹泊」，司空圖的「高雅」，如是，成功的作家，在風格上都具有自己的風貌。至於李太白、杜子美所形成的藝術風格的歷史價値，是他們「以英瑋絕世之姿，凌跨百代，而使古今詩人盡廢」。他特別贊賞司空圖的詩品論，司空圖的二十四詩品，是妙境的品目，他的「韻外之韻」、「味外之旨」的持論，使蘇軾「一唱而三嘆」，文中引述司空圖在《與李生論詩書》中的立論，即「梅止于酸，鹽止于鹹，飲食不可無鹽梅，而其美常在鹹酸之外」，這種「鹹酸之外」之美，指的就是各家作品的風味；是一種美學現象，也是藝術家的心靈感受在藝術創作中的折射。蘇軾也還對其他詩人、畫家作過同樣的評論，如評韓愈、柳宗之詩曰：「柳子厚詩在陶淵明下，韋蘇州上。退之豪放奇險則過之，而溫麗靖深不及也。所貴乎枯澹者，謂其外枯而中膏，似澹而其美，淵明子厚之流也。」㉟作品的「味外之味」，體現了詩家三昧的關鍵所在，這種風格是有個性的，是各個作家所獨有風味，人各一面，各不相同。蘇軾最愛陶淵明、柳子厚詩，他垂老投荒海南期間，最喜讀他們的詩集，謂之南遷二友，寫和陶詩一百多篇，自以爲「地偏心遠似陶潛」，他對陶、柳風格的評價是極其精闢的。他說淵明詩「質而實倚，癯而實腴，曹、劉、沈、謝、李、杜皆不之及，」對陶氏的「漸近自然」的風味，蘇軾推崇備至。又如他說劉景文詩「有英偉氣，如三國時士陳元龍之流，讀此詩可以想見其人。」㊱他在評畫時也著重於把握畫家風格。如說吳道子的「雄放」，文與可的「超然」「蕭散」，他認爲風格不同，各有不同的風格美。詩云：「弱羽巢林在一枝，幽人蝸舍兩相宜。樂天長短三千首，卻愛韋郎五字詩。」㊲風格各具特色，「食桃不廢杏」，各有風味，都是相宜的。

蘇軾在肯定成熟的作家各具藝術風格的同時，特別側重研究藝術家藉以表現風格美的主體意識，即作品創作過程中，作家的「意」、「神」、「氣」、「眞」，怎樣轉化爲藝術風格。

意。「意猶帥也」，作家創作過程中，縱筆所表達的，是作者在客觀生活現象中所積累的情思，作品的主腦也。晁以道的《和蘇翰林題李甲畫雁》詩中說：「畫寫物外形，要物形不改。詩傳畫外意，貴有畫中態。」這是說，蘇軾題畫詩寫出了畫外之意；這個意字，就是指作家在作品中所表現的主觀的美學理想。蘇軾特別強調「意」的重要作用，在元代陳秀明的《東坡文談錄》中，曾記錄了一條材料：

> 先生曾謂劉景文與先子曰：某生平無快意事，惟作文章，意之所到，則筆力曲折，無不盡意，自謂世間樂事，無逾此者。㊳

詩文都是從藝術家個人的「意」中演出，所謂「意之所到，則筆力曲折，無不盡意。」竟是文章風格的靈魂，「意盡而言止者，天下之至言也。然而言止而意不盡，尤爲極致。」㊴意在筆先，意到筆隨，意在言外，只有出新意才具獨特的風格；也即蘇軾所說的「出新意于法度之中」㊵的「新意」。由於吳道子繪畫有新意，才能達到筆力有餘，自成一格。表面看來，似是「遊刃餘地，運斤成風」，毫不經意，但意已在其中了。蘇軾有詩云：「吳生畫佛本神授，夢中化作飛空仙。覺來落筆不經意，神妙獨到秋毫顛。」㊶這是寫吳道子的畫意，又有文評歐公帖云：「此數十紙皆文忠公衝口而出，縱手而成，初不加意者也。其文采字畫，皆有自然絕人之姿，信天下之奇蹟也。」㊷他談陳直躬畫雁時更明顯道出意在筆先的道理：「野雁見人時，未起意先改，君從何處看，得此無人態。」㊸因而「通其意則無適而不可」㊹羅大經說蘇文「橫說豎說，惟意所到。」這個「意」就是藝術家的主觀意圖，也無一定法則，他得之於作家的深思熟慮，也可待之於一瞬間的靈感，從而意到筆隨。如「顏公變法出新意，細筋入骨如秋鷹」㊺是也，如「我書造意本無法，點畫信手煩推求」㊻是也，他曾自豪地說：「我書雖不佳，然自出新意，不踐古人，是一快也。」㊼因爲風格是代表自己的，要在自我創造中去完成，而「意」就是形成風格的關鍵，是攝取一切的重要樞紐。葛立方曾記錄蘇軾與他談作文之法說：「天下之事，散在經、子、史中，不可徒使，必得一物以攝之，然後爲己用，所謂一物者，意是也。不得錢不可以取物，不得意不可以明事，此作文之要也。」㊽蘇軾對「意」的強調，是他的風格論的重要議題。

「神」。指的是作品中所體現的富有個性的神彩風貌，即言藝術作品的「神品」、「逸品」，充分表露出主體風格的創作特徵。作品在出新意之後，就能達到「神逸」的境界。傳神，也即是將詩人的風格特徵恰切地、生動地、形象地描述出來。他在談孫位的畫時說：「處士孫位始出新意，畫奔湍巨浪，與山石曲折，隨物賦形，盡水之變，號稱神逸」。㊾這裡所謂神逸，指描寫的事物有著無窮變態；而傳神的歸宿，就是「意」之所在。蘇軾寫孫位（知微）畫水時的情態：「始，知微欲於大慈寺壽寧院壁作湖灘水石四堵，營度經歲，終不肯下筆。一日，倉皇入來，索筆墨甚急，奮袂如風，須臾而成。作輸瀉跳蹙之勢，洶洶欲崩屋也。」㊿在談程懷立畫「蕭然有意于筆墨之外」時，也談及繪畫傳神的趣事。他說：「傳神之難在目，顧虎頭云：『傳形寫影，都在阿堵中。』其次在顴頰。」51又有詩云：「世人只數曹將軍，誰知虎頭非癡人。腰間大羽何足道，頰上三毛自有神。」52這些議論，講的是創作中的一種非刻舟緣木求之，而是興會神到的現象，這也就是蘇軾的傳神論。藝術創作的風骨格力，在於神意，傳神能「意思所在」，傳神也是構成藝術形象和形成藝術風格的一種重要表現手段。這個傳神的藝術手段，是從生活中來的，也即文中所說的「傳神與相一道，欲得其人之天，法當于衆中陰察其舉止。」53得其神韻是長期觀察的結果。把握傳神的藝術手段，生活實踐與對生活的觀察，固然重要，但也要有書本知識的積累，他說過：「讀書萬卷始通神」。54

「氣」。中國古代哲學家把「氣」看成是構成物質世界的原始基質。《易．繫辭》說：「精氣爲物」。所以後來人們多將氣與「本」相聯繫。曹丕論文說：「文以氣爲主」。爲「主」就是爲「本」。作家的「體氣」是作品的基礎，他接著說，人的稟賦修養有所不同，形成了「清」與「濁」的不同個性氣質，通過語言這一象徵性符號，表現爲舒緩的「齊氣」，或奔放的「逸氣」等等。55宋代郭若虛論氣韻時，也是認爲人的個性決定作品的風格：「人品既已高矣，氣韻不得不高；氣韻既已高矣，生動不得不至；所謂神之又神而能精焉。凡畫必周氣韻，方號世珍。」56他還說：「不爾雖竭巧思，止同衆工之事，雖曰畫非畫。」57「氣」與「神」相輔相成，互爲因果。氣是神的基礎，有氣然後才能入神。蘇軾說在眉之蟇頤山觀侯老道士作歌詩，「其豪氣逸韻，豈知天地之大，秋毫之小耶。」㊽他說子由之文「體氣高妙吾所不及。」他自己的創作就顯得「英氣自然」。㊾他說米元章詩文具備「邁往淩雲之氣，清雄絕世之文，超妙入神之字」。他在送參蓼師的詩中，更提出「憂愁不平氣，一寓筆所騁」。㊿氣是藝術家的個性和人品在藝術作品中的外化。「氣」與「意」又是互相關聯的，蘇軾談漢杰畫山時說：「觀士人畫，如閱天下馬，取其意氣所到。」(61)宋代文人畫之所以具有獨特的藝術風格，就在於「取其意氣所到」，藝術家的「意」及「氣」的結合，就會產生傳神之作，這樣，就像文與可畫竹木一樣，蘇軾說他的竹木畫，「如是而生，如是而死，如是而彎拳瘠蹙，如是而條達遂茂，根基節葉，牙角脈縷，千變萬化，未始相襲，而各當其處。合於天造，厭於人意，蓋達士之所寓也歟！」(62)

蘇軾進一步從正反兩方面論證藝術風格之差異，正是植根於藝術家稟氣的裂變。在藝術活動中用模仿的方法，或者採用行政手段強行統一的辦法，都是會窒息藝術生機的。他說：「士之不能自成，其患在于俗學。俗學之患，枉人之材，窒人之耳目，誦其師傅造字之語，從俗之文，才數萬言，其爲士之業盡此矣。夫學以明禮，文以述志，思以通其學，氣以達其文。古之人道其聰明，廣其聞見，所以學也，正志完氣，所以言也。王氏之學，正如脫槧，案其形模而出之，不待修飾而成器耳，求爲桓璧彝器，其可乎？」(63)這裡說明「氣」的地位與作用，在於「氣以達其文」，文章所表達的是「正志完氣」。而當時所謂「王氏之學」，即王安石採取行政命令，對文學作出統一要求，劃一規格，「案其形模而出」，缺乏作家的個性，因而也失去了自己獨特的藝術格調了。蘇軾的作品之所以具有自己的風格，也是他的「正志完氣」所起的作用。李贄曾說：「蘇長公何如人，故其文章驚天動地。

世人不知，祗以文章稱之，不知文章直彼餘事耳，世未有其人不能卓立而能文章垂不朽者。」⑭趙翼說：「坡詩實不以鍛煉爲工，其妙處在乎心地空明，自然流出，一似全不著力，而自然沁入心脾，此其獨絕也。」⑮

蘇軾以作家個人的氣質爲依據，來審視作品的不同風格特徵。他愛陶淵明詩，贊揚陶詩中的神氣，他說：「『采菊東籬下，悠然見南山』，因采菊而見山，境與意會，此句最有妙處。近歲俗本皆作『望南山』，則此，一篇神氣都索然矣。古人用意深微，而俗士率然妄以意改，此最可疾。」⑯一字之改，神氣俱盡。這種「俗士」之「可疾」，證明個人素質中的稟賦在創作中的地位，風格特徵與創作個性是分不開的。「氣」在風格美中占有重要的份量。

「眞」。指的是體現在作品中的眞情實感。傑出的藝術作品，都是作家個人眞摯感情的流露；「眞」是形成獨特風格的重要因素，只有「眞」，才能寫出生活的色彩和情調。文章只有出自肺腑才能眞。蘇軾評孟郊詩云：「詩從肺腑出，出輒愁肺腑。有如黃河鯉，出膏以自煮。」⑰他以自己的創作體會爲例，力主寫文章不能勉強而作；

> 夫昔之爲文者，非能爲之爲工，乃不能不爲之爲工也。山川之有雲霧，草木之有華實，充滿勃郁，而見於外，夫雖欲無有，其可得耶。自聞家君之論文，以爲古之聖人有所不能自己而作者。故軾與弟轍爲文至多，而未嘗敢有作文之意。⑱

創作必須是「有所不能自已而作」，這才是作家內心激情的眞實流露。他接著說：「而山川之秀美，風俗之樸陋，賢人君子之遺迹，與凡耳目之所接者，雜然有觸於中，而發於咏嘆。」⑲具有獨特風格的作品，應該是作家在外界事物的感觸下，覺得不能不寫作，否則就「不能自已」，「非勉強所爲之文也」。正如他在講到陶淵明詩時說：「予嘗有云，言之於心而衝于口，吐之則逆人，茹之則逆予，以謂寧逆人也，故卒吐之，與淵明詩不謀而合。」⑳人的品格眞則能寫出「眞」文。葉燮在評蘇詩時說：蘇軾的詩，「其境界皆開闢古今之所未有，天地萬物，嬉笑怒罵，無不鼓舞于筆端，而適如其意之所欲出。」㉑見於蘇軾筆端的，是他的眞情的流露。蘇軾經常贊美文與可畫竹，並藉此來進一步說明「眞」的內涵。他寫道：「與可畫竹時，見竹不見人。豈獨不見人，嗒然遺其身。其身與竹化，無窮出清新。莊周世無有，誰知此疑神。」㉒文與可畫竹時，往往是捕捉心靈深處一瞬間所觸發的火花，把自己的感情與竹化爲一體，畫出與衆不同的墨竹畫；他把人格的要求灌注到作品裡面，轉化爲他獨有的特質或魔力，形成了自己獨創的風格，因此，文與可墨竹的風格美，體現了他的人格美，是個人的品格、氣質的眞實表現。文體是人，風格就是人自己；所以「眞」是人格的再現，缺乏「眞」就無法表現風格美。蘇軾在爲文與可所寫的《墨君堂記》很清楚地闡明這個道理：「與可之爲人也，端靜爲文，明哲而忠，士之修潔博習，朝夕磨治洗濯，以求交于與可者，非一人也，而獨厚君如此！君又疏簡抗勁，無聲色臭味可以娛悅人之耳目鼻口，則與可之厚君也，其必有以賢君矣。世之能寒燠人者，其氣燄亦未至若雪霜風雨之切於肌膚也，而士鮮不以爲欣戚喪其所守。自植物而言之，四時之變亦大矣，而君獨不顧。雖微與可，天下其孰不賢之。然與可獨能得君之深，而知君之所以賢。雍容談笑，揮灑奮迅而盡君德。稚壯枯老之容，披折偃仰之勢。風雪凌厲以觀其操，崖石犖确以致其節。得志，遂茂而不驕；不得志，瘁瘠而不辱。群居不倚，獨立不懼。與可之於君，可謂得其情而盡其性矣。」⑬關鍵處即在最末的結語：「得其情而盡其性」。文與可愛竹而畫竹，是他忘我地與竹融化爲一體，以自己高尚的情操來與竹的自然美緊緊結合在一起，竹的操節即文與可的操節，「風雪凌厲以觀其操，崖石犖确以致其節」，竹的品格就是文與可的品格，「得志遂茂而不驕，不得志瘁瘠而不辱。群居不倚，獨立不懼。」文與可的處世爲人的眞意，灌注於畫竹的藝術實踐中，把胸中之竹化爲手下之竹，他把自己的人格精神與藝術精神合而爲一了。蘇軾由此也告誡世人，要寫眞文，首先要在人生歷程中，「不眩于聲利，不戚于窮約，安于所遇而樂之終身。」⑭蘇軾一生坎坷，即是這樣過來的。

蘇軾論風格，提出「意」、「神」、「氣」、「眞」四個方面的特質，強調藝術家的主觀意識是形成作品風格的主要因素。劉勰指出：「夫情動而言形、理發而文見；蓋沿隱以至顯，因內而符外者也。然才有庸儁，氣有剛柔，學有淺深，習有雅鄭，并情性所鑠，陶染所凝；是以筆區雲譎，文苑波詭者矣。故辭理庸俊，莫能翻其才；風趣剛柔，寧或改其氣；事義淺深，未聞乖其學；體式雅鄭，鮮有反其習；各師成心，各異其面。」⑮蘇軾風格論的內涵，與劉勰風格論的主張具有異曲同工之妙；不過，蘇軾結合著自己長期的創作實踐，來總結歷代藝術家的豐富的體驗，他所闡述的內容更加生動、具體。

藝術風格的多樣化，劉勰也在《體性篇》中作過論述。他說：「才性異區，文辭繁詭。辭爲膚根，志實骨髓。雅麗黼黻，淫巧朱紫。」蘇軾繼承了這一觀念，提出了藝術風格多元的理論，他反對用行政命令方式，使藝術風格單調、劃一的弊端，認爲風格多樣才是藝術發展的正常現象。如他熱情奔放地盛贊文與可飛白：「美哉多乎！其盡萬物之態也！霏霏乎其若輕雲之蔽月，翻翻乎其若長風之捲旆也。猗猗乎其若游絲之縈柳絮，裊裊乎其若流水之舞荇帶也。」⑯客觀事物的千狀萬態，反映在文藝作品中也千變萬化，豐彩多姿；世界上沒有劃一單調的事物，也不會有相應的劃一單調的藝術風格，蘇軾說他的文章如萬斛源泉，隨地而出，也說明這個道理。「隨物賦形」之說，也是如此。

藝術風格的多樣化，是創作的客觀規律，若以行政命令，強使風格和內容劃一，必然給藝術創作帶來災難性的後果，而自己也終歸陷於絕境。上述北宋王安石強制人們按一定模式寫作即是一例。蘇軾對此提出強烈批評：

> 文字之衰，未有如今日者也，其源實出於王氏。王氏之文，未必不善也，而患在使人同己。自孔子不能使人同，顏淵之仁，子路之勇，不能以相移，而王氏欲以其學同天下。地之美者，同于生物，不同于所生；惟荒瘠斥鹵之地，彌望皆黃茅白葦，此則王氏之同也。⑰

這裡說明了一個很有代表性的審美觀念，世界上的東西，完全整齊劃一了，并不都是美的。音樂之所以悅耳動聽，使人陶醉，它的旋律總不都是同一個音符，而是多種音符高低速度等方面不斷變化的結果，使之產生千變萬化的音調。藝術風格也一樣，如果每篇文章都按一個模式寫出來，哪能引起人們欣賞、心醉呢？蘇軾從人的個性及主觀意識著眼，以孔子教出來的學生爲例，顏淵與子路性格不同，一仁一勇。大地郁郁蔥蔥，萬物欣榮，大地所以美麗。只有荒瘠斥鹵的地方，的確一律了，但卻失去了絢爛多姿，一片黃茅白葦。風格的單調枯燥，不就像這一片黃茅白葦嗎？說得多麼貼切和形象！他又說：「今程式文章，千人一律。」⑱對這種一個面目，一種腔調的文風，蘇軾深惡痛絕。

且不說藝術家的風格各異，即使同一位藝術家，他前後期生活遭際不同，創作的風格也會有明顯變化。他寫信給其姪說：「凡文學，少小時須令氣象崢嶸，彩色絢爛，漸老漸熟乃造平淡；其實不是平淡，絢爛之極也。汝只見爺伯而今平淡，一向只學此樣，何不取舊日應舉時文字看，高下抑揚，如龍蛇捉不住，當且學此。」⑲這裡說的是一生學習文章的道理。但是，從一個人的人生歷程來看，風格變異是一個道理。在年輕氣盛時，處境順利，事事都在理想與希望之中，所寫文章，風格多是「氣象崢嶸」；漸入老境時，人事滄桑，在一番淒風苦雨的坎坷歷程之後，風格就趨於平淡，這也是必然的。所以作家自身的藝術風格也不是一輩子一成不變的，而是隨著主體意識的變化而呈多樣化。杜甫的詩，具有含蓄、清曠、華艷、雄渾、雅健等多種風格。所以說，有才華的藝術家，都能抒寫多種題材，具備幾副筆墨，變態百出。蘇軾自己的創作實踐就證實了這一點。他的詩、詞、文，嬉笑怒罵，皆成文章，風格也多樣，有「浩如河漢，濤瀾奔放」⑳的，有「爽而俊」㉑的，有「清風颯然」㉒的，有如「架虛行危縱橫」㉓的，晚年筆墨是「挾海上風濤之氣」㉔的，李端叔評東坡文說：蘇軾文筆如「長江秋霽，千里一道，滔滔滾滾，到海無盡。其如風雷雨電之驟作，崩騰洶湧之掀擊，暫行忽止，出入先後，聳日時之壯觀，極天地之變化。」㉕文如此，詞亦然。有《念奴嬌・赤壁懷古》的豪放，有《江城子》（十年生死兩茫茫）的婉約。詩更是陶鑄各種風格。正如《蘇詩紀事》中載：「東坡詩，不可指摘輕議，辭源如長河大江，飄沙捲沫，枯槎束薪，蘭丹繡鷁，皆隨流矣。珍泉幽澗，澄澤靈沼，可愛可喜。無一點塵滓，只是體不似江河。」蘇軾的藝術實踐，也有力地說明了藝術家的個性、性靈和氣質，在不同時期，情感的定勢不同，流露的方式有異，所表現的風格也有區別。因此，每一位傑出的藝術家，都不會只有一副筆墨。他的作品都呈不同的特色。正如布封所說的：「一個大作家絕不能有一顆印章，在不同的作品上都蓋著同一的印章。」蘇軾的風格多樣化的理論，與藝術規律是相吻合的。

㈢「有為而作」的創作主張

蘇軾論藝術，雖然強調了人品與內心的藝術表達，力主作品的人格化與情緒化；但他的藝術精神也不是脫離現實生活的。他立足於生活現實，主張藝術創造必須是「有爲而作」。

人與自然的融合，往往是以現實生活爲中介的。蘇軾的藝術哲學，也在不經意中暗合著這一理論。他將人生和社會相結合，作爲討論創作的前提。他主張藝術活動應該是「有道有藝」。其「道」，則是面向現實人生的自然法則，所以他對於藝術的社會價值，從內容上說，則主張「有爲而作」，反對空談；他自己讀書寫作，也都抱著濟世的目的：「某官學優而仕，行浮於名。詞令從容，議論慷慨。追還正始，文章爲之一新；傳寫都城，紙墨幾於驟貴。」寫文章貴在有益於當世。他說到自己寫文「妄論利害，攙說得失。」⑻他在題柳子厚詩時說：「詩須要有爲而作，用事當以故爲新，以俗爲雅。好奇務新，乃詩之病。」⑻他論陶淵明詩，也是於超然中見出對當世的抨擊。他學陶詩，也是與他對社會的憤世嫉俗密切相關。

蘇軾以藥石可以伐病來比喻文學的社會作用。他在評顏太初詩集時說：

> 先生之詩文，皆有爲而作，精悍確苦，言必中當世之過，鑿乎如五穀必可以療飢，斷斷乎如藥石必可以伐病。其遊談以爲高，枝詞以爲觀美者，先生無一言焉。⑻

這裡，蘇軾力主寫文章「皆有爲而作」，「言必中當世之過」，達到救濟時弊，即「可以療飢」、「可以伐病」的作用，反對空談和唯美主義。蘇軾最景慕陸贄的文章。他說：「文人之盛，莫如近世，然私所敬慕者，獨陸宣公一人。家有公奏議善本，頃侍講讀，嘗繕寫進御，區區之忠，自謂庶幾於孟軻之敬主，且欲推此學於天下，使家藏此方，人挾此藥，以待世之病者，豈非仁人君子之至情也哉！今觀所示議論，自東漢以下十篇，皆欲酌古以馭今，有意於濟世之實用，而不志於耳目之觀美，此正平生所望於朋友與凡學道之君子也。」⑻他對於陸贄的推崇，就在於文章中有「濟世之實用，而不志於耳目之觀美。」蘇軾也同樣以良藥治病來說明文章的現實作用。他繼續寫道：「然去歲在都下，見一醫工，頗藝而窮，慨然謂僕曰：『人所以服藥，端爲病耳，若欲以適口，則莫如芻豢，何以藥爲？今孫氏、劉氏皆以藥顯，孫氏期於治病，不擇甘苦，而劉氏專務適口，病者宜安所去取，而劉氏富倍孫氏，此何理也？』使君斯文，恐未必售於世。然售不售，豈吾儕所當掛口哉，聊以發一笑耳。」⑼以服藥治病爲例，不擇甘苦，寫文章也一樣，不適合世俗，即「未必售於世」，強調文章對於現實社會，起一種針砭時事的作用。他反對寫文章「多空文而少實用」，⑼蘇軾批評自漢以來，文章不及春秋時代聯繫實際：「西漢以來，以文設科而文始衰，自賈誼、司馬遷，其文不逮先秦古書，況其下者。」又說：「儒者之病，多空文而少實用。賈誼、陸贄之學，殆不傳於世。」⑼爲什麼提出這樣的批評呢？這都是因科舉考試帶來的惡果，他說：「自漢以來，世之儒者，忘己以徇人，務射策決科之學，其言雖不叛於聖人，而皆泛濫於辭章，不適於用。」⑼而在漢以前，文人寫文章不汲汲爲科舉考試的私利，因而能夠出自於無私的精神，「盡意而不求於言，信己而不役於人。」⑼因此，「戰國之際，其言語文章，雖不能盡通於聖人，而皆卓然近于可用。」⑼因此，他提出文章「

以體用爲本」的觀念。說：「某聞人才以智術爲後，而以識度爲先；文章以華采爲末，而以體用爲本。國之將興也，貴其本而賤其末；道之將廢也，取其後而棄其先。用捨之間，安危攸寄。故議論慨慷，則東漢多徇義之夫；學術夸浮，則西晉無可用之士。興言及此，太息隨之。」㊻「體用爲本」的主張，即強調文章面向社會現實，敢於針砭時弊，不作無病呻吟，認爲「詩賦將以觀其志」，「策論將以觀其才」㊼反對一切浮剽之文。蘇軾強調文章以實用爲本，其實質不是適合世俗的需求，而是文章有充實的內容和對社會有所稗益，因而也要求作家要有高尚的內在的胸襟與人格，有社會責任感。以自己的眞知灼見寫文章。蘇軾自己寫文章，也堅持這一原則。他說：「軾平生以文字言語見知于世，亦以取疾于人，得失相補，不如不作之安也。以此常欲焚棄筆硯，爲喑默人；然而習氣宿業，未能盡去。」㊽寫文章要寫出自己的眞情性，即使「取疾于人」，也非說不可，這樣才有補於世，中世之過。

㈣藝術價值觀

蘇軾曾在給毛澤民信中說：

> 世間惟名實不可欺。文章如金玉，各有定價。先後進相汲引，因其言以信于世，則有之矣。至其品目高下，蓋付之衆口，決非一夫所能抑揚。㊾

他提出了藝術的社會價值的重要命題。他認爲，藝術價值具有客觀性，「名實不可欺」，藝術品一經產生並爲社會接受以後，它的價值存在於作品自身，「文章如金玉，各有定價」。藝術的價值應「付之衆口」，由廣大讀者來評判，「決非一夫所能抑揚」。「文章爲精金美玉」的名言，出自乃師歐陽修：「歐陽文忠公言文章如精金美玉，市有定價，非人所能以口否定貴賤也。」「紛紛多言，豈能有益于左右」。⑩⓪文章的價值是客觀存在的，非某些評論者的主觀意願所能轉移。

作爲藝術家，其自身的價值也表現在自己的藝術作品中。如他對黃庭堅的評論：「此人如精金美玉，不即人而人即之，將逃名而不可，何以我稱揚爲！」⑩①他在送秦少游之弟秦少章時評論張文潛、秦少游說：「張文潛、秦少游此兩人者，士之超逸絕塵者也，非獨吾云爾。二三子亦自以爲莫及也。士駭於所未聞，不能無異同，故紛紛之言，常及吾與二子，吾策之審矣。士如良金美玉，市有定價，豈可以愛憎口舌貴賤之歟。」⑩②藝術家自身的價值，也不隨某一人的憎愛抑揚而定的。蘇軾把文章喻爲「精金美玉」，又喻之爲「百貨」，他對張嘉父說：「公文章自己得之於心，應之於手矣。譬之百貨，自有定價，豈小子區區所能貴賤哉。」⑩③對於人的評論，往往也是「觀其文，以求其爲人」⑩④作品與人品是一致的，其價值也相統一。

以上所述，是蘇軾對藝術的總體觀念。涵攝蘇軾對各類藝術體裁的闡說。在這種藝術哲學的引發下，對於文學藝術的各特殊品類，他都有創作實踐及較爲深刻的見解。

【附　註】

① 《蘇軾詩集》卷33〈辯題詩箚子〉。

② 宋・曾季貍《艇齋詩話》。

③ 《蘇軾文集》卷48〈黃州上文潞公書〉。

④ 《蘇軾文集》卷49〈答陳師仲主薄書〉。

⑤ 《蘇軾文集》卷49〈答劉沔都曹書〉。

⑥ 丹納《藝術哲學》第五篇第四章。

⑦ 《蘇軾文集》卷49〈謝歐陽內翰書〉。

⑧ 《蘇軾詩集》卷8〈監試呈諸試官〉。
⑨ 《蘇軾文集》卷46〈謝館職啓〉。
⑩ 《蘇軾文集》25卷〈議學校貢議狀〉。
⑪ 錢鍾書《宋詩選注》人民文學出版社出版1958年9月北京第一版。
⑫ 《蘇軾文集》卷70〈書吳道子畫後〉。
⑬⑭ 《蘇軾文集》卷70〈書吳道子畫後〉。
⑮ 《蘇軾文集》卷70〈書李伯時山莊圖後〉。
⑯ 《蘇軾文集》卷70〈書李伯時山莊圖後〉。
⑰ 《蘇軾文集》卷11〈衆妙堂記〉。
⑱ 《蘇軾文集》卷70〈書朱象先畫後〉。
⑲ 《蘇軾文集》卷53〈與張嘉父〉。
⑳㉑ 恩斯特·卞西爾《人論》（P.186）（P.211）。
㉒ 《蘇軾文集》卷49〈與謝民師推官〉。
㉓ 《蘇軾詩集》卷7〈臘日遊孤山訪惠勤惠思二僧〉。
㉔ 《蘇軾詩集》卷23〈郭正祥家醉，畫竹石壁上，郭作詩爲謝，且遺二古銅劍〉。
㉕ 《蘇軾文集》卷11〈文與可畫篔簹谷偃竹記〉。
㉖ 《蘇軾文集》卷49〈與王庠書〉。
㉗ 《蘇軾文集》卷66〈自評文〉。
㉘ 黑格爾《美學》第1卷。
㉙ 劉勰《文心雕龍》〈體性篇〉。
㉚ 《張耒集》卷12〈贈李德載2首〉（之二）。
㉛ 沈德潛《說詩晬語》。
㉜ 《蘇軾文集》卷63〈祭柳子玉文〉。
㉝㉞ 《蘇軾文集》卷67〈書黃子思詩集後〉。
㉟ 《蘇軾文集》卷67〈評韓柳文〉。

㊱　《蘇軾文集》卷68〈書劉景文詩後〉。

㊲　《蘇軾詩集》卷15〈觀靜堂效韋蘇州詩〉。

㊳㊴　陳秀明《東坡文談錄》。

㊵　《蘇軾文集》卷70〈書吳道子畫後〉。

㊶　《蘇軾文集》卷16〈僕曩於長安陳漢卿家見吳道子畫佛碎爛可惜，其後十餘年，復見於鮮于子駿家，則已裝背完好，子駿以見遺，僕詩謝之〉。

㊷　《蘇軾文集》卷69〈跋劉景文　歐公帖〉。

㊸　《蘇軾詩集》卷24〈高郵陳直躬處士畫雁二首〉其一。

㊹　《蘇軾文集》卷69〈跋君謨飛白〉。

㊺　《蘇軾詩集》卷8〈孫辛老求墨妙亭詩〉。

㊻　《蘇軾詩集》卷6〈石蒼舒醉墨堂〉。

㊼　《蘇軾文集》卷69〈評草書〉。

㊽　葛立方《韻語陽秋》。

㊾㊿　《蘇軾文集》卷12〈畫水記〉。

(51)(53)　仝上《傳神記》。

(52)　《蘇軾詩集》卷29〈贈李道士〉。

(54)　《蘇軾詩集》卷11〈柳氏二外甥求筆迹〉。

(55)　曹丕《典論論文》。

(56)(57)　《圖畫見聞志·論氣韻非師》。

(58)　《蘇軾文集》卷68〈題子明詩後〉。

(59)　周必大《益公題跋》卷2。

(60)　《蘇軾詩集》卷17〈送參寥師〉。

(61)　《蘇軾文集》卷70〈又跋漢杰畫山〉。

(62)　《蘇軾文集》卷11〈淨因院畫記〉。

(63)　《蘇軾文集》卷10〈送人序〉。

⑭ 李贄《焚書》卷2《復焦弱侯》。
⑮ 趙翼《甌北詩話》卷5。
⑯ 《蘇軾文集》卷67〈題陶淵明飲酒詩後〉。
⑰ 《蘇軾詩集》卷16〈讀孟郊詩〉。
⑱⑲ 《蘇軾文集》卷10〈南行前集敘〉。
⑳ 《蘇軾文集》卷67〈錄陶淵明詩〉。
⑴ 葉燮《原詩》。
⑵ 《蘇軾詩集》卷29〈書晁補之藏與可畫竹三首〉。
⑶ 《蘇軾文集》卷11〈墨君堂記〉。
⑷ 《蘇軾文集》卷68〈書李簡夫詩集後〉。
⑸ 劉勰《文心雕龍·體性篇》。
⑹ 《蘇軾文集》卷21〈文與可飛白贊〉。
⑺ 《蘇軾文集》卷52〈答張文潛書〉。
⑻ 《蘇軾文集》卷49〈與王庠書〉。
⑼ 《蘇軾佚文彙編》卷4〈與二郎侄一首〉。
⑽ 宋費袞《梁谿漫志》卷4。
⑾⑿ 元陳秀明《東坡文談錄》。
⒀ 宋羅大經《鶴林玉露》卷9。
⒁ 宋陳善《捫蝨新話》卷12。
⒂ 元陳秀明《東坡文談錄》。
⒃ 《蘇軾文集》卷49〈答李端叔書〉。
⒄ 《蘇軾文集》卷67〈題柳子厚詩〉。
⒅ 《蘇軾文集》卷10〈鳬繹先生詩集敘〉。
⒆⒇ 《蘇軾文集》卷59〈答虔倅俞括一首〉。
(91)(92) 《蘇軾文集》卷49〈與王庠書〉。
(93)(94)(95) 《蘇軾文集》卷8〈策總敘〉。

⑯　《蘇軾文集》卷47〈答喬舍人啓〉。

⑰　仝上〈謝梅龍圖書》。

⑱　《蘇軾文集》卷49〈答劉沔都曹書〉。

⑲　《蘇軾文集》卷53〈答毛澤民書〉。

⑳　《蘇軾文集》卷49〈答謝民師書〉。

(101)　《蘇軾文集》卷52〈答黃魯直書〉。

(102)　《蘇軾文集》卷64〈大息一章送秦少章秀才〉。

(103)　《蘇軾文集》卷53〈與張嘉父〉。

第十三章　蘇軾的創作成就

蘇軾一生浮沉宦海，但他手不停筆，不間斷地記錄他一生的歷程，抒發他各種不同的情感，申述他對政治、社會問題、歷史事件和歷史人物、文學藝術等各方面的見解，寫下了多種體裁、不同風格的藝術作品。

一、縱橫奔放的散文

蘇軾的散文，成就十分卓越。他主張文章應該像「風行水上，自然成文」，「文理自然，姿態橫生」。因此，讀蘇軾的文章，感到他是信手拈來，意趣盡出，嬉笑怒罵，皆成文章；筆觸所及，事窮理盡。蘇軾散文的風格，汪洋恣肆，浩然無涯，如天馬脫羈，飛仙遊戲，窮極變幻，達到了散文藝術高度的美的境界。模仿蘇軾的文章，曾一度成爲宋代士人的風氣，有「蘇文熟，吃羊肉；蘇文生，吃菜羹」的口語流傳。①蘇軾散文，開一代文風，影響自北宋以後的整個中國文學史的過程。

蘇軾散文內容宏富，範圍廣泛，深刻地反映了北宋中期的社會動態；形式千變萬化，表現了作者卓越的藝術才能。

蘇軾的文章特別長於議論，即使非議論體裁的散文，如記事、敘述或抒情散文，也往往以議論作結；常在一篇之中把議論、記敘和抒情糅合在一起，理趣盎然。

蘇軾的議論文，包括文集中的「進論」、「進策」、「策問」、

「上書」、「上表」、「奏議」、「書狀」、「札子」、「史論」等，對於各個朝代的興廢變遷，政治上的得失成敗，對於歷史人物和事件的臧否，都表現出深刻而又獨到的見解，具有說服力。《上神宗皇帝書》就當時政治形勢，指陳利害，洋洋萬言。關於蘇軾對王安石新法所持的態度這裡存而不論。就當時情況來看，神宗皇帝正雷厲風行地推行新法，蘇軾獨敢根據社會現實，分析政治得失；援引豐富的史實，對照當時新法在執行過程中的各種弊病，秉筆直書，正如「書」中所說：「披露腹心，捐棄肝膽，盡力所致，不知其他」，這樣的政治勇氣，已是難得。文章雖長達萬言，但條理井然，結構嚴密，事例生動，論證具體，毫無含糊模棱之處，顯示出蘇軾論說文的雄辯特色。②

又如《教戰守策》，說明「當今生民之患」，在於「知安而不知危，能逸而不能勞」。文中指出西夏的當權者已悍然入侵，戰爭已成爲不可避免之勢。蘇軾建議必須經常練兵，認眞對付西夏的騷擾。他大膽批評宋王朝軍隊「驕豪而多怨，陵壓百姓而邀其上。」這種鋒芒畢露、昭晰無疑的立論，表現出蘇軾具有清醒的政治頭腦和卓識遠見，以及敢於針砭時弊、冒犯驕兵悍將的勇氣。在議論中用了生動貼切的比喻，如「農夫小民，盛夏力作，而窮冬暴露；其筋骸之所冲犯，肌膚之所浸漬，輕霜露而狎風雨」，③由於久經鍛煉，「是故寒暑不能爲之毒」。與之相反，那些王公貴人，「處于重屋之下，出則乘輿，風則襲裘，雨則御蓋；凡所以慮患之具，莫不備至」；由於嬌生慣養，以至小不如意，「則寒暑入矣」。④用此來比譬一個國家，必須經常組織百姓進行軍事訓練，申飭戰備；否則就會導致「天下之人，驕惰脆弱」，⑤經不起風雨；一旦有事，就危險了。這些議論，都以近喻遠，契合時宜，切中要害。

蘇軾作議論文，有時爲了加強說服力，在徵引史實中發揮大膽的想像。如他的著名文章《刑賞忠厚之至論》，「想當然」的推測，使主考官歐陽修閱後爲之心折，對梅聖俞說：「老夫當避此人，放出一頭地。」⑥初露頭角，就顯示了才華，震驚了文壇前輩。以後他的殿前進策、奏議、札子，在翰林院時所代筆的敕書、口宣、批答之類，都爲當時政界、文壇所稱譽，說他是一代國手。平正而論，這些例行公文還不能充分表現蘇軾的眞才實學，但在翰苑中也已不能不推爲卓越的筆墨。蘇軾的議論文和史論，更爲見長，常常能得出一些發人所未發的新穎見解；議論古今得失，洞中肯綮，異常精闢。

蘇軾的許多記敘散文也很精彩。這類作品，包括亭台閣院的記，日常書啓，替人撰寫的序跋、碑銘，以及有感而發的雜著隨筆，短章小品。這類作品，數量很大，除收錄於《東坡文集》外，還見於《東坡志林》、《東坡題跋》、《仇池筆記》、《漁樵閑話錄》等。這些作品的內容，包羅萬象，是蘇軾一生風風雨雨的歷程的忠實記錄：有對政局和形勢的看法，有對百姓生活的關懷，有對景物的描繪，有對後進的獎掖誘導，有對詩文書畫的評騭品題，有憤怒的呼籲和悵惋頹放的自白。他將坎坷生涯中的各種見聞、感受和思想，都透過這些作品，生動地呈送在讀者面前。這些作品，形式上不拘一格，有長篇巨製，更多的則篇幅短狹，著墨不多，然而涉筆成趣，自然韻流，清新雋永，沁人心脾。

試讀那膾炙人口、千古傳頌的兩篇《赤壁賦》。⑦這是蘇軾因「烏台詩案」而貶謫黃州兩年之後所作。他以詩的語言，記述了兩次月夜暢遊。《前赤壁賦》寫七月既望之夕，浩潤的長江上「清風徐來，水波不興」，皎潔的明月冉冉升出「東山之上」，舒徐地徘徊在「斗牛之間」；月色灑向江中，讀者眼前展現了「

白露橫江，水光接天」的清麗的江景。蘇軾泛舟月下，投身於大自然的懷抱，「縱一葦之所如，凌萬頃之茫然；浩浩乎如憑虛御風，而不知其所止，飄飄乎如遺世獨立，羽化而登仙。」在這樣的良宵美景中，從縱一葦、凌萬頃之遊，而產生飄飄欲仙之感。於是主客歡暢，扣舷高歌，客人吹洞簫相和；蘇軾細膩地描繪簫聲：「其聲嗚嗚然，如怨、如慕、如泣、如訴；餘音裊裊，不絕如縷；舞幽壑之潛蛟，泣孤舟之嫠婦。」這一縷幽怨的簫音，把蘇軾從飄飄欲仙的愉快中帶到愀愴的境地：八百年前曹操不就是在這個赤壁磯下橫槊賦詩的嗎？當年「一世之雄」，何等威風，但是，「而今安在哉」，由歷史人物的逐波流逝，領悟到清風明月的永恒，得到自我解脫，自我超越；表現了他在貶謫中頹放而又豁達的感情。《後赤壁賦》寫於《前賦》「七月既望」之後三個月，舊地重遊，風景是「江流有聲，斷岸千尺。山高月小，水落石出」，已不是三個月前的「水光接天」「萬頃茫然」的景色了。他感喟：「曾日月之幾何，而江山不可復識矣！」接著他描繪了半夜攀登危崖峭壁的情景，凄清憭慄；最後以夢境結束。《前賦》從實情實景未抒寫懷抱，《後賦》以幻想幻境來寄托情思；兩篇無一筆相似，但異曲同工，都是絕妙之作。

蘇軾精心結構的美麗小品《記承天寺夜遊》⑧是敘事散文的珍品。全文只有八十五個字，但蘇軾巧妙地把敘事、寫景、抒情三者完美地融合為一，使它含有豐富的詩情畫意。元豐六年（西元1083年），這時蘇軾到黃州已有四年了；在孤獨寂寥之夜，他解衣欲睡的時刻，見到「月色入戶」，便「欣然起行」，到承天寺邀張懷民漫步月下。淡淡幾筆，就寫出他在黃州的特定環境中孤漠的心境以及他與張懷民的情誼。文中玲瓏剔透的描述，使讀者如臨其境：「庭下如積水空明，水中藻荇交橫，蓋竹柏影也。」

月光傾瀉大地，一切好像沉浸在澄淨的積水中，月下竹柏之影好像水中的藻荇縱橫交錯。這樣細緻、生動的描繪，前人未嘗有過。簡直把夜景寫活了。當時蘇軾的感觸，是「何夜無月？何處無竹柏？但少閑人如吾兩人耳。」這一「閑」字道出了蘇軾的心境。「閑」就是「無事」，蘇軾明明是黃州團練副使，有職在身，而在這世上卻是個「閑」人！團練副使是副職，虛銜，等於寄祿。又被控制使用——不讓簽署公事，蘇軾迫切希望爲國爲民貢獻出他的才智和精力，但他被迫閑著。作這樣的「閑人」是蘇軾所不能忍受的，我們可以看到蘇軾的閑適中包含著多少難以隱忍的苦悶！

人所熟知的《石鍾山記》是另一副筆墨。全文用別人和作者的「疑」、「信」作爲線索，歸結到這樣一個道理：對客觀事物，必須親自深入地考察，才能得出正確的結論。這種認識，是合乎科學的。文中敘述他與兒子蘇邁月夜乘舟到絕壁之下探索石鍾山奧秘的一段：「大石側立千尺，如猛獸奇鬼森然欲搏人。而山上栖鶻，聞人聲亦驚起，磔磔雲霄間。又有若老人咳且笑于山谷中者；或曰：『此鸛鶴也。』」這一夜景陰森可怖，和《赤壁賦》、《記承天寺夜遊》所寫的景色迥然不同，但又同樣生動逼眞。月下巨石如猛獸奇鬼搏人，已夠使讀者感到境界幽敻，不可久留了，又加上栖鶻「磔磔雲霄間」和鸛鶴「若老人咳且笑」，這比萬籟無聲的沉寂更加可怕；讀者分擔了蘇軾的恐懼，理解到詩人爲何「心動欲旋」。就在這一時刻，「大聲發于水上，噌吰如鐘鼓不絕」，大自然向蘇軾揭露了它的奧秘，證實了《水經注》所說的石鐘山得名的原因。

蘇軾爲樓閣亭台作的記爲數不少，題材非常廣泛，往往借「記」抒發議論；但決不是硬裝上一個議論尾巴，而是一氣駛轉，自然過渡到議論中去，有的論敘交融一體，沒有任何嵌鑲拼揍的痕迹。如《凌虛台記》，從凌虛台的建築，寫到「物之興廢成毀，不可得而知也」，說明「台猶不足恃以長久，而況人事之得喪」，由此生發出議論：人們所要計較的「不在乎台之存亡也」，而應該作出有益於百姓的事，才能有足恃於世。這樣巧妙地向讀者提出箴規，既自然，又有說服力。

《鳳鳴驛記》記他兩次到扶風，見到鳳鳴驛的變化。六年前，鳳鳴驛簡直「不可居」，進了館驛的人也寧肯搬到旅店裡去住。六年之後，經過修理整頓，完全變了樣：不但人「如歸其家」，就是馬在離驛館時也留戀地「顧其阜而嘶」。使人感到事在人爲：有些明明是某些人應該作，而且作得到的事，作了之後有利於人；但他們偏偏「有所不屑」，竟不肯作。蘇軾慨嘆：官員們（「後之君子」）如此缺乏責任感，「天下之所以不治者，常出于此」！作官的只能上，不能下；只能當大官，不能當小官；認爲職責以內的事不值得一作，「此天下之通患」。修繕驛館算不了大事，但宋太守忠於職守，雖小事也「未嘗不盡心」，所以蘇軾說，修驛館的事「有足書者」，鄭重地作了這篇記。

因題材的不同，蘇軾的記事散文以不同的形式及不同的手法來寫，給讀者以不同的感受。比如某些回憶舊遊、追念亡者的作品，深切生動，感人肺腑。《文與可畫篔簹谷偃竹記》，先記文與可談他畫竹的心得體會：「畫竹必先得成竹于胸中，執筆熟視，乃見其所欲畫者；急起從之，振筆直遂，以追其所見；如兔起鶻落，少縱則逝矣。」晁補之根據蘇軾的記載用簡明的語言概括成「胸中有成竹」。⑨蘇軾在這裡揭示了藝術創作的一個規律，即藝術形象不是對某一客觀物象的機械描模，生活中的原型，只是形象的基礎；一個成功的藝術形象，是作者對客觀物象的概括的結果，是飽含著作者的主觀色彩的完整的藝術再現；決不能「節節而爲之，葉葉而累之」。那種在畫幅上一枝一葉地拼湊的作法，是違背藝術規律的。接著，蘇軾寫文與可的軼事，詼諧有趣，令人解頤。又追記自己和文與可相互調侃，以至與可「失笑，噴飯滿案」。描繪細緻，而前後又互相照應貫串，不流於瑣碎。生動地再現了文與可的性格特徵，也令人理解蘇軾和文與可親密無間的友誼。但這一位卓越的藝術家已離開人世半載，蘇軾在湖州整理攤晒書畫時，看見他畫的竹，觸目慟心，廢卷失聲而哭，哀思也深深地感染了讀者。

《亡妻王氏墓志銘》，爲其妻王弗作的墓志，篇幅不長而眞摯感人，追憶她生前和他的情誼，贊揚她的性格和見識。筆觸很淡，而王氏「謹肅」、「敏而靜」以及善於觀察人等舉止才德，給人印象鮮明；因而蘇軾的哀戚，也感人至深。

蘇軾散文中有大量的書牘、序跋、雜說，這類作品，立意穎特，風格清新，色彩也特別璀燦。讀者從中可以理解蘇軾的思想活動和他的世界觀的變化，理解蘇軾的個人生活情趣。

在這類散文作品中，蘇軾談了一些關於寫作方面的理論；雖然都是一些片斷，而且常常是用優美的散文——說理的、抒情的，或者說理與抒情結合的文藝散文的形式表現出來，并不是專題的學術論文；但細讀卻感到說理透徹，親切感人。如他在《答俞括書》中提出關於寫文章必須做到「辭達」的理論就是這樣。他說：「孔子曰：『辭達而已矣。』物固有是理，患不知之。知之，患不能達于口與手。辭者，達是而已矣。」文章的標準是「辭達」，達到這樣的標準要有兩個前提條件：一是必須對客觀事物，作深刻的觀察研究，對事物所特有的內部的規律性和質的規定性有深刻的認識。二是將這種主觀上的認識準確地表現出來。蘇軾對文章要做到「辭達」這一要求，是非常執著的。他在《答王庠書》、「答謝民師書」等信札中，都反復申述他這一主張。蘇軾認爲，用生動的、形象化的語言手段表現出「物之妙」，做到「辭達」，那就是「至矣！不可有加矣！」歷代章句儒生對「辭達」從來沒有這樣深刻地理解過。

蘇軾在這類散文作品裡，用生動的比喻，談到寫文章要求「自然」。他早年的《南行前集敘》說過，山川吐出雲霞，植物開花結果，不是矯揉造作出來的，而是山川之氣「充滿勃郁」，蒸騰爲雲，植物生機「充滿勃郁」怒放爲花朵果實的，雲和花實自然也「見于外」，「工」的文不是作者硬「爲」出來的，而是思想感情「充滿勃郁」流露而「見于外」的。這就是自然。蘇軾晚年所寫的《文說》，「隨物賦形」生動而又恰如其分地概括了他自己創作的基本特徵。又在《答謝民師書》中，稱謝民師的書牘和詩賦雜文「大略如行雲流水」，這雖是評謝民師之作，不難看出，實在也是爲自己的作品作出鑑定。「隨物賦形」、「常行于所當行，常止于所不可不止」，是他要求文章所要達到的完美境界的高度概括。蘇軾對文章的這種要求，跟他在詩詞創作中提倡藝術貴在自然是一致的。他在《畫雁》、《自評文》、「灩澦堆賦」等詩文中，都把「化工」之美、「自然之美」、「無人態」的「眞美」，當作自己對藝術美的理想的追求。

蘇軾散文中談到這些寫作理論，并不像站在講壇上講經一般地作一大套沉悶的說教；而是平易親切地和人談家常，讓人在既輕鬆隨便又優游自在的氣氛中心領神會。說理論文達到這種境界，不僅表現了蘇軾藝術造詣的高超，而且文如其人，也表明蘇軾襟懷坦蕩，想說什麼就說什麼，說的是眞情實感，沒有任何虛情假意。這是蘇軾的最可愛之處。

蘇軾的題跋和序，多數是評議：評書法、評畫、評詩文、評作家的創作特徵。如《書摩詰藍田烟雨圖》，說王維的詩是「詩中有畫」，王維的畫是「畫中有詩」，概括得何等簡潔精煉，耐人回味！

蘇軾繼承鍾嶸的理論并加以發展，巧妙地用滋味說來品評詩作。他在《書〈黃子思詩集〉後》說，詩看似平淡，實在是寄「至味」於淡泊之中。詩的「美」在鹹酸外。這樣，蘇軾把詩的含蘊，與欣賞者的審美過程聯繫起來，要求欣賞者發揮想像與聯想，在詩的形象中獲得言外之意，韻外之旨。如果就詩論詩，那就會陷於形似而已。又在《評韓柳詩》中評論陶淵明和柳宗元的詩，說「所貴乎枯淡者，謂其外枯而中膏，似淡而實美。淵明、子厚之流是也。若中邊皆枯淡，亦何足道？佛云：『如人食蜜，中邊皆甜。』人食五味，知其甘苦者皆是。能分別其中邊者，百無一二也。」這是說，陶、柳的詩在平淡中蘊蓄雋永；蘇軾用「中」、「邊」、「枯」、「膏」、「淡」、「美」爲比，不僅十分生動貼切，而且是創造性地發展了具有民族特色的文學欣賞理論。

蘇軾對作家和作品的評論十分廣泛，除上述陶淵明、王維、韋應物、柳宗元等外，從《詩經》起，以下如蘇武、李陵、蔡琰、蕭統、李白、杜甫、白居易、李商隱……，一直到北宋的作家，其中很多精闢獨到的見解。

總之，蘇軾這些短篇散文，意蘊深刻，最足以體現他的創作觀，而給傳世文學的影響也至爲深遠。明代公安派的主將袁宏道《〈蘇長公合作〉引》中甚至說：「東坡之可愛者，多其小文小說。使盡去之，而獨存其高文大冊，豈復有坡公哉！」這一議論，是針對明代正統文人選蘇軾文章專挑「高文大冊」而發的；但今天看來，也是十分準確地點中了蘇軾這部分散文的精妙。

蘇軾散文的藝術特色，是在汪洋恣肆之中顯出輕鬆自如。唐宋古文最大的四家韓、柳、歐、蘇，各有其獨特成就：韓愈多從正面發議論；柳宗元長於寫景，而情景交融；歐陽修紆徐從容，著重抒情。蘇軾思想不受約束，任何一種題材，他都能擺脫成規，「隨物賦形」，賦予新意，表現手法又很多樣：敘述、描寫、議論、抒情交錯運用，而又因主題需要各有側重。手法之靈活，遠超過其它諸家。《前赤壁賦》就把記事、寫景、議論三者并用，以主客對話表達他曠遠而又擺脫不了的苦悶。《喜雨亭記》又一種寫法，他把「喜雨亭」三字拆開倒點出來，從各個不同角度寫出得雨之喜，表現了蘇軾和百姓的感情、願望息息相關；吳調侯等編的《古文觀止》評注說：「只就『喜雨亭』三字分寫、合寫、倒寫、順寫、虛寫、實寫，即小見大，以無化有；意思層出而不窮，筆態輕舉蕩漾，可謂極人才之雅致矣。」這一評論切中肯綮。

蘇軾的散文，立意精警，博辯無礙。作文立意，蘇軾一向是十分重視的。他在爲顏太初的文集作敘時，從總結顏太初文章的特點入手，肯定散文立意的重要性以及立意的旨趣。⑩作文的目的，文章的內容，以及文章所可能產生的社會影響，都在作者爲文時立意所決定。比如他的史論，繼承和發揚了賈誼的「觀之上古，驗之當今」的優良傳統，借古鑑今，古爲今用，立意深刻。像《留侯論》，蘇軾就張良於搏浪沙暗擊秦始皇未遂，在圯橋遇老人爲之結鞋帶受書，以至輔佐劉邦取天下的事迹，發表了他對「忍」的見解，全篇立意在於一個「忍」字，呂祖謙說：「一篇綱目在『忍』字」。⑪謝枋得說：「能忍不能忍是一篇立意。」⑫歸有光說：「作文須尋大腦，立得意定，然後遣詞發揮，方是氣象渾成。」⑬文章以「忍」與「不忍」來反復說明他對「勇」的見解。全篇之所以能明晰透闢地說明了鬥爭中取勝的某個方面的規律性問題，全在精闢的立意。

在蘇軾的散文中，比喻的手法是獨具特色的。從他的散文所運用比喻的手法來看，他是自覺不自覺地猜測到和把握了客觀事物之間的相互聯繫這樣的一種本質的關係的，於是他把平時感知的、思考的各種物象和認識，都貯存腦際，創作時運用聯想，將記憶調動起來，作爲自己描寫景色、表達感情、說明事理的比喻材料，錢鍾書說過：蘇軾所運用的比喻，十分豐富，新鮮而貼切，「一連串把五花八門的形象來表達一件事物的一個方面或一種狀態。」⑭表現一件事物的性質、狀態而調動起諸多的形象加以比喻，這也就是說，作家對當前所感知的事物，爲了描寫得充分而具體，必須回憶起另一事物或其他相關連的一串事物，來充作比喻。這樣，作家在特定環境中，產生的特定的美的感知內容，由是得到充分的擴充和貼切的表現。《栖賢谷》中寫廬山栖賢谷的奇景：「谷中多大石，岌巖相倚，水行其間，其聲如雷操，如千乘車，行者震掉，不能自持。」這樣描寫幽深山谷的勝景還不夠，接著以著名峽谷作比喻：「雖三峽之險不過也」。以如置身於三峽的險況來襯托出遊人之所以不能自持的程度。《書海南風土》一文，爲了說明海南地區的百歲老人能安於強熱劇寒的氣候而得高壽，他聯想到冰中之蠶，火中之鼠，都生存在極其惡劣的外界環境中，因爲是「習而安之」，他又進一步以自己的感覺爲證，說如能摒除思慮，安靜默坐，生活在如此卑濕蒸溽氣候之中，也覺得是處於客觀的物象之外，因此他說：「使折膠之寒，無可施其冽；流金之暑，無可施其毒。」蘇軾運用「冰蠶火鼠」、「折膠之寒」、「流金之暑」的比喻，來說明氣溫的劇變以及人的高度適應性，形象而精確地說明事理。《黠鼠賦》中，「人能碎千金之壁，不能無失聲于破釜；能縛猛虎，不能無變色于蜂蠆；此不一之患也。」這些精妙的比喻，說明他被鼠欺騙，是由於麻痺大意所致，以此闡明做事必須專心致志的哲理。蘇軾有些散文，以一連串的對比譬喻，讓論題由是得到充分發揮，文章的論辯性更強。《李氏山房藏書記》爲訴說自己對書的熱愛和說明書的價值，他列舉多種物象進行比襯：「象、犀、珠、玉、怪珍之物，有悅于人之耳目，而不適于用。金、石、草、木、絲、麻、五穀、六材，有適于用，而用之則弊，取之則竭。」有沒有取之不盡，用之不竭，而且更加珍貴的物品？「悅于人之耳目，而適于用，用之而不弊，取之而不竭；賢不肖之所得，各因其才；仁、智之所見，各隨其分；才分不同，而求無不獲者，惟書乎！」玩賞之物和實用之物，都有弊端，只有書兼備衆長，諸色人等，「永無不獲」。在這多種事物的比較中，對諸多珍品共性的肯定的同時，著重指出了所要說明的事物的個性。在這種對比、反襯中，將這一事物的特徵更加鮮明地標示出來。蘇軾在散文中，以寓言故事作爲說明事物的比喻，也是很有特色的。《日喻》以「盲人識日」和「北人學沒」比喻，說明沒有親自觀察而道聽途說，崇尚空談而缺乏實踐常常導致錯誤。他在運用這類比喻的過程中，筆法又有變換，「盲人識日」是從反面著筆，先出示這則寓言，然後才點明所要證實的道理；而「北人學沒」則採取夾敘夾議的方法，從正反兩方面加以分析論述，在寓言故事中作出論斷，文章可讀性強，而又有說服力。

關於散文創作的經驗，蘇軾有「行雲流水」之說。「行雲流水」，作爲一個創作經驗的命題，包含著兩個方面的內容，一是作家在寫作時的創作心境。蘇洵在向張方平介紹自己兩個兒子作文的情況時說：「引筆書紙，日數千言，坌然溢出，若有所相。」⑮文章是從他們兄弟心中愉快地湧出來的。蘇軾自己也明確地說過，他寫文章時，常常覺得是一種「適意」的快樂的事情。書法與繪畫也都是一種快意的藝術活動。「自言其中有至樂，適意無異逍遙游。」⑯只有在愉悅的創作心境下進行創作，文章才能行雲流水一般的流暢。另一是寫作方法的靈活多樣，不拘泥於某一種格局，某一種方法，而是深入觀察，把握事物的本質，然後從不同的角度採用多種藝術手段，去描寫對象的特徵。這樣，隨心所欲，信筆而寫，意到筆隨，道胸中所思所感，文章自然，舒卷自如而又有適度的分寸感。

蘇軾散文中對人物的刻劃栩栩如生，也充分表現出這種「行雲流水」的特色。蘇軾要刻劃蒲永昇畫畫的灑脫風貌，先以對孫位、黃荃、孫知微的描寫做舖墊，特別突出畫家的畫筆，畫風和神情意趣，細緻地描寫藝術創作中的匠心獨運之功和興感際會之狀，孫位所出的「新意」，指的是所畫的題材爲「奔湍巨浪」，水浪的筆勢是「與山石曲折，隨物賦形，盡水之變」，這種靈活變化的氣勢，顯示出「行雲流水」般的風格，表現了一種神逸的丰彩。在對舖墊性的人物形象作出生動描寫的基礎上，蘇軾進而正面刻劃蒲永昇及其繪畫。他先介紹蒲永昇的性格，「嗜酒放浪，性與畫會」；其次敘述他的藝術造詣，然後以「王公富人或以勢力使之，永昇輒嘻笑捨去，遇其欲畫，不擇貴賤，頃刻而成」的描寫，反映蒲永昇的品格風貌。憑藉著「輒嘻笑捨去」的素描性的勾勒，繪聲繪色地寫出一位獨特而富有個性的藝術家的形象；這一風趣橫生的細節，又增強了人物形象的眞實感。最後寫其藝術成就：「嘗與余臨壽寧院水，作二十四幅，每夏日掛之高堂素壁，即陰風襲人，毛髮直立。」對其藝術功力的形容，雖著墨不多，但寫得形神兼備，神氣活現。這種筆法，非蘇軾了然心口，未能摹寫及此。蘇軾以神來之筆，狀出「神來之候」，寫出藝術家的成就「得之自然」的妙處，人物形象鮮明，神彩飛動。

蘇軾以空靈飄灑的筆法寫人物，有粗筆勾勒，也有工筆精雕細刻。對蒲永昇的描寫，是採用勾勒的方法取得藝術效果的，而在《方山子傳》中對陳慥的描寫，則邊描寫，邊議論，若隱若現，全篇著筆寫方山子的「隱」「俠」性格，從生活瑣事的描寫入手，通過具有特性的細節刻劃，塑造方山子的形象。他從方山子的生活及名字的由來，描述他的隱居生活的細節，在這過程中，并未觸及描寫對象的眞名實姓，僅就綽號反襯其隱士的飄逸情狀；接著描寫隱士的個性及環境，他從陳慥的神態舉止，「俯而不答，仰而笑」的一俯一仰的神情刻劃，活現出一位隱者對世態及人世間紛繁複雜的人事淡然置之的態度。而宿其家時的「環堵蕭然」的描寫，從「妻子奴婢皆有自得之意」，又陪襯出方山子的隱士生活的自得之狀。這些都是寫其「隱」，然後以「余聳異之」一筆，自然宛轉地引入對其「俠」的性格一面的描寫。蘇軾寫其義俠豪邁的氣質，尤其是遊西山射鵲時「怒馬獨出，一發得之」的細節刻劃，生動呈現方山子英豪俊勇之氣，寫方山子之隱亦是俠的表現。最後從方山子的家世寫其置富貴如糞土的性格。文章寫俠處，人物鬚眉欲動，寫隱逸處，人物淡泊自定，對人物的舉止、神情、心理狀態的描繪，極盡傳神之能事，神情畢肖，難怪賴山陽評論這篇散文爲「文如遊龍在雲中，乍現乍隱，究不露身，所以爲妙。」⑰蘇軾在人物描寫中的「行雲流水」式的藝術經驗，是值得後人精心研究的。上面所舉的例子，不外是說明蘇軾在不同的時間和不同的環境裡，在他的創作心境的主宰下，無論寫人寫景，都顯出行雲流水般的舒卷自如的筆調。

與此同時，蘇軾又善於以精粹、生動、洗煉而又變幻無窮的藝術語言，構成多姿多彩的藝術境界。在散文藝術中，他往往通過對字、詞、句進行精心錘煉，運用動靜兼致的藝術手段，使作品語言形象，流暢而又情趣疊出，呈現出「行雲流水」式的藝術美。在對動與靜的境界的處理時，蘇軾善於在動靜的對比中寫動態，《灩澦堆賦》中對江水的形象描繪即是一例。瞿塘峽口的灩澦堆，天下至險，蘇軾運用強烈的動靜對比的手法，在交互錯綜的描寫中，展現了江水的千變萬化的情狀：「掀騰勃怒，萬夫不敢前兮；宛然聽命，惟聖人之所使。」「掀騰勃怒」，這是江水奔騰的動態。「掀」、「勃」二詞，使波濤洶湧的江水所具狂奔的姿態，躍然紙上，「萬夫不敢前」是以人的視覺來進一步顯示江水騰動急湍的態勢，緊接著「宛然聽命」是進行靜態描寫，意到筆隨，語氣連貫而下，與「掀騰勃怒」的動態相對，描寫江流的忽然馴服，緩流而去，有如聽從「聖人之所使」。這樣，就在動靜對比的描寫中，呈現了忽急忽緩的動態。接著描寫江水遠來浩浩漫漫之平沙，未嘗受阻，驕逞奔流千里；及到灩澦堆下，峽口忽然逼窄，「納萬頃于一杯」，於是，進行一番搏鬥，有如攻城奪池的激戰。「喧豗震掉」，寫水勢喧囂澎湃之聲和回旋奔騰之勢，「與石鬥」寫水與江石搏擊之狀，這是水的動態。「勃乎若萬騎之西來」，寫江水洶湧向前的氣勢之猛；而「孤城當道」，似兵馬奔騰，冲至城下，「鈎援臨冲」，似作戰鈎援引上城，似大木臨冲戰車，統統滙集於城下，但城堅而不可摧！水勢陡然遇到阻擋，并以一場戰爭的結束情況來比喻江水在極動之後的極靜，「矢盡劍折」，比喻狂奔流水慢慢平服的情景，繼而以「迤邐」、「滔滔汩汩」寫水的安隱與舒緩，「安行而不敢怒」，更是與前文「掀騰勃怒」、「喧豗震掉」相照應，在靜態的描寫中，襯托出動態的意境來。

　　駕馭語詞，於靜中寫動，有效地加強藝術表現力和感染力，也是蘇軾散文的行雲流水式筆法的特色。《記承天寺夜遊》寫承天寺融融月色極度安靜，其幽謐清閑的情致，令人神怡。而在那空靈、幽靜的竹柏疏影的靜態環境中，客體的靜極招引了主體的思潮澎湃：「何夜無月？何處無竹柏？但少閑人如吾兩人耳」這三句，深沈地道出蘇軾於烏台詩案後被貶閑置黃州的壓抑心境。這一「閑」字，在文中起到畫龍點睛的作用，他甘心於「閑」嗎？這是他把內心的悲憤凝作一個「閑」字，所以在前面所寫的極靜的景緻之中，更襯出他內心深處被觸動時波濤翻滾的感情起伏。蘇軾在動靜對比時寫動態，以靜寫動，固然妙絕，但他在動中寫靜的筆法，也是十分獨到的。《後赤壁賦》中夜登赤壁山的描寫，當他寫到「攝衣而上，履巉岩，披蒙茸，踞虎豹，登虬龍，攀栖鶻之危巢，俯馮夷之幽宮」時，他以「攝」、「履」、「披」、「踞」、「攀」、「俯」幾個動詞，刻劃攀登赤壁山的艱難動態，而當他登上山之頂端時，卻又以周圍世界的搏動來顯示赤壁山的寂靜：「劃然長嘯，草木震動，山鳴谷應，風起水湧。」一聲長嘯，引起四面八方的響應。蘇軾以「震動」一詞來描寫草木有所感，以「鳴」、「應」來表現山、谷的反映，以「起」、「湧」表現風水所受的影響，竭力形容赤壁山這一刹那間的動景，反襯當時極靜的情態，也只有這樣，才能描繪出深夜赤壁山上的靜寂和冷清，從而產生出「肅然而恐，凜乎其不可留」的境界，這不是與王籍《入若耶溪》詩中的「蟬噪林愈靜，鳥鳴山更幽」有異曲同工之妙嗎？

蘇軾散文的傑出成就，固然由於他生活經驗豐富和觀察的敏銳，同時，也是由於他善於學習和繼承古代文學藝術的優良傳統，善於總結文學活動的規律性。任何一個藝術家，都吸取前人的傳統經驗，在此基礎上，發揮他的獨特創造，而又爲後代文學家提供寶貴的借鑑。藝術的發展就是這樣不斷延續、不斷豐富，蘇軾的藝術實踐，說明了這一點。蘇轍的《東坡墓志銘》，記述了蘇軾一生勤奮學習、努力探索的經過，他在刻苦鑽研的過程中，了解和掌握歷代文章演變及內在意蘊，吸取前人創作的精華，注入自己的創作實踐中去。他早年學習賈誼、陸贄的書，《論古今治亂，不爲空言。》李塗《文章精義》中說：「子瞻《萬言書》，是步趨賈誼《治安策》。」蘇軾《乞校正陸贄奏議進御札子》，說陸贄作品「開卷了然，聚古今之精英，實治亂之龜鑑。」他從賈誼、陸贄的作品中學習了寫文章的論證方法，特別是他們敢於面向現實的可貴精神。他讀了《莊子》之後！繼承了它縱橫恣肆文風。「烏台詩案」之後被貶黃州，政治上的打擊使蘇軾的頭腦更清醒，對現實的認識更加深刻，他的時間和旺盛的精力，都全部用於讀書和「馳騁翰墨」，因此，他在黃州寫出大量的作品，「其文一變，如川之方至」，藝術上達到爐火純青的程度。蘇軾一生博覽群書，經、史、子、集、佛經道藏，他都誦讀。清初詩人錢謙益《讀蘇長公文》說：「吾讀子瞻《司馬溫公行狀》、《富鄭公神道碑》之類，平舖直敘，如萬斛水泉隨地湧出，以爲古今未有此體，茫然莫得其涯涘也。晚讀《華性》，稱性而談，浩如烟海，無所不有，無所不盡。乃喟然而嘆曰：「子瞻之文，其有得于此乎！」⑱蘇軾就是這樣轉益多師，從各個不同角度去總結和發展前人的藝術經驗的。

【附　註】

① 陸游《老學庵筆記》卷8。

② 《蘇軾文集》卷25〈上神宗皇帝書〉。

③④⑤ 《蘇軾文集》卷8〈策別安萬民五〉。

⑥ 宋葛立方《韻語陽秋》卷18。

⑦ 《蘇軾文集》卷1〈赤壁賦〉及〈後赤壁賦〉。

⑧ 《蘇軾文集》卷71〈記承天寺夜遊〉。

⑨ 晁補之《贈文潛甥楊克學文與可畫竹求詩》。

⑩ 《蘇軾文集》卷10〈鳧繹先生詩集敘〉。

⑪ 《古文關鍵》卷2。

⑫ 《文章軌範》。

⑬ 《文章指南》。

⑭ 錢鍾書《宋詩選注》。

⑮ 《嘉祐集》卷11〈上張侍郎第一書〉。

⑯ 《蘇軾詩集》卷6〈石蒼舒醉墨堂〉。

⑰ 《纂評唐宋八大家讀本》引。

⑱ 錢謙益《初學集》卷82。

二、自成一家的詩格

蘇軾詩自成一格。凡讀蘇詩，不期然會感受到：「此東坡體也。」①趙翼說：「昌黎之後，放翁之前，東坡自成一家。」②沈德潛說：「性情面目，人人各具。讀李太白詩，如見其脫屣千乘；讀少陵詩，如見其憂國傷時。其世不我容，愛才若渴者，昌黎之詩也。其嬉笑怒罵，風流儒雅者，東坡之詩也。」③蘇軾的詩，自有其與衆不同的「東坡本色」。葉燮說：「舉蘇軾之一篇一句，無不可見其凌空如天馬，遊戲如飛仙，風流儒雅，無入不得，好善與樂與，嬉笑怒罵，四時之氣皆備。此蘇軾之面目也。」④蘇軾詩之所以成功，就是他「自出己意以爲詩」，⑤他以自己的眞面目與天下相見，不加掩飾，也不僞裝；直接地表達自己的心聲，顯示自己的性情人格。因此，蘇軾的詩在中國詩壇上，縱橫奔放，傲然獨立，自成一體。

蘇軾敢於秉筆直書，直抒胸臆，毫不掩蓋地揭露社會弊端。這是他一生寫詩的宗旨。年青時與蘇轍侍老泉舟行適楚，夜泊牛口渚村時，見野老三四家的貧困生活，他直書自己的感觸：

> 日落紅霧生，係舟宿牛口。居民偶相聚，四三依古柳。負薪出深谷，見客喜且售。煮蔬爲夜飧，安識肉與酒。朔風吹茅屋，破壁見星斗。兒女自咿吠，亦足樂且久。人生本無事，苦爲世味誘。富貴耀吾前，貧賤獨難守。誰知深山子，甘與麋鹿友。置身落蠻荒，生意不自陋。今予獨何者，汲汲強奔走。⑥

他見牛口居民在貧困生活中，自足自樂，而自己卻「苦爲世味誘」；爲了富貴，難以獨守貧賤，汲汲奔走於仕途之間。初次出川，他就敢於正視百姓的貧困生活和直露出自己的思想矛盾。

科舉之後任地方官時，他經常被那種督責百姓的任務所苦惱，如：

> 居官不任事、蕭散羨長卿。胡不歸去來，滯留愧淵明。鹽事星火急，誰能卹農耕。薨薨曉鼓動，萬指羅溝坑。天雨助官政，泫然淋衣纓。人如鴨與豬，投泥相濺驚。下馬荒堤上，四顧但湖泓。線路不容足，又與牛羊爭。歸田雖賤辱，豈失泥中行。寄語故山友，愼毋厭藜羹。⑦

是時盧秉提舉兩浙鹽事開運河，差夫千餘人，蘇軾在太常博士直史館杭州通守任，到仁和縣湯村督役開河，又逢大雨，百姓疲憊不堪，「人如鴨與豬，投泥相濺驚。」令他深感爲官不如在野。對於百姓的壓榨，蘇軾的良知無法忍受。當時朝廷要錢要米，農民交稅時飽受重稅之苦；身爲父母官的蘇軾，乃竟寫下令人心酸的《吳中田婦嘆》詩：

> 今年粳稻熟苦遲，庶見霜風來幾時。霜風來時雨如瀉，杷頭出菌鐮生衣。眼枯淚盡雨不盡，忍見黃穗臥青泥。茅苫一月隴上宿，天晴穫稻隨車歸。汗流肩赬載入市，價賤乞與如糠粞。賣牛納稅拆屋炊，慮淺不及明年飢。官今要錢不要米，西北萬里招羌兒。龔黃滿朝人更苦，不如卻作河伯婦。⑧

在官宦轉移的路上，有一次留滯濰州，中途遇雪，他寫下：「三年東方旱，逃戶連敧棟。老農釋耒嘆，淚入飢腸痛。春雪雖云晚，春麥猶可種，敢怨行役勞，助爾歌飯甕。」⑨老百姓的苦難，即使是在他被貶謫的苦難途中，他仍然耿耿於懷。如從烏台獄釋放出來後，在奔赴黃州道中，路經蔡州遇雪，他寫詩給子由云：「下馬作雪詩，滿地鞭箠痕。佇立望原野，悲歌爲黎元。」⑩到了黃州，他本來已下決心不再寫詩惹禍，但還不由自主地寫下「不辭脫褲溪水寒，水中照見催租瘢。」⑪他還寫逃避租稅的魚民悲慘的生活：「人間行路難，踏地出賦租。」⑫不論處境如何，蘇軾總是保持著他那錚錚鐵骨的品格：「我雖窮苦不如人，要亦自是民之一。形容可似喪家狗，未肯餌耳爭投骨。」⑬他那一顆偉大的同情心，時刻向著那些貧窮無告的平民百姓。像他的《劉丑廝詩》，與柳宗元的《童區寄傳》所表現的人道主義精神不相上下。詩云：

> 劉生望都民，病羸寄空窰。有子曰丑廝，十二行操瓢。墦間得餘粒，雪中拾墜樵。飢飽共生死，水火同焚漂。病翁恃一褐，度此積雪宵。哀哉二暴客，掔去如飢鴞。翁既死於寒，客亦易此齠。崎嶇走亭縣，不憚雪徑遙。我仇祝與苑，物色同遮邀。行路爲出涕，二客竟就梟。譊譊訴我

庭，慷慨驚吾儕。曰「此可名寄」，追配郴之荛。恨我非柳子，擊節爲爾謠。……⑭

詩中寫餓孩與病翁的悲慘遭遇，反映了蘇軾熾熱的同情心。晚年流落天涯，貶謫惠州時，他還禁不住寫詩針砭時政，《荔枝嘆》就是一例。詩中借歷史上唐玄宗的荒淫，楊貴妃的誤國，蘇軾用嘻笑怒罵的筆法，以古諷今，譴責權臣丁謂、蔡襄的爭新買寵。這樣的詩篇，與白居易諷喻詩相比，高出一籌！查愼行指出：「耳聞目見，無不倍其揮霍者，樂天諷諭諸作，不過以題還題，那得如此開拓。」⑮蘇軾一生，「白首纍臣正坐詩」，⑯「平生文字爲吾累」，⑰他深知自己的個性帶來的災難，但他還是坦然地用詩筆對現實的黑暗進行尖銳的諷刺和揭露。

蘇軾一生，「身行萬里半天下」。⑱所到之處，他熱愛各地的山山水水；因此，他抒寫大自然的詩篇，特別出色。最突出是寫雨詩，他寫雨景，成爲雨詩之絕唱：

黑雲翻墨未遮山，白雨跳珠亂入船。
捲地風來忽吹散，望湖樓下水如天。⑲

遊人腳底一聲雷，滿座頑雲拔不開。
天外黑風吹海立，浙東飛雨過江來。
十分瀲灩金樽凸，千杖敲鏗羯鼓催。
喚起謫仙泉洒面，倒傾鮫室瀉瓊瑰。⑳

筆下的雨景，似濃墨塗抹，氣勢磅礴，一派黑雲翻墨，飛雨亂珠，乾坤翻動；這樣的雨色描繪，與蘇軾豪放的性格和當時他在杭州的不平靜的心境相聯繫，顯示了蘇軾「飄逸絕塵」的浪漫風格。

蘇軾寫自然景色的詩，往往與抒發情懷結合。他一生愛西湖景色，他的詩篇多有歌咏西湖景色的名篇。年輕南行時，到過《許州西湖》，他側重寫西湖的濬治及在天然美景中官民同樂：

西湖小雨晴，灩灩春渠長。來從古城角，夜半轉新響。使君欲春遊，濬沼役千掌。紛紛具畚鍤，鬧若蟻運壤。夭桃弄春色，生意寒猶怏。惟有落殘梅，標格若矜爽。遊人坌已集，挈榼三且兩。醉客臥道傍，扶起尚偃仰。池台信宏麗，貴與民同賞。但恐城市歡，不知田野愴。潁川七不登，野氣長蒼莽。誰知萬里客，湖上獨長想。㉑

從西湖春色抒寫官民同樂的融洽，但他又立刻深思農村欠收的情景；在西湖灩灩春景中，牽掛著「潁川七不登，野氣長蒼莽」的「田野愴」的景象。年輕時的政治理想，寄托於遊湖的詩中。後來，在熙寧四年通守杭州時，七月出京至陳州，九月自陳州到達潁州，與子由謁歐陽修，陪歐陽公燕潁州西湖，這時候詩人筆下的西湖，與他對恩師的學問文章的景仰之情溶合爲一：

謂公方壯鬢似雪，謂公已老光浮頰，朅來湖上飲美酒，醉後劇談猶激烈。湖邊草木新著霜，芙蓉晚菊爭煌煌。插花起舞爲公壽，公言百歲如風狂。赤松共遊也不惡，誰能忍飢啖仙藥。已將壽夭付天公，彼徒辛苦吾差樂。城上烏棲暮靄生，銀釭畫燭照湖明。不辭歌詩勸公飲，坐無桓伊能撫箏。㉒

在湖邊秋色中陪恩師飲酒暢談，交流兩代人的生活體驗，情意深長。而當他到杭州之後，杭州西湖的美景又吸引著他，他有時甚至帶著公文到西湖辦公；西湖的美景，成了他重要的精神寄托所在。他寫出了那使人迴腸蕩氣的西湖幽景：

水光瀲灩晴方好，山色空濛雨亦奇。

若把西湖比西子，淡粧濃抹總相宜。㉓

蘇軾所寫的西湖詩，著意出色，變盡方法。這首絕句，已成描寫杭州西湖的傑作。而在這四時妖媚的湖光山色之中，蘇軾也常托寫西湖而抒懷：

> 夏潦漲湖深更幽，西風落木芙蓉秋。飛雪闇天雲拂地，新蒲出水柳映洲。湖上四時看不足，惟有人生飄若浮。解顏一笑豈易得，主人有酒君應留。君不見錢塘遊宦寓，朝推囚，暮決獄，不因人喚何時休。㉔

這時的蘇軾，與王安石推行的新法格格不入，常被政事所困擾，因而在湖山遊樂中，一股不勝紛擾的感慨油然升起。他對西湖景色的描繪，有的清麗輕快，有的沉鬱蘊藉，有的幽深虛靈，其詩韻都隨心境的不同而變化。

別的寫景詩也是一樣；在寫景的過程中或飽含哲理意味，或寄托對人生的反思。如寫冬日的牡丹：「一朵妖紅翠欲流，春光回照雪霜羞。化工只欲呈新巧，不放閑花得少休。」㉕寫鮮艷欲流的牡丹花的同時，寄寓著對時事的諷喻。寫霜筠亭的竹景，則側重寫修竹的品格：「解籜新篁不自持，嬋娟已有歲寒姿。要看凜凜霜前意，須待秋風粉落時。」㉖寫藏春塢的陶陶然的清幽景色，則寄托懷古的幽思，以表達與友人刁景純的超然情誼：「白首歸來種萬松，待看千尺舞霜風。年抛造物陶甄外，春在先生杖屨中。楊柳長齊低戶暗，櫻桃爛熟滴階紅。何時卻與徐元直，共訪襄陽龐德公。」㉗寫秋日的清爽景色，則直抒傲霜懷抱：「荷盡已無擎雨蓋，菊殘猶有傲霜枝。一年好景君須記，最是橙黃桔綠時。」㉘寫通潮閣的山色，則隱含遠謫南荒的悲痛茫然之情：「余生欲老海南村，帝遣巫陽招我魂。杳杳天低鶻沒處，青山一髮是中原。」㉙蘇軾的寫景詩，大致都是緣景寄情，觸景抒懷，發抒內心深處的感慨。

他抒發情懷，也還不全是觸景生情的，還有一類與衆不同的哲理詩；以詩喻理，頗有令人頓悟猛醒的意味。如《題沈君琴》：「若言琴上有琴聲，放在匣中何不鳴？若言聲在指頭上，何不於君指上聽？」㉚妙音與妙指，何主何從，蘇軾以形象的語言，闡明了「指與琴觸方成音樂」的主旨，在世界的萬事萬物中，兩種事物的結合，就會達到一種新的境地。又如膾炙人口的《題西林壁》：

橫看成嶺側成峯，遠近高低各不同。

不識廬山眞面目，只緣身在此山中。㉛

凡此種詩，皆一時性靈所發。以廬山的遠、近、高、低的千姿百態，隱喻事物的局部與總體的關係，不同的側面就會得出不同的體驗；以生動的形象說理，饒有理趣，寓意深刻。又如他的《洗兒戲作》，又何曾不是以洗兒著筆揭示人生的哲理呢？

人皆養子望聰明，我被聰明誤一生。

惟願孩兒愚且魯，無災無難到公卿。㉜

這類詩歌，觸發事理，引人深省。

蘇軾還有一類引人注目的題畫詩。題畫詩開始於杜甫，清人沈德潛說：「唐以前未見題畫詩，開此體者，老杜也。」㉝蘇軾的題畫詩，最早寫於鳳翔時期。他在《王維吳道子畫》一詩中，闡述了深刻的繪畫藝術理論：「吳生雖妙絕，猶以畫工論。摩詰得之于象外，有如仙翮謝籠樊。」㉞這「得之于象外」的命題，即畫中的象外之意，象外之旨。這一藝術觀念，也成爲蘇軾題畫詩的特色。且看《陳季常所蓄〈朱陳村嫁娶圖〉》二首，朱陳村嫁娶圖原是五代·後蜀趙德元的一幅畫，爲陳季常所藏，白居易曾寫《朱陳村》詩，詳細抒寫朱陳村的「黃髮垂髫，並怡然自樂」的情景。白詩云：

徐州古本縣，有村曰朱陳。去縣百餘里，桑麻青氛氳。機梭聲札札，牛驢走紜紜。女汲澗中水，男採山上薪。縣遠官事少，山深人俗淳。有財不行商，有丁不入軍。家家守村業，頭白不出門。生爲陳村民，死爲陳村塵。田中老與幼，相見何欣欣。一村唯兩姓，世世爲婚姻。親疎居有族，少長游有群。黃雞與白酒，歡會不隔旬。生者不遠別，嫁娶先近鄰。死者不遠葬，墳墓多遶村。既安生與死，不若形與神。所以多壽考，往往見玄孫。……㉟

《朱陳村》的恬靜，白居易的詩展示得一目了然。這是一個桃花源式的歡樂世界。而在蘇軾的題畫詩裡，則寫出了畫面的畫外音，揭示出畫家創作這幅畫表現理想世界的畫面的「象外之意」。第一首詩寫道：

我是朱陳舊使君，勸農曾入杏花村。

而今風物那堪畫，縣吏催租夜打門。㊱

這種「今非昔比」的畫外之音，蘇軾在題畫詩中顯現出來了。蘇軾以出世悟入世之理，也流露於題畫詩之中。

又如《書李世南所畫秋景二首》，寄寓了他在藝術觀念上的蕭散簡遠的一面；疏淡恬靜的秋色，也正是他的老莊思想的寄托。詩云：

野水參差落漲痕，疎林欹倒出霜根。

扁舟一櫂歸何處，家在江南黃葉村。㊲

漠漠的野水疎林，蕭疎清曠，一葉扁舟，幽遠飄蕩；這種荒野的情趣，強烈地映襯出江南黃葉村蒼茫的秋色。蘇軾爲郭熙的《秋山平遠》圖所寫的題畫詩，把畫意與詩情融合爲一：「目盡孤鴻落照邊，遙知風雨不同川。此間有句無人識，送與襄陽孟浩然。」㊳落霞孤鴻的開闊境界，應是孟浩然最好的詩歌題材。他題文與可的竹畫，則讓與可竹畫神品和與可其人的品格化合：「與可畫竹時，見竹不見人。豈獨不見人，嗒然遺其身。其身與竹化，無窮出清新。莊周世無有，誰知此疑神。」㊴畫品與人品合二而一了。

蘇軾的題畫詩，除了表達了他在繪畫方面的藝術觀念之外，也旨在象外之意，借畫境來體現自己的思想境界。

蘇軾的詩作，還有大量的唱和詩。他一生奔波各地，結交了許多詩文朋友；在人生歷程中，所到之處，與朋友互相唱和。這類唱和詩，體現了親情、友情，描繪了山光水色，抒發了不同時期的情思，也論述了對書畫的詩歌的觀感，內容極其廣泛。如在黃州時，與子由寫詩互相唱和，以詩代信。子由詩云：「慚愧江淮南北風，扁舟千里得相從。黃州不到六十里，白浪俄生百萬重。自笑一生渾類此，可憐萬事不由儂。夜深魂夢先飛去，風雨對牀聞曉鐘。」㊵蘇軾寫《次韻答子由》詩，訴說當時被貶黃州的心境：「平生弱羽寄衝風，此去歸飛識所從。好語似珠穿一一，妄心如膜退重重。山僧有味寧知子，瀧吏無言只笑儂。尚有讀書清淨業，未容春睡敵千鐘。」㊶兩詩和唱，交流情思，傾吐心曲。又如《次韻張安道讀杜詩》，針對張安道讀杜詩的原作，對句押韻，提出自己對杜甫詩歌的評價：「誰知杜陵杰，名與謫仙高。掃地收千軌，爭標看兩艘。詩人例窮苦，天意遣奔逃。塵暗人亡鹿，溟翻帝斬鼇。艱危思李牧，述作謝王褒。失意各千里，哀鳴聞九臯。騎鯨遁滄海，捋虎得綈袍。巨筆屠龍手，微官似馬曹。迂疎無事業，醉飽死遊遨。」㊷闡述詩人對在戰亂危難中流落江湖的杜甫的艱苦生活和懷才不遇的感嘆。又如《和張子野見寄》詩：「前生我已到杭州，到處長如到舊遊。更欲洞霄爲隱吏，一菴閑地且相留。」㊸抒情述懷，情眞意切。這類唱和詩，是蘇軾抒情詩的主體。

蘇軾寫詩的時間極長。嘉祐四年己亥（西元1059年）十月自眉山發嘉陵、下夔、巫之行，即寫下南行詩歌，到建中靖國元年（西元1101年）七月的絕筆詩《答徑山琳長老》，前後四十二年，寫詩凡二千六百九十六首。在這漫長的創作生涯中，蘇軾以詩記錄自己一生的足迹、思想、懷抱，以詩歌表述他坦蕩蕩的一生，抒寫他的喜、怒、哀、樂，每到一地，都由自己或學生、朋友把詩歌集編成冊。《南行集》、《岐梁唱和集》、《錢塘集》、《超然集》、《黃樓集》、《和陶詩》都是他在各地所編就的詩集；他的詩，不論是當哭的長歌，還是歡樂的短唱，都出自於內心深處的眞情實感。詩集中的行吟坐咏，是考察蘇軾眞實人生的原始材料，我們在介紹蘇軾生平時已進行引述，這裡就無須重複了。

蘇軾的詩，開有宋一代詩風，他的詩歌風格，與他創作的樂府一樣，體現了多樣的藝術風格，他的詩境及藝術格調，皆因時代及生活的變化而發展、演變。正如王文誥所指出的：蘇軾在家居所作的《怪石》詩，「雖五七言相間，全用老蘇家法」，「公自不能詩而至能詩，自名家而至大家，皆于此兩三年間、數十篇之內養成具體，到鳳翔首作《石鼓歌》，已出昌黎之上，不可壓也。自此以後，熙寧還朝一變；倅杭守密，正其縱筆時也；及入徐、湖漸改轍矣。元豐謫黃州一變，至元祐召還，又改轍矣。紹聖謫惠州一變，及渡海而全入化境，其意愈隱，不可窮也。」㊹這是對蘇軾詩歌創作過程的極有見地的概括。

爲什麼蘇詩風格多變化呢？其根本原因還是由於蘇軾眞正表現出自己的眞情性所使然。他的詩，完全顯示了詩人的藝術個性：初期奔放雄健，中期鋒銳深邃，後期平淡古樸，這都因生活經歷的變化而變化。同時，不同詩歌的內容也體現不同的格調。如謳歌自然的詩則潔麗，表述政見的詩則雄辯，哲理詩則婉曲，題畫詩則秀美，唱和詩則深沉，詩的內容不同，風格也有所區別。《王十朋注蘇詩序》裡說：「東坡先生英才絕識，卓冠一生。平生斟酌經傳，貫穿子史，下至小說雜記，佛經道書，古詩方言，莫不畢究。故雖天地之造化，古今之興替，風俗之消長，與夫山川草木禽獸，鱗介昆蟲之屬，亦皆洞其機而貫其妙。積而爲胸中之文，不啻長江大河，汪洋閎肆，變化萬狀。」蘇軾這位才華橫溢、冠絕一代的詩人，他的詩呈現生活中的千姿百態，其風格決非單調一格所能範圍的。

【附　註】

① 元陳秀明《東坡詩話錄》。
② 清·趙翼《甌北詩話》卷五。
③ 清·沈德潛《說詩晬語》卷下。
④ 清·葉燮《原詩》卷1。
⑤ 宋·嚴羽《滄浪詩話·詩辯》。
⑥ 《蘇軾文集》卷1〈夜泊牛口〉。
⑦ 《蘇軾詩集》卷8〈湯村開運鹽河雨中督役〉。
⑧ 《蘇軾詩集》卷8〈吳中田婦嘆〉。
⑨ 《蘇軾詩集》卷15〈除夜大雪，留濰州，元日早晴，遂行中途雪復作〉。
⑩ 《蘇軾詩集》卷20〈正月十八日蔡州道上遇雪，次子由韻二首〉（其二）。
⑪ 仝上〈五禽言〉（其二）。
⑫ 《蘇軾詩集》卷21〈魚蠻子〉。
⑬ 仝上〈次韻孔毅父久旱已而甚雨三首〉（其一）。
⑭ 《蘇軾詩集》卷37〈劉丑廝詩〉。

⑮　查愼行《查初白詩評》卷中。

⑯　《蘇軾詩集》卷19〈十月二十日，恭聞太皇太后升遐，以軾罪人，不許成服，欲哭則不敢，欲泣則不可，故作挽詞二首〉。

⑰　《蘇軾詩集》卷19〈十二月二十日蒙恩責授檢校水部員外郎黃州團練副使，復用前韻〉。

⑱　《蘇軾詩集》卷6〈龜山〉。

⑲　《蘇軾詩集》卷7〈六月二十七日望湖樓醉書五絕〉（其一）。

⑳　《蘇軾詩集》卷10〈有美堂暴雨〉。

㉑　《蘇軾詩集》卷2〈許州西湖〉。

㉒　《蘇軾詩集》卷6〈陪歐陽公燕西湖〉。

㉓　《蘇軾詩集》卷9〈飲湖上初晴後雨〉。

㉔　《蘇軾詩集》卷7〈和蔡準郎中見邀遊西湖三首〉。

㉕　《蘇軾詩集》卷11〈和述古冬日牡丹四首〉(其一)。

㉖　《蘇軾詩集》卷14〈霜筠亭〉。

㉗　《蘇軾詩集》卷14〈寄題刁景純藏春塢〉。

㉘　《蘇軾詩集》卷32〈贈劉景文〉。

㉙　《蘇軾詩集》卷43〈澄邁驛通廟閣二首〉（其二）。

㉚　《蘇軾詩集》卷47〈題沈君琴〉。

㉛　《蘇軾詩集》卷23〈題西林壁〉。

㉜　《蘇軾詩集》卷47〈洗兒戲作〉。

㉝　沈德潛《說詩晬語》。

㉞　《蘇軾詩集》卷3〈鳳翔八觀・王維吳道子畫〉。

㉟　《白氏長慶集》卷10〈朱陳村〉。

㊱　《蘇軾詩集》卷20〈陳季常〈朱陳村嫁娶圖〉二首〉（其一）。

㊲　《蘇軾詩集》卷29〈書李世南所畫秋景二首〉（其一）。

㊳　《蘇軾詩集》卷29〈郭熙秋山平遠二首〉（其一）。

㊴ 《蘇軾詩集》卷29〈書晁補之所藏與可畫竹三首〉（其一）。

㊵ 《欒城集》卷10〈舟次磁湖以風浪留二日不得進子瞻以詩見寄作二篇答之前篇自賦後篇次韻〉。

㊶ 《蘇軾詩集》卷20〈次韻答子由〉。

㊷ 《蘇軾詩集》卷6〈次韻張安道讀杜詩〉。

㊸ 《蘇軾詩集》卷13〈和張子野見寄三絕句〉。

㊹ 王文誥《蘇文忠公詩編注集成》後《蘇海識餘》卷1。

三、蕭淡簡遠的「和陶詩」

《和陶詩》是蘇軾生前編定的最後一部詩集，與他的其他詩歌比較，別具風采。因此，這裡單獨列出，加以論述。

蘇軾晚年，寫了一百多首和陶詩，這是蘇軾後期的思想和生活的寫照，也是蘇詩風格臻於成熟的集中表現，這組詩，在他的詩歌創作中占有極其重要的地位。

蘇轍在《子瞻和陶淵明詩集引》一文中，轉述了蘇軾自敘寫和陶詩的始末，其中說：「吾前後和其詩凡一百有九篇，至其得意，自謂不甚愧淵明，今將集而并錄之，以遺後之君子。」①和陶詩是蘇軾到儋州之後自己輯錄的，他對這一組詩篇特別喜愛，認為自己這組詩不比陶詩遜色；所謂「至其得意，自謂不甚愧淵明」，說明了他將自己的作品對比陶詩之後所產生的自豪感和自慰心情。

陶淵明的詩歌，有著獨特的思想內容和藝術格調，在中古詩人中是沒有人可以和他相比擬的；後人學陶詩的，也無法寫得類似或超過。沈德潛指出：「陶詩胸次浩然，其中有一段淵深樸茂不可到處。唐人祖述者，王右丞有其清腴，孟山人有其閑遠，儲太祝有其樸實，韋左司有其冲和，柳儀曹有其俊潔，皆學焉而不得其性之所近。」②唐代這一批著名的田園詩人，學陶詩而「不得其性之所近」。蘇軾的和陶詩，前人的評論也多有微詞。陳善說：「東坡亦嘗和陶詩百餘篇，自謂不甚愧淵明，然坡詩語亦微傷巧，不合陶詩體合自然也。」③施補華說：「後人學陶，以韋公爲最深，蓋其衿懷澄澹，有以契之也。東坡與陶，氣質不類，故集中效陶、和陶諸作，眞率處似之，冲淡處不及也；間用馳驟，蓋不相肖。」④「陶詩多微至語，東坡學陶，多超脫語，天分不同也。」⑤這些評語，指出蘇軾與陶潛的氣質不同，生活道路不同，所以風格有所差異。飽經政治風霜的蘇軾與急流勇退的陶淵明在政治上的體驗不同，才情飄逸豪放的蘇軾，對世情的激憤態度也與陶淵明的冲淡思想相異。因此原作與和作所表現的思想特色和藝術風格也有所差別。這正如元好問在《跋東坡和陶淵明飲酒詩後》所說：「東坡和陶，氣象只是東坡。如云『三杯洗戰國，一鬥消強秦』，淵明決不能辦此。」所以雖然是逐首和韻，但不等於模仿或步其後塵，而是在和陶詩中，仿照陶淵明在風格上的平淡自然，用以再現自己的生活。我們在考察和陶詩的過程中，主要是側重於研究蘇軾晚年是怎樣孜孜不倦地尋求與自己的思想和藝術相適應的藝術形式，用以抒情托志，從中可以見出不同時代的詩人之間的承傳、改造與發展的某些帶規律性的現象。

蘇軾爲什麼長期陶醉在陶詩中而又把自己晚年的主要精力用來寫作和陶詩呢？

蘇軾自己說過，在古代詩人中，他獨好陶淵明的詩：「吾於詩人，無所甚好，獨好淵明之詩。」⑥他以陶淵明爲師：「淵明吾所師，夫子乃其後。」⑦這是和陶詩創作的特殊的思想基礎。

蘇軾政治上失意，「一生凡九遷」的生活遭遇，使他對陶詩產生了深刻的思想共鳴。

蘇軾自少就「奮厲有當世志」，⑧但在「烏台詩案」之後，被貶黃州，由此他在陶詩中得到精神上的慰藉與寄托，他寫的懷陶、頌陶的詩詞逐漸多起來。他在《江城子》詞中表示自己是陶淵明再世：「夢中了了醉中醒。只淵明，是前生。走遍人間，依舊卻躬耕。」他在雪堂「取《歸去來辭》，稍加檃括，使就聲律」，從陶淵明這首詩中得到啓迪，獲得了自得其樂的生活情趣。

元祐之後，政治氣候有所變化，但當他再度問政之後，又遭舊黨的打擊。此後，他詩酒江湖，浪迹人間，與陶淵明的情趣更加一致了。元祐七年在揚州，他第一次和陶詩韻寫了《和陶飲酒二十首》。詩中認爲自己無法像陶淵明一樣，擺脫世俗的干擾：「我不如陶生，世事纏綿之。」⑨但是，他在「去鄉三十年」之後，熱愛田園的氣質尙未改變：「我坐華堂上，不改麋鹿姿。」⑩於是他以和陶潛《飲酒詩》來抒發自己的懷抱。在潁州時，因歐陽叔弼讀元載詩，嘆淵明之絕識，他又寫詩讚陶潛不爲五斗米折腰的高尙政治品德。元祐九年正月十六日，蘇軾在定州與李端叔、王幾仁等論陶潛詩，爲《歸園田居》中的「種豆南山下，草盛豆苗稀，晨興（《東坡題跋》中作「侵晨」）理荒穢，帶月荷鋤歸」的生活而相與嘆息。在惠州的日子裡，由於政治上所受的反復打擊和生活上的衣食漸窘，蘇軾更心醉於寫和陶詩，如《和陶貧士七首》、《和時運四首》、《和陶形贈影》、《和陶影答形》、《和陶神釋》等等。他在紹聖二年二月十一日寫的《書淵明東方有一士詩後》說：「我即淵明，淵明即我也。」這時候的蘇軾，已自認爲與陶淵明融爲一體了。貶謫海南之後，在那「四洲環一島，百洞蟠其中」的茫茫大海環繞的孤島中，蘇軾感到自己好像在天的另一方，不禁懷念起惠州的生活，他夢歸惠州白鶴山居，寫下了《和陶還舊居》。但隨遇而安的思想，使他很快習慣了海南的生活。他與海南百姓相處得很融洽：「邦君助畚鍤，鄰里通有無」（《和陶和劉柴桑》），到儋州不久，他就親自檢所和陶詩一百零九篇，爲書告轍，使爲序。以後還繼續寫和陶詩，如《和陶九日閑居》、《和陶停雲》、《和陶遊斜川》、《和陶郭主簿》、《和陶癸卯歲始春懷古田舍二首》、《和陶淵明王撫軍座送客詩》、《和陶淵明答龐參軍詩》、《和陶歸去來兮辭》等等，蘇軾和陶之作，已成爲他在惠州及儋州前後七年裡的主要創作活動。這種創作活動與蘇軾的政治遭遇和思想動態緊密相連，蘇軾對陶詩的熱愛，是在痛苦的生活中培養出來的；這一百多首和陶詩，實際上是他後期生活的紀錄，也是蘇軾的精神歸宿。

蘇軾寫作和陶詩，是同他跟陶潛在個人品格和氣質上相近密切相關的。

陶淵明的作品，產生於魏晉文學解放浪潮之中，突出地顯現出作家的個性。魯迅說過：「曹丕的一個時代，可說是文學自覺時代，或如近代所說，是爲藝術而藝術的一派。」⑪魏晉時期，文學擺脫了經學與史學的束縛而獨立，「詩緣情」理論的倡導，在文學創作中，使詩人們開始自覺地表達出個人的思想、情感、精神、品格和意趣，陶淵明的詩作，就是這一思潮的代表。他的作品中，顯示了獨特的個性，「古代作家能夠在作品中把他的個性活現出來，屈原之後，我便數陶淵明。」⑫陶淵明在詩歌中反映了不怕權貴、安於貧寒、躬耕自樂的高尚情操，他的高風亮節，最爲蘇軾所欽佩。陶潛在《感士不遇賦》中說：「密網裁而魚駭，宏羅制而鳥驚；彼達人之善覺，乃逃祿而歸耕。」眞實地反映了他在動亂的社會生活中，果斷地從政治漩渦中退了出來，過著一種沖淡自然的農村生活。蘇軾政治失意以後，視陶淵明爲自己生活的楷模，他不僅愛其詩，而且愛其人，「然吾于淵明，豈獨好其詩哉，如其爲人，實有感焉」。⑬他以陶淵明臨終前的《與子儼等疏》中的一段自我小結作爲鏡子：「少而貧苦，每以家弊，東西遊走，性剛才拙，與物多忤，自量爲己，必貽俗患，黽勉辭世，使汝等幼而飢寒。」陶淵明剛直不阿、不迎合時俗的個性，不畏貧寒的清高行爲，使蘇軾敬佩不已；他非常感慨地對子由說：「吾眞有此病，而不早自知，半生出仕，以犯世患，此所以深愧淵明，欲以晚節師範其萬一也。」⑭蘇軾一生中，天南海北，四處奔走，有時也忍飢挨餓，妻亡子喪，但貧寒的生活，并未使他志餒，尤其是在海南時期，「葺竹而居之，口啗薯芋，而華屋玉食之念，不存于胸中」⑮這種貧賤不移的性格，不是也與陶淵明相通嗎？蘇軾的「藜羹對書史」⑯的貧而樂道的精神，正與陶淵明「少學琴書，偶愛閑靜，開卷有得，便欣然忘食」⑰的勤學習慣相一致，蘇軾的「我醉欲眠君罷休」⑱，與陶淵明的「我醉欲眠卿可去」的眞率性格相類似。性格上的投合，使蘇軾在陶詩中發覺了自己的喜怒哀樂。當他讀陶淵明的《飲酒詩》（清晨聞叩門）時，不禁由衷地發出同感，并說：「予嘗有云，言發于心而動于口，吐之則逆人，茹之則逆予，以謂寧逆人也，故卒吐之。與淵明詩意，不謀而合。」⑲這種無言的感情相適與交流，使蘇軾對陶淵明心許首肯，從而發生詩歌創作的衝動。

蘇軾的思想信仰也是促使他熱衷於寫和陶詩的重要原因。

陶淵明的思想是複雜而又矛盾的。儒道思想揉雜。「少年罕人事，游好在《六經》」⑳說明他對儒家的推崇。「路邊兩高墳，伯牙與莊周。此士難再得，吾行欲何求。」㉑表現他對道家的尊重。他既有黔婁的安貧守賤的氣節，又具有「久在樊籠裡，復得返自然」㉒的自然化遷的思想；更有「少無適俗韻，性本受丘山」㉓的生活情趣。這種「安貧樂道」的節操，「委運任化」的態度，「返眞還淳」的人生觀，體現了儒道思想的合一。陶淵明早年對政治生活意氣風發，在經受腥風血雨的政治鬥爭之後，還執著地呼喊出「朝與仁義生，夕死復何求」。㉔他在《桃花源記》詩中又寫出他對理想世界的憧憬。這也都體現他儒道思想的統一。他飽含辛酸和悲憤堅持了文人的高尚氣節，但又無法正視現實，因而走向歸隱道路。蘇軾在他坎坷的一生中，思想發展與陶淵明有很多相似的地方。當他「方年壯氣盛」之時，儒家的入世思想使他熱衷於追求功名事業，滿懷雄心壯志；但在經受政治風浪之後，佛老的清靜無爲的思想，歸眞返樸、傲視榮貴的觀念，就指導了他的行動。這些思想使他在逆境中能夠達觀，自陷矛盾又自我解脫，乃至無往而不樂；尤其謫居黃州之後，老莊思想占了主導地位，甚至影響到他文風的改變。到了嶺南，佛老思想更成爲他的精神支柱，使他身處逆境而怡然自樂。就如他在《老人行》一詩中所寫的：「或安貧，或安富，或爵通侯封萬戶，一任秋霜換鬢毛，本來面目長如故。」他在海南孤島之中，「爾來尤解安貧賤，不爲公卿強陪面。」㉕在這種處境下，陶淵明之爲人及陶淵明的詩，就很自然地與蘇軾心迹相投。時間相隔六百多年，但思想上是相通的，他把陶淵明、柳子厚稱爲南遷二友，因此有和陶詩的產生。他要追隨陶淵明，學習陶淵明，過一種遁世獨善的生活。

這就是蘇軾與陶淵明思想上的聯繫，也是蘇軾寫和陶詩的思想基礎。黃庭堅在《跋子瞻和陶詩》中說：「子瞻嶺南，時宰欲殺之。飽吃惠州飯，細和淵明詩。彭澤千載人，東坡百世士。出處雖不同，風味乃相似。」蘇軾往往把自己與陶潛、白居易相提并論，他說：「淵明形神似我，樂天心相似我。」不同時代的詩人在思想上的聯繫是詩作風味相似的根本原因。

蘇軾的和陶詩，除了《和陶飲酒二十首》是在揚州時寫的之外，其餘都是在惠州和海南儋縣寫的。這一百多首和陶詩，更集中地表現了他的生活態度和對嶺南百姓的深情，反映了他擺脫俗念的思想情操。

反映蘇軾對嶺南風物的熱愛和他跟老百姓的深情厚誼，表現蘇軾的政治態度，是和陶詩的中心內容之一。

蘇軾自從「白髮坐鈎黨，南遷瀕海州」㉖之後，過著「灌園以餬口，身自雜蒼頭」㉗的生活，本來他已決心「誓將閑送老，一著一行書」㉘「以彼無限景，寓我有限年」㉙了。但是對國事的責任感，對嶺南人民的熱愛，使他又在不知不覺之間介入現實。他寫了《和陶勸農詩六首》，抒發對黎族百姓的深情，並尖銳地揭示出黎民貧困的根源。他在詩序中寫道：「海南多荒田，俗以貿香爲業，所產秔稌，不足于食，乃以薯芋雜米作粥糜以取飽，余既哀之，乃和陶淵明勸農詩，以告其有知者。」這表現了他處處爲老百姓著想的良好政治品質；雖是閑職之身，卻主動向黎民勸說開荒種田的道理，希望百姓改變吃薯芋雜米的困苦生活。詩中表現他可貴的漢、黎民族團結思想：「咨爾漢黎，均是一民」；指出民族的矛盾和鬥爭是由於統治階級欺侮黎民造成的：「怨忿劫質，尋戈相因。欺謾莫訴，曲自我人。」而黎族百姓生活的貧困，也是「貧夫污吏，鷹鷙狼食」的結果。他指出海南有肥沃的土地，但因無人去開荒耕種，所以野獸遍野：「獸縱交締，鳥喙諧穆。驚麏朝射，猛豨夜逐。」於是，他勸導百姓去開墾這些土地：「利爾耝耜，好爾鄰偶。斬艾蓬藋，南東其畝。」以自己辛勤的勞動，換來「其福永久」的生活。蘇軾對海南老百姓的愛護的樸素感情，在這六首〈和陶勸農詩〉中充分表現出來。

在與嶺南百姓共同生活的過程中，蘇軾與他們結下了深厚的情誼。當他暢遊白水山佛跡岩時，在水北荔枝浦，一位八十五歲的老人對他說：「及是可食，公能攜酒來遊乎？」蘇軾欣然許之。對父老這種純樸的深情，他寫下了《和陶歸園田居》六首，表示他「願同荔枝社，長作雞黍局」，㉚願與這位老者一起過怡然自樂的生活。他在〈和陶擬古九首〉中，更寫出一位「生不聞詩書，豈知有孔顏」㉛的黎山樵者，關心他，愛護他，怕他受冷，「遺我吉貝布，海風今歲寒。」㉜使他倍受感動，感到無限溫暖。他與黎子雲兄弟的交往，也以〈和陶癸卯歲始春懷古田舍二首〉記錄下來。他寫道：「城東兩黎子，室邇人自遠。呼我釣其池，人魚兩忘返，使君亦命駕，恨子林塘淺。」㉝「客來有美載，果熟多幽欣，丹荔破玉膚，黃柑溢芳津。借我三畝地，結茅爲子鄰。鴂舌倘可學，化爲黎母民。」㉞在黎子雲兄弟的熱情款待下，他願作他們的鄰居，情願化作黎民的一分子了。蘇軾在嶺南的生活雖然很困苦，但他在嶺南老百姓的關懷下，在與他們「情親有往還」㉟的融洽相處中受到了陶冶，於是在和陶詩中處處表現出一種恬淡自適的生活情趣。

和陶詩的另一中心內容，是眞切純樸地反映了詩人的嶺南情思。

蘇軾在《和陶飲酒詩》中曾感嘆道：「我不如陶生，世事纏綿之」，他自知自己的思想和遭遇與陶淵明有所不同。但到了惠州之後，四十年來政治上的浮沉漂流，使蘇軾對社會人生的認識更加深刻，他看透了封建政治集團之間互相傾軋的虛僞與毒辣，於是投身于大自然中。惠州的「環州多白水，際海皆蒼山」的幽遠自然環境，淨化了蘇軾暮年的心靈，到了海南以後也一樣。在和陶詩中處處流露出他在惠州及海南的情思，寫出他對嶺南生活的無限詩情和憶念。他的〈和陶歸園居六首〉，表示要過一種「

我適物自閑」㊱的生活；在這荒涼渺莽的邊遠地區，他樂趣盎然：「南池綠錢生，北嶺紫筍長。提壺豈解飲，好語時見廣。春江有佳句，我醉墜渺莽。」㊲他在大自然的沐浴下自我陶醉，放浪江海，覺大自然已「出沒爲我役矣。」㊳蘇軾在嶺南這種閑有散飄逸的生活，正是他在經受幾十年的政治風浪之後所尋求的精神歸宿。王文誥說蘇軾詩「及渡海而全入化境」，黃庭堅說蘇軾嶺外文字「如清風自外來」，㊴當然也包括這些和陶詩在內。

蘇軾是一位感情極其豐富的文人，他在海南，與世隔絕，但對親朋的懷念卻更加誠摯。他對子由的強烈思念，對朋友的可貴情誼，在和陶詩中也歷歷可見。如〈和陶止酒〉一詩，反映了他與子由離別時的依依之情。當他謫海南時，子由亦貶雷州，丁丑歲（西元1097）五月十一日，他們相遇于藤州，於是同臥起于水程山驛之間，兩旬有餘，同行至雷州。六月十一日相別渡海，對蘇軾病痔呻吟，子由亦終夕不寐，子由誦陶淵明詩勸蘇軾止酒，於是和元韻而寫下〈和陶止酒〉詩。詩中提到：子由「勸我師淵明，力薄且爲己。微痾坐杯酌，止酒則瘳矣。」而他則表示「從今東坡室，不立杜康祀。」㊵接受子由的勸告，不再喝酒。兄弟兩人同患難、共甘苦的親密情誼，溢于字裡行間。到了海南之後，他在風雨連綿、海道斷絕的冬日裏，不得子由書，於是寫〈和陶停雲四首〉寄子由，詩中說：「我不出門，寤寐北窗。念彼海康，神馳往從。」㊶流露出深切的懷念。同時，對過去的生活回憶，使詩人浮想聯翩：「對欒未終，摧然斧柯。再游蘭亭，默數永和。夢幻去來，誰少誰多。」㊷詩人這種手足的深情厚意，越來越濃烈了。對親人如此，對朋友也不例外。他的〈和陶答龐參軍六首〉，是送周彥質的，詩序中說：「周循州彥質，在郡二年，書問無虛日，罷歸過惠，爲余留半月，既別，和此詩送之。」詩中寫出兩人依依惜別之情：「將行復止，眷言孜孜……奕奕千言，粲焉陳詩。」「擊鼓其鏜，船開艫鳴。顧我而言，雨泣載零。」㊸〈和陶與殷晉安別〉、〈和陶王撫軍座送客〉、〈和陶答龐參軍〉（三送張中）等詩，則描寫了他送別昌化軍使張中罷官赴闕的情懷：「悠悠含山日，炯炯留清輝。懸知冬夜長，不恨晨光遲。夢中與汝別，作詩記忘遺。」㊹蘇軾在一生奔波之中，對朋友始終保持著眞摯的友誼；這裏與友人的淒然送別，也是詩人嶺海情思的流露。

蘇軾棲身嶺海，自認爲是以「無何有之鄉爲家」，但他對家鄉有著深沉的懷念。他寫〈和陶歸去來兮辭〉，表現他的「鄉關歸去休」的思鄉之情。辭中寫道：「歸去來兮，吾方南遷安得歸。臥江海之澒洞，吊鼓角之淒悲。跡泥蟠而愈深，時電往而莫追。懷西南之歸路，夢良是而覺非。」㊺他想像回到家鄉的情景：「俯仰還家，下馬闔門。藩垣雖缺，堂室故存。挹吾天醴，注之窪樽。」㊻從這裏我們可以看到蘇軾不僅在尋求精神的寄托，而且也在追求生活的歸宿，他希望能效法陶淵明回歸故里。

和陶詩的第三個中心內容，是反映了蘇軾對人生哲理的探索。

蘇軾的和陶詩，與陶淵明詩比較，表現了不同時代的知識分子，在政治濁流中對人生哲理的思辯。陶淵明在〈形贈影〉、〈影答形〉、〈神釋〉等詩中，寄寓了人生的哲理，表達了他對宇宙自然的見解和樸素的唯物主義思想，並以此反對魏晉時期盛行的佛教因果報應的唯心主義神學說教。蘇軾的和陶詩〈形贈影〉、〈影答形〉、〈神釋〉三首，對於自然規律的探索和對佛學的否定，其基本思想與陶淵明一致，如「天地有常運，日月無閑時」，㊼「無心但因物，萬變豈有竭。」㊽都是承認自然規律的客觀實在性，而「醉醒要有盡，未易逃諸數。」㊾則是承認人們的行動變化，也無法違反自然的規律。他甚至對佛學作了明確的否定：「莫從老君言，亦莫用佛語，仙山與佛國，終恐無是處。」㊿這些地方，都反映了蘇軾有著樸實的對客觀世界的哲理性的思想的矛盾。他在承認自然規律的客觀存在的同時，卻表現了一種虛幻的觀念，認爲人生一切還是歸于幻滅，就像做夢一樣，而且只有在夢中才能得到安寧：「醉醒皆夢爾，未用議優劣。」㊿¹「夢時我方寂，偃然無所思。胡爲有哀樂，輒復隨漣洏。」㊿²他希望有一把人生之火，燒去一切：「如今一弄火，好惡都焚去。既無負載勞，又無寇攘懼。」㊿³如果說，過去企望「羽化而登仙」，㊿⁴高歌「我欲乘風歸去」㊿⁵的蘇軾，有時還要回顧人生，返視人世現實的話，那麼，現在的蘇軾，思想上則是趨向逃避現實了。

蘇軾這種逃避現實、歸化自然的思想，在〈和陶讀山海經十三首〉、〈和陶詠二疏〉、〈和陶詠三良〉、〈和陶詠荊軻〉等詩中反映出來。本來，陶淵明在這類詩中，表現了他「金剛怒目」式的氣魄；但陶詩中「猛志固常在」的高昂情緒，一經「蘇化」之後，卻塗上一層虛幻的力圖逃避現實的濃重色彩。他唱出：「東坡信畸人，涉世眞散材。仇池有歸路，羅浮豈徒來。踐蛇及茹蠱，心空了無猜。攜手葛與陶，歸哉復歸哉。」他要與葛洪、陶潛爲伍，歸化自然。荊軻之勇，他認爲是「狂生」，不值一說；三良之大節，在他看來是「安足希」的；而功成身退的二疏的高蹈，卻使他欽佩，表示「神交久從君」，認爲他們「見微而知著」。由此可見，陶詩中「金剛怒目」式的一面，蘇軾並沒有從積極方面加以接受，而是從爭取歸化自然的觀念去次韻了。

此外，在這一百多首和陶詩中，還有嶺南移居之樂的抒寫，對少年往事的追懷，對貧困生活的自我安慰，對大自然風光的領略等等。這些詩歌，記錄了蘇軾晚年在嶺南生活的一個側面。我們研究和陶詩，對於了解蘇軾後期的生活及思想的發展，是有所裨益的。

蘇軾評陶詩的藝術風格是「質而實綺，癯而實腴。」事實也是如此，陶詩是寓綺麗于樸素之內，寄精奇于平淡之中，正如李公煥在〈箋注陶淵明集〉中所說：「余嘗評陶公詩，化語平淡而寓意深遠，外著枯槁，中實敷腴，眞詩人之冠冕也。」而陶淵明詩的平淡風格，非著力之所能寫成的。楊時在〈龜山先生語錄〉中指出：「陶淵明詩所不可及者，沖淡深粹，出于自然。若曾用力學，然後知淵明詩非著力之所能成。」這些評語說明，「沖淡深粹，出于自然」是陶詩的主要特徵；但這一特色並不是可以隨意學到的。

蘇軾在和陶詩中，力求從詩的意境和對自然美的表現上，逼近陶詩的沖淡自然風味，因此，詩中表達思想的眞率自然與陶詩相類似；用字眞至，語意渾然深厚，又逼近陶詩字句。有的詩，情在景中，先落下奇絕之筆，然後結出詩的主旨，用意超妙，筆力曲折，于極平淡處寓深味，神似陶詩。蘇軾的和陶詩，既有陶詩的美感意趣，又保存了蘇軾詩歌的豪逸氣象；既具有陶詩的藝術境界，但也表現出一個活脫脫的蘇軾。這是蘇軾的和陶詩，不是陶詩的複製品，它具有蘇詩獨特的風貌。

第一、于沖淡素樸的風格中見豪逸氣質。

和陶詩的風格是沖淡素樸的。陶淵明以眞率寫詩，在詩中表現了自己對田園生活的激情。蘇軾寫詩眞率的態度，可與陶淵明相匹敵；和陶詩中眞實自然地披露他曠達的胸懷，展示他豐富而高遠的精神世界，與陶詩風格既似也不似。如〈和陶歸園田居〉（其三），紀昀的評語是「極平淡而有深味，神似陶公。」㊻詩中著意寫詩人在大自然中超然物外的情態，「新浴覺身輕，新沐感髮稀。」這是寫他在游白水山佛跡岩時，在湯泉瀑布中沐浴，感受到大自然的賜予，舒心暢快，於是輕快地「卻行詠而歸」。由於肩輿已經走了，他只好步行，邊漫步邊歌詠，「仰觀江搖山，俯見月在衣」，寫得平淡恬靜，適物自閑。蘇軾通過這瞬間景物的傳神描繪，表現他所感受的無限人生意趣，其平淡超然的藝術風格，與陶淵明〈歸園田居〉（其五）中所寫的「悵恨獨策還，崎嶇歷榛曲。山澗清且淺，可以濯吾足」，情致的確是神似了。

張戒在〈歲寒堂詩話〉中說：「淵明『狗吠深巷中，雞鳴桑樹顛』，『採菊東籬下，悠然見南山』，此景物雖在目前，而非至閑至靜之中，則不能到，此味不可及也。」這裏所講的「味」。指的是詩中所表現的沖淡的藝術風格，這種風格的形成，是陶潛在「至閑至靜」中對客觀事物進行精微細緻的觀察之後，把個人的主觀思想感情借助景物表現出來的。他以藝術上的白描手法，通過平易自然、未加雕飾的語言，描繪了農村淳樸的生活情態，表現了一種獨特的田園風格。蘇軾也學習陶詩這種沖淡樸素的風格，〈和陶歸園田居〉（其一）：「我飽一飯足，薇蕨補食前。門生饋薪米，救我廚無煙。斗酒與只雞，酣歌餞華顛。禽魚豈知道，我適物自閑。悠悠未必爾，聊樂我所然。」寫得平淡自然。清代趙克宜評曰：「淡語似陶」，「靜中體驗語。」㊼詩中表現了蘇軾在極閑極靜之中，悟出了「我適物自閑」的樂趣。但蘇詩除神似陶詩之外，還是獨具特色的，就如這一組詩中，如「江鷗漸馴集，蜑叟已還往。南池綠錢生，北嶺紫筍長。提壺豈解飲，好語時見廣。春江有佳句，我醉墮渺莽。」㊽對于這種蟄居生活的描繪，紀昀指出是「東坡獨造」的「淡宕」，可謂深得陶詩及蘇詩三昧。」「春江有佳句，我醉墮渺莽」二句，把大自然的意趣寫得更加悠遠動人，這不是蘇軾著意去追求，而是自然而得的。

蘇軾立足于現實，描寫他對現實的感想，這一組詩寫「矧今長閑人，一劫展過隙。江山互隱見，出沒爲我役。斜川追淵明，東皐友王績。詩成竟何爲，六博本無益。」59反映他在現實生活中的激情，表現出豪邁的氣質，並非純粹是極靜。而陶淵明的「一世異朝市，此語眞不虛。人生似幻化，終當歸空無。」60則已經對現實冷淡、遠離和漠視，近乎「幻化」了。由此可證實王文誥所說的「公之和陶，但以陶自托耳，至于其詩，極有區別」的話是有道理的，儘管蘇軾極力學其平淡，但畢竟蘇詩非陶詩。

我們也應該看到，蘇軾和陶詩的沖淡特色，又是學陶詩而形成的。《和陶庚戌歲九月中于西田獲早稻〉一詩，寫他因黎民幫他灑掃治圃而不安，繼而寫道：「早韭欲爭春，晚菘先破寒。人間無正味，美好出艱難。早知農圃樂，豈有非意干。尙恨不持鋤，未免騂我顏。此心苟未降，何適不間關。」61紀昀評曰：「常語卻極深至。」趙克宜曰：「以東坡之透快效陶之平淡，相濟而成溫厚之音。」62這句話說到中肯處。蘇軾以他的「豪邁」、「透快」學陶詩之平淡，在創作過程中相濟相成，而發出「溫厚之音」，這就是藝術風格的融化，也是蘇軾學陶的特點，既有陶詩的平淡詩趣，也有蘇詩的獨特風味，兩者是結合在一起的。劉熙載說：「陶詩之醇厚，東坡和之以清勁，如宮商之奏，各自爲宮，其美正復不相掩也。」63

第二，在對大自然景物的描寫中，感時觸物，生動眞切，以少總多。

詩人通過一草一木，一山一水的詠嘆，來表現存在于無窮時空之中的整個自然界；透過瞬間景物的傳神描繪，來表達他所感受到的無限的人生意趣，使人們獲得餘味無窮的美的感受。「春江綠未波，人臥船自流」，64十字天然妙語。人化于自然之中　，在春江中隨波逐流，表達他的「我本無所適，汎汎隨鳴雞」的心境。《和陶詩集》中由月色所引起的感觸，更是眞切感人：「室空無可照，火滅膏自冷。披衣起視夜，海闊河漢永。西窗半明月，散亂梧楸影。」海外的月色，別是一番意味。西窗的散亂的月影，引起了詩人「良辰不可繫，逝水無留騁」⑯的感慨，情在景中。「從我來海南，幽絕無四鄰。耿耿如缺月，獨與長庚晨。」⑯則又透過月色來寫他海外的孤獨了。〈和陶擬古〉詩中也寫月色：「夜中聞長嘯，月露荒榛蕪。無問亦無答，吉凶兩何如。」⑰在茫茫月夜的景色描寫中，表現內心的激動和彷徨。這種內心悲憤的表露，正證明詩人並未忘懷世事。他是在學陶中流露自己的本色。在和陶詩中，不論是「颶作海渾，天水溟濛，雲屯九河，雪立三江」⑱的海南颶風，還是「環州多白水，際海皆蒼山」⑲的蒼海；不論是「鮮鮮霜菊絕，溜溜糟牀聲」⑳的秋聲秋色，還是「南池綠錢生，北嶺紫笋長」㉑的春景；不論是「悠悠金山日，炯炯留清輝」㉒的落日，還是「驚鵲再三起，樹端已微明。白露淨原野，如覺丘陵平」㉓的晨曦；不論是「瘴雨吹蠻風」㉔的蠻風瘴雨，還是「飛泉瀉萬仞，舞鶴雙低昂」的南國瀑布。這一系列的景色描繪，畫出嶺南大自然的風光，也反映出蘇軾這一時期的心境，表現了蘇軾在嶺南特有的思想情懷。

第三，語言平易樸實，體現出詩歌的情趣美。

蘇軾說，陶詩「初看若散緩，熟視有奇句。」㉕陶詩語言之妙，在於把精神與平淡緊密結合。陶詩語言技巧的眞諦，在於「經意不經意」之間。蘇軾指出陶淵明詩在平淡散緩的外表中裏藏著「奇句」，在平淡的形式中包含著無窮的詩味。這是蘇軾學陶詩的心得結晶，也是他和陶詩時所定的創作目標。在和陶詩中，他多處效仿這種筆法，透過有限的外在語言或形象來體現出無限的內在神情意趣，使人去領會言詞形象所不能窮盡的人生眞諦和哲理。如「城東兩黎子，室邇人自遠，呼我釣其池，人魚兩忘返。」「丹荔破玉膚，黃柑溢芳津。借我三畝地，結茅爲子鄰。鴂舌倘可學，化爲黎母民。」⑯這平易樸實的語言，卻毫不經意地寫出蘇軾與黎族人民的深情厚意。蘇軾對嶺南生活的細緻的感受，與他的生活意趣緊密相連，他把貶謫嶺南的生活詩化了，使人領略無限詩趣。「缺月不早出，長林踏青冥。犬吠主人怒，愧此閭里情。怪我夜不歸，茜袂窺柴荊。」⑰海南的閑散生活，溢于字裡行間。「犬吠」二句，紀昀評曰：「十字直至」，其郊外步月的情緻，躍然可見。在〈和陶擬古〉詩中：「有客叩我門，繫馬門前柳。庭空鳥雀散，門閉客立久。」⑱這種意境，隨手拈出，道古人所未道。「庭空」表現庭院處于偏僻地區，生活又很貧困；「鳥雀散」顯庭院的幽靜冷清；「門閉」反映主人蟄居獨處的情景；「客立久」更表現了客人敲門不開，因這裏很久沒有客人來往了。而這時屋中情況又如何呢？「主人枕書臥，夢我平生友」，他正高枕書堆，在夢中去復現平生友情的眞切！此外，如「瘴雨吹蠻風，凋零豈容遲。老人不解飲，短句餘情悲。」⑲「斜日照孤隙，始知空有塵。微風動衆竅，誰信我忘身。」⑳這類句子，都在清淡自然，平實樸素的語言中，體現了蘇軾在海南的情思，表現了詩歌的情趣美。正如蘇轍在〈和陶淵明詩集引〉中所說的，蘇軾這類詩篇「精深華妙，不見老人衰憊之氣」。

蘇軾在和陶詩中，即使學習和繼承了陶詩的特色和藝術風格，但畢竟兩人的人生境遇不同，因而在生活感受、取材角度和意境創造等方面，也存在著差別，兩人在審美個性上也有差異。陶詩平淡的風格具有一股清新明淨的農林風味，「採菊東籬下，悠然見南山」，心境閑逸，情眞意切。「曖曖遠人村，依依墟里煙；

狗吠深巷中，雞鳴桑樹巔。」㉛景眞事眞，「野外罕人事，窮巷寡輪鞅。白日掩荊扉，虛室絕塵想。時復墟曲中，披草共來往。相見無雜言，但道桑麻長。」㉜以白描的筆法，描繪了農村生活的眞實圖景，詩味極其平淡。但這些卻是蘇軾在仕宦生涯中望塵莫及的。因而在和陶詩中，儘管蘇軾下了很大功夫學陶、效陶，但個中眞味，也很難一一類似。這類詩歌，更多的具有「自遣」成份，明代謝榛：「和古人詩，起自蘇子瞻。遠謫南荒，風土殊惡，神交異代，而陶令可親，所以飽惠州之飯，和淵明之詩，藉以自遣爾。」㉝

總上所述，蘇軾被貶謫的生活，促進他對陶淵明的生活方式及其人品的嚮往和崇拜，於是有和陶詩的產生；這一組和陶詩，一方面表現了不同時代詩人在思想和藝術上的承傳關係，同時也說明了作家氣質及生活道路的不同，決定了藝術創造上的差別。即使像蘇軾這樣，以陶淵明爲師，以陶淵明生活及藝術創作作爲自己努力的方向，但結果仍然表現出各自的特色。這種現象，完全合乎藝術創作規律。和陶詩反映蘇軾後期詩風的轉變，研究這組詩，對探索蘇軾詩風格的發展具有重要的意義。

【附　註】

① 《欒城後集》卷21〈子瞻和陶淵明詩集引〉。

② 沈德潛《說詩晬語》。

③ 陳善《捫虱新話》卷6。

④⑤ 施補華《峴庸說詩》。

⑥ 蘇轍《欒城後集》卷21〈子瞻和陶淵明詩集引〉。

⑦ 《蘇軾詩集》卷23〈陶驥子駿佚老堂二首〉。

⑧ 《欒城後集》卷22〈亡兄子瞻端明墓誌銘〉。

⑨⑩　《蘇軾詩集》卷35〈和陶飲酒二十首〉（其一）（其八）。

⑪　《魯迅全集》第3卷〈而已集·魏晉風度及文章與藥及酒之關係〉。人民文學出版社1959年版。

⑫　梁啓超《陶淵明之文藝及其作品》。

⑬　《欒城後集》卷21〈子瞻和陶淵明詩集引〉。

⑭⑮　《欒城後集》卷21〈子瞻和陶淵明詩集引〉。

⑯　《蘇軾詩集》卷22〈初秋寄子由〉。

⑰　《陶淵明集》卷7〈與子儼等疏〉。

⑱　《蘇軾詩集》卷17〈九日次韻王鞏〉。

⑲　《蘇軾詩集》卷67〈錄陶淵明詩〉。

⑳　《陶淵明集》卷3〈飲酒〉（其十五）。

㉑　《陶淵明集》卷4〈擬古〉（其七）。

㉒㉓　《陶淵明集》卷2〈歸園田居〉（其一）。

㉔　《陶淵明集》卷4〈咏貧士〉（其四）。

㉕　《蘇軾詩集》卷49〈老人行〉。

㉖㉗　《蘇軾詩集》卷49〈雷州八首〉（其一）。

㉘　《蘇軾詩集》卷38〈無題〉。

㉙　《蘇軾文集》卷39〈和陶歸園田居六首〉（其一）。

㉚　《蘇軾詩集》卷39〈和陶歸園田居六首〉（其五）。

㉛㉜　《蘇軾詩集》卷41〈和陶擬古九首〉（其九）。

㉝　同上〈和陶田舍始春懷古〉（其一）。

㉞　《蘇軾詩集》卷41〈和陶田舍始春懷古二首〉（其二）。

㉟　《蘇軾詩集》卷43〈歸去來集字十首〉。

㊱　《蘇軾詩集》卷39〈和陶歸園田居六首〉（其一）。

㊲　同上（其二）。

㊳　同上（其六）。

㊴ 黃庭堅〈與歐陽元老書〉。
㊵ 《蘇軾詩集》卷41〈和陶止酒〉。
㊶ 同上〈和陶停雲詩四首〉（其二）。
㊷ 同上（其四）。
㊸ 《蘇軾詩集》卷40〈和陶答龐參軍六首〉。
㊹ 《蘇軾詩集》卷42〈和陶王撫軍座送客〉。
㊺㊻ 《蘇軾詩集》卷47〈和陶歸去來兮辭〉。
㊼ 《蘇軾詩集》卷42〈和陶形贈影〉。
㊽ 同上〈和陶影答形〉。
㊾㊿ 同上〈和陶神釋〉。
51 《蘇軾詩集》卷42〈和陶影答形〉。
52 同上〈和陶贈影〉。
53 同上〈和陶神釋〉。
54 《蘇軾文集》 卷1〈前赤壁賦〉。
55 《水調歌頭》（明月幾時有）。
56 57 清・趙克宜《蘇詩評注彙鈔》。
58 《蘇軾詩集》卷39〈和陶歸園田居六首〉（其二）。
59 《蘇軾詩集》卷39〈和陶歸園田居六首〉（其六）。
60 《陶淵明集》卷2〈歸園田居〉（其四）。
61 《蘇軾詩集》卷42〈和陶西穫早稻〉。
62 趙克宜《蘇軾評注彙鈔》。
63 劉熙載《藝概》卷2。
64 《蘇軾詩集》卷42〈和陶遊斜川〉。
65 《陶淵明集》卷41〈和陶雜詩十一首〉（其二）。
66 同上（其一）。
67 同上〈和陶擬古九首〉（其三）。

⑱　同上〈和陶停雲四首〉（其二）。

⑲⑳《蘇軾詩集》卷39〈和陶歸園田居六首〉（其一）（其二）。

⑳　《蘇軾詩集》卷41〈和陶九日閑居〉。

㉒　《蘇軾詩集》卷42〈和陶王撫軍座送客〉。

㉓　《蘇軾詩集》卷41〈和陶赴假江陵夜行〉。

㉔　《蘇軾詩集》卷40〈和陶胡西曹示顧賊曹〉。

㉕　釋惠洪《冷齋夜話・東坡得陶淵明之遺意條》。

㉖　《蘇軾詩集》卷41〈和陶田舍始春懷古二首〉。

㉗　《蘇軾詩集》卷41〈和陶赴假江陵夜行〉。

㉘　《蘇軾詩集》卷41〈和陶擬古〉（其一）。

㉙　《蘇軾詩集》卷40〈和陶胡西曹示顧賊曹〉。

㉚　同上，卷41〈和陶雜詩〉。

㉛㉜　《陶淵明集》卷2〈歸園田居〉。

㉝　謝榛《四溟詩話》卷三。

四、獨絶千古的長短句

明人茅坤，把蘇軾列爲古文「唐宋八大家」之一。清人陳廷焯說：「人知東坡古詩古文，卓絕百代，不知東坡之詞，尤出詩文之右。蓋仿九品論字之例，東坡詩文縱列上品，亦不過上之中下。若詞則幾爲上之上矣。此老生平第一絕詣，惜所傳不多也。」①稱詞爲蘇軾的「絕詣」，就是以詞爲蘇軾藝術創作中成就最傑出的部分。

蘇軾現存詞三百四十八首。②比北宋任何詞人留下的詞都多。所謂「所傳不多」，可能是和蘇軾傳世的詩文之多相對而說的。這三百四十八首詞，內容豐富：有對美好理想的熱烈追求，有在受到政治迫害時苦悶而又曠達的心情的抒發，有登高臨水的弔古傷今，有對親戚故舊深沉的眷念，有對醜惡事物的譏諷；寫了火樹銀花的都市繁華，也寫靜謐的農村和漁家；寫了寒夜孤燈的客館，也寫歌頌熱鬧的宴會；也寫流落江湖賣唱的遊女；……題材之廣，突破了前人。蘇軾以長短句這一藝術形式，傳達了生活中自然的美和精神的美，並以這些優美的作品表現了他自己的美的感受和創造。這些，也就是所謂蘇詞的「絕詣」。

蘇軾的詞作，體現了文藝作品眞、善、美相統一的極高的境界。他在〈臘日遊孤山訪惠勤惠思二僧〉詩中曾經說過：「作詩火急追亡逋，清景一失後難摹。」這種藝術經驗也包括詞的創作；他經常捕捉眼前的形象和抓住一瞬間的典型情緒，透過想像和聯想，結構出詞的意境。因此，他的詞題材廣泛，能眞實地反映現實，眞摯地抒發感情，並透過藝術意象揭示事的美醜、善惡，創造獨特的詞的藝術美。詞風也從他開始，發生了根本的變化，詞這一藝術形式，於是便成了「無意不可入，無事不可言」，③和詩、文同樣繁榮的一種藝術體裁。

古今絕唱〈念奴嬌・赤壁懷古〉，是蘇軾面對江山與古跡，思緒激蕩，即興揮筆而就；這首詞，也是他被貶黃州後的內心獨白，心靈深處的呼聲：

> 大江東去，浪淘盡，千古風流人物。故壘西邊，人道是，三國周郎赤壁。亂石崩雲，驚濤裂岸，捲起千堆雪。江山如畫，一時多少豪傑。 遙想公瑾當年，小喬初嫁了，雄姿英發。羽扇綸巾，談笑間，檣櫓灰飛煙滅。故國神遊，多情應笑我，早生華髮。人間如夢，④一樽還酹江月。

這首詞，對赤壁雄闊的畫面的渲染和作者對古戰場的憶念，寫得有聲有色。蘇軾以他豐富的想像力，在赤壁這一典型環境中，描繪了英俊的將領周瑜，他初娶小喬的年華，一派雄姿英發的氣象，有「羽扇綸巾」，談笑間破敵的儒將風度。在赤壁用火攻，使強大的敵軍「檣櫓飛灰煙滅」的典型戰例，構成了英雄人物的典型形象。寫景詠史，追古撫今，爲的是抒發蘇軾自己流貶江湖、事業無成的慨嘆。元好問稱譽這首詞說：「詞才百餘字，而江山人物無復餘蘊。」⑤正指出了蘇軾的高度的藝術概括能力。

他在黃州寫的〈西江月〉，是他強調捕捉形象這種文藝觀在創作實踐上的體現。

> 照野瀰瀰淺浪，橫空隱隱層霄。障泥未解玉驄驕。我醉欲眠芳草。　　可惜一溪風月，莫教踏碎瓊瑤。解鞍欹枕綠楊橋，杜宇一聲春曉。

這裡，蘇軾捕捉了春夜原野的月色，寫出灑滿月光的春水在閃躍流動，而春夜的長空又隱約地布滿濃淡相間的雲層。這是靜謐的，又是富有生命力的動的世界，他坐的玉驄，鞍韉未解就歡騰起來，而詩人自己更加被無邊的春色陶醉，他要傾聽春的聲息，享受春的愛撫，「我醉欲眠芳草」，想投身到大自然的懷抱中去。春風輕拂著溪水，月光照著淺浪，一溪風月這樣晶瑩澄澈；詩人怕一溪「瓊瑤」被「踏碎」。這一剎那間惜春的情懷，寫得何等細膩！他解下馬鞍，倚枕于綠楊掩映的小橋一端的草地上，進入夢鄉。當杜宇的啼聲喚醒他時，大地已一片晨光曉色。蘇軾在詞中抓住春夜迷人的美色，表露了當時心靈的動態，構成了優美的藝術境界。和上述〈念奴嬌·赤壁懷古〉相比，寬闊雄渾與細膩入微的風格，差異顯而易見，而就創作過程來看，都是他將客觀景物與主觀意緒相交融而創造的藝術精品。

〈沁園春〉也一樣。「孤館燈青，野店雞鳴，旅枕夢殘。漸月華收斂，晨霜耿耿，雲山摛錦，朝露團團。」，和杜甫〈夜〉

詩「露下天高秋氣清，空山獨夜旅魂驚」所描繪的羈旅之夜的生活圖景相比，異曲同工。再看〈望江南〉（登超然台）；「春未老，風細柳斜斜。試上超然台上看，半壕春水一城花。煙雨暗千家」，描繪超然台上的煙雨空濛；〈行香子〉（過七里瀨）：「一葉輕舟。雙槳鴻驚。水天清影湛波平。魚翻藻鑒，鷺點煙汀。過沙溪急，霜溪冷，月溪明。」刻畫如畫軸的水鄉風光。蘇軾創造了各種不同的藝術境界，讓生活中的美得到再現。

蘇軾之詞所以「極天下之工」，在於這些作品完全不是自然主義地對生活作實錄式的反映，而塗上了十分強烈的主觀感情色彩。蘇軾在政治上遭到一連串的打擊，生活上遇到了許多的不幸。這樣，他開朗超脫的個性和放曠的心胸，與當權者在政治上對他的壓抑和生活上對他的打擊，在蘇軾身上構成了深刻的對立。追求個性張揚的蘇軾，這種對立的狀況，一定要在自己作品中反映出來。所以他說他像陶淵明一樣，「逆人」之言，也一吐爲快。⑥把主觀上的眞情實感，在作品中完全傾吐出來，一快心胸，「如萬斛泉源，不擇地而出，唯詞亦然。」⑦這樣，蘇軾精神世界的各方面，在詞中用各種形式表現出來，這也是形成蘇詞眞善美相統一的重要因素之一。

蘇詞是他的心靈深處的獨白，是心靈的歌唱。他以眞情實感來進行的創作。〈江城子〉這首詞，寫得情意悱惻：

> 十年生死兩茫茫。不思量。自難忘。千里孤墳，無處話凄涼。縱使相逢應不識，塵滿面，鬢如霜。　夜來幽夢忽還鄉。小軒窗。正梳妝。相對無言，唯有淚千行。料得年年腸斷處，明月夜，短松崗。

眞情眞景，用白描手法，寫盡了他對淒涼身世的感慨和對亡妻的懷念。整首詞寫得婉轉淒哀。之所以千載之後還感人肺腑，就是因爲哀思眞切。

蘇軾因「烏台詩案」被貶黃州之後，過著「深自閑塞，扁舟草履，放浪山水間，與漁樵雜處」⑧的生活，但他沒有向生活屈服。〈定風波〉（沙湖道中）就是這種生活和思想的眞實寫照：

> 莫聽穿林打葉聲，何妨吟嘯且徐行。竹杖芒鞋輕勝馬。誰怕。一蓑煙雨任平生。　　料峭春風吹酒醒。微冷。山頭斜照卻相迎。回首向來蕭瑟處。歸去，也無風雨也無晴。

鄭文焯指出：「此足徵是翁坦蕩之懷，任天而動。琢句亦瘦逸，能道眼前景。以曲筆直寫胸臆，倚聲能事盡之矣。」⑨曲筆寫胸臆，這是中肯的評價。這首詞反映了蘇軾在黃州貶逐生活中的「坦蕩之懷」。山雨和夕照是當時「眼前景」，「君子坦蕩蕩」，蘇軾既不爲「穿林打葉」的雨聲擔憂，也不爲「山頭斜照」的晴景喜悅。在他看來，「也無風雨也無晴」，在山村密林中總保持著「一蓑煙雨任平生」的內心的平靜；在景物描寫中染上了主觀的情感色彩。

像〈卜算子〉寫深夜的孤鴻，表現了他對醜惡現實的傲視：「缺月掛疏桐，漏斷人初靜。誰見幽人獨往來，漂渺孤鴻影。　驚起卻回頭，有恨無人省。揀盡寒枝不肯棲，寂寞沙洲冷。」他把自己的思想性格，化爲縹渺的孤鴻，融注在這「有恨無人省」的藝術意象裏，明顯地表現了他「揀盡寒枝不肯棲」的孤傲高潔，不肯與世苟合。他巧妙地使用象徵的藝術手段，突現出這一時期中自己的內心世界。

從蘇軾的各種不同類型的篇章中，我們傾聽到詩人熱情的歌唱，坦率的自白，淒怨的幽思。那「大江東去，浪淘盡千古風流人物」的引吭高歌，那「有筆頭千字，胸中萬卷，致君堯舜，此事何難」的內心私語，那「千里孤墳，無處話淒涼」的哀思，都是詩人的眞情的凝煉與概括。他寫景抒情，也都表現了同樣的藝術個性。如「晚來雨過，遺蹤何在？一池萍碎，春色三分，二分塵土，一分流水」⑩的暮春景色，而下文「細看來不是楊花，點點是離人淚，」在對春殘絮飛的描寫中，滲入了離人的傷感。蘇軾以眞摯的情感，敏銳的領悟和豐富的思想叩動讀者的心弦。「一點浩然氣，千里快哉風。」⑪的直來直往，無掛無礙；「殷勤昨夜三更雨，又得浮生一日涼」⑫的恬靜悠閑；「但願人長久，千里共嬋娟」⑬的慰勉；「人生如逆旅，我亦是行人」⑭的曠達，意趣不同，但有一點是相同的，就是它們都出自蘇軾的心靈深處。眞，是美的基礎；美，是眞的復現。蘇詞的美與眞相互依存，相互融合，是不可分割的。明人袁宏道〈與丘長孺書〉說：「大體物眞則貴，眞則我面不能同君面，而況古人之面貌乎？」晚清況周頤《蕙風詞話》：「眞字有詞骨。情眞、景眞，所作必佳，且易脫稿。」這些都說明一個道理；只有眞，才使作品有個性，作品才能多樣化。蘇軾在有意無意中把眞、善、美作爲一種創作的思想，而在作品中努力加以體現，因此，他的詞作具有鮮明的個性特徵。

他的清新明快的農村詞和漁父詞，也是在這種創作思想指導下寫出的。這些膾炙人口的詞作，眞切地表現了農民和漁父的自然淳樸的生活。早在徐州時期，他在仕途上還比較順利所寫的一組描繪農村風光的小詞〈浣溪沙〉，筆下的勞動者生活十分寧靜平和：

麻葉層層苘葉光，誰家煮繭一村香，隔籬嬌語絡絲娘。

簌簌衣巾落棗花，村南村北響繅車。牛衣古柳賣黃瓜。

此後，人生坎坷。在飽經風霜之後寫成的〈漁父詞〉，雖然也反映農村勞動者的生活，但卻呈現出一股逸然超然的思想情趣：

漁父笑，輕鷗舉。漠漠一江風雨。　江邊騎馬是官人，
借我孤舟南渡。

靜謐的荒野江邊，質樸的莞爾而笑的漁父與輕盈自由的江鷗爲伴，跟風雨中追名逐利的官人構成鮮明的對照，蘇軾的美醜標準也在這裏明顯地得到標示。這一點，又是在非常自然的化工妙手中表現出來，使人感到是一種「眞態」的村野氣息。

劉辰翁說：「詞至東坡，傾蕩磊落，如詩如文，如天地奇觀。」⑮胸襟的傾蕩磊落與客觀的天地奇觀在形象思維的過程中得到化合，於是產生「含風偃蹇得眞態」⑯的詩章和詞章。

對蘇軾詞的藝術風格作理論概括，自南宋以來，一直是文學批評史上的一個熱門課題。其中，「銅琶鐵板」的豪放說，衆口傳述。兪文豹說：「東坡在玉堂日，有幕士善歌。因問：『我詞比柳詞何如？』對曰：『柳郎中詞，只好十七八女孩兒，執紅牙拍板，唱楊柳外曉風殘月。學士詞，須關西大漢，執鐵板，唱大江東去。』公爲之絕倒。」⑰這段話眞夠形象。人們往往把柳永詞和蘇軾詞的藝術風格對立，認定柳永是宋詞中婉約派的代表，蘇軾是豪放派的宗師。過去的一些文學史著作和有關論文，爲了尊豪放而抑婉約，過分地強調蘇詞的豪放風格，忽視了對蘇詞的全貌進行客觀的探討。

我們認爲，蘇軾的詞具有高度的美的價値、不朽的藝術魅力。既表現了陽剛之美，也表現了陰柔之美，決非單純的「豪放」二字可以概括的。過去的詞論家也曾指出過這一點。如周濟說：「人賞東坡粗豪，吾賞東坡韶秀。韶秀是東坡佳處，粗豪則病也。」⑱賀裳說：「蘇子瞻有『銅琶鐵板』之譏，然其〈浣溪沙·春閨〉曰：『彩索身輕常趁燕，紅窗睡重不聞鶯』。如此風調，令十七八女郎歌之，豈在『曉風殘月』之下。」⑲馮煦說：「詞有二派，曰

剛曰柔；呲剛者斥溫厚爲妖冶，呲柔者目縱佚爲粗獷。而東坡剛亦不吐，柔亦不茹。纏綿芳菲，樹秦柳之前稱；空靈動蕩，道張姜之大輅。惟其所之，皆絕詣。」⑳僅就這幾段評論來看，前人對蘇詞風格的探討，並不局限於「豪放」一格，而是從多方位去求索。

蘇軾有些詞的風格確是豪放的，除上述〈念奴嬌·赤壁懷古〉外，像〈江城子·密州出獵〉的「酒酣胸膽尙開張」，抒發了「會挽雕弓如滿月，西北望，射天狼」的報國熱情；〈陽關曲…贈張繼愿〉「恨君不取契丹首，金甲牙旗歸故鄉」的想馳騁沙場的抱負；〈水調歌頭〉（明月幾時有）和〈念奴嬌〉（憑高遠望）寫中秋之夜欲「乘風歸去」、「便欲乘風，翻然歸去」的傲遊月宮的想像，復現李白醉舞狂歡的逸興遄飛。〈水調歌頭·黃州快哉亭贈張偓佺〉的「一點浩然氣，千里快哉風」的獨來獨往，〈滿庭芳〉（蝸角虛名）的「百年裡，渾教是醉，三萬六千場」的放蕩；〈漁家傲〉（千古龍蟠并虎踞）的「公駕鳳車乘彩霧。紅鸞驂乘青鸞馭。……翻然欲下還飛去」的凌霄俯瞰人世。在這些作品中，表現了蘇軾豪情橫逸，筆力千均。這類詞爲數不多，只佔蘇軾詞作十分之一左右。但他們給人極爲鮮明、強烈的印象。在蘇軾以前，詞的內容大多以少女少婦爲中心，寫閨情閨怨，纏綿繾綣，「只好十七八女子執紅牙板」而歌。李煜寫亡國之恨的幾首詞，爲詞添了新的內容，但也還只適於低吟淺唱。到蘇軾把詞的題材擴大到前所未有的廣度，蘇軾二三十首不適于低吟淺唱，只能「登高遠望，舉首高歌」，「覺天風海雨逼人」的詞，最令人耳目一新。所以人們特別稱道蘇詞的豪放。

但蘇軾的詞，除佔總數十分之一的「豪放」之作外，其餘很多都不是能配合銅琵琶、鐵綽板、「舉首高歌」的。比方蘇詞中，大部分具有清新、明麗、雋秀的風格；其所以如此，是由於題材決定的。這些詞寫山川景色是那樣清新而明麗，寫人物又是那樣纖細而深情，另有一種情趣。這些詞，形象鮮明，語淡情深，感人肺腑。像〈江城子〉（十年生死兩茫茫），寫他對亡妻王夫人的悼念一往情深，纏綿悱惻。〈祝英台近〉（掛輕帆，飛急槳），寫情人之間「斷腸簇簇雲山，重重煙樹」的群山流水隔阻的兩地相思，「欲見無由，痴心猶自」，只盼望「一聲傳語」。寫得情意委婉，景色若隱若現，把主觀的情思與客觀的景物互相滲透。〈水龍吟〉（楚山修竹如雲）詠歌妓吹笛，從笛的素材、形狀至吹笛的情景的描寫，襯托出奏笛的人的秀美，進而又以音樂效果來反襯人物，著意對笛中奏出的曲調的動聽及音樂效果的細膩描寫，運筆空靈精遠。〈洞仙歌〉（冰肌玉骨）一詞。詠後蜀主孟昶與花蕊夫人「夜納涼摩訶池上」的動人傳說，人物形象美麗，柔情似水，而詞意溫潤和柔，流麗婉轉。沈祥龍說這首詞「韶麗處，不在塗脂抹粉也。……蓋皆在神不在跡也。」㉑〈蝶戀花〉（花腿殘紅青杏小）是寫春景之詞，其「枝上柳綿吹又少，天涯何處無芳草」兩句，把惜春、傷春之情，寫得綺麗絕倫。王士禎稱「恐屯田緣情綺靡，未必能過」。而〈浣溪沙〉（道字嬌訛語未成），則被論詞者公認爲不在柳永的「楊柳岸曉風殘月」之下。此外如〈江城子〉（鳳凰山下雨初晴）、〈南鄉子〉（繡鞅玉鐶遊）、〈西江月〉（玉骨那堪愁瘴）、〈阮郎歸〉（綠樹高柳咽新蟬）等篇，無論詠人詠物，都表現得極其溫柔美麗。

蘇軾以對山川風物的描寫，寄托他曠達飄逸的情懷，發人遐思。這是蘇詞另一風格。詞章高亮處，得陶淵明的清淡，王維的幽逸。這類詞既不險怪，又不穠麗，但平淡之言令人深深回味。如上文引〈西江月〉（照野瀰瀰淺浪）寫的是溪流月色，綠楊橋頭，空曠的草野，靜謐的春夜，儘管是平常的郊外，寂寞的單人獨騎，沒有名山巨壑，滄海大川；也沒有歌吹沸天，金迷紙醉；然而平常的景物被寫得韻味無窮。作者本人在詞境裏的陶醉，也令讀者神往。又如〈浣溪沙〉（山下蘭芽短浸溪）寫蘭溪「山下蘭芽浸溪。松間沙路淨無泥。蕭蕭暮雨子規啼」，多麼清麗！溪流明潔，蘭芽生機勃勃，林間沙路潔白；暮雨空濛中子規悲啼。景物平淡，何等富於詩情畫意；詞的下片因溪水西流，蘇軾唱出「誰道人生難再少，君看流水尚能西。休將白髮唱黃雞。」取白居易詩句反其意而用之，從而在詞中表現了作者對人生的信念。又如一組寫農村的〈浣溪沙〉和五首〈漁父〉詞，把農村的風光、農婦、漁夫的生活、神志寫得生機靈趣潑潑然；景色和人物都是平凡的，但讀者卻感到十分親切、難忘。有的詞上闋和下闋寫不同的情感，由於景物改移，人的思想也發生變化，這是自然的。如〈八聲甘州．寄參寥子〉，上闋寫海潮洶湧澎湃，作者爲之心胸開豁，忘懷今古；下闋寫「回首」望湖景山色，空翠煙霏，又想到與摯友相約同歸，則又不是忘情，而是多情。鄭文焯〈手批東坡樂府〉云：「突兀雪山，捲地而來，眞似錢塘江上看潮時，添得此老胸中數萬甲兵，是何等氣象雄且傑。妙在無一字豪岩，無一語險怪，又出以閑逸感喟之情，所謂『骨重神寒』，『不食人間煙火氣』者。詞境至此觀止矣。」又〈永遇樂〉（明月如霜）寫秋夜萬籟俱寂，一葉墜地鏗然有聲，人已寧靜；而下闋，詞人爲「燕子樓空，佳人何在，空鎖樓中燕。」而懷古時，「黃樓夜景，爲余浩嘆」，不但人不寧靜了，甚至萬籟無聲的夜也發出嘆息了。這些詞都是寓激情于平淡之中。

由此而論，蘇軾詞的風格不能以「豪放」概括，也不能以「婉約」包舉。豪爽任誕者有之，婉約蘊藉者有之，雅淡透逸者有之，穠艷華麗者有之，峭拔者有之，圓滑者有之。不是單調劃一，而是衆美兼具。王易《詞曲史》指出：蘇詞「上承樂府，遠紹風騷，理宜不限一途，傳情萬態。況剛柔迭用，喜慍分情，志動于中，則歌詠外發。豈可自小其域而區區以『婉約』爲正哉！」

蘇詞之所以風格多樣，原因不止一端。首先，蘇軾不斷地開拓詞的表現領域，擴大詞的表現手法，同時在創作中自覺或不自覺地轉換藝術風格。蘇軾學問淵深廣博，閱歷豐富，能以敏銳的眼力觀察和剖析生活中的事物。他的詞似乎是信手拈來，脫口而出；實在是蘇軾智慧、學識的凝煉和累積，是蘇軾在藝術創作中不斷求索的結果。他有思接千載，視通萬里的情思和視野，見之于詞，把詞的題材開拓得很廣闊，或抒情，或寫景，或敘事，或說理，或道家常，或諧謔，往往成爲佳作。題材的多樣決定風格的多樣。蘇詞風格的多樣，也是蘇軾在變革改造詞這一藝術形式的實踐中的卓越成績。

而且，由於蘇軾創作歷史長，創作跨度大，因此，他的藝術風格不可能一成不變。蘇軾的生活道路是複雜曲折的，他的政治生涯陂陀起伏，有順境，有逆境，逆境多而順境少，特別是在「烏台詩案」中差一點送了命，晚年被貶到天涯海角的儋州。他的生活不斷地變化，思想感情也不斷地變化。言爲心聲，一一見之于詞，這就構成了他詞作的各種不同的風格。

再則，蘇軾所受思想影響的複雜性，決定了他的創作思想的變化和發展；體現在詞篇上就出現風格的多式多樣。蘇軾接觸的人，上自皇帝宰執，下至漁夫蠶婦、賣藝求食者；他的友好有漢人，也有黎人，有文士墨客，也有僧道，惟其如此，他思想的接觸面很廣。他既學儒，又信釋道；既篤守周公孔子，又好莊老哲學；他歸誠僧佛，又以佛教爲虛妄。他的思想經常充滿矛盾。這些矛盾又因時間和遭遇的變化而變化。

蘇軾主張要讓作家的藝術個性得到充分發揮，提倡「出新意于法度之中，寄妙理于豪放之外」，㉒他提倡文藝創作應是「文理自然，姿態橫生」。從這些主張中，可以看到他所追求的藝術境界是何等自由寬廣，作詩作文如此，詞的創作實踐也不例外，決非某一藝術風格所能束縛得住。我們暫用「淡妝濃抹總相宜」這一詩句來作為蘇詞藝術風格多樣的真實寫照。

【附　註】

① 陳廷焯《白雨齋詞話》卷7。

② 據石聲淮、唐玲玲箋注《東坡樂府編年箋注》1993年，臺灣華正書局出版，又唐圭璋編《全宋詞》，南京師範大學計算機檢索為362首。

③ 劉熙載《藝概》。

④ 「人間」有本作「人生」。

⑤ 金・元好問〈題閑閑書赤壁賦〉。

⑥ 《蘇軾文集》卷67〈錄陶淵明詩〉。

⑦ 許昂霄《詞綜偶評》。

⑧ 《蘇軾文集》卷49〈答李端叔書〉。

⑨ 鄭文焯《手批東坡樂府》。

⑩ 〈水龍吟〉（似花還似非花）。

⑪ 《水調歌頭・黃州快哉亭贈張偓佺》。

⑫ 〈鷓鴣天〉（林斷山明竹隱牆）。

⑬ 〈水調歌頭・丙辰中秋〉。

⑭ 〈臨江仙・送錢穆父〉。

⑮ 劉辰翁《須溪集》卷6〈辛稼軒詞序〉。

⑯ 《蘇軾詩集》卷6〈歐陽少師令賦所蓄石屏〉。

⑰ 宋・俞文豹撰張宗祥輯錄《吹劍讀錄》。

⑱ 周濟《介存齋論詞雜著》。

⑲ 賀裳《皺水軒詞筌》。

⑳ 馮煦《東坡樂府序》。

㉑ 沈祥龍《論詞隨筆》。

㉒ 《蘇軾文集》卷17〈書吳子畫後〉。

第十四章　蘇軾的書法美學思想

書法是中國一種獨特的藝術，也是歷史悠久而實用價值十分顯著的藝術。歷代書家，運用點和線條，進行藝術結構，在筆墨技巧之中，創造出各自神采飛揚、形質繽紛而又流傳久遠的作品；理論家們也常常結合著書家的藝術實踐，不斷地探研書法的藝術規律。然而，對書法藝術的審美特徵的認識卻是十分分歧的。蘇軾的書法創作，炳炳煌煌，他對書法美學，也有自己的鞭辟入裡的見解。

㈠**「憂愁不平氣，一寓筆所騁」——書法藝術的本質特徵**。

我們現在見到的蘇軾的書法作品，大都是他中年以後形成的。

蘇軾的愛子蘇過，一直跟隨蘇軾，從被貶黃州直到蘇軾垂老而又再被貶惠州、儋州七年，常在左右。蘇過有一段話，爲我們了解蘇軾關于書法本質特徵的見解，提供了可靠的依據：「吾先君子豈以書自名哉，特以其至大至剛之氣，發於胸中而應之於手，故不見其有刻畫妖媚之工，而端章甫若有不可犯之色，知此然後可以知其書。」①蘇軾書法中體現的不可犯之色，是他胸中至大至剛之氣的外化；書法藝術是發抒的手段，是表意的藝術。

蘇軾論張旭的草書時說：「退之論草書：萬事未嘗屛。憂愁不平氣，一寓筆所騁。」②韓愈在《送高閑上人書》中認爲，張旭的草書，是他的喜怒、窘窮、憂愁、愉佚、怨恨、思慕、酣醉、無聊不平等諸種思想情緒，蘊蓄于心而借草書渲洩出來，寄寓于書法之中。蘇軾稱引韓愈的意見，同意韓愈的看法：書家對現實矛盾有著強烈的感受因而借草書抒發出來。這裏蘇軾是借韓愈的意見講張旭草書；其實，這也是講他自己的書法藝術和他對書法性質的基本認識。

蘇軾說，他的書作是「憤悱而發」的。③憤懣之氣蓄積于胸，心思想說而說不出來，但不吐又不快，其憂愁不平氣不得已而發之于書。

這種不得已之情，是怎樣產生的呢？蘇軾在〈跋歐陽文忠公書〉中，在欣賞歐陽修書法之餘，把歐陽修作爲書家典型來解剖：「仕人歷官一任，得外無官謗，中所無愧于心，釋肩而去，如大熱遠行，雖未到家，得清涼館舍，一解衣漱濯，已足樂矣。況于致仕而歸，脫冠佩，訪林泉，顧平生一無可恨者，其樂豈可勝言哉！余出入文忠門最久，故見其欲釋位歸田，可謂切矣！他人或苟以籍口，公發于至情，如飢者之念食也。」④歐陽修所懷的去官的迫切之情，「如飢者之念食」，個中充滿著「憂愁不平之氣」。歐陽修說過「凡士之蘊其所有不得施于世者，多喜自放于山巔水涯，外見蟲魚草木，風雲鳥獸之狀類，往往探其奇怪；內有憂思感情之鬱積，其興于怨刺，以道羈臣寡婦之所嘆，而寫人情之難言，蓋愈窮則愈工。」⑤在封建社會裏，清醒的書法家們，看到統治集團內部相互傾軋的可畏，認爲長期陷身于這種污穢政治的泥潭中是可恥的。他們當中，有的可以「釋肩而去」，擺脫仕途而「自放于山巔水涯」，「訪林泉」而樂身心，如歐陽修；有的則「自誓去官」以後，「欲一遊岷嶺，勤勤如此而至死不果，乃知山水遊放之樂，自是人生難必之事。」⑥如被王述所困的王羲之；有的則一生在政治漩渦當中浮沉，始終不能解脫，如蘇軾自己，「蘇公一生凡九遷！」不管是哪種情況，他們都有一個共同的特點：由於仕途的險惡，懷才不遇，因而「內有憂思感憤之鬱積。」這種憂愁不平之氣，書家都要借書以寄情，借書來渲洩。「吾亦無所求，駕言寫我憂。」⑦聯繫到封建社會中後期興起的文字獄，用詩文直抒胸臆時有不便，那麼，除了山水、花鳥、墨竹、木石等繪事以外，恐怕書法這種藝術形式，是藝術家所選擇的最理想的情感的載體了！從這個意義上說來，書法作爲一種寫意的藝術，是可以找到社會政治方面的因素作根據的。當然，這裏也有它的消極方面，即從激烈的鬥爭漩渦中脫身出來，在政治上採取了一種退避的態度，借書法藝術來尋求精神上的解脫。這也是我們應該充分注意到的。

蘇軾對他同時代善行草的書家石才美，有寄題〈石蒼舒醉墨堂〉一首，其中說：「何用草書誇神速，開卷惝怳令人愁，我常好之每自笑，君有此病何能瘳。自言其中有至樂，適意無異逍遙遊。近者作堂名醉墨，如飲美酒消百憂。」⑧用書法來吐肺腑情，消百憂，一時快意，精神上得到安慰與滿足，其適意程度無異于逍遙遊，飲美酒。

這不是書家石才美「嗜土炭如珍羞」的病態反映，也不僅僅是個人性格上的特徵。這是書家創作過程中一種帶規律性的現象，是有普遍性的。我們看看蘇軾描述他的要好的朋友米芾進行書法創作時的情景就明白了：「元章作書日千紙，平生自苦誰與美？畫地爲餅未必似，要令痴兒出饞水。……忍飢看書淚如洗，至今魯公餘乞米！」⑨在這種艱難困苦中作書，憂思感憤，平生疾苦；發抒于千紙之中；至于「書牆涴壁長遭罵」，⑩那也就完全不在乎了；抒情寫意，傾吐心聲，表現心境，才是第一位的。

書法是「任情恣性」、抒發懷抱的寫意藝術。基於對書法藝術本質特徵的這種認識，蘇軾對古來書論中關於書藝有賴于客觀現實根據的說法，進行駁辯。舊說傳聞：張旭見公主擔夫爭道而得書法，懷素見夏雲多奇峰，飛鳥出林，驚蛇入草而悟草書筆法，雷簡夫聞平羌江水暴漲聲，想其洶湧奔騰之狀而頓悟用筆……把這些傳聞，當作是客觀事實，因而在理論上認爲書藝也「外師造化」，書藝是曲折地反映客觀事物，是以客觀事物作根據的。蘇軾不同意這種看法，他說：

世人見古德有見桃花悟者，便爭頌桃花，便將桃花作飯吃。吃此飯五十年，轉沒交涉。正如張長史見擔夫與公主爭路而得草書之法；欲學長史書，日就擔夫求之，豈可得哉？⑪

文與可曰：

余學草書凡十年，終未得古人用筆相傳之法。後因見道上鬥蛇，遂得其妙。乃知（張）顛（懷）素之各有所悟，然後至于此耳！』留意于物，往往成趣。昔人有好草書，夜夢則見咬蛇糾結，數年，或晝日見之，草書則工矣！而所見亦可患。與可之所見，豈眞蛇耶？抑書之精也？予平生好與與可劇談大噱，此語恨不令與可聞之，令其捧腹絕倒也！⑫

在蘇軾看來，那種認爲客觀存在的事物，它們情狀不同，它們的各種變幻的形態，都在書家頭腦中有所反映而轉化爲書藝的說法，是一種無稽之談，如果相信這種說法，不僅不能使書藝長進，反而永遠也不會與書藝有「交涉」！

書家寫意，根本不可能以實物作根據，更不能照著事物去摹寫。蘇軾說：「古人得筆法有所自，張長史以劍器，容有是理；雷太簡乃云聞江聲而筆法進，文與可亦言見蛇鬥而草書長，此殆謬矣。」⑬他承認書法藝術與舞蹈中得到自己運筆的啓發與借鑒，但對客觀的自然形態的事物對書家的啓迪，卻持否定態度。他並不認爲，書家是通過對現實生活中其他事物的形體近似性的摹寫來掌握書藝的。

蘇軾在論書詩中說：「我本三生人，疇昔一念差。前生或草聖，習氣餘驚蛇。」⑭草書習氣餘驚蛇的典故，一是韋續的《書訣墨藪》，說鍾繇弟子朱翼作書，「作一放縱，如驚蛇入草」。一是《法書苑》記載的善草書的釋亞栖，草書如「飛鳥出林，驚蛇入草。」

蘇軾是從書藝的風格與鑑賞的角度，對這些典故作借喻的，所講的是草書的生動流暢。這與他在贊美文與可飛白時的借喻一樣：「美哉！多乎其盡萬物之態也，霏霏乎其若輕雲之蔽月，翻翻乎其若長風之捲旆也，猗猗乎其若游絲之縈柳絮，裹裹乎其若流水之舞荇帶也。離離乎其遠而相屬，縮縮乎其近而不隘也。」⑮這些其實都是想像力非常豐富的鑑賞者對書法藝術美的一種感受，描述性的類比，書家在創作過程中的藝術實踐活動，跟這些客觀事物沒有什麼必然的邏輯聯繫；即使是前面所引的「驚蛇入草」、「飛鳥出林」，在書法藝術的形式美中，無論如何也看不到蛇與鳥的眞實的形態，或者是這種實體的某種形象性的模擬，我們所能領會到的或在美感中意識到的，是這些實體的「意」，即這些蛇的「驚」意，鳥的「飛」意，書家創作時，如果歸根結蒂說來，跟現實有聯繫的話，那也好比是「得魚忘筌」，「得兔忘蹄」一樣，這裡是得「意」忘「象」，完全捨棄了客觀實在的物象，保留的只是「意」，實出的也是「意」。

但他論文時也強調「隨物賦形」；蘇軾的畫論又十分注意寫意，同時也兼顧到形神。在「意」與「物」的關係上，詩、文、畫這些藝術，因爲內容帶有確定性，在強調寫意時還要有物的根據，是客觀事物的反映；儘管這些藝術部類是不重外物描摹的準確性的，但還是力求在狀物的基礎上寫意。書法藝術卻不一樣，它的感性形式本身不單純是一種純粹的外在形式，裏面凝聚著、寄寓著書家的思想和情趣，因而同時又具有一定的社會內容。蘇軾實際上區分了書法藝術與其他藝術的不同特徵，書法是純寫意的藝術。這種認識，包含著蘇軾的個人生活經歷上的思想印痕，但主要的卻是反映了一個書家的創作實踐經驗的總結；這同時也是北宋書法進入一個新階段以後在理論上的推動。

㈡「神、氣、骨、肉、血」——書家寫意與書法形質的關係。

書法是寫意藝術。然而，如果我們以爲蘇軾主張書藝是一種無所依托的、可以由書家任意塗抹而不遵循一定的法則，那將是一個誤解。他對書法的構成因素，有一個明確的規定：「書必有神、氣、骨、肉、血，五者闕一，不爲成書也。」⑰蘇軾這一思想對東晉女書法家衛鑠思想的繼承與發揮，不過，他講得更具體，更確定。

書法的五要素，合起來看，是書法的結體，即書法中神彩和形質兩方面的辯證統一。神與氣，講的是書作的神彩，骨、肉、血，指的是書作的形質。

「書神」，就是「書意」，王羲之在〈自論書〉中講的「須得書意較深」，⑱「書神」的最早的提法；明代袁宏道在《徐文長傳》中講徐文長「不論書法而論書神」也是這個意思。蘇軾講「書神」，指的是書法藝術的感性形式中所體現的神彩，這同時也是書家的精神狀態的外化。他在論張旭書時說：「張長史草書頽然天放，略有點畫處而意態自足，號稱神逸」，⑲張旭草書，相傳往往是在大醉後呼喊狂走，然後落筆，頽然天放的意態，在書中自然流露與體現。他在論柳公權時同意柳公權自己論書藝的說法：「心正則筆正」，他接著指出：「世之小人書字，雖工而其神情終有睢盱側媚之態。」「書神」是書家精神的自我表現。

「書氣」講的是氣韻、氣勢，是構成書法神彩的另一側面，是指書家素質和本性在書作中的表現。個性以素質爲基礎；這種素質，構成了書家各不相同的個性，而書家獨有的個性，又構成了不同于他人的書家各不相同的個性，而書家獨有的個性，又構成了不同于他人的書藝風格，「永禪師書，骨氣深穩」而別出「奇趣」，⑳就是一例。

「神」和「氣」，都講書家的精神和氣質在書法中的體現。文藝是內心情志的抒發。唐代的孔穎達在《禮記注疏》中，把文藝，特別是音樂，跟「神」與「氣」的關係，作出了十分概括的表述：「氣盛而化神」，音樂是人的內在素質的鬱積而「英華發外」，即外化。蘇軾對漢民族的傳統的藝術觀加以發展，認爲書法也和音樂、詩歌、舞蹈一樣，都是抒情寫意的，所以，書法的神和氣，即神彩，是書家精神氣質的寫照。他說：「歐陽文忠公用尖筆乾墨，作方潤字，神采秀發，膏潤無窮，後人觀之，如見其清眸豐頰，進趨曄如也。」㉑這裏所說的「神采」，即「神」「氣」。

蘇軾講的「骨、肉、血」，即書法的形質。他在《題自作字》中說：「東坡平時作字，骨撐肉，肉沒骨，未嘗作此瘦妙也。」㉒血指運行于點畫之間的韻律和法度。蘇軾對書法的技巧是很講究的，我們今天看到的複製品已失其眞態。曾經見到蘇書眞跡的董其昌，在《跋蘇軾赤壁賦後》說，蘇的字「每波畫處，隱隱有聚墨痕，如黍米珠琲，非石刻所能傳。」黃山谷說的「筆不到亦韻勝」，則更能說明問題。「浩然聽筆之所之，而不失法度。」㉓寫意但又有法度，法度與書神互相促進，「作字要手熟，則神氣完實而有餘韻。」㉔

根據蘇軾這種論述，通常作爲藝術媒介手段的筆墨，已經不是單純藝術的感性形式，而是具有一定的社會內容。蘇軾把書法規範爲五要素而體現出神彩與形質兩方面的看法，是從南朝齊代書法家王僧虔的《筆意贊》中得到啓發的，王僧虔說：「書之妙道，神彩爲上，形質次之，兼之者方可紹于古人。」蘇軾的貢獻，是在於他肯定書法形質必有缺陷的前提下，探索了書法爲什麼會成爲文人所十分喜愛的一種藝術這樣的一個重要的理論問題。他指出：「筆墨之跡，托于有形，有形則有弊，苟不至于無，而自樂于一時，聊寓其心，忘憂晚歲，則猶賢于博奕也；雖然不假外物，而有守于內者，聖賢之高致也。」㉕。

各種藝術，都可以發抒情趣，但蘇軾在這種十分簡便的書寫之中，悟到了筆情墨趣，發現了最滿意的寄托形式。根據現有記錄，當時得蘇軾書法最多的是黃州王十六禹錫，他在《書贈王十六》中說：「王十六秀才禹錫好蓄余書，相從三年，得兩牛腰。」㉖魏了翁《鶴山題跋》云：「蘇氏翰墨，其散落人間者何可勝計，而楊氏（按：即濟甫）與三先生（按：此指蘇洵、蘇軾、蘇轍）爲比鄰，所蓄尤伙，且可信不誣。」不是嗎？蘇軾一生的創作活動，詩文以外，藝術作品中，書法是他創作最勤而又最得心應手的藝術部類了。

蘇軾中年因「烏台詩案」，在政治上受到沉重的打擊以後，雖然也因「不改其度」而時出悲憤之言，更多的時候卻是作自我警惕與誡備；「牢閉口，莫把筆」；他要更多地尋求內在情緒的穩定和精神的慰藉，因此，即使書法的形質「有弊」也是不必計較的，因爲可以寄寓心意，可以得到內心的和諧和心靈的自我解脫，而且這還是一種生活的「高致」。他的審美趣味與審美理想在這裡標幟著一個明顯的轉變。

他在《與滕達道書》、《與王佐才書》、《與程彝仲書》等書信中，說他自己「得罪以來，未嘗敢作文字」，「近來絕不作文」、「多難畏人，不復作文字」，他怕作詩爲文又招災禍，「以重其不幸」。這種心境是眞實的，可以理解的。但是，蘇軾是一個「受性剛褊，黑白太明」的人，對這次冤獄欲說不能，欲罷不休，不得已他寄希望于五百年以後昭雪，於是移向書法。他在與孫子思信中說：「過辱枉顧，知事務冗迫，不敢久留語。紙軸納去，餘空紙兩幅，留與五百年後人跋尾也，呵呵！」㉗又說：「此紙可以饞錢祭鬼，東坡試筆，偶書其上，後五百年當成百金之値，物固有遇不遇也。」㉘又說：「宗人鎔貧甚，若吾無以濟之。昔年嘗見李駙馬瑋以五百千購王夷甫帖，吾書不下夷甫，而其人則吾之所恥也。書此遺生，不得五百千，勿以予人，然事在五百年外，價直如是，不亦鈍乎？然吾佛一坐六十小劫，五百年何足道哉！」㉙《書歸去來詞贈契順》㉚文中也表達了同樣意思。

「詩案」毀詩、文；書法卻擺脫了詩、文在文學內容上的確定性。書寫《歸去來辭》，或寫《楞嚴經》中文殊師利法王所說《圜通偈》㉛之類，談佛論道，顯得「灰心槁形」，友人可以借書法而保留五百年以後；顯然，蘇軾借書法藝術以潛形。這裡面的最本質、最眞實的思想感情，在他給自己的知心密友李公擇的信中，曾經激昂慷慨地表述過：「道理貫心肝，忠義塡骨髓」，㉜他絕不放棄理想和主張，改變立場和態度。他在書法藝術論中表達的這種「五百年何足道哉」的堅定政治信念，是他在遠謫南荒，已經年老體衰的時候說的，這種信念，正是他的「不有益于今，必有覺于後，決不碌碌與草木同腐」㉝的思想的寫照。

在把握了蘇軾書論中這一層本質的思想認識以後，再回過頭來看他講書法的形質的言論，就有了本質的根據，「詩不求工字不奇，天眞爛漫是吾師。」「我書意造本無法，點畫信手煩推求。」㉞「書初無意于佳乃佳爾」，㉟「此數十紙皆文忠公衝口而出，縱手而成，初不加意者也。其文采字畫，皆有自然絕人之姿，信天下之奇跡也。」㊱書法藝術的形質是由神彩決定的，書家如只模仿別人，刻意求形式的工夫，是沒有出路的：「譬如鸚鵡學人語，所習則能否則默。心存形聲與點畫，何暇求字外意。」㊲

書神或書意，決定了書形，也即是說，書法藝術中感性形式本身所蘊的筆情墨趣，所包含的審美內容，對於「必有弊」的書形來說，是更根本的，是主導的，書藝決不能能只求技術工巧，那樣會走向形式主義。

從上面的分析中，我們可以從蘇軾的書論得到兩點帶規律性的啓示：

第一，在書法評論中不能就字論字，就書法的形質去作評價，因爲書法藝術感性形式所蘊積的內容是比較概括的，對書法藝術的審美意義的把握，一定要從多方去探求。蘇軾在評論唐代書法家褚遂良時，聯繫到唐高時對書法家歐陽洵的評價，認爲評論書法僅從書形著眼，往往不得要領，非兼及其人品不可：「古之論書者，兼論其平生；苟非其人，雖工不貴也！」㊳這就是說，像唐高宗評論歐陽洵那樣，以字觀人，得不出正確的結論，「非知書者」，正確的方法是以人論書，才能準確地把握書法藝術的內容。蘇軾明確地倡導這種以人論書的書藝批評方法，是跟他對書法藝術特點的認識聯繫在一起的。自漢末至魏晉以後，古代批評家素來把藝術家人品的評價聯繫在一起，藝術家的人格、人品與藝術品的表現，互爲表裏。蘇軾對書法藝術的批評方法，正是中國這一傳統方法的具體運用；在書法藝術的批評與鑑賞中的這一特點，即要求書法藝術家在追求藝術完善的同時，也追求自我人格的完善。這在今天也不失可取之處。

其次，在藝術上只是摹仿，一味矜持，刻意求工，不可能推動書法的發展；而能轉移積習，一新風氣的是那些意不在書的書家。

在中國書法的歷史上，蘇軾是一個劃時代的書家，在把行書提升到第一位方面的功績尤其卓著。因爲行書有楷書的明晰易辨的特點，又有草書的生機靈趣的風貌，通篇看來，精神抖擻，活潑而有生氣。蘇軾對自己的行書也是欣賞而自負的：「一紙行書兩絕詩，遂良鬚鬢已如絲。」㊴他突破唐代書家重結體、凝重而工整的楷書，開創尚筆意的一代書風。然而，蘇軾的本意並不是追求做一個書法家，他只是「興來一揮百紙盡，駿馬倏忽踏九州。」㊵自由表達個性。「窮年弄筆衫袖烏，古人有之我愿如。」㊶步此不疲而已！「將至曲江，船上灘欹側，撐者百指，篙聲石聲犖然，四顧皆濤瀨，士無人色，而吾作字不少衰，何也？吾更變亦多矣，置筆而起，終不能一事，孰與且作字乎？」㊷謫居儋州時，「此間紙不堪覆瓿，攜來者已竭，有便，可寄百十枚否？不必甚佳者。」㊸又〈曲洧舊聞〉引述他一段話：「東坡云：遇天色明暖，筆硯和暢，便宜作草書數紙，非獨以適吾意，亦使百年之後與我同病者有以發之也。」蘇軾意不在書，能做到「心忘其手手忘筆，筆自落紙非我使。」他因此能開風氣。正如朱熹《晦菴題跋》中所說：「東坡筆力雄健不能居人後，……而其英風逸韻，高視古人，未知其孰爲後先也。」

蘇軾曾一再贊譽蔡襄書法爲宋代第一。蔡襄書技不錯，但多是逐字摹仿，如他的眞書有二種，一是仿虞世南體，一是臨摹顏眞卿體，都缺乏個性；行草書手扎，本來可以舒展自如，但始終看不到自得之趣，不成自家體段。蘇軾的過譽，一方面可能因爲蔡襄是端明殿學士，官爵世譽高，蘇軾未免阿好；另一方面是歐陽修過譽于前，蘇軾學習老師，繼聲于後。根據蘇軾書論的基本思想看來，象蔡襄這種缺乏個性意趣的書家，是不可能轉變積習而創新風氣的。

㈢**「蕭散簡遠」——書法的最高藝術境界。**

蘇軾對書法的基本看法是「意造」，以寫意爲主，他對書藝意境的追求，也是從這一點出發的。

對書法的風格，蘇軾是主張多樣化的。杜甫寫詩評書法，主張瘦硬爲上：「峰山之碑野火焚，棗木傳刻肥失眞。苦縣光和尙骨立，書貴瘦硬方通神。」㊹蘇軾不同意杜甫的意見，其〈孫莘老求墨妙亭詩〉曰：「杜陵評書貴瘦硬，此論未公吾不憑。短長肥瘦各有志，玉環飛燕誰敢憎。」㊺他在詩中提到顏眞卿的書法「細筋入骨如秋鷹」，因而「變法出新意」；徐嶠、徐浩父子字體秀絕，是由於「字外出力中藏稜」，並盛贊李陽冰的筆法。書法應是長短肥瘦，各具形態，如楊玉環、趙飛燕一樣，肥瘦都各有風姿。他在與子由論書時也說：「端莊雜流麗，剛健含婀娜。」書法筆致應變化多姿。

風格可以多種多樣，但對書法最高的境界的追求，蘇軾卻聯繫到他對書法的性質的認識作出具體的闡述。

蘇軾指出：「予嘗論書，以謂鍾（繇）王（羲之）之跡，蕭散簡遠，妙在筆墨之外。至唐顏（眞卿）、柳（公權）始集古今筆法而盡發之，極書之變，天下翕然，以爲宗師。而鍾王之法益微。」㊻蘇軾在這裡論及書法最高藝術境界的三個方面的問題：

首先，書法與其他藝術不同，書法中技藝的高超，跟書法的最高境界是有區別的，這兩者常常形成對立著的矛盾，技藝好而境界不高，甚至因技藝高而妨礙了最高境界的完成。蘇軾這一思想，是針對著唐代書法藝術而發的。北宋統一，結束了五代紛爭局面，一度衰落的書法藝術，又重新獲得發展，蘇軾爲代表的這時書法界多寫便于抒發性靈的行書、草書，傾向於追求筆墨韻味。他批評唐楷而稱贊魏晉書藝，指出唐代顏眞卿、柳公權，「集古今筆法」，書法技藝很高，「使天下翕然以爲宗師」。但也因此，有唐一代，鍾、王的高妙境界由此越發衰微。這是當時寫意派的書家的共同認識，米芾在《跋顏書》中說：「大抵顏、柳挑剔，爲後世醜怪惡札之祖，從此古法蕩無遺矣！」

蘇軾對這種技藝高而境界益微的矛盾現象，作過深刻的分析。他也認爲顏、柳對書法有過較好的變革與創新；但他指出：「顏魯公平生寫碑，惟東方朔畫讚爲清雄，字間櫛比，而不失清遠；其後見逸少本，乃知魯公字字臨此書。」㊼這種臨摹的字，「雖大小相懸，而氣韻良是。」是對別人氣韻的重複而缺乏書法的意境。

唐代書風，以顏、柳爲代表，重視正楷，注重于書的結體與點、畫功夫。這種規矩的書法作品，首先看到的是點、畫，然後是一個字一個字的結體，見不出書法的「神」、「氣」、「情」、「意」，就整幅作品來看，缺乏抒情氣氛，不容易得到書意。這種楷法，如果「天下翕然，以爲宗師」，則造就了許多「寫御書人」。唐代不管是設置集賢殿還是改爲著作局、崇文館，都要「募能書者爲書直及寫御書人」，這些「筆匠」都是寫楷書的。㊽他們與「熟紙匠」、「裝璜匠」等一樣，不過是一些書寫的匠人；這些人書寫的技藝是很高的，但根本談不上意境。

唐代書家，由於楷書風行而盛行碑刻，在碑刻中，即使如王維、劉禹錫碑，蘇軾也認爲「二碑格力淺陋」，這些都是技藝高但不見書家情懷，顯示不出書法的藝術境界。

其次，書法的最高藝術境界是「蕭然簡遠」。

蘇軾對書法藝術境界的追求，越過唐代，追溯魏晉。他曾批評張旭與懷素：「顛張醉素兩禿翁，追逐世好稱書工。何曾夢見王與鍾，妄自粉飾欺盲聾。有如市娼抹青紅，妖歌嫚舞眩兒童。」㊾蘇軾在這裏是以詩來論書，用的是形象化的手段，誇張的筆調，其中的指責未免太過！但他的思想傾向是清楚的：唐楷是一種實用工具，缺乏意趣，唐草的主要弊端卻是「追逐世好」，是一種「粉飾」，缺乏「蕭然林下風」的格調，與王羲之、鍾繇根本不相及。他肯定鍾繇與王羲之的書法在境界上達到了最高成就：「蕭散簡遠」，他們在書法中體現了一種身心俱遣、物我兼忘的境界。

蘇軾對詩畫的追求，曾經明確地表述過：「東坡雖是湖州派，竹石風流各一時。前世畫師今姓李，不妨還作輞川詩。」㊿詩中所提到的是：文湖州的墨竹，寄寓深遠而格調瀟灑挺秀，深爲蘇軾所贊賞；東坡墨竹，不可復見，相傳的《木石圖卷》，枯木怪石，意境荒空，在格調上可與文同的墨竹媲美；李龍眠的畫，表現了與世無爭的高雅超逸的情懷；至於王維的輞川詩，更具林泉高致而淡于世情。這種靜謐恬惔的境界，所蘊含的社會心理內容，是蘇軾在評文與可時所揭示的：文與可「非今世之人也，古之人也。其文非今之文也，古之文也。其爲《超然》辭，意思蕭散，不復與外物相關。」51蕭散者，不復與外物相關也！在書法上所追求的蕭散簡遠的境界，是和他對詩、文、畫的審美要求相一致的。他在評杜祁公書時肯定杜祁公的書風「清閑妙麗，得昔人風氣」，52評秦少游書時說：「少游近日草書，便有東晉風味，」53這種「東晉風味」的「蕭散簡遠」的審美要求，顯然是老莊忘情于世道，把現實人生完全淡化的哲學思想在藝術上的復現。他在題王羲之帖時，贊賞王羲之的人生態度：「自誓去官，超然于事物之外，嘗自言吾當卒以樂死」，(54)這是借王羲之的身世表述自己的情懷，與「不與外物相關」是一致的，蘇軾甚至說：「清詩健筆何足數，逍遙齊物追莊周。」(55)這不僅僅是文士幽雅的情趣，也說明蘇軾受了莊子逍遙遊、齊物論思想的深刻影響，放狂自得，忘懷應物，身心俱遣，物我兼忘。這種超脫的消極觀念，再添上禪家的虛無縹渺，蘇軾參王泉皓禪師，「坡題自己照容偈曰：心似已灰之木，身如不繫之舟。」(56)這就是蘇軾追求「蕭散簡遠」的境界的哲學基礎。

對「蕭散簡遠」的境界的欣賞與追求，還有更深一層的政治原因。蘇軾贊賞阮籍的「高情遺萬物，不與世俗論」的政治態度，認爲阮籍「遁世默無言」是一種政治手段，而「亂世足自存」才是他的政治目的。(57)這種遁世避亂以自存的思想，裏面也包含著厭惡當時一塌糊塗的醜惡現實，埋所當然地追求一種使心緒安寧的境地：「野水參差落漲痕，疏林欹倒出霜根。扁舟一棹歸何處，家在江南黃葉村。」(58)野水荒灣，疏林霜根，扁舟一葉，小橋人家，還有「瘦竹枯松寫殘月」，(59)都是追求和嚮往的處所。劉熙載說「東坡評褚河南書『清遠蕭散』。」說蘇軾贊張長史眞書〈郎官石記〉「作字簡遠，如晉、宋間人。」(60)朱履貞說「蘇文忠公書，得晉、宋風格。」(61)吳德旋說蘇軾書法中的「蕭淡之筆」，「有淡不可收之妙」(62)指的都是這樣的一種藝術境界，蘇軾對晉代鍾、王的書法，自己所下的功力是很深的。元代黃譖見過他臨繇帖的手跡，贊爲「得其神意」；(63)現存的〈西樓蘇帖〉，臨王羲之《講堂帖》，蘇軾自己在跋語中說：「此右軍書，東坡臨之，點畫未必近似，然頗有逸少風氣。」蘇軾自己藝術實踐上所體現的對蕭散簡遠境界的嚮往，跟他理論的主張，是十分契合的。

再次，書法藝術最高境界的表現，「常在鹹酸之外」，即超越書法的客觀形式之外。

「鹹酸之外」跟唐代司空圖所反複強調的「韻外之致」、「味外之旨」、「象外之象」本來都是詩歌境界的理論。蘇軾在談到司空圖的《詩品》時，說是他「自列其詩之有得于文字之表二十四韻」，「文字之表」和「鹹酸之外」，都是強調優秀的藝術作品，要能越出藝術手段所構成的具體的實象之外，給人留下聯想與回味的餘地，給人以更多理性的啓發。謝赫的《古畫品錄》說：「若拘以體物，則未見精粹，若取之象外，方厭膏腴，可謂微妙也。」蘇軾一貫主張「詩畫本一律」，他把講詩畫意境的「鹹酸之外」、「象外之意」運用到書法藝術上來，因爲如上所述，書法的創作過程，是書家心理的物質化的過程，在書法當中，就融合了書家個人的鮮明的個性特徵。但這種特徵不是在書裡赤裸地表露出來，而是書家感情的折射，是書家個性、感情積澱的筆墨情趣，書家個性轉化爲鮮明的筆墨形式與風格。

蘇軾在這裏所著意強調的，一方面是書家在創作時，要運用書法的藝術手段來突破書法形質的某些局限，通過有限的筆、畫、結體和字幅安排，把自己的情緒、思想盡可能地暗示出來，讓自己的個性變爲一種審美價值；另一方面是觀賞者要透過「知人論世」，透過想像與聯想，超越書法特定外形的「象」，領悟到象外的意義所在，把 握書家個性特徵于書法的「鹹酸之外」。

蘇軾的書法藝術，已成中國傳世墨寶。黃庭堅早已預言：「蘇翰林用宣城諸葛齊鋒筆，作家疏疏密密，隨意緩急，而字妍媚百出。古來以文筆名重天下，例不工書，所以子瞻翰墨尤爲世人所重。今日市人持之以得善價。百餘年後，想見其流風餘韻，當萬金購藏耳。」64蘇軾幼而好書，老而不倦，黃庭堅謂其「少時規模徐浩，筆圓而姿媚。中年喜臨顏尚書，眞行造次爲之，便欲窮本。晚年乃喜李北海書，其豪勁多似之。」㊷他在書法藝術上的造詣很深，雖不能說宋朝第一，㊸但已列入宋人書法四大家之一。後代對蘇軾的筆法，也多有評論，元代趙孟頫《題東坡書醉翁亭記》中說：「或者議坡公書太肥，而公卻自云：『短長肥瘦各有度，玉環、飛燕誰敢憎？』又云：『余書如綿裹鐵』余觀此帖，瀟灑縱橫，雖肥而無墨豬之狀，外柔內剛，眞所謂『綿裹鐵』也。」㊹對蘇軾的行楷《赤壁賦》，明代董其昌也評論說：「坡公書多偃筆，亦是一病。此《赤壁賦》庶幾所謂欲透紙背者，乃全用正鋒，是坡公之〈蘭亭〉也。眞蹟在王履善家。每波畫盡處，隱隱有聚墨痕，如黍米珠，恨非石刻所能傳耳。嗟乎，世人且不知有筆法，況墨法乎！」㊺書法藝術是書法家把思想、情感外化到作品上的實踐過程，蘇東坡的書法藝術，也融注了他的人格，「如其學，如其才，如其志，總之如其人而已。」㊻蘇軾書法的豪宕氣概，我隨筆性，筆隨我勢，相得相融，的確是蘇軾性格在筆墨中的外化，蘇軾的書法，內剛外柔，剛柔相間，氣韻酣暢。他留下的書法珍品有〈答謝民師論文帖〉、〈祭黃幾道文〉、〈前赤壁賦〉、〈黃州寒食詩帖〉等。

【附　註】

① 蘇過《斜川集》卷6〈書先公字後〉。

② 《蘇軾詩集》卷17〈送參寥師〉。

③ 《蘇軾文集》卷69〈跋所書清虛堂記〉。

④ 《蘇軾文集》卷69〈跋歐陽文忠公書〉。

⑤ 《歐陽修全集》卷42〈梅聖俞詩集序〉。

⑥ 《蘇軾文集》卷69〈題逸少帖〉。

⑦ 《蘇軾文集》卷68〈記所作詩〉。
⑧ 《蘇軾詩集》卷6〈石蒼舒醉墨堂〉。
⑨ 《蘇軾詩集》卷29〈次韻米黼二王書跋尾二首〉。
⑩ 《蘇軾詩集》卷2〈郭祥正家醉畫竹石壁上郭作詩爲謝且遺二古劍〉。
⑪ 《蘇軾文集》卷69〈書張長史書法〉。
⑫ 同上〈跋文與可論草書後〉。
⑬ 《蘇軾文集》卷69〈書張少公判狀〉。
⑭ 《蘇軾詩集》卷34〈次韻致政張朝奉仍招晚飲〉。
⑮ 《蘇軾文集》卷21〈文與可飛白贊〉。
⑯ 《蘇軾詩集》卷16〈讀孟郊詩〉。
⑰ 《蘇軾文集》卷69〈論書〉。
⑱ 王羲之《自論書》。
⑲⑳ 《蘇軾文集》卷69〈書唐氏六家書後〉。
㉑ 《蘇軾文集》卷69〈跋歐陽文忠公書〉。
㉒ 同上〈題自作字〉。
㉓ 《蘇軾文集》卷69〈書所作冢後〉。
㉔ 同上〈記與君謨論書〉。
㉕ 《蘇軾文集》卷69〈題筆陣圖〉。
㉖ 同上〈書贈王十六〉。
㉗ 《蘇軾文集》卷56〈與孫子思七首〉（其四）。
㉘ 《蘇軾文集》卷69〈戲書赫𧿹氏〉。
㉙ 《蘇軾文集》卷69〈書贈宗人鎔〉。
㉚ 《蘇軾文集》卷69。
㉛ 同上〈跋所書圜通偈〉。
㉜ 《蘇軾文集》卷51〈與李公擇書十七首〉（其十一）。
㉝ 《蘇軾文集》卷53〈答李方叔十七首〉（其十六）。

㉞　《蘇軾文集》卷6〈石蒼舒醉墨堂〉。

㉟　《蘇軾文集》卷69〈評草書〉。

㊱　同上〈跋劉景文歐公帖〉。

㊲　《蘇軾文集》卷21〈小篆般若心經贊〉。

㊳　《蘇軾文集》卷69〈書唐氏六家書後〉。

㊴　《蘇軾詩集》卷11〈柳氏二外生求筆跡〉。

㊵　《蘇軾文集》卷6〈石蒼舒醉墨堂〉。

㊶　《蘇軾詩集》卷4〈將往終南和子由見寄〉。

㊷　《蘇軾文集》卷69〈書舟中作書〉。

㊸　《蘇軾文集》卷55〈與程全父十二首〉（其十）。

㊹　《九家集注杜詩》卷14〈李潮八分小篆歌〉。

㊺　《蘇軾詩集》卷8〈孫莘老求墨妙亭詩〉。

㊻　《蘇軾文集》卷67〈書黃子思詩集後〉。

㊼　《蘇軾文集》卷69〈題顏公書畫讚〉。

㊽　《新唐書・百官志二》。

㊾　《蘇軾詩集》卷25〈題王少逸少帖〉。

㊿　《蘇軾詩集》卷47〈次韻子由題《憩寂圖》後〉。

51　《蘇軾文集》卷66〈書文與可超然台賦後〉。

52　《蘇軾文集》卷69〈跋杜祈公書〉。

53　同上〈跋秦少游書〉。

54　《蘇軾文集》卷69〈題逸少帖〉。

55　《蘇軾詩集》卷6〈送文與可出守陵州〉。

56　《蘇軾紀事》卷下〈禪師〉。

57　《蘇軾詩集》卷2〈阮籍嘯台〉。

58　《蘇軾詩集》卷29〈書李世南所畫秋景〉。

59　《蘇軾詩集》卷36〈次韻吳傳正枯木歌〉　。

⑽ 劉熙載《藝概·書概》。

⑾ 朱履貞《書學捷要》。

⑿ 吳德旋《初月樓論書隨筆》。

⒀ 元·黃諳《黃文獻公集》。

⒁⒂ 黃庭堅《書錄》。

⒃ 《書錄》中云：「本朝善書，自當推爲第一。」

⒄ 《趙孟頫集·續集》浙江古籍出版社，1986年版。

⒅ 董其昌《畫禪室隨筆·評蘇軾赤壁賦》。

⒆ 劉熙載《藝概·書概》。

第十五章　蘇軾與民間文學

蘇軾在文學藝術上獲得傑出成就的原因是多方面的，因為他聰穎，有良好的家庭教養，有博大精深的學問及深廣的生活基礎等等，而從豐富多彩的民間文字的寶藏中吸取剛健清新的養料，也是一個極其重要的因素。

蘇軾對典籍中所保留下來的古代民歌的態度是極其嚴肅、認眞的，他潛心研究過，並將民歌中的風格及手法，在自己的創作實踐過程中加以消化和吸收。他在論荀子《成相篇》時曾說過：

> 孫卿子有韻語者，其言鄙近，多云「成相」，莫曉其義。《前漢·藝文志·詩賦類》中有《成相雜詞》十一篇，則成相者，蓋古謳謠之名乎？疑所謂「鄰有喪，舂不相」者。又《樂記》云：「治亂以相」。亦恐由此得名，當更細考之。①

《成相篇》是荀況晚年的作品，他採用古代民間通俗的文藝形式，每篇以「請成相」作為發端語，文字通俗，而且押韻；觀點鮮明，表達了荀子的政治理想。蘇軾在這段跋語中，對《成相篇》進行詳細的分析。

他說，《成相》篇語言通俗，貼近老百姓的日常話語，即他所說的「其言鄙近」。

他認為，過去人們對「成相」的解釋，衆說紛紜，「莫曉其義」；事實也是這樣。就近人梁啓雄《荀子簡釋》中對《成相》二字的注解，徵引了多種不同的說法。如釋「成」，《說文》：

「成，就也。」《尙書·皋陶謨》：「簫韶九成」，鄭注：「樂備作謂之成。」《禮記·樂記注》：「成猶奏也。」又釋「相」，《小雅·廣詁》：「相，治也。」《呂覽舉難》：「相也者，百官之長也。」《禮記·檀弓》：「鄰有喪，舂不相；里有殯，不巷歌；」注：「相，謂以音相勸。」《曲禮注》：「相，謂送杵聲。」「成相」合解時，含義一般有二說：㈠謂成就相治國家的偉業；㈡謂合唱舂米歌。因此，這一標題的含義是相關的。有監於這些見解的不同，因此蘇軾說「莫曉其義」。這是有原因的。

蘇軾還認爲《成相》篇是民間歌謠。《漢書·藝文志》的《雜賦》中，保存了《成相雜辭》十一篇。戰國以後，「成相是文學作品的名稱；荀子《成相篇》在體裁上是用《成相雜辭》的程式，所以蘇軾指出，《成相篇》是指「古謳謠之名」，是舂米之歌，即他所說的「疑所謂鄰有器舂不相者。」

他指出《成相篇》是具有政治意味的文學作品。他根據《樂記》提出：「治亂以相輔也，亦恐由此得名。」荀子《成相篇》極其扼要地表達自己的政治思想，蘇軾所提也符合事實。

蘇軾對古代民歌十分關切；他不僅在理論上進行探討，而且從中吸取藝術營養，付諸創作實踐。宋代朱翌說過：「東坡作《鍾子翼詞》，用四字七字爲句，『崆峒磨天，章貢漱石致兩确』，荀子《成相篇》格也。句皆協韻，如『人王無賢』，如『瞽無相，何伥伥。』《王文考靈光殿賦》：『彤彤靈官，巋嶵穹崇龐鴻兮，』其下皆協韻，但加兮字。」②朱翌生活的時代，距蘇軾的創作時期很近，他所指出的，蘇軾著意運用「成相」的語調，進行創作。這有力地證明，蘇軾對古代民歌的態度是十分積極的。

楚詞是古代楚地的民歌，經文人加工創造後而蔚然成爲世代傳誦的詩體；但因世道的變遷，時代的推移，至北宋，所傳已甚寡，這使蘇軾不禁茫然嘆息。他寫了篇《書鮮于子駿楚詞後》的文章，表明了他對楚地民歌的鮮明態度。這篇文章，是由於他的朋友鮮于子駿作楚詞九誦送給他看而引起的。當他讀了這篇作品之後，「茫然而思，喟然而嘆，慨嘆楚聲不傳」：

> 嗟乎，此聲之不作也久矣。雖欲作之，而聽者誰乎？譬之於樂，變亂之極，而至於今，凡世俗之所用，皆夷聲夷器也，求所謂鄭、衛者，且不可得，而況於雅音乎？學者欲陳六代之物，弦匏《三百五篇》，犁然如戛釜竈，撞甕盎，未有不坐睡竊笑者也，好之而欲學者無其師，知之而欲傳者無其徒，可不悲哉？」③

因此，蘇軾對鮮于子駿作楚詞，認爲非常可貴，這是「難且工」的一項事業。他說：「今子駿獨行吟坐，思寤寐於千載之上，追古屈原、宋玉，友其人於冥寞，續微學之將墜，可謂至矣。而覽者不知甚貴，蓋亦無足怪者。彼必嘗從事於此，而後知其難且工。其不學者，以爲苟然而已。」④體現楚地民歌傳統的楚詞，對蘇軾乃竟有如此強烈的吸引力；對能學習民歌，繼承民歌傳統的詩人，感到難能可貴！這充分表明蘇軾對古代民歌的重視的程度。

為什麼蘇軾如此重視民歌？因爲民間文學中深蘊著一種原始的質樸的美。古樸眞實的民歌是美的，正如車爾尼霍夫斯基所說的：「民歌中有很多新鮮和純樸的地方，而這就足夠供我們的美感來欣賞。」④在民歌中凝聚了富有想像力的神話傳說，保留了慷慨悲壯的英雄史詩，也有情意綿綿的愛情生活的抒寫。所有這些，都洋溢著樸素的自然之美，有著歷久不衰的藝術魅力。蘇軾對民歌的熱愛，是從一個藝術家的敏銳的藝術感覺出發的，是一種藝術理性的表現。

在民間文學中，蘇軾對歷史歌謠〈竹枝歌〉懷著濃厚的興趣。

他青年時代，曾二度適楚，第一次是在西元1059年（宋仁宗嘉祐四年），蘇軾與父親蘇洵、弟弟蘇轍乘船至京，路經楚地，「自蜀至於楚，舟行六十日，過郡十一，縣三十有六。」⑥一路上，蘇軾遊覽楚地風光，調查楚地風土人情，考察楚國遺留的文物傳說，也特別注視楚地民歌。他認為，楚地民歌古樸哀綿的韻調，適合於表現濃郁的感情色彩；尤其是當地記敘歷史題材的〈竹枝歌〉，在民間相繼接傳。這些敘述歷史的歌謠，是一種讓楚地人民熱愛鄉土、熱愛生活的精神食糧，這類歷史歌也是楚鄉千古的悲歌，它們具有特殊的涵攝。基於這一點，蘇軾對楚地的〈竹枝歌〉，表現了特殊的感情。

學習民歌竹枝詞而獲得成成的，始于唐代劉禹錫。《樂府詩集》載：「竹枝本出於巴渝，劉禹踢作新辭九章，教里中兒歌之，由是盛於貞元、元和之間。」《新唐書·劉禹錫傳》：「禹錫謂屈原居沅，湘間作《九歌》，使楚人以迎送神，乃倚其聲，作〈竹枝詞〉十餘篇。於是武陵夷俚悉歌之。」劉禹錫說過：「其言如吳聲，念思婉轉。」蘇軾經楚地後，對竹枝詞高度贊揚，對劉禹錫的〈竹枝詞〉九章，更加推崇備至。黃庭堅說過：「劉夢得竹枝九章，詞意甚高妙，元和間誠可以獨步，道風俗而不俚，追古昔而不愧，比之杜子美夔州歌，所謂同工而異曲也。昔東坡嘗聞余詠第一篇，嘆曰：「此奔軼絕塵不可追也。」⑦其「奔軼絕塵不可追」是對竹枝詞的高度評價。他經常創作和歌唱竹枝詞，以現自己的懷愫。如他的〈歸朝歡〉（和蘇堅伯固）詞，就是反映了這種藝術實踐。詞曰：

我夢扁舟浮震澤，雪浪搖空千頃白。覺來滿眼是廬山，倚天無數開青壁。此生長接淅。與君同是江南客。夢中遊，覺來情賞，同作飛梭擲。　明日西風還掛席。唱我新詞淚沾臆。靈均去後楚山空，澧陽蘭芷無顏色。君才如夢得。

武陵更在西南極。竹枝詞，莫傜新唱，誰謂今古隔。⑧

蘇軾對竹枝詞的熱愛，溢於字裏行間！竹枝詞自古傳至今，含思婉轉的情調及幽怨的深訴，永遠具有振撼心弦的藝術魅力。白居易〈竹枝詞〉云：「瞿塘峽口水煙低，白帝城頭月向西。唱到竹枝聲咽處，寒猿闇鳥一時啼。」⑨與蘇軾所寫的「唱我新詞淚沾衣」，從不同角度呈現了對竹枝詞的藝術力量。

蘇軾曾親自創作〈竹枝詞〉。〈竹枝歌〉有一段小序：

〈竹枝歌〉本楚聲，幽怨惻怛，若有所深悲者。豈亦往者之所見有足怨者與？夫傷二妃而哀屈原，思懷王而憐項羽，此亦楚人之意相傳而然者。且其山川風俗鄙野勤苦之態，固已見於前人之作與今子由之詩。故特緣楚人疇昔之意，爲一篇九章，以補其所未道者。⑩

小序著重闡述竹枝歌的歷史題材的感人力量，於是他根據「傷二妃而哀屈原，思懷王而憐項羽」的題材，寫下這支哀怨動人的竹枝歌。歌辭的原文較長，僅錄寫二妃的詩句：

蒼梧山高湘水深，中原北望度千嶺。帝子南遊飄不返，惟有蒼蒼楓桂林。楓葉蕭蕭桂葉碧，萬里遠來超莫及，乘龍上天去無蹤，草木無情空寄泣。……⑪

這一曲慷慨的千古悲歌，洋溢著熾熱的愛國主義情懷，表現了哀怨情韻，蘇軾對虞舜二妃的深情，對屈原忠貞不屈的節操的懷念，對楚懷王被蒙騙而造成歷史性錯誤的嘆息，對英雄項羽終於戰敗烏江的憐惜之情，都在竹枝歌中表露出來，情意纏綿婉轉，哀聲感人。在蘇軾的創作實踐中，我們看到民歌中的歷史詩對他的藝術影響是很深刻的。他運用民歌形式喚起人們對家園的熱愛之情，對鄉土的眷戀並培養對生活的崇高感情。這也無疑地說明了民歌的民族特點和地域特點。

楚地，民間傳唱著楚歌，也吸引著旅遊中的蘇軾的注意力，當他在荊州停留時，不僅觀察荊州的風土人情，也注意到民歌的傳唱情況。他在〈荊州十首〉中寫道：

> 沙頭煙漠漠，來往厭喧卑。野市分麞鬧，官船過渡遲。遊人多問卜，傖叟盡攜龜。日暮江無靜，無人唱楚辭。⑫

當他在暮色蒼茫的江邊，沒有聽到民間在歌唱楚辭，感到是件憾事，紀昀注蘇詩中注日：「譏古風之不存也。」這也是一種體會。而在詩意中理解，可以知道蘇軾對楚地民歌的重視。

蘇軾在民歌中尋找歷史生活的回響和遺跡，並追根溯源，考究民謠的來龍去脈，了解各類民歌的淵源，並力所能及地加以改造。他第一次在臨安（杭州）期間，聽到民歌〈陌上花〉，他興味盎然，考其根源，改其詞句，按民歌的傳說及詞韻賦新曲，因而寫了〈陌上花〉三首。篇首有小序曰：

> 遊九仙山，聞里中兒歌〈陌上花〉。父老云：吳越王妃，每歲春必歸臨安，王以書遺妃曰：『陌上花開，可緩緩歸矣。』吳人用其語爲歌，含思宛轉，聽之淒然，而其詞鄙野，爲易之云。⑬

這是民歌〈陌上花〉的傳說，蘇軾改造後的歌是：

> 其一
>
> 陌上花開蝴蝶飛，江山猶是皆人非。
>
> 遺民幾度垂垂老，遊女長歌緩緩歸。
>
> 其二
>
> 陌上山花無數開，路人爭看翠軿來。
>
> 若爲留得堂堂去，且更從教緩緩回。
>
> 其三

生前富貴草頭露，身後風流陌上花。

已作遲遲君去魯，猶教緩緩妾還家。

〈陌上花〉的婉轉思念之情，淒然之音，令人陶醉。而蘇軾改造後的〈陌上花〉，既保持了民歌的韻味，又根據民間傳說，以吳越王書中所說的「陌上花可緩緩歸矣」一語爲歌，歌唱歷史的流逝，描寫陌上花開的春景，詠嘆人生的盛衰，感情纏綿婉轉，不失民歌風致。

西元1079年（宋神宗元豐二年），蘇軾因「烏台詩案」文字獄被貶黃州，在黃州居住了四年零兩個月。在這漫長的歲月裡，蘇軾很注意黃州民歌，並對其源流進行了一番探討。他寫過一篇〈書雞鳴歌〉，首先談到他聽聞黃州雞鳴歌的情況：

余來黃州，聞黃人二三月皆群聚謳歌，其詞固不可分，而其音亦不中律呂，但宛轉其聲，往返高下，如雞唱爾。⑮

這裏記載了雞鳴歌音調的特色，「不中律呂」，即言不合音律，但宛轉動聽，聲音往返高下有如雞唱。因此，蘇軾進而考察雞鳴歌的源頭。指出：〈漢官儀〉『宮中不畜雞，汝南出長鳴雞，衛士候朱雀門外，專傳雞鳴。』又應劭曰：『今〈雞鳴歌〉也。』《晉太康地道記》曰：『後漢固始、鮦陽、公安、細陽四縣，衛士習此曲於闕下歌之，今〈雞鳴歌〉是也。』顏師古不考本末，妄破此說，余今所聞豈亦〈雞鳴〉之遺聲乎？土人謂之山歌云。」⑯蘇軾以他豐富的歷史知識，考證雞鳴歌的由來，點明雞鳴歌是黃州的山歌。楚地黃州是文化古城，古代文化在黃州遺留下來。《詩經・齊風》有〈女曰雞鳴〉篇，是一首戀歌，詩中寫妻子怕耽誤丈夫的公事，催他起身，爲「雞鳴戒旦」成語的由來。漢樂府〈相和歌〉也以〈雞鳴〉爲曲名，以首句「雞鳴高樹巔」名篇。可見雞鳴雖爲黃州民歌，實出古調，由此可了解到黃州古樸的風貌。

蘇軾對民歌作追根溯源的研究，表現了他對民歌的熱愛和嚴肅的態度；他正確估價古代民歌的藝術價值及對後代的影響；他肯定民歌的迷人的聲調，「幽怨惻怛」，「含思宛轉」；他贊揚民歌中迷人的傳說、樸素簡潔的語言，以及民間音調旋律的親切動人。

蘇軾對民歌的流傳和發展，作出了貢獻。此外，蘇軾在論述民歌時，往往使用「鄙野」一詞。談到〈竹枝調〉時，說「山川風俗鄙野勤苦之態」，言及〈陌上花〉，即曰「其詞鄙野」，說到〈雞鳴歌〉，也言「但極鄙爾」。「鄙野」一詞，幾乎是蘇軾對民歌的一種總的概括。但是，「鄙野」是不是對民歌的貶義呢？我們認爲並不完全如此。蘇軾的原意中含有通俗之意，指的是民間未經加工的通俗語言和村野中的音律，即是未經文人思想程式規範過的語言和腔調。也包含著未經儒家觀念選篩過濾的民間情思。當然，這也夾雜著蘇軾的文人詩歌的意識，認爲民歌還是與高雅的文詩有別，故常以「鄙野」述說。

歷代優秀作家的藝術成就，都與向民間文學學習分不開的。蘇軾對民間文學的態度及經驗，在中國文學史上是很可貴的，從中顯示了一種帶規律性的現象：一位傑出藝術家，包括蘇軾在內，他們的偉大成就，都在民間文學的美的寶藏中吸取營養，進行自己的藝術創造。

【附　註】

① 《蘇軾文集》卷66〈記孫卿韻語〉。

② 宋·朱翌《猗覺寮雜記》（上）。

③④ 《蘇軾文集》卷66〈書鮮于子駿楚詞後〉。

⑤　車爾尼雪夫斯基《藝術與社會生活》。

⑥　《蘇軾文集》卷48〈上王兵部書〉。

⑦　黃庭堅《山谷題跋》卷2〈跋劉夢得竹枝詞〉。

⑧　龍榆生《東坡樂府箋》卷2。

⑨　《白居易集》卷18〈竹枝詞〉。

⑩⑪　《蘇軾詩集》卷1〈竹枝歌〉并引。

⑫　《蘇軾詩集》卷2〈荊州十首〉（其五）。

⑬⑭　《蘇軾詩集》卷10〈陌上花三首〉并引。

⑮⑯　《蘇軾文集》卷67〈書雞鳴歌〉。

第十六章　後代對蘇軾的評價

蘇軾是一位繼往開來的人物，在中國漫長的文化史的鏈條當中，他是十分重要的一環。不管宋代統治者如何想方設法禁止蘇軾文集流傳，但蘇軾的聲名，代代相傳，跨越時代。蘇軾的人品文章，成爲中國文化精神的重要組成部分。

蘇軾繼歐陽修之後，成爲北宋的詩壇領袖，文藝泰斗。當時黃庭堅、秦觀、張耒、晁補之均爲蘇軾門人，號稱「蘇門四學士」。蘇軾生前，門人遍天下；蘇軾身後，有毀有譽。在他逝世後不久，崇寧元年（西元1102年）九月，蔡京又發動黨禍，「籍元祐及元符末年宰相文彥博等、侍從蘇軾等、餘官秦觀等、內臣張大良等、武臣王獻可等凡百有二十人，御書刻石端禮門。」十二月又詔：「諸邪說詖行非先賢之書，及元祐學術政事，並勿施用。」①崇寧二年（西元1103年）四月，詔毀蘇軾文集、傳說、奏議、墨蹟、書版、碑銘和崔誌，同時毀蘇洵、蘇轍、程頤、黃庭堅、秦觀等人的詩文集。

統治者的禁令，並沒有控制蘇軾文集的流傳；人們改稱蘇軾爲「毗陵先生」。朱弁曾記錄這段事跡：「崇寧、大觀間，東坡海外詩盛行，後生不復言歐公者。是時，朝廷雖嘗禁止，賞錢增至八十萬，往往以多相誇，士大夫不能誦坡詩者，自覺氣索，而人或謂之不韻。」②人們對讀蘇文蘇詩的熱情比下禁令前更狂熱了。費袞記載了這樣一樁事：「宣和間，申禁東坡文字甚嚴，有士人攜坡集出城，爲門者所獲，執送有司，見集後有一詩云：『

文星落處天地泣，此老已亡吾道窮，才力漫超生仲達，功名猶忌死姚崇。人間便覺無清氣，海內何曾識古風。平日萬篇誰護惜，六丁收拾上瑤宮。』京尹義其人，陰縱之。」③在宋人筆記中，還有兩則故事令人感動：一是記碑工的義氣。王清有記述：「九江碑工李仲寧，黃太史題其居曰瑑玉坊。崇寧初，詔郡國刊元祐黨籍姓名，太守呼仲寧，使劖之。仲寧曰：『小人家舊貧窶，因開蘇內翰詞翰，遂至飽暖，今日以姦人爲名，誠不忍下手。』守義之，曰：『賢哉，士大夫之所不及也！』餽以酒肉而從其請。」④一是記強盜敬愛蘇軾。洪邁記述：「紹興二年，虔寇謝達陷惠州，民居官舍，焚蕩無遺。獨留東坡白鶴峰故居，並率其徒葺治六如亭，烹羊致奠而去。次年，海寇黎盛犯潮州，悉毀城堞，且縱火。至吳子野近居，盛登開元寺塔見之，問左右曰：『是非蘇內翰藏圖書處否？』麾兵救之，復料理吳氏歲塞堂，民屋附近者賴以不爇甚衆。兩人皆劇賊，而知愛敬蘇公如此。彼欲火其書者，可不有愧乎？」⑤從百姓到強盜，都對蘇軾懷著深深的敬意。何況文人乎！崇寧五年（西元1106年）正月，彗星出現，尾長竟天，太白晝見。有一夜，雷雨大作，擊碎黨籍碑。當毀碑時，蔡京厲聲曰：「碑可毀，名不可滅。」⑥是時，徽宗懼天怒，二月遂罷蔡京。靖康元年（西元1126年）金兵圍京師，檄取東坡文集及司馬光資治通鑑。徽宗在外來的壓力下，詔復翰林侍讀學士。宋高宗建炎二年（西元1128年）戊申，詔復蘇軾爲端明殿學士，盡還合得恩數。紹興元年辛亥（西元1131年）特贈朝奉大夫資政殿學士。紹興九年庚申（西元1139年）申詔賜汝州郟城縣墳寺名爲旌賢廣惠寺。乾道六年（西元1170年）庚寅賜諡文忠。再崇贈太師。九年（西元1173年）癸巳復詔有司重刊東坡文集。理宗端平二年（西元1235年）乙未正月，詔從祀孔子廟庭，位列張載、程顥、程頤之上。⑦

據王文誥整理記載：蘇軾逝世後，浙西、淮南、京東、河北之民相與哭於市，其士君子奔弔於家，秦隴楚粵之間，車塵馬跡，所至無賢愚，皆咨嗟出涕，太學之士數百人，相率飯僧慧林佛舍，陳師道方官京師，聞公訃亦卒，張耒在潁州舉哀制服，坐貶黃州安置。黃庭堅懸像室中，奉之終身。不久，李昭玘、廖正一等皆坐廢黜而逝世。子由泣曰：「我初從公，賴以有知，撫我則兄，誨我則師。」米黻曰：「道如韓子，文比歐公，八周禦魅能旋，六合著名猶窄。」錢世雄曰：「降鄒陽於十三世，天室偶然，繼孟軻於五百年，吾無間也。」李廌曰：「皇天后土，知平生忠義之心，名山大川，還千古英靈之氣，廌布衣也，文出天下誦之。」⑧

蘇軾詩，在逝世後幾年即廣爲流傳。崇寧、大觀年間（西元1102—1107年），有趙云（次公）、宋云（援）、李德載、程縯四家的《蘇詩四註》，繼有趙云（次公）、李云（厚）、程云（縯）、宋云（援）、新添云（林子仁）作《蘇詩五註》，「四註」、「五註」皆編年註，出于北宋。南宋紹興初年趙夔編輯蘇傳，復有師民詹、任居實、孫綽、李堯祖四家接踵於後，其體例一本於夔而取編年五註，並納入之，是爲「八註」，「二十註」，嗣後又有王十朋、張器先等據三十一家編年分類匯集註，趙夔所編詩集爲《蘇詩十註》，王十朋編的爲《蘇詩百家註》。後來，范成大又勸陸游重新編註蘇詩，沒有實行。吳興施元之、施宿父子以兩代幾十年的功力，對蘇詩重新增編補訂，刊版于南宋嘉泰三年（西元1202年），這部註本以其繁徵博引，詮解詳備，稱譽士林。

趙夔等編註家們對蘇軾都進行全面的、高度的評價。趙夔說：「東坡先生讀書數千萬卷，學術文章之妙，若太山北斗，百世尊仰，未易可窺測藩籬，況堂奧乎！」⑨王十朋說：「東坡先生之英才絕識，卓冠一世，平生斟酌經傳，貫穿子史，下至小說、雜記、佛經、道書、古詩、方言，莫不畢究，故雖天地之造化，古今之興替、風俗之消長，與夫山川、草木、禽獸、鱗介、昆蟲之屬，亦皆洞其機而貫其妙，積而為胸中之文，不啻如長江大河，汪洋閎肆，變化萬狀，則凡波瀾於一吟一詠之間者，詎可以一二人之學而窺其涯涘哉！」⑩陸游在《施司諫註東坡詩序》中評東坡詩：「援據閎博，旨趣深遠。」他說：「某頃與范公至能會于蜀，因相與論東坡詩，慨然謂予：『足下當作一書，發明東坡之意，以遺學者。』某謝不能。」實際上，陸游對蘇軾的作品，領會是很深的；越是這樣就越感到注蘇詩的難度之大。他向范成大舉出兩個例子，問他將作何解釋，如「『五畝漸成終老計，九重新掃歸巢痕。』『遙知叔孫子，已致魯諸生。』當若為解？」范成大答曰：「東坡竄黃州，自度不復收用。故曰『新掃舊巢痕』，建中初，復召元祐諸人，故曰『已致魯諸生』，恐不過如此。」陸游說：「此某之所以不敢承命也。昔祖宗以三館養士，儲將相材，及官制行，罷三館。而東坡蓋嘗直史館，然自謫為散官，削去史館之職久矣，至是史館亦廢，故云『新掃舊巢痕』。其用事之嚴如此。而鳳巢西隔九重門』，則又李義山詩也。建中初，韓、曾二相得政，盡收用元祐人，其不召者亦補大藩。惟東坡兄弟猶領宮祠。此句蓋寓所謂不能致者二人，意深語緩，尤未易窺測。至如『車中有布乎』，指當時用事者，則近而易見。『白首沈下吏，綠衣有公言』，乃以侍妾朝雲嘗嘆黃師是仕不進，故此句之意，戲言其上僭。則非得於故老，殆不可知。必皆能知此，然後無憾。」因為詩語深語緩，未易窺測，故范成大嘆息說：「如此誠難矣。」理解蘇詩，在南宋的上層知識份子已認為如此艱難！

自宋到今，註解蘇詩有百家以上，也就仁者見仁，智者見智了。陸游曾記載蘇軾文章在南宋影響之廣。他說：「建炎以來，尙蘇氏文章，學者翕然從之，而蜀士尤盛。亦有語曰：『蘇文熟，喫羊肉。蘇文生，喫菜羹。』」⑪

到了金代，詩人們對蘇軾詩文的橫放超邁的格調，多所評論。王若虛云：「東坡之文，具萬變而一以貫之者也：爲四六而無俳諧偶儷之弊；爲小詞而無脂粉纖艷之失；楚辭，則略依仿其步驟而不以奪機杼爲工；禪語，則姑爲談笑之資而不以窮葛藤爲勝。此其所以獨兼衆作，莫可端倪。而世或謂四六不精於汪藻，小詞不工於少游，禪語、楚辭不深於魯直，豈知東坡也哉！」⑫王若虛否定蘇軾與秦觀、黃廷堅的高下的比較。認爲蘇軾是文中之龍，理妙萬物。元好問《論詩絕句三十首》有詩評論：「奇外天奇更出奇，一波纔動萬波隨。只知詩到蘇黃盡，滄海橫流却是誰。」又云：「金入洪爐不厭頻，精眞那計受纖塵。蘇門果有忠臣在，肯放坡詩百態新！」這二首詩，對蘇詩是褒是貶，歷代爭論不一。郭紹虞認爲；元好問詩，格實近東坡。翁方綱《讀元遺山詩》云：「遺山接眉山，浩乎海波翻，效忠蘇門後，此意豈易言。」元遺山學習蘇詩，已爲後代詩人所共識，潘德輿《論遺山詩》云：「評論正體齊梁上，慷慨歌謠字字遒。新態無端學坡谷，未須滄海說橫流。」指出元好問詩接踵蘇詩。所以元好問論蘇詩，雖指出蘇詩毛病，但並非貶抑，而是言簡意賅評論其達到藝術高度之後的不足處。在二百年來詩人多學坡谷的熱潮中，也指出蘇詩的瑕疵所在。元代也不乏人學蘇軾詩。袁桷曾爲周權《此山集》作序曰：「稱其法蘇、黃之準繩，達〈騷〉、〈選〉之旨趣。」⑬許有壬《懷坡樓記》云：「蘇文忠公文章在天地間，後世學者無所容喙。尙論其平生忠義而迹其出處，有不能不爲之浩歎者焉。」

⑭直至明代，學蘇又掀起了新的高潮。這時，不僅學蘇詩，而且崇高蘇軾文章、人品；尤其把學蘇文與科舉聯在一起。錢一清在〈序蘇長公合作〉中說：「長公之文，如太倉給粟，人得共飽。」⑮蘇軾的文章，已成爲一代文士的精神食糧。明代更多的是出版蘇軾選集，益加以評點，全面評介蘇軾的學問、人品及功業。王世貞說：「今天下以四姓目文章大家，獨蘇公之作最爲便爽，而其所撰論策之類，於時爲最近，故操觚之士，鮮不習蘇公文者。……蘇公才甚高，而出之甚達，而又甚易，凡三氏之奇盡於集，而蘇公之奇不盡于集，故天下而有能盡蘇公奇者，億且不得一也。」⑯王世貞對蘇文的喜愛，已到了讀蘇文可以提神醒腦的程度，他說少年時讀蘇文情景：「懶卷欲睡時，誦子膽小文及小詞，亦覺神至。」⑰明代評文，多以蘇文爲標準，湯賓尹說：「昔之以文海內外者，或品之曰：眉山再生。曰：宛然蘇家衣缽。」⑱明人學蘇軾文章，多被其品格、精神所感動，像李卓吾說「蘇長公何如人，故其文章自然驚天動地，世人不知，只以文章稱之，不知文章眞彼餘事耳，世未有其人不能卓立而能文章垂不朽者。」⑲又說他「平生心事宛然如見，如對長公披襟面語，朝夕共遊。」⑳又說：「《坡仙集》雖若太多，然不如是無以盡見此公生平，心實愛此公，是以開卷便如與之面敘也。」⑳李卓吾對蘇軾人品之敬已至了日夕難離的地步。焦竑《刻坡仙集抄引》云：「古今之文，至東坡先生無餘能矣，引物連類，千轉萬變而不可方物。即不可摹之狀與甚難顯之情，無不隨形立肖，躍然現前者，此千古一快也。」㉒

明代三袁兄弟對蘇軾的熱愛，已經是達到「心有靈犀一點通」的境界了。袁宗道因慕白居易、蘇軾爲人，故以白蘇名齋，袁宗道說：「伯修酷愛白、蘇二公，而嗜長公尤甚。每下直輒焚香靜坐，命小奴伸紙，書二公閑適詩，或小文，或詩餘一二幅，倦則一篇而臥，皆山林會心語，近懶近放者也。」㉓而袁宏道自己對蘇軾的熱愛，也不亞於乃兄，他在〈答馮琢菴師〉信中說：「宏近日始讀李唐及趙宋諸大家詩文，如元白歐蘇與李杜班馬，眞是雁行。坡公尤不可及，宏謬謂前無作者。」又在〈與李龍湖〉信中說：「近日最得意，無如批點歐蘇二公文集。……蘇公詩高古不如老杜，而超脫變怪過之，有天地來，一人而已。僕嘗謂六朝無詩，陶公有詩趣，謝公有詩料，餘子碌碌，無足觀者。至李杜而詩道始大；韓柳元白歐，詩之聖也；蘇，詩之神也。彼謂宋不如唐者，觀場之見耳，豈眞知詩爲何物哉？」這裡，袁宏道把蘇軾詩譽爲「詩之神也」，對蘇詩極爲崇拜，他在〈答梅客生開府〉信中又將蘇詩與李、杜詩比較，回答，「詩神」的內涵，他說：「蘇公詩無一字不佳者。青蓮能虛，工部能實；青蓮唯一於虛，故目前每有遺景；工部惟一於實，故其詩能人而不能天，能大能化而不能神。蘇公之詩，出世入世，粗言細言，總歸玄奧；恍忽變怪，無非實情。蓋其才力既高，而學問識見，又迥出二公之上，故宜卓絕千古。至其道不如杜，逸不如李，此自氣運使然，非才之過也。」袁宏道對蘇軾的推崇，已經到了傾倒的地步了。

明代學者也有偏愛東坡小品者，淩啓康〈刻蘇長公小品序〉云：「夫宋室文章風流藻采，至蘇長公而極矣，語語入玄，字字飛仙，其大者恣韻瀉墨，有雪浪噴天，層巒遍地之勢，人即取之；其小者，命機巧中，有盆山蘊秀，寸草函草之致，人或忽之。自茲拈出，遂使片楮隻言，共爲珍寶。」大贊東坡小品的完美，袁中道也說：「今東坡之可愛者，多其小文小說，其高文大冊，人固不深愛也，使盡去之而獨存其高文大冊，豈復有坡公哉。」㉔明人因小品文盛行，從而也把蘇軾小品作爲「快書」欣賞。明代之所以出現學蘇熱潮，也與一代文壇有密切關係。明代公安派主張「獨特性靈，不拘格套」，與蘇軾的嘻笑怒罵，皆成文章的格調正好一拍即合；晚明人的思想解放浪潮，也從蘇軾的莊老思想中獲得啓示。因而蘇軾的影響，在明代表現更爲強烈。

清代的著名學者，學蘇的熱情也甚高漲。葉燮說：「蘇軾之詩，其境界皆開闢古今所未有，天地萬物，嬉笑怒罵，無不鼓勵于毫端，而適如其意之所欲出。」㉕趙翼認爲「昌黎之後，放翁之前，東坡自成一家，不可方物。」㉖清代注蘇詩者很多，如宋犖與邵長蘅等補刊〈施注蘇詩〉，查愼行對蘇詩又作了全面的編年考訂及補注，汪師韓著《蘇詩選評箋釋》，翁方綱著《蘇詩補注》，馮應榴編《蘇文忠公合註》，紀昀點論《蘇文忠公詩集》，王文誥撰《蘇文忠公詩編注集成》，是綜合蘇軾注本的大成了，清人對蘇軾的感情，對蘇軾的高風亮節，肅然敬意。

蘇軾的學問文章，也名震域外，宋哲宗元祐四年（西元1089年），蘇轍出使遼國，遼國國主及大臣都向他問候蘇學士，蘇轍有詩云：

> 誰將家集過幽都，逢見胡人問大蘇。
>
> 莫把文章動蠻貊，遼國談笑臥江湖。㉗

在宋代，蘇軾已名揚他國，遼國還出版了《大蘇小集》。在日本國，珍重蘇軾作品及年譜，出版《東坡先生詩集》。1989年，上海古籍出版社出版王水照教授編的《宋人所撰三蘇年譜彙刊》，就是從日本國搜集來的，如例何倫的《眉陽三蘇先生年譜》，王水照先生說：「鈔本最後有題款云：『應永二十七年歲次庚子春三月於龍阜之萬秀山下書了。』後人於『應永二十七年』處，批註云：『離慶長七年一百八十二年』；於『龍阜』，處，批註云：『南禪寺』。按應永二十七年，爲1420年；慶長七年，爲

1602年，相隔正好182年。故知鈔本年代爲 1420年，相當於中國明永樂十八年，而爲日本室町時代足利四代將軍義持當政之時。」㉘由此可知，在明代日本已珍藏蘇軾作品及年譜。當代日本刻印《蘇軾全集》及詩集以及研究蘇軾的成果，也令人注目。

更令人感到意外的，德國偉大科學家愛因斯坦，他開創人類對宇宙認識新階段的「相對論」，就是運用蘇軾〈日喻〉這篇文章中的瞎子摸象寓言，愛因斯坦利用盲人對兩種比喻的演化，來解釋人們對「相對論」的理解。而且，愛因斯坦引證了蘇軾的〈題西林壁〉詩來解釋他的「廣義相對」學說，他在講到「三維空間裏的人難以想像出彎曲的三維空間裏，兩點有一根最『直』的曲線——短程線時，說：那就像中國宋朝大詩人蘇軾所說的「不識廬山眞面目，只緣身在此山中。」㉙這是一項很令人深思的事跡。一位偉大的科學家，在中國古代詩人詩歌中獲得了科學想像的靈感。蘇軾作品對世界影響之大，由此可見一端。

蘇軾名滿天下，當前國內外對蘇軾的研究，越來越廣泛，研究蘇軾的著作、文章，已經逐漸演變成爲一門獨立的學問。全國蘇軾研究學會成立已有十六年時間，蘇軾的文化精神，已構成中華民族文化精神的重要內容了。

【附　註】

① 《宋史》卷19〈徽宗紀〉。

② 朱弁《風月堂詩話》。

③ 費袞《梁谿漫志》。

④ 王清明《揮麈錄》。

⑤ 洪邁《夷堅甲志》卷十。

⑥ 商恪御批《續資治通鑑綱目》。

⑦⑧　王文誥《蘇文忠公詩編註集成》卷45。
⑨　《趙夔序》見《蘇軾詩集》附錄二。
⑩　《王十朋序》，見《蘇軾詩集》附錄二。
⑪　陸游《老學庵筆記》卷8。
⑫　元好問《歸潛志》卷1。
⑬　《四庫全書總目》卷167〈此山集〉提要。
⑭　許有壬《至正集》卷9。
⑮　《蘇長公合作》錢一清序。
⑯　王世貞《弇州人續話》卷42〈蘇長公外紀序〉。
⑰　王世貞《藝苑卮言》卷4。
⑱　湯賓尹《蘇集敘》。
⑲　《李溫陵集》卷4〈復焦秣陵〉。
⑳㉑　李贄《續焚書》卷1〈與焦弱侯〉。
㉒　焦竑《坡仙集》卷首《刻坡仙集抄引》。
㉓　袁宏道《識伯修遺墨後》引自《白蘇齋集前言》。
㉔　袁中道《阿雪齋前集》卷23〈答蔡觀察元履〉。
㉕　葉燮《原詩內篇》。
㉖　趙翼《甌北詩話》卷5。
㉗　蘇轍《欒城集》卷16〈神水館寄子瞻兄四絕〉（其三）。
㉘　王水照編《宋人所撰三蘇年譜彙刊》上海古籍出版社，1989年版。
㉙　見秦關根著《愛因斯坦》，轉引自淩飛雲編《蘇東坡逸事》，臺灣可築書房， 1991年版。

蘇軾生平與年表

皇帝	仁 宗						
干紀 支年	景祐 3 丙 子	景祐 4	寶元元年 戊 寅	寶元 2 己 卯	康定元年 庚 辰	慶曆元年 辛 巳	慶曆 2 壬 午
西元	1036	1037	1038	1039	1040	1041	1042
年齡	1	2	3	4	5	6	7
事迹	十二月十九日卯時生於四川縣紗縠行。父蘇洵(28歲)，母程氏。						始知讀書，聞天下有歐陽修、梅堯臣
附錄	王安石16歲，曾鞏18歲，文同19歲，歐陽修30歲，梅堯臣35歲，晏殊46歲，范仲淹48歲，張先47歲。	伯父蘇澹卒。	兄蘇景先卒。司馬光進士及第。是年十一月改元。趙元昊叛，稱大夏景帝。	二月二十日弟蘇轍生。	三月晏殊知樞密院事。九月任樞密使。父洵學成。	王安石參加禮部試。曾鞏入太學，受歐陽修禮遇。	眉州老尼90餘歲，爲軾誦花蕊夫人避暑摩訶池詞。

皇帝	仁 宗					
干紀 支年	慶曆 3 癸未	慶曆 4 甲申	慶曆 5 乙酉	慶曆 6 丙戌	慶曆 7 丁亥	慶曆 8 戊子
西元	1043	1044	1045	1046	1047	1048
年齡	8	9	10	11	12	13
事迹	入小學，以道士張易簡爲師，讀慶曆聖德符，私識韓琦，范仲淹、富弼、歐陽修。		父洵宦學四方，母程氏親授以書，讀《後漢書·范滂傳》奮而有當世志。父洵令擬	母程氏始僦居於紗縠行。東坡讀書於南軒。	五月十一日祖父序終，年75。八月父洵聞訃，自江南歸。父洵作名二	二月葬祖父序於眉山縣先塋之側。與弟蘇轍及家勤國兄弟同游學西社

			歐陽修謝表。		子說，懼軾不外飾，知轍免於禍。	劉巨。
附錄	歐陽修知諫院，富弼任樞密副使，范仲淹參知政事，韓琦任陝西宣撫使。	曾鞏、歐陽修推薦王安石。	黃庭堅生。	尹洙卒。		

皇帝	仁　宗						
干紀 支年	皇祐元年 己　丑	皇祐 2 庚　寅	皇祐 3 辛　卯	皇祐 4 壬　辰	皇祐 5 癸　巳	至和元年 甲　午	至和 2 乙　未
西元	1049	1050	1051	1052	1053	1054	1055
年齡	14	15	16	17	18	19	20
事迹			伯父渙爲祥符令。	與劉仲達往來於眉山。	父洵與其婿程立才（母之侄）絕交。	娶眉州青神王方之女弗爲妻。	作正統論三首，總論一，辯論二，辯論三，至成都訪張方平，方平以國士待之。遊成都勝相院，訪惟謖、惟簡二僧。
附錄	秦觀少游生。	柳永卒。	米芾、趙令時生。	范仲淹卒，年64歲。張耒、賀鑄生。	陳師道、晁補之、楊時生。	九月詔以張方平改戶部侍郎，移鎭西蜀。十一月至成都	弟轍娶史氏爲妻。晏殊卒，年65。

皇帝	仁　宗			
干紀 支年	嘉祐元年 丙　申	嘉祐 2 丁　酉	嘉祐 3 戊　戌	嘉祐 4 己　亥
西元	1056	1057	1058	1059
年齡	21	22	23	24

事迹	父洵上張方平書，言二子軾與轍於字文中有可觀者。三月父洵率，東坡與轍赴京秋試，過成都，出閬中，入鳳翔，出關中，至河南。五月抵京。七月東坡與弟轍等爲舉進士考試於開封景德寺。	正月應禮部試，名列第二。歐陽修、范鎮、梅摯、梅堯臣爲試官，三月仁宗親試，東坡兄弟并賜及第。四月八日母程氏終於眉山，蘇軾父子聞訃返蜀，葬母程氏於武陽安鎮山下。	在眉州居憂。十一月五日召父洵赴闕，試策論於舍人院，以病辭。十二月一日，父洵上皇帝書。	六月召命再下，父洵上歐陽修書。七月免喪，七月偕轍侍父洵自蜀還朝，舟行適楚。凡六十日，過郡十一，縣二十有六，十二月八日抵江陵驛，作南行集敘，留荊州度歲。是年長子邁生。
附錄	九月父洵上歐陽修書並上洪範史論七篇，父洵以雷簡夫書謁韓琦並上韓琦、富弼、文彥博、田況書。	王安石知常州。周邦彥生。	歐陽修爲龍圖閣學士知開封府。	

皇帝	仁　宗		
干紀 支年	嘉祐 5 庚　子	嘉祐 6 辛　丑	嘉祐 7 壬　寅
西元	1060	1061	1062
年齡	25	26	27
事迹	正月五日自荊州出發，過荊門、浰陽、渡漢水至襄陽、唐州、許州、葉縣。二月中抵京師，寓於西岡。是月授河南昌縣主簿，皆不赴。八月父洵除試校書郎。時詔求直言之士，歐陽修以才識兼茂薦東坡。	正月東坡與弟轍即舉制策，移居懷遠驛中。八月王安石等爲秘閣試官，東坡兄弟與試六論。九月御試對制策，東坡入三等，弟轍入四等。東坡父子名動京師，時號「三蘇」。告下，東坡以大理評事簽書鳳翔府判官事，弟轍除商州軍事推官，留京師侍父洵。十一月十九日東坡赴鳳翔任所。十二月十四日到鳳翔任所。時宋選知鳳翔府，選素有賢望，禮敬賓客，遇東坡尤厚。	在鳳翔任。二月受命出府，至寶雞、虢、郿、盩厔四縣。畢事後朝太平宮，遊延生觀、仙遊潭等地。減決囚禁，建喜雨亭成。九月病中，聞弟不赴商州。秋，希亮命東坡兼爲府學教授。
附錄	五月王安石召入爲三司度支判官，上萬言書，言治財之道，此其變法之始也。梅堯臣卒，年59。	七月伯父渙知漣水軍，未行前，擢提點利州路刑獄。	八月伯父渙卒，年62。

皇帝	仁宗	英宗		
干紀支年	嘉祐 8 癸卯	治平元年 甲辰	治平 2 乙巳	治平 3 丙午
西元	1063	1064	1065	1066
年齡	28	29	30	31
	在鳳翔任。二月以事至長安，三月過寶雞。宋選罷鳳翔任，陳希亮來代，與蘇軾不合。六月遇希亮四子慥，與論兵法，遂以訂交。七月禱雨磻溪，宿虢縣、渡渭、蟠縣、陽平、斜谷、下馬磧。九月至終南太平宮、谿堂讀道藏，遊扶風而歸。	在鳳翔任。正月與文同遇於歧下，遂訂交，十二日磨勘轉殿中丞，十七日罷簽判任，自鳳翔赴長安、驪山、華陰。在驪山與陳睦飲於朝元閣上，作驪山詩。與王彭善，王彭喜東坡文，並為東坡講佛法。	正月東坡還朝，差判登聞鼓院，英宗命召入翰林知制誥，韓琦不可。二月於學士院試二論，復入三等，得直史館。三月弟轍出爲大名府推官。五月妻弗卒於京師，年27。六月殯於京城之西。	正月在京師任。四月父洵編修書成，方奏未報，卒，年58。六月與轍具舟載喪歸蜀，通義君柩隨載而行。
	三月仁宗崩，四月英宗即位。			十一月英宗疾，十二月立穎王頊爲太子。

皇帝	英宗	神宗		
干紀支年	治平 4 丁未	熙寧元年 戊申	熙寧 2 己酉	熙寧 3 庚戌
西元	1067	1068	1069	1070
年齡	32	33	34	35
事	四月兄弟護喪還家，八月葬父洵於彭山縣安鎭鄉可龍里，與母程國夫人墓同穴。遵父洵遺命，葬通義君於合墓之西北八步。	服喪，七月服除，以禮葬杜氏姑。七月娶王介幼女潤之爲繼妻，潤之爲東坡亡妻之堂妹。十二月托家事於楊濟甫及堂兄蘇不危，與弟轍回朝。經成	正月在長安，董傳自二曲來謁，會於傳舍。東坡以殿中丞直史館抑置官告院。三月弟轍爲三司條例檢詳文字。四月聞董傳訃，爲經紀其喪。八月轍	在京師告院任。二月方平辟蘇轍爲陳州教授。三月呂惠卿知貢舉，東坡爲編排官，葉祖洽試策不合，竟以第一人及第。東坡憤甚，擬進士對御試策一道上之。三月送錢藻守婺州。七月

迹		都、閬中、鳳翔，在長安度歲。	罷。司馬光薦東坡為諫官。	送文同出守陵州。十二月次子迨生。
附錄	正月英宗崩。太子頊即位，為神宗。三月歐陽修知亳州，王安石江寧。蔡襄卒。	四月乙巳詔翰林學士，王安石越次入對。	二月富弼相，王安石參知政事，七月王安石行均輸法。八月蘇轍除為河南府推官。十月富弼罷相。	十二月王安石相，行保甲法及免役法。曾鞏卒越州。

皇帝	神　宗	
干支紀年	熙寧 4 辛　亥	熙寧 5 壬　子
西元	1071	1072
年齡	36	37
事迹	在京師任。正月王安石欲變科舉、興學校，詔兩制三館議之，東坡以為改變無益，乃上學校貢舉狀。神宗召見，問當時政令得失，東坡所對，王安石不悅。又上諫買浙燈狀，奏上，即召罷之。二月上神宗皇帝書，三月再上神宗皇帝書，奏上，皆不報。四月王安石贊神宗獨斷專任，東坡因試進士發策以晉武齊桓獨斷專任為問。王安石滋怒，使謝景溫論奏其過，東坡遂請外，通判杭州。六月以太常博士直史館，通守杭州。七月出京，赴陳州，與蘇轍相聚，訪李簡夫，與張耒、崔度初遇。九月離陳州，轍送至穎州，同謁歐陽修，陪燕西湖。十月出穎口，初見淮山、經壽州、濠州、臨淮、洪澤湖、泗州。十六日至山陽、揚州、與劉汾、孫洙、劉摯會錢公輔座上飲洒賦詩，渡江至潤州，過蘇州虎丘。十一月二十八日到杭州通判任。	在杭州任。是時四方行青苗法等，東坡常因法以便民。又高麗入貢使者凌蔑州郡，押伴使者，乘勢驕橫，東坡以義理服之，吏民畏愛。三月雨中遊明慶寺賞牡丹。四月遊天竺。七月發臨安遊徑山歸。八月為監試官，十八日觀潮。九月聞歐陽修訃，哭於孤山惠勤之宅。十月赴湯村運鹽河，雨中督役。十一月赴湖州，為孫覺作《墨妙亭記》。孫覺出黃庭堅詩文就質，東坡始異之。過道場山、何山、秀山、永樂而歸。三子過生。
附錄	六月歐陽修罷蔡州任，致仕。六月富弼罷，徙判汝州。	歐陽修卒於汝陰，年66。八月沈立罷杭州任，陳襄字述古來代。

皇帝	神 宗	
干紀 支年	熙寧 6 癸 丑	熙寧 7 甲 寅
西元	1073	1074
年齡	38	39
事 迹	在杭州任。正月及二月行部富陽、新城、風水洞、定山村、桐廬、過嚴陵瀨歸。三月行部於潛、昌化、溪源、臨安。陳襄至杭。六月六日至孤山，二十一日與陳襄遊石屋洞。七月二日至天竺弔惠辯。八月十五日觀潮，再遊風水洞，是月提點至臨安，遊徑山、玲瓏山、海會寺。九月初自徑山歸。十一月赴常州，過金閶，十二月至惠山，深夜宿常州城外。	在杭州任，正月一日過丹陽、潤州、京口、臨江，遊金山寺、蘇州、初遊宜興。三月至常州。五月至金閶，遊虎丘、吳江、秀州、臨平。六月自常潤還，過寶山。七月宿靈隱寺。八月十八日觀潮。以捕蝗至臨安。九月納侍妾錢塘人朝雲。東坡罷杭州通判任，權知密州。去杭，楊繪遠送，陳舜兪、張先皆從，同訪李常於常州。後至松江，夜飲垂虹亭。十月過金閶、常州、京口、登金山、經揚州、高郵、海州、瀕海以行。十一月三日到密州，上韓丞相論災傷手實書。十二月上論河北京東盜賊狀。
附 錄	晁補之始謁於新城。九月轍受李師中辟爲齊州掌書記。周敦頤卒。年57。	四月王安石罷知江寧府。韓絳同中書門下平章事。呂惠卿參知政事。五月哭錢公輔。七月陳襄罷杭州任，楊繪來代。

皇帝	神 宗	
干紀 支年	熙寧 8 乙 卯	熙寧 9 丙 辰
西元	1075	1076
年齡	40	41
事 迹	在密州任。三月遊廬山。禱雨常山作祭常山文。五月復旱，再禱常山。七月與劉庭式循古城廢圃求杞菊食之，作杞菊賦。七月常山廟成，爲文祭之，既返，與梅戶曹全獵鐵溝。十一月葺超然台，建快哉亭。	在密州。正月遷祠部員外郎，七日文勛摹秦篆刻石超然台上。是月治蓋公堂記。作蓋公堂記。三月流觴于南禪小亭。五月旱，禱于常山。聞陳舜兪訃，東坡甚哀之。九月詔移知河中府。十一月詔命下達，以祠部員外郎移知河中府。十二月上旬罷密州任，過安邱。除夜大雪，止濰州。
附 錄	二月復以王安石同平章事。六月二十八日韓琦卒，年68。七月呂惠卿以罪免，又罷其所創手實法。十一月趙伯成來密，爲通守。	十月二十三日，王安石罷相。吳克、王珪同平章事。馮京知樞密院。弟轍罷齊州掌書記回京師。

皇帝	神　宗	
干紀 支年	熙寧10 丁　巳	元豐元年 戊　午
西元	1077	1078
年齡	42	43
事迹	正月發濰州、青州、濟南。李常以詩來迎。東坡得黃庭堅詩文而得其爲人。初遇吳遠遊。二月發濟南、鄆州、澶濮間。弟轍自京師來迎，相約赴河中，因同至京師。抵陳橋驛告下，徙知徐州。至京，寓居于范鎭東園。爲長子邁娶婦。四月與弟轍過南京謁張方平于樂全堂，爲張方平作諫用兵書。四月二十一日到徐州任。六月與弟轍、顏復同遊百步洪。八月十五日偕轍泛舟呂洪。是時河決澶淵，二十一日水及徐州城下，東坡親率築堤人救城，十五日水漸退。十二月秦觀始謁東坡。	在徐州任。二月四日降敕獎諭，賜錢發粟，因改築徐州外小城，並築黃樓，作獎諭敕記，刻于石，及作防河錄。三月李常來訪。四月秦觀赴京應試，過徐州謁東坡，八月十一日黃樓成。十二日長孫簞生。九月九日大合樂於黃樓以落之，以弟轍所作黃樓賦刻諸石。十月上神宗皇帝書，云徐州爲京東安危所寄之地，乞移兵守衛。
附錄	是年十二月改元元豐。邵雍卒。張載卒。	正月朔以王安石爲集禧觀使封舒國公。正月文同自洋州解還，次于陳州。張先卒，年89。

皇帝	神　宗
干紀 支年	元豐2 己未
西元	1079
年齡	44
事迹	正月在徐州任。七月獵城南，又正月底與畢仲孫、舒渙、蘇邁遊桓山。上乞醫療病囚狀。二月聞文同訃書，爲文祭之。三月罷徐州任。三月十日抵南京過張方平樂全堂。三十日別子由，二十七日至靈壁鎭。四月過泗州，渡淮水至高郵，與道潛、秦觀相會。遂同往。過揚州。遊平山堂，金山、渡京口，遊惠山、吳江、秀州。是月二十一日，到湖州任。七月御史何正臣、舒亶、李定及國子博士李宜之，以東坡詩文表語多譏切時事，乃摭之送御史台根勘。七月二十八日台吏皇甫遵到湖州追攝。東坡就捕，長子邁徒步相隨，掌書記陳師錫出而餞之。八月十八日赴台獄，李定等必欲置之死。十月十五日皇太后曹氏聞東坡以詩得罪下獄，命神宗熟視之。十一月具獄。十二月二十九日責受尙書水員外郎充黃州團練副使，本州安置，不得簽署公事。
附錄	是年王安石致仕。七月張方平致仕。七月無頗權湖州。十二月轍亦坐貶筠州酒稅。

皇帝	神　宗	
干紀 支年	元豐 3 庚　申	元豐 4 辛　酉
西元	1080	1081
年齡	45	46
事 迹	正月一日與子邁出京。四日至陳州，弔文同喪。十日弟轍自南都來會，過蔡州、新息、渡淮、經光山、渡關山、麻城、故縣。二十五日岐亭山，陳慥來迎。二月一日到黃州貶所。徐大受禮遇甚殷。寓居定惠院，閉門靜思自新之方。五月弟轍護送東坡妻子等將至黃州，二十七日舟次磁湖遇大風不能進。次日東坡至巴口迎之。二十九日遷居臨皐亭。六月與弟轍遊武昌。八月六日夜與徐大受飲涵輝樓。九日獨遊赤壁。十月李常自舒州來訪。	在黃州。正月滕元發自池州徙安州，來訪。十二日訪陳慥于岐亭。二月馬正卿爲請營地數十畝，躬耕其間。五月五日過徐大受飲。六月陳慥來訪。十二月一日至岐亭會李常，常至，留數日，爲陳慥作方山子傳。
附 錄	二月章惇參知政事。三月吳充罷。八月乳母卒，年72。	三月章惇罷參知政事。

皇帝	神　宗	
干紀 支年	元豐 5 壬　戌	元豐 6 癸　亥
西元	1082	1083
年齡	47	48
事 迹	在黃州。正月二日宜都令朱嗣先來謁。二月得廢圃于東坡之旁，因築于大雪中，乃繪雪于正堂之壁，號曰雪堂。始自號東坡居士。三月遊沙湖、蘄水、麻橋，遊清泉寺，飲王羲之洗筆泉。四月上文彥博書。米芾來謁，觀所藏吳道子畫釋迦佛，東坡畫竹贈之。五月以怪石供佛印。七月十六日泛舟赤壁，作赤壁賦。八月十五日又作念奴嬌・赤壁懷古。十月十五日自雪堂歸臨皐，復遊赤壁，作後赤壁賦。十二月十九日生日置酒赤壁磯下，李委吹笛賀之。	在黃州。正月三日點燈會客。巢谷自蜀來訪。三月寒食日，與郭遘渡寒詞溪。吳亮提壺野飲。五月南堂成。陳慥同王長官來訪。是月送別徐大受。六月患目疾，九月二十七日朝雲生男遯，小名幹兒。十月十二日夜遊，尋張夢得，作承天寺夜遊。十一月九日爲孟震跋轍所作君子泉銘。十二月巢谷歸眉山。
附 錄	四月章惇門下侍郎。李清照生。歐陽發卒。	四月徐大受罷黃州任。四月十二日曾鞏卒于臨川，年65。富弼卒于洛陽，年80。十一月徐大受卒于道中。

皇帝	神 宗
干紀 支年	元豐 7 甲 子
西元	1084
年齡	49
事迹	正月詔移汝州。三月聞命。三月三日與參寥、徐大正等遊定惠院。三月九日與王齊愈書辭別。四月一日將自黃移汝，留別雪堂鄰里二三子，王齊愈、齊萬、陳慥等皆集。參寥、趙吉并從行。渡江過武昌。四月十四日至慈湖訪吳子上，王齊愈等人告別慈湖，陳慥獨送至九江。與參寥遊廬山。五月一日至海昏，與王適遇于道中。過奉新、建山寺至筠州，寓于轍之東軒。九日還至奉新，九江，六月參寥告別。九日邁赴饒之德興尉，送至湖口，同遊石鐘山。十一日經池州，二十三日遊蕪湖。七月舟行至當塗，抵金陵，訪王安石於蔣山，安石以修三國志爲託。二十八日第四男遯病亡。八月數見安石于蔣山，論西夏用兵東南大獄事。與金陵守王益柔遊蔣山。十四日與益柔同赴儀眞。滕元發乘舟來迎，適許遵、秦觀至，遂會于金山。九月買宜興田，渡江至京口、毗陵、宜興。十六日還至京口，渡江至揚州。十月十九日上乞常州居住表，不奏。至高郵與秦觀會，飲別淮上。十二月一日抵泗州，十八日浴雍熙塔下。除夕在泗州度歲。
附錄	十二月司馬光資治通鑑完成。王定國自賓州謫地歸。

皇帝	哲 宗	
干紀 支年	元豐 8 乙 丑	元祐元年 丙 寅
西元	1085	1086
年齡	50	51
事	正月一日雪中過淮。四日發泗州。再上乞常州居住表。二月至南京謁張方平。奉放歸陽羡之命。四月三日自南京還。五月一日經揚州。是月告下，復朝奉郎，起知登州軍州事。過潤州、眞州。七	正月以七品服入侍延和殿。閏二月八日到中書舍人。五月行王安石贈太傅敕。六月行呂惠卿安置建寧責詞。八月四日乞不給散青苗錢解狀。九月十二日遷翰林學士知制誥，弟轍除起居郎。十一月弟轍除中書

迹	月二十五日與杜介遇于金山。八月二十七日過揚州，九月抵楚州過泗上。十月至海州，漣水、懷仁、密州。十月十五日到登州任上，十月二十日告下，以禮部郎中召還。遂罷登州化。十一月二日別登州，過萊州、青社，過濟南、鄆州、南都，抵京師，至禮部郎中任。因議免役法，與司馬光之政相左，是月遷起居舍人。	舍人。二十九日召試學士院，拔畢仲遊、、黃庭堅、張耒、晁補之，並擢館職。十二月十八日左司諫朱光庭就學士院試館職策題，有諷議先朝之語，論考官東坡不忠之罪。東坡上扎自辯。後御史中丞傅堯兪、御史王宕叟亦附從朱光庭上疏論蘇東坡不當。殿中御史呂陶救之。
附錄	弟轍至績溪縣任。三月五日神宗崩，哲宗即位。五月司馬光任門下侍郎。七月一日司馬光荐東坡兄弟。八月弟轍除校書郎又除右司諫。	是年正月改元。正月轍至京，到右司諫任。四月七日王安石卒，年66。九月一日司馬光卒，年68。

皇帝	哲　宗	
干紀 支年	元祐 2 丁　卯	元祐 3 戊　辰
西元	1087	1088
年齡	52	53
事迹	在京師翰林院。正月與傅堯兪、王巖叟、朱光庭等不合，四上札請外。二十三日詔令供職。七月韓維罷，朔黨以東坡爲蜀黨。七月告下兼侍讀。十一月九日弟轍除戶部侍郎。是月上舉黃庭堅自代狀。十二月召試學士院，拔寥正一等置館職。	在京師翰林院。正月東坡與吏部侍郎孫覺、中書舍人孔文仲同權知禮部貢舉。二十一日與孫覺辟黃庭堅、晁補之、張耒等參詳點檢試卷等官，同入寺院。二月三日試禮部進士。三月榜出，李薦落第，爲詩送之。東坡自爲翰林學士後，爲朱光庭等攻擊不已。上乞罷學士除閒慢差遣札子。五月一日與轍同轉對。六月陳慥來訪。八月同弟轍、孫敏行、秦觀遊相國寺。十月再引疾乞外，不許。十一月一日臥病逾月，請郡不許，復値玉堂。
附錄	范鎭卒，年81。	三月韓絳卒，年77。楊繪卒。

皇帝	哲　宗	
干紀 支年	元祐 4 己　巳	元祐 5 庚　午
西元	1089	1090
年齡	54	55
事迹	正月在京師。二月上乞越狀。三月十一日除龍圖閣學士知杭州，尋以弟轍代其爲翰林學士。四月出京。五月至南京謁張方平。六月陳師道見東坡于南都，從至宿州始別。渡淮，過山陰、潤州、湖州。七月五日到杭州任。十月王箴、仲天貺自蜀來訪。十一月上乞賑浙西六州狀。	在杭州任。正月減價糶常平米，以濟去歲大寒。二月仲天貺、王箴辭歸蜀。四月二十日興築茅山、鹽橋二河堰閘。重使僧子珪修復六井。二十九日上乞度牒開西湖狀。五月五日申三省，起省開西湖六條狀。六月上應詔論事狀。七月十五日上浙西六州災傷第一狀，二十五日奏第二狀。八月西湖開成，取葑田，積爲長堤八百八十丈，以通南北，中跨六橋，以疏諸港之水。復立三塔，以限菱田。橋上置九亭以便行人。沿堤便植芙蓉楊柳，杭人稱蘇公堤。九月至十二月，四次上相度賑濟六州狀。十二月深夜庭事蕭然，三圄皆空。
附錄	六月弟轍除吏部改翰林學士兼吏部尚書。八月轍爲賀遼使。十二月轍自契丹歸。	五月轍爲御史中丞，十二月爲龍圖閣學士。二月孫覺卒，年63。十月迨、過以詩賦解兩浙路將赴禮部試。

皇帝	哲　宗
干紀 支年	元祐 6 辛未
西元	1091
年齡	56
事迹	正月在杭州任。二月以翰林學士承旨詔還，罷杭州任。三月九日離開杭州，赴湖州、德清、吳江、蘇州。四過潤州、揚州、高郵，沿途親察各地災情。五月至南京，謁張方平。元月一日再入學士院，四日詔兼侍讀。七月六日上論朋黨之患，再乞郡札。八月再乞郡。轍亦上乞同出狀。八月八日以龍圖閣學士知潁州，別轍出京，二十二日到潁州任。十月以潁民苦飢，乞留黃河夫修境內溝洫狀。
附錄	二月弟轍爲尙書右丞，六月轍三上乞避兄札，朝旨不許。遂遷東府與轍同居，邁受河間令。十一月八日弟轍罷，知絳州。十二月二日張方平卒。年85。

皇帝	哲　宗
干紀 支年	元祐 7 壬申
西元	1092
年齡	57
事	正月移鄆州，尋改揚州。二月告下，以龍圖閣學士知揚州。三月初去穎州，遊塗山、荊山，經濠州、秦州，十二日抵泗州。時晁補之通判揚州，以詩來迎，答詩，作韓愈廟碑。過山陽。三月十六日到揚州任。五月十六日上論積欠事並乞檢會應召所論四事一處行下狀，六月十六日上再論積欠六事四事札子。七月詔免積欠。八月五日上乞罷稅務歲終賞格狀。九月召爲兵部尚書兼侍讀。尋又遷禮部兼端明殿侍讀學士。九月初離開揚州，經靈溪、都梁、宿州、靈壁鎮、南都，過張方平樂全堂，爲文祭之。十一月十二日東坡爲鹵簿使，上乞越州札子，不允。告下，遷端明殿學士兼翰林侍讀學士，守禮部尚書。十二月到任。
附 錄	六月九日弟轍拜門下侍郎，即參知政事。時晁補之爲揚州通判。

皇帝	哲　宗	
干紀 支年	元祐 8 癸　酉	元祐 9　紹聖元年 甲　戌
西元	1093	1094
年齡	58	59
事迹	正月在禮部尚書任。八月乞越州，詔不允。八月一日繼室王潤之卒于京師，年48。九月十三日告下，以端明殿學士兼翰林學士知定州，罷禮部尚書任。九月奏辟李之儀及孫敏行爲簽判。二十六日上朝鮮赴定州論事狀。二十七日至東府與轍相別，出都，經雍邱，米芾來迎，留一日。十月經相州、眞定。邁罷河間令，遂從行。二十三日到定州任。	正月在定州任。四月十一日東坡謫知英州。即去定州，過眞定，告下降充右承議郎，仍知英州。經臨城、內邱、湯陰，經滑州、韋城、渡河，經陳留。視轍于汝州。別轍回至陳留，舟行至雍邱。五月過汴口，與晁補之飲別。過泗州、山陽、高郵、揚州，遣邁歸宜興、泊儀眞，阻風小留。六月七日泊舟江陵。時章淳、蔡京、來之邵等復議東坡之罪，六月二十五日抵當塗，告下，落左承議郎責授建昌軍司馬，惠州安置，不得簽署公事。東坡使迨以家從長子邁居，乃攜幼子過及妾朝雲赴惠州。七月過湖口、九江、廬山、南康、都昌，八月過分風浦、豫章、過豐城、廬陵抵處州，度大庾嶺，過南雄、始興、韶州、曹溪、英州，十月二日到惠州貶所，初寓合江樓，十八日遷居嘉祐寺。
附 錄	九月三日太皇太后崩，十月哲宗親政。七月秦觀始爲正字兼國史院編修官。	三月弟轍以端明殿學士謫汝州。詹範守惠州。

皇帝	哲 宗	
干紀 支年	紹聖 2 乙 亥	紹聖 3 丙 子
西元	1095	1096
年齡	60	61
事迹	在惠州。正月二十四日與子過等遊羅浮道院。三月二十宜興卓契順徒前來惠，參寥專使至。程之才七日來訪，相得極歡，前郤盡釋。十六日追餞程之才于博羅相積寺。三月十日遷居合江樓，王厚來訪。四月張耒遣兵王告來訪問。五月用鄭守安議，與程之才、傅才元、詹範籌建惠州東西兩新橋。又建議程之才，使添建營房三百餘間，以肅軍政。七月痔作。十一月張耒使至，始知坐黨使宣州。	在惠州。三月二日卓契順將子邁書至。三月得歸善縣後隙地數畝，乃古白鶴觀基地，將築室其上。四月二十日復遷嘉祐寺。五月翟東玉將赴龍川令任，求秧馬法。六月江岸船橋成名東新橋。湖岸樓橋成，名西新橋。王序及王庠專使自蜀至。七月五日妾朝雲病亡，年34。八月三日用朝雲遺言，葬于豐湖棲賢寺東南松林中。寺僧建亭覆之，榜曰六如亭。十一月王古來訪。十二月王古作管，引蒲澗水。再與議通塞車。
附錄		九月詹範罷惠州任。方子容來訪。

皇帝	哲 宗
干紀 支年	紹聖 4 丁 丑
西元	1097
年齡	62
事迹	正月在惠州，聞長子邁攜家累已至虔州，將來惠州，遣幼子過迎于循州。二月十四日白鶴峰新居成，自嘉祐寺遷入。閏二月二十日責授瓊州別駕，昌化軍安置。時東坡尚不知朝庭有此新命，閏二月長子邁攜簞、符諸孫至惠州，意頗欣然。三月間弟轍責授化州別駕，雷州安置。四月十七日聞責授瓊州別駕，昌化軍安置之命，十九日置家惠州，遂挈幼子過起程。五月抵梧州，聞弟轍尚在藤州，遂同行。六月五日至雷州。七月二日到昌化軍貶所，初僦居官屋倫江驛。十二月檢所和陶詩一百零九篇，爲書告轍，使爲敘。
附錄	時張中爲儋州軍使，五月文彥博卒。

皇帝	哲宗	
干紀支年	紹聖5 元符元年 戊寅	元符2 己卯
西元	1098	1099
年齡	63	64
事迹	在儋州。四月提舉湖南常平董必察訪廣西，至雷州，遣人過海。逐出官舍倫江驛，因偃息桄榔林下，就地築室，儋人助之。五月屋成，名曰桄榔庵。居鄰天慶觀，摘葉書銘，以記其處。七月聞弟轍徙循州，東坡慮僦屋之難，令過惠日，留家累與邁同住。九月四日遊天慶觀。十二日參寥書至，欲自杭浮海來儋訪問，止之。	在儋州。正月十五日，與老書生步月城西，三鼓乃還。三月初送張中。五月鄭嘉會舶書至，使過編排整齊，以須異日歸還。十月鄭清叟自惠州渡海來訪。十一月張中行告行。十二月張中行來別，夜坐達曉，作三送張中，和陶淵明答龐參軍詩。
附錄	六月一日改元元符。八月弟轍至循州。范祖禹卒，年58。	五月以前參寥已還俗，編管兗州。

皇帝	徽宗
干紀支年	元符3 庚辰
西元	1100
年齡	65
事迹	正月在儋州。三月劉沔編錄公詩文二十卷以正，報書。三月二十一日姜唐佐辭行，東坡書柳宗元詩二首贈別。四月得秦觀書。時秦觀編管雷州。四月易傳、書傳、論語傳成。五月秦觀報東坡將徙廉州。告下仍以瓊州別駕，徙廉州安置。聞弟轍已徙岳州。與秦觀期于徐聞縣相晤。六月往別符黎諸生，儋人爭致餽遺，沿途送別，遂與幼子過行。至瓊州。六月二十日夜渡海，抵徐聞縣，與秦觀等會。六月二十四日夜往廉州（合浦）。八月聞中子迨自毗陵（常州）渡嶺將達惠州。八月告下，遷舒州團練副使，永州居住。八月二十九日與幼子過離廉州。九月六日至鬱林，聞秦觀卒于藤州，大慟，痛當世失第一流文人。過藤州，九月十七日至梧州。九月二十四日過康州。遊三州岩，抵廣州。十月邁、迨挈家至，十一月發廣州，十四日過清遠峽。至英州得旨，復朝奉郎提舉成都玉局觀，在外軍州任便居住。十二月七日抵韶州，十二日發韶州，南雄道中，因腹疾，留調度歲。
附錄	正月十二日哲宗崩，徽宗即位。二月二十六日弟轍量錄永州。七月皇太后還政，徽宗親政。八月十二日秦觀卒，年52。

皇帝	徽 宗
干紀 支年	建中靖國元年 辛 巳
西元	1101
年齡	66
事迹	正月三日抵南雄。四日發大庾嶺，至龍光寺，發南安，過南康，抵虔州。三月聞章淳貶雷州司戶參軍，本州安置，驚嘆彌日。三月二十一日書秦觀在虔州所作詞付儂沔。發虔州，下廬陵，至永和遊清都觀。四月過豫章，將至九江，與劉安世等遊廬山。至九江遊慈湖山。四月十六日過湖口，二十四日抵當塗。五月一日至金陵，時弟轍來書，望東坡赴許昌同住。東坡不忍違其意，欲自淮、泗、溯汴至陳留出陸，命邁、迨往宜興搬挈，會于儀眞。東坡決意歸常眞定居，因復弟轍書。六月一日與米芾會于白沙東園，同米芾遊西山。時方酷暑，飲冷過度，夜中暴下，俄而瘴毒大作。遂作書囑弟轍曰：即死，願葬嵩山下。疾稍減，杖而能行。六月十一日，米芾來辭，東坡強起送之。六月十五日舟赴常州，至奔牛埭，錢世雄來迎，東坡以後事相托，惟以不復一見弟爲憾，並以易書論付世雄藏之。抵常州，居于孫館。七月十四日疾稍增，十八日命子邁、迨、過侍側，謂曰：吾生無惡，死必不墜也。七月二十八日湛然而逝，享年66。
附錄	張耒時守穎州，聞訃，用唐人服座主緦麻三月，坐貶黃州安置、陳師道在京聞訃，亦卒。

皇帝	徽 宗
干紀 支年	崇寧元年 壬 午
西元	1102
年齡	
事迹	四月轍命過留毗陵伴喪，命邁、迨往京城道院告遷同安君柩，二十三日迎至穎州嵩陽精舍，以待合襯。 五月一日，邁、迨、過護喪到穎昌，轍迎公柩。 六月轍遵遺囑，撰東坡先生墓誌銘。 閏六月二十日轍合葬兄嫂于汝州郟城縣釣台鄉上瑞里嵩陽峨嵋山。
附註	上列年表，參照下列資料：日本藤光男著《蘇東坡》一書中〈蘇東坡年譜〉（見《漢詩大系》17，昭和58年6月20日出版）、日本小川環樹著《蘇軾年譜》、王文誥編《蘇文忠公詩編註集成總案》、施宿編撰《東坡先生年譜》、王宗稷編《東坡先生年譜》、傅藻編纂《東坡紀年錄》。

引用書目

周易大傳今注	高 亨	齊魯書社 1979年版
四書集注	朱 熹	中華書局 1957年版
論語譯注	楊伯峻	中華書局 1958年版
孟子譯注	楊伯峻	中華書局 1960年版
莊子集釋	郭慶藩	中華書局 1961年版
宋史	脫脫等	中華書局 1977年版
宋史紀事本末	陳邦瞻	中華書局 1977年版
宋元學案	黃宗羲等	中華書局 1986年版
四庫全書總目提要	永瑢等	中華書局 1965年版
宋人軼事彙編	丁傳靖等	中華書局 1981年版
歐陽文忠公集	歐陽修	四部叢刊本
歸田錄	歐陽修	說郛
嘉祐集	蘇 洵	四部叢刊本
王臨川集	王安石	世界書局版
王安石評傳	梁啓超	世界書局版
王荊公年譜考略	蔡上卿	上海人民出版社
蘇東坡全集	蘇 軾	世界書局
蘇軾文集	蘇 軾	中華書局 1986年版
蘇軾詩集	蘇 軾	中華書局 1982年版
經進東坡文集事略	郎 曄	香港中華書局 1979年版
東坡志林	蘇 軾	叢書集城
東坡題跋	蘇 軾	津逮叢書
蘇沈良方	蘇 軾	知不足齋叢書
仇池筆記	蘇 軾	龍威叢書

欒城集錄	蘇　軾	四部叢刊本
欒城後集錄	蘇　軾	四部叢刊本
欒城三集	蘇　軾	四部叢刊本
斜川集	蘇　過	四部備要
山谷先生詩集註	黃庭堅	世界書局
豫章先生文集	黃庭堅	四部叢刊
淮海集	秦　觀	四部叢刊
宛邱集	張　耒	四部叢刊
雞肋集	晁補之	四部叢刊
張耒集	張　耒	中華書局　1975年版
後山集	陳師道	四部叢刊
參寥子集	道　潛	四部叢刊
蘇詩補註	翁方綱	粵雅堂叢書
蘇文忠公詩合註	馮應榴	清乾隆五十八年馮氏
東坡年譜	馮應榴	家刊本，踵息齋藏版
蘇文忠公詩編註集成總案	王文誥	巴蜀書社　1985年版
眉山詩案廣證	張鑑秋	清光緒江蘇書局
蘇東坡	日本近藤光男	集英社　1964年版
東坡先生年譜	施宿	全集附
宋人所撰三蘇年譜	王水照編	上海古籍出版社　1989年版
蘇東坡軼事匯編	顏中其	岳麓書社　1984版
蘇東坡傳	林語堂	遠景出版社　1977版
東坡樂府箋	龍沐勛	商務印書館
東坡事實	梁廷楠	光緒五年刻本
師友談記	李　廌	學津討原本
春渚紀聞	何　薳	中華書局　1983年版
麈史	王得臣	上海古籍出版社　1986年版
桯史	岳　珂	中華書局　1981年版
石林燕語	葉夢得	中華書局　1984年版
清波雜志	周　煇	知不足齋叢書本

石門題跋	惠　洪	津逮叢書
捫蝨新話	陳　善	寶顏叢書
貴耳集	張端義	津逮叢書
容齋隨筆	洪　邁	上海古籍出版社　1978年版
宋朝事實類苑	江少虞	上海古籍出版社　1981年版
苕溪漁隱叢話	胡　仔	人民文學出版社　1981年版
澠水燕談錄	王闢之	中華書局　1982年版
朱子語類	黎靖德	中華書局　1986版
冷齋夜話	惠　洪	叢書集成初編本
能改齋漫錄	吳　曾	上海古籍出版社　1979年版
晦菴題跋	朱　熹	學津叢書
鶴林玉露	羅大經	中華書局　1983年版
野客叢書	王　楙	中華書局　1987年版
邵氏聞見錄	邵伯溫	中華書局　1983年版
邵氏聞見後錄	邵　博	中華書局　1983年版
老學菴筆記	陸　游	中華書局　1979年版
吹劍錄全篇	俞文豹	古典文學出版社　1958年版
獨醒雜志	曾敏行	上海古籍出版社　1986年版
梁谿漫志	費　袞	上海古籍出版社　1985年版
青箱雜記	吳處厚	中華書局　1985年版
鐵圍山叢談	蔡　絛	中華書局　1983年版
泊宅編	方　勺	中華書局　1983年版
元城語錄	劉安世	畿輔叢書本
侯鯖錄	趙令畤	知不足齋叢書本
避暑錄語	葉夢得	津逮祕書本
曲洧舊聞	朱　弁	知不足齋叢書本
烏台詩案	朋九萬	叢書集成初編本
東坡詩話錄	陳秀明	學海類編本
東坡文談錄	陳秀明	學海類編本
蘇長公外紀	王世貞	明燕石齋刻本

焚書　續焚書	李　贄	中華書局　1975年版
詞苑叢談	徐　釚	海山仙館叢書本
全宋詞	唐珪璋	中華書局　1980年版
坡門酬唱集	邵　誥	文淵閣書　　本
歷代詩話	何文煥	中華書局　1981年版
歷代詩話續編	丁福保	中華書局　1983年版
詞話叢編	唐圭璋	中華書局　1986年版
藝概	劉熙載	上海古籍出版社　1978年版
管錐篇	錢鍾書	中華書局　1979年版
談藝錄	錢鍾書	中華書局　1984年版
宋詩選註	錢鍾書	人民文學出版社　1958年版
十九世紀文學主流	丹麥・勃蘭克斯	人民文學出版社　1984年版
藝術哲學	法・丹納	人民文學出版社　1983年版
中國藝術精神	徐復觀	春風文藝出版社　1988年版
唐宋詞通論	吳熊和	浙江古籍出版社　1985年版
蘇軾文選	石聲淮・唐玲玲	上海古籍出版社　1988年版
東坡樂府編年箋注	石聲淮・唐玲玲	臺北　華正書局　1993年版
東坡樂府研究	唐玲玲	四川　巴蜀書社　1992年版
蘇軾資料彙編（古典文學研究資料彙編）		中華書局　1984年版